LES
ŒUVRES
COMPLETES
DE
VOLTAIRE

47

VOLTAIRE FOUNDATION
OXFORD
1999

THE
COMPLETE
WORKS
OF
VOLTAIRE

47

VOLTAIRE FOUNDATION

OXFORD

1999

ISBN volumes 46-47: 0 7294 0568 0
ISBN ce volume: 0 7294 0718 7

Voltaire Foundation Ltd
99 Banbury Road
Oxford OX2 6JX

PRINTED IN ENGLAND
AT THE ALDEN PRESS
OXFORD

direction de l'édition

1967 · THEODORE BESTERMAN · 1974

1974 · W. H. BARBER · 1993

1989 · ULLA KÖLVING · 1998

1998 · HAYDN MASON

sous le haut patronage de

L'ACADÉMIE FRANÇAISE

L'ACADÉMIE ROYALE DE LANGUE ET DE
LITTÉRATURE FRANÇAISES DE BELGIQUE

THE AMERICAN COUNCIL OF LEARNED SOCIETIES

THE BRITISH ACADEMY

L'INSTITUT ET MUSÉE VOLTAIRE

L'UNION ACADÉMIQUE INTERNATIONALE

réalisée avec le concours gracieux de

THE NATIONAL LIBRARY OF RUSSIA
ST PETERSBURG

directeur de l'édition pour ce volume

ULLA KÖLVING

préparé pour l'impression par

MARTIN SMITH

Histoire de l'empire de Russie sous Pierre le Grand

édition critique

par

Michel Mervaud

avec la collaboration de
Ulla Kölving, Christiane Mervaud
et Andrew Brown

SECONDE PARTIE

CHAPITRE PREMIER

Campagne du Pruth. [1]

Le sultan Achmet III déclara la guerre à Pierre Ier; [2] mais ce n'était pas pour le roi de Suède; c'était, comme on le croit bien, pour ses seuls intérêts. Le kam des Tartares de Crimée voyait avec crainte un voisin devenu si puissant. La Porte avait pris ombrage de ses vaisseaux sur les Palus-Méotides, et sur la mer Noire, de la ville d'Asoph fortifiée, [3] du port de Taganrok déjà célèbre; enfin de tant de grands succès, et de l'ambition que les succès augmentent toujours.

Il n'est ni vraisemblable, ni vrai, que la Porte-Ottomane ait fait la guerre au czar vers les Palus-Méotides, parce qu'un vaisseau suédois avait pris sur la mer Baltique une barque, dans laquelle on avait trouvé une lettre d'un ministre qu'on n'a jamais nommé. Norberg a écrit que cette lettre contenait un plan de la conquête de l'empire turc, que la lettre fut portée à Charles XII en Turquie, que Charles l'envoya au divan, et que sur cette lettre la guerre fut

---

3   63, 65, к: Le kan des [*passim*]
6   63, 65:   Azoph [*passim*]
     63-w68:   Taganroc [*passim*]

---

[1] Pour ce chapitre, Voltaire s'est servi du Journal de Pierre le Grand, qu'il considérait toutefois comme insuffisant. En dehors du Journal, il ne semble pas avoir reçu de documents de Pétersbourg sur l'affaire du Prut.

[2] Le 21 novembre/2 décembre 1710.

[3] Voltaire avait d'abord écrit 'de son port d'Azov'. Il a corrigé son manuscrit après que Müller lui eut signalé qu'Azov était la forteresse et que le port était à Taganrog (Š, p.407).

7. Plan de la bataille du Prut, de l'édition 'encadrée', sigle w75G.
Taylor Institution, Oxford.

déclarée. [4] Cette fable porte assez avec elle son caractère de fable. Le kam des Tartares plus inquiet encore que le divan de Constantinople, du voisinage d'Asoph, fut celui qui, par ses instances obtint qu'on entrerait en campagne. (a)

(a) Ce que rapporte Norberg sur les prétentions du Grand-Seigneur [5] n'est ni moins faux ni moins puéril: il dit que le sultan Achmet envoya au czar les conditions auxquelles il accorderait la paix, avant d'avoir commencé la guerre. Ces conditions étaient, selon le confesseur de Charles XII, de renoncer à son alliance avec le roi Auguste, de rétablir   5 Stanislas, de rendre la Livonie à Charles, de payer à ce prince argent comptant ce qu'il lui avait pris à Pultava, et de démolir Pétersbourg. Cette pièce fut forgée par un nommé Brazey, auteur famélique d'une

[4] Nordberg cite en note une relation écrite à Breslau le 28 février 1711 sur le rapport du lieutenant-colonel Bucholtz, parti de Bender le 31 décembre 1710: 'Pour faire comprendre pourquoi le roi de Suède traite les Turcs avec tant de hauteur, il faut qu'on sache qu'il leur a mis devant les yeux leur ruine prochaine en leur faisant voir des lettres et autres pièces qu'il a interceptées, dont ils ont été tellement effrayés qu'ils ont sur-le-champ pris la résolution de déclarer la guerre à la Russie' (ii.410-11, n.b). Müller fait état par ailleurs d'un 'fort ample mémoire' qui selon Nordberg aurait été présenté à Moscou par un ministre étranger (Š, p.408). Cette prétendue lettre d'un 'ministre étranger', en quatre points, conseille de ménager la Porte, mais estime que rien n'empêchera la Russie de se rendre maîtresse de l'Ukraine et de la Crimée et d'aller mouiller devant Constantinople, que la Porte accordera alors au tsar ce qu'il demande, et que la Russie sera seule en possession de tout le commerce que les autres nations font avec la Perse, la Chine, les Indes et même le Levant (Nordberg, ii.410-12). Müller ajoute que si Voltaire 'croit devoir relever l'absurdité de ce conte, il ne seroit pas hors de propos d'en nommer l'auteur'. Le manuscrit de Voltaire a sans doute été modifié après ces indications.
[5] Müller signale que Nordberg en parle sur le rapport des *Mémoires* de Brasey, qui dit que Gerhard Johann Löwenvolde, plénipotentiaire de Pierre en Livonie, les lui avait confiés 'dans ses quarts d'heure de plaisir qu'ils avoient passés ensemble'. Tout cela est faux, comme plusieurs choses que Brasey débite sur la Russie (Š, p.408). Les *Mémoires politiques, amusans et satiriques* de Jean-Nicole Moreau de Brasey, en trois tomes, avaient paru à Amsterdam en 1716, puis en 1735. Voltaire a apparemment tenu compte des observations de Müller. Selon Nordberg, le sultan aurait publié et envoyé au tsar un manifeste de novembre 1710 reprochant à Pierre de ne pas tenir ses engagements, notamment en faisant construire de grandes forteresses sur les frontières de la Crimée. A cette déclaration était joint un écrit

La Livonie n'était point encore tout entière au pouvoir du czar, quand Achmet III prit dès le mois d'août la résolution de se déclarer. Il pouvait à peine savoir la reddition de Riga. La proposition de rendre en argent les effets perdus par le roi de Suède à Pultava, serait de toutes les idées la plus ridicule, si celle de démolir Pétersbourg ne l'était davantage. Il y eut beaucoup de romanesque dans la conduite de Charles à Bender; mais celle du divan eût été plus romanesque encore, s'il eût fait de telles demandes.

Novembre.   Le kam des Tartares qui fut le grand moteur de cette guerre,[6] alla voir Charles dans sa retraite. Ils étaient unis par les mêmes

20

25

30

---

feuille intitulée *Mémoires satiriques, historiques et amusants*. Norberg puisa dans cette source. Il paraît que ce confesseur n'était pas le confident de Charles XII.

---

contenant les prétentions du Grand Seigneur et les conditions auxquelles il voulait faire la paix (Nordberg, ii.413-15). Voltaire n'a relevé que cinq des sept conditions attribuées au sultan. Il a sauté le premier point – faire démolir les forteresses et rendre Azov avec ses dépendances – et le dernier – retirer la flotte de Voronej et en faire sortir la garnison afin que Pierre ne pût rien entreprendre sur la mer Noire.

[6] Les intrigues en Turquie des agents de Charles XII, Stanislas Poniatowski et Martin Neugebauer, furent sans doute décisives. Mais Voltaire a raison de souligner le rôle du khan de Crimée, Devlet Gerey, qui, privé de son droit de tribut par le traité de 1700, brûlait de reprendre les razzias en Ukraine (Massie, p.520). L'élément déterminant fut cependant l'ultimatum de Pierre, ressenti comme une insulte par le sérail: que le sultan réponde avant le 10/21 octobre 1710 au sujet de la reddition ou de l'expulsion du roi de Suède. Dans l'*Histoire de Charles XII*, Voltaire subordonnait les intérêts du khan de Crimée à ceux du 'parti du roi de Suède', dominant dans le sérail (V 4, p.399, 402). Contrairement à ce que qu'affirme Rousset de Missy (iii.234), l'ambassadeur de France à Constantinople, Pierre Puchot Des Alleurs, ne semble pas avoir joué de rôle dans le déclenchement de la guerre. Dans l'*Histoire de Charles XII*, Voltaire ne parle de Des Alleurs qu'après l'affaire du Prut (V 4, p.425 ss.). L'Angleterre et l'Autriche, en revanche, avaient poussé la Turquie au conflit.

intérêts, puisque Asoph est frontière de la petite Tartarie. [7] Charles et le kam de Crimée étaient ceux qui avaient le plus perdu par l'agrandissement du czar; mais ce kam ne commandait point les armées du Grand-Seigneur; il était comme les princes feudataires d'Allemagne, qui ont servi l'Empire avec leurs propres troupes, subordonnées au général de l'empereur allemand.

La première démarche du divan fut de faire arrêter dans les rues de Constantinople l'ambassadeur du czar Tolstoy, [8] et trente de ses domestiques, et de l'enfermer au château des sept Tours. Cet usage barbare, dont des sauvages auraient honte, vient de ce que les Turcs ont toujours des ministres étrangers, résidant continuellement chez eux, et qu'ils n'envoient jamais d'ambassadeurs ordinaires. [9] Ils regardent les ambassadeurs des princes chrétiens, comme des consuls de marchands; [10] et n'ayant pas d'ailleurs moins de mépris pour les chrétiens que pour les juifs, ils ne daignent observer avec eux le droit des gens que quand ils y

29 novembre.

---

[7] Voltaire avait d'abord écrit 'puisque Azov est dans la petite Tartarie'. Müller fit observer que les bornes de la petite Tatarie n'ont jamais été bien déterminées, mais qu'on entendait ordinairement sous ce nom la Crimée. Il suggérait d'écrire 'puisque les Russes étaient maîtres d'Azov et du Palus Méotide' (Š, p.409). Voltaire n'a pas suivi ce conseil, mais a corrigé son manuscrit.

[8] Piotr Andreevitch Tolstoï (1645-1729) fut le premier ambassadeur permanent de la Russie en Turquie, où il arriva vers la fin de 1701. Il fut effectivement enfermé quand l'empire ottoman déclara la guerre à la Russie. Il avait d'abord été un partisan de la régente Sophie, puis, à partir de 1689, avait servi loyalement Pierre. En 1696, quinquagénaire, il s'était porté volontaire pour aller étudier la construction navale et la navigation à Venise. C'est là qu'il apprit l'italien et acquit des connaissances sur la civilisation occidentale qui lui furent utiles dans sa carrière de diplomate. En 1717, il fut chargé d'intervenir auprès du tsarévitch Alexis pour le ramener en Russie. Il sera membre du Haut Conseil secret de Catherine Iʳᵉ.

[9] Cet argument ne figure pas dans l'*Histoire de Charles XII*. Il n'y avait pas d'ambassadeur de Turquie en France aux dix-septième et dix-huitième siècles (P. Duparc, *Recueil des instructions données aux ambassadeurs et ministres de France*, Paris 1969, xix (Turquie), p.x), mais il y avait un envoyé turc à Moscou (Massie, p.516-17). Voltaire parle pourtant d'un ambassadeur turc en France (en 1741, D2569 et D2574; en 1770, à Catherine II, D16071 et D16122).

[10] Repris de l'*Histoire de Charles XII* (V 4, p.400).

sont forcés; [11] du moins jusqu'à présent ils ont persisté dans cet orgueil féroce.

Le célèbre vizir Achmet Couprougli, qui prit Candie sous Mahomet IV, avait traité le fils d'un ambassadeur de France avec outrage, et ayant poussé la brutalité jusqu'à le frapper l'avait envoyé en prison, sans que Louis XIV, tout fier qu'il était, s'en fût autrement ressenti, qu'en envoyant un autre ministre à la Porte. [12] Les princes chrétiens très délicats entre eux sur le point d'honneur, et qui l'ont même fait entrer dans le droit public, semblaient l'avoir oublié avec les Turcs.

Jamais souverain ne fut plus offensé dans la personne de ses ministres que le czar de Russie. Il vit dans l'espace de peu d'années son ambassadeur à Londres mis en prison pour dettes; son plénipotentiaire en Pologne et en Saxe roué vif sur un ordre du roi de Suède; son ministre à la Porte-Ottomane saisi et mis en prison dans Constantinople comme un malfaiteur.

La reine d'Angleterre lui fit, comme nous avons vu, satisfaction pour l'outrage de Londres. [13] L'horrible affront reçu dans la personne de Patkul, fut lavé dans le sang des Suédois à la bataille

50

55

60

65

49   63-w68: Couprogli
65   63: Patkull

[11] Cf. l'*Histoire de Charles XII*: 'Ils violent en cela le droit le plus sacré des nations' (V 4, p.400).

[12] En 1658, l'ambassadeur de France à Constantinople, Jean de La Haye-Vantelet, ayant subi des violences sur l'ordre de Mehmet IV, Louis XIV envoya en hâte un chargé de mission en Turquie, François Blondel. Charles-Olier, marquis de Nointel, ambassadeur à partir de 1670, se heurtera également à l'hostilité d'Ahmed Köprülü. Son remplaçant, Guilleragues, faillit subir le même sort que La Haye-Vantelet et être jeté en prison (Duparc, *Recueil des instructions données aux ambassadeurs*, xix.1 et xv). En 1771, dans *Le Tocsin des rois*, Voltaire rappellera l'histoire de 'La Haye Vantelet, fils d'ambassadeur de France, ambassadeur lui-même' (M.xxviii.467). Rappelons que Köprülü prit Candie en 1669.

[13] Voir ci-dessus, I.xix.104-139.

de Pultava; mais la fortune laissa impunie la violation du droit des gens par les Turcs.

Le czar fut obligé de quitter le théâtre de la guerre en Occident, *1711.* pour aller combattre sur les frontières de la Turquie. D'abord il *Janvier*
70 fait avancer vers la Moldavie (*b*) [14] dix régiments qui étaient en Pologne; [15] il ordonne au maréchal Sheremeto de partir de la Livonie avec son corps d'armée, et laissant le prince Menzikoff à la tête des affaires à Pétersbourg, il va donner dans Moscou tous les ordres pour la campagne qui doit s'ouvrir.

75 Un sénat de régence est établi; [16] ses régiments des gardes se *18 janvier.* mettent en marche; il ordonne à la jeune noblesse de venir apprendre sous lui le métier de la guerre; place les uns en qualité de cadets, les autres d'officiers subalternes. L'amiral Apraxin va dans Asoph commander sur terre et sur mer. [17] Toutes ces mesures
80 étant prises, il ordonne dans Moscou qu'on reconnaisse une nouvelle czarine; c'était cette même personne faite prisonnière de

(*b*) Il est bien étrange que tant d'auteurs confondent la Valachie et la Moldavie.

71   63, 65: Sheremetof [*passim*]
72   63, w68: Menzikof [*passim*]

[14] Voltaire avait d'abord écrit 'vers la Valachie'. Müller remarqua que ces deux noms étaient souvent confondus, y compris dans le Journal de Pierre le Grand (Š, p.409). Dans l'*Histoire de Charles XII*, le tsar avait pris son chemin 'par la Moldavie et la Valachie' (V 4, p.404). Voltaire distinguait alors très bien les deux pays.

[15] Il faut ajouter, dit Müller, 'aux ordres du lieutenant-général Galitzin' (Š, p.409). Voltaire parle de lui plus loin (l.105).

[16] 'Ordonnance touchant l'établissement d'un Sénat', MS 2-6, f.71r (ou duplicata, 'Ordonnance que Pierre I. fit sur l'établissement d'un Sénat', MS 2-13, f.173r). L'original russe de cet oukase du 2 mars 1711 figure dans les *Pis'ma i boumagui*, xi(1).99.

[17] Le major général Ivan Ivanovitch Boutourline, ajoute Müller, eut en même temps ordre de se rendre avec huit régiments sur le Dniepr, où l'hetman Skoropadski devait le joindre (Š, p.409).

guerre dans Marienbourg en 1702. [18] Pierre avait répudié l'an 1696 Eudoxia Lapoukin (c) son épouse, dont il avait deux enfants. [19] Les lois de son Eglise permettent le divorce; et si elles l'avaient défendu, il eût fait une loi pour le permettre.

85

La jeune prisonnière de Marienbourg [20] à qui on avait donné le nom de Catherine, [21] était au-dessus de son sexe et de son malheur. [22] Elle se rendit si agréable par son caractère, que le czar voulut l'avoir auprès de lui; elle l'accompagna dans ses courses et dans ses travaux pénibles, partageant ses fatigues, adoucissant ses peines

90

(c) Ou *Lapouchin.*

[18] Pierre fit publier le 6/17 mars que la tsarine Catherine Alekseevna était son épouse légitime, observe Müller. Voltaire tint compte de la précision (l.100), et il corrigea une erreur ('dans Mariendal en 1700') après une remarque de son censeur (Š, p.410).

[19] Dans le manuscrit, on lisait 'Pierre n'avait plus de femme'. Müller suggéra d'écrire 'Pierre avait répudié en 1696 sa première femme Eudoxie, fille de Théodore Lapukin, dont il eut deux fils' (Š, p.410), Alexis, né en 1690, et Alexandre, né et mort en 1691. Voltaire modifia son texte.

[20] 'Mariendal' dans le manuscrit. Corrigé après une remarque de Müller (Š, p.410).

[21] Elle n'en a jamais eu d'autre, assure à tort Müller (Š, p.410). On sait que Marta Skavronskaïa prit le nom russe d'Ekaterina en se convertissant à l'orthodoxie. Voltaire avait rappelé son nom de Marthe dans l'*Histoire de Charles XII* (V 4, p.411).

[22] On lisait dans le manuscrit 'était tombée en partage au prince Menzicoff'. Il n'y eut aucun partage, objecta Müller. C'est chez le général Bauer que Pierre la vit, elle lui plut et il la confia aux soins de Menchikov. Etant née en 1688, à 14 ans elle n'avait ni l'âge ni l'expérience pour gouverner sa maison (Š, p.410-11). Les paroles de Voltaire, peu flatteuses pour la mémoire de Catherine, ainsi que pour sa fille Elisabeth, alors impératrice, disparurent du texte imprimé. Dans sa longue mise au point, Müller commet des erreurs. Catherine est née en 1684; elle semble être restée six mois chez Cheremetiev (et non chez Bauer) comme domestique; Menchikov la vit lors d'une visite au feld-maréchal et l'emmena à Moscou à l'automne 1703; c'est dans la maison de Menchikov, où elle occupait une place assez importante, que Pierre la rencontra.

par la gaieté de son esprit, et par sa complaisance; [23] ne connaissant point cet appareil de luxe et de mollesse, dont les femmes se sont fait ailleurs des besoins réels. [24] Ce qui rendit sa faveur plus singulière, c'est qu'elle ne fut ni enviée, ni traversée, et que

95 personne n'en fut la victime. Elle calma souvent la colère du czar, et le rendit plus grand encore en le rendant plus clément. [25] Enfin, elle lui devint si nécessaire, qu'il l'épousa secrètement en 1707. Il en avait déjà deux filles, et il en eut l'année suivante une princesse qui épousa depuis le duc de Holstein. [26] Le mariage secret de Pierre

100 et de Catherine fut déclaré le jour même que le czar (d) partit avec   *17 mars.* elle pour aller éprouver sa fortune contre l'empire ottoman. [27] Toutes les dispositions promettaient un heureux succès. L'hetman des Cosaques devait contenir les Tartares, qui déjà ravageaient l'Ukraine dès le mois de février; l'armée russe avançait vers le

(d) Journal de Pierre le Grand.

[23] Müller estime 'plus approchant' du caractère de Catherine d'écrire 'adoucissant ses peines par un tendre empressement d'aller au devant de tout ce qui pouvoit lui plaire' (Š, p.411). Sur les sources de Voltaire, voir *Anecdotes*, n.73.

[24] Dans l'*Histoire de Charles XII*, Voltaire écrivait que Pierre n'avait pas été 'séduit par des artifices de femme' chez Catherine, mais parce qu'il lui avait trouvé 'une fermeté d'âme capable de seconder ses entreprises' (V 4, p.410).

[25] Voltaire avait écrit 'en le rendant plus humain'. Müller le pria de changer cette expression 'qui présente l'opposé d'un homme dur et cruel, ce que Pierre n'était pas'; car 'un prince est souvent forcé d'user de sévérités sans y avoir le moindre penchant' (Š, p.411-12). Voltaire tint compte de la remarque.

[26] Anne (1708-1728). Les premiers enfants de Pierre et de Catherine furent Paul (1704-1707), Pierre (1705-1707) et Catherine (1707-1708). Avant la naissance d'Anne, Pierre n'avait donc qu'une fille et deux fils.

[27] Ou le 6 mars (v. st.) 1711 (MS 1-1, f.85r; *Journal de Pierre le Grand*, éd. 1773, ii.155).

711

Niester;[28] un autre corps de troupes sous le prince Gallitzin[29]   105
marchait par la Pologne. Tous les commencements furent favorables; car Gallitzin ayant rencontré près de Kiovie un parti
nombreux de Tartares, joints à quelques Cosaques, et à quelques
Polonais du parti de Stanislas, et même de Suédois, il les défit
entièrement, et leur tua cinq mille hommes. Ces Tartares avaient   110
déjà fait dix mille esclaves dans le plat pays.[30] C'est de temps
immémorial, la coutume des Tartares de porter plus de cordes que
de cimeterres, pour lier les malheureux qu'ils surprennent. Les
captifs furent tous délivrés, et leurs ravisseurs passés au fil de
l'épée. Toute l'armée, si elle eût été rassemblée, devait monter à   115
soixante mille hommes.[31] Elle dut être encore augmentée par les
troupes du roi de Pologne. Ce prince qui devait tout au czar vint

107   63-w68:   Galitzin [passim]

[28] Voltaire avait écrit 'vers le Dnieper'. Il corrigea après l'observation de Müller
('vers le Dniester', Š, p.412), mais en évitant l'accumulation de consonnes.

[29] Müller avait précisé pour Voltaire que 'l'autre corps de troupes' était commandé
par Golitsyne (Š, p.413). Mikhaïl Mikhaïlovitch Golitsyne (1675-1730), célèbre
général d'infanterie et de marine, participa aux campagnes d'Azov et aux guerres
contre la Suède. Il conquit la Finlande dont il devint gouverneur (1714-1721) et fut
promu feld-maréchal en 1725. A partir de 1728, il devint sénateur, président de
l'Académie militaire et membre du Haut Conseil secret. Anna Ivanovna l'écartera
des affaires. Très aimé des troupes, il fut regretté à sa mort (voir Jubé, *La Religion,
les mœurs et les usages des Moscovites*, p.144).

[30] Müller rapporte que Golitsyne surprit le corps de sept mille hommes du palatin
de Kiev, Salezy (François de Sales) Potocki (Tatars, Polonais, Cosaques rebelles et
Suédois), en tua près de cinq mille et délivra dix mille captifs dans le plat pays (Š,
p.413). Voltaire, on le voit, a largement utilisé ici ces informations.

[31] Voltaire avait écrit 'cent mille hommes'. Ces troupes ne dépassaient pas
soixante-dix mille hommes, y compris les Cosaques, selon Müller (Š, p.413). En
corrigeant, Voltaire a diminué le nombre indiqué. Peut-être a-t-il déduit les
Cosaques, à moins qu'il ne s'agisse d'une inadvertance.

le trouver le 3 juin 1714 [32] à Jaroslau sur la rivière de Sane, [33] et lui promit de nombreux secours. On proclama la guerre contre les
120 Turcs au nom des deux rois: mais la diète de Pologne ne ratifia pas ce qu'Auguste avait promis: elle ne voulut point rompre avec les Turcs. [34] C'était le sort du czar d'avoir dans le roi Auguste un allié qui ne pouvait jamais l'aider. Il eut les mêmes espérances dans la Moldavie et dans la Valachie, et il fut trompé de même.
125 La Moldavie et la Valachie devaient secouer le joug des Turcs. Ces pays sont ceux des anciens Daces, qui mêlés aux Gépides inquiétèrent longtemps l'empire romain; Trajan les soumit; le premier Constantin les rendit chrétiens. La Dacie fut une province de l'empire d'Orient; mais bientôt après ces mêmes peuples
130 contribuèrent à la ruine de celui d'Occident, en servant sous les Odoacres et sous les Théodorics.

Ces contrées restèrent depuis annexées à l'empire grec; et quand les Turcs eurent pris Constantinople, elles furent gouvernées et opprimées par des princes particuliers. Enfin elles ont été entière-
135 ment soumises par le padicha ou empereur turc, [35] qui en donne l'investiture. Le hospodar, ou vaivode, que la Porte choisit pour

118 к: 3 juin à Jaroslau

[32] Le 2 juin, rectifie Müller (Š, p.413). Mais c'était en 1711, et non en 1714, comme le relève le *Monthly review* de mars 1764, qui attribue cette erreur de date à une faute d'impression (p.214).

[33] Jaroslaw, petite ville polonaise sur le San, affluent de la Vistule.

[34] Müller précise qu'à Jaroslaw on avait convenu que le roi de Pologne entrerait en Poméranie suédoise, où un corps de troupes russes irait le rejoindre, et qu'une partie des troupes polonaises se joindrait à l'armée russe pour combattre les Turcs. Mais la diète s'en tint aux termes de la paix de Karlovitz, et décida de ne pas prendre part à la guerre (Š, p.414).

[35] Le mot *padicha* signifie simplement empereur, observe Müller. Les Turcs donnent ce titre aux empereurs d'Allemagne (Š, p.414). Le terme de *padischah* servait effectivement, dans les lettres du sultan, à désigner certains souverains étrangers.

gouverner ces provinces, est toujours un chrétien grec. [36] Les Turcs ont par ce choix fait connaître leur tolérance, tandis que nos déclamateurs ignorants leur reprochent la persécution. Le prince que la Porte [37] nomme est tributaire, ou plutôt fermier: elle confère cette dignité à celui qui en offre davantage, et qui fait le plus de présents au vizir, ainsi qu'elle confère le patriarcat grec de Constantinople. C'est quelquefois un dragoman, c'est-à-dire, un interprète du divan, qui obtient cette place. Rarement la Moldavie et la Valachie sont réunies sous un même vaivode; [38] la Porte partage ces deux provinces, pour en être plus sûre. Démétrius Cantemir avait obtenu la Moldavie. [39] On faisait descendre ce vaivode Cantemir de Tamerlan, parce que le nom de Tamerlan était Timur, que ce Timur était un kam tartare; et du nom de Timurkan, venait, disait-on, la famille de Kantemir. [40]

Bassaraba Brancovan avait été investi de la Valachie. Ce Bassaraba ne trouva point de généalogiste qui le fît descendre d'un conquérant tartare. Cantemir crut que le temps était venu de se soustraire à la domination des Turcs, et de se rendre indépendant, par la protection du czar. Il fit précisément avec Pierre ce que Mazeppa avait fait avec Charles. Il engagea même d'abord le

[36] Le mot 'grec' manquait dans le manuscrit. Müller l'a fait remarquer (Š, p.414) et Voltaire l'a ajouté pour souligner que les voïévodes étaient toujours nommés parmi la population orthodoxe.

[37] Voltaire avait écrit 'le Divan'. Müller indiqua que c'était le sultan qui conférait cette dignité (Š, p.415). Voltaire n'admit pas l'observation, mais remplaça le mot *divan* (conseil) par le mot *Porte* (palais du grand-vizir, et non gouvernement, comme l'écrit Šmurlo). C'était bien le sultan qui avait nommé Cantemir, dont Voltaire parle plus loin, à condition qu'il l'aidât à renverser Constantin Brancovan (Massie, p.527).

[38] Jamais, affirme Müller (Š, p.415).

[39] Voltaire avait écrit que Cantemir avait 'obtenu de la Porte la Valachie'. Müller l'a amené à corriger: Cantemir fut envoyé en Moldavie après la déposition de Nicolas Maurocordato en novembre 1710 (Š, p.415).

[40] Etymologie fantaisiste déjà rapportée dans l'*Histoire de Charles XII* (V 4, p.404), où Voltaire ajoutait, dubitatif: 'Voilà les fondements de la plupart des généalogies'.

hospodar de Valachie Bassaraba à entrer dans la conspiration,[41] dont il espérait recueillir tout le fruit. Son plan était de se rendre maître des deux provinces. L'évêque de Jérusalem, qui était alors en Valachie, fut l'âme de ce complot.[42] Cantemir promit au czar des troupes et des vivres, comme Mazeppa en avait promis au roi de Suède, et ne tint pas mieux sa parole.

Le général Sheremeto s'avança jusqu'à Jassi, capitale de la Moldavie, pour voir, et pour soutenir l'exécution de ces grands projets. Cantemir l'y vint trouver, et en fut reçu en prince;[43] mais il n'agit en prince qu'en publiant un manifeste contre l'empire turc. Le hospodar de Valachie[44] qui démêla bientôt ses vues

161   63, 65:   avait fait au roi

[41] On lisait dans le manuscrit 'le hospodar de Moldavie'. Voltaire a corrigé après une remarque de Müller (Š, p.415). Voltaire n'a pas tenu compte des précisions de son correspondant: Constantin Brancovan était hospodar de Valachie depuis plus de vingt ans. Il avait hésité à se soumettre à l'empereur d'Allemagne qui lui avait promis que lui et ses descendants seraient princes héréditaires. Il avait préféré s'attacher à Pierre 1er qui était de la même religion. Mais sa méfiance à l'égard de Cantemir et la crainte que le général Etienne III Cantacuzène ne l'emporte sur lui le firent 'rentrer dans son devoir'. Quelques années plus tard, il fut décapité à Constantinople avec quatre de ses fils (Š, p.415-16). Effectivement, les Turcs ne lui pardonnèrent pas sa trahison: arrêté au printemps 1714, il fut décapité avec ses deux fils (Massie, p.538).

[42] On ignore où il était alors, objecte Müller, et on ne sait s'il était d'intelligence avec Cantemir. Castriot, envoyé de Brancovan, vint trouver Pierre à Yassi. Il déclara que le grand-vizir avait chargé le patriarche de Jérusalem de s'informer par Brancovan des dispositions du tsar pour la paix, ajoutant qu'il avait les pleins pouvoirs du sultan pour en traiter. C'est alors qu'on reconnut la trahison de Brancovan (Š, p.416). Voltaire se refusa à transformer en 'patriarche' l'évêque' de Jérusalem, remarque Šmurlo.

[43] Voltaire avait écrit 'en prince souverain'. Il supprima l'épithète après que Müller lui ait fait remarquer que Cantemir s'était déclaré sujet de la Russie et avait prêté serment de fidélité en présence de Cheremetiev. Il était venu voir le feld-maréchal dans son camp à trois lieues de Yassi (Š, p.416-17). Sur la 'trahison' de Cantemir, voir les carnets (V 81, p.164).

[44] Voltaire avait écrit par erreur 'le hospodar de Moldavie'. Il corrigea une fois de plus après la remarque de Müller (Š, p.417).

ambitieuses, abandonna son parti, et rentra dans son devoir. L'évêque de Jérusalem craignant justement pour sa tête, s'enfuit et se cacha;[45] les peuples de la Valachie et de la Moldavie demeurèrent fidèles à la Porte-Ottomane; et ceux qui devaient fournir des vivres à l'armée russe, les allèrent porter à l'armée turque. 170

Déjà le vizir Baltagi Mehemet[46] avait passé le Danube[47] à la tête de cent mille hommes,[48] et marchait vers Jassi le long du Pruth, autrefois le fleuve Hierase, qui tombe dans le Danube, et qui est à peu près la frontière de la Moldavie et de la Bessarabie. Il envoya 175

174   63-w68:   Baltagi-Méhémet [*passim*]

[45] Il faut croire, dit Müller, qu'il était plutôt à Constantinople qu'en Moldavie ou Valachie (Š, p.417).

[46] Baltadgi Mehmet Pacha, né entre 1655 et 1660 à Osmandjik, près de Kastamonu en Anatolie, était le fils d'un officier de sipahis. Après avoir servi à Alger, il avait été officier porte-hache (*balta*) au Palais du Sérail, d'où son surnom de 'Baltadgi'. Dans l'*Histoire de Charles XII*, Voltaire a pris à la lettre le mot *balta* (cognée) et cru que le vizir avait été esclave dans sa jeunesse (V 4, p.398). Premier écuyer d'Ahmet III, puis grand amiral, Baltadgi était devenu grand vizir de décembre 1704 à mai 1706. Après avoir été gouverneur d'Alep, il était redevenu grand vizir le 24 septembre 1710. D'après Charles Ferriol, ambassadeur de France, c'était un homme d'esprit, d'une grande douceur, d'expérience dans le gouvernement, mais non dans le métier de la guerre. Le grand vizir lui-même avouait son inexpérience dans le domaine militaire (voir Ch. Lemercier-Quelquejay, 'La campagne de Pierre le Grand sur le Prut', *CMRS* 7/2, 1966, p.223, n.2).

[47] Le tsar avait eu de mauvaises informations sur la marche des Turcs, observe Müller. Il croyait que le grand vizir ne pouvait arriver au Danube que vers la fin de juillet v. st. et que, par conséquent, l'armée russe pourrait y être avant les Turcs pour les empêcher de passer le fleuve. C'était là que les Russes devaient être joints par les nations chrétiennes qui avaient promis de secouer le joug turc et de leur apporter des provisions en abondance (Š, p.417).

[48] Ou deux cent mille (Massie, p.529), ce qui serait plus vraisemblable, puisque Voltaire écrit plus loin que cette armée, avec les Tatars, atteignait près de deux cent cinquante mille hommes. Mais les historiens ne sont pas d'accord sur les chiffres: voir ci-dessous, n.59.

alors le comte Poniatowski, gentilhomme polonais attaché à la fortune du roi de Suède, prier ce prince de venir lui rendre visite, 180 et voir son armée. Charles ne put s'y résoudre; il exigeait que le grand vizir lui fît sa première visite dans son asile près de Bender; sa fierté l'emporta sur ses intérêts. [49] Quand Poniatowski revint au camp des Turcs, et qu'il excusa les refus de Charles XII, *Je m'attendais bien*, dit le vizir au kam des Tartares, *que ce fier païen* 185 *en userait ainsi*. [50] Cette fierté réciproque qui aliène toujours tous les hommes en place, n'avança pas les affaires du roi de Suède: il dut d'ailleurs s'apercevoir bientôt que les Turcs n'agissaient que pour eux, et non pas pour lui.

Tandis que l'armée ottomane passait le Danube, le czar avançait 190 par les frontières de la Pologne, passait le Borysthène, [51] pour aller dégager le maréchal Sheremeto, [52] qui étant au midi de Jassi, sur

---

178   63, 65: Poniatoski   w68: Poniatousky

[49] Ce fait n'est pas rapporté dans l'*Histoire de Charles XII*. Selon Poniatowski, le roi de Suède était 'résolu de se rendre incessamment au camp des Turcs'; mais ses conseillers le firent changer d'avis, en lui représentant qu'il ne lui convenait pas de se présenter comme simple volontaire 'parmi une nation si orgueilleuse'; Poniatowski fut donc 'expédié, avec des excuses mal digérées, & même avec ordre de persuader le Grand Visir de se rendre à Bender, pour y dresser avec le Roi un plan général d'une guerre de durée' (Poniatowski, *Remarques d'un seigneur polonais sur l'Histoire de Charles XII, roi de Suède, par monsieur de Voltaire*, La Haie 1741, p.95-96).

[50] 'A son retour au camp des Turcs, [Poniatowski] fit tout ce qu'il put pour excuser son maître de ce qu'il ne venoit point. Mais le Grand-Visir, se tournant vers le Han, lui dit, qu'il s'étoit bien attendu à une telle réponse, & que ce fier Païen ne leur feroit jamais cet honneur' (Poniatowski, *Remarques d'un seigneur polonais*, p.97).

[51] Il arriva le 23 juin sur les bords du Dniestr, et non du Dniepr, corrige Müller. Le 28 juin, toute l'armée passa le fleuve sur deux ponts à Soroka (Š, p.418). Müller rapporte les faits d'une manière inexacte: en effet, Cheremetiev arriva le premier à Soroka le 10 juin n. st. et se dirigea vers Yassy à la prière de Cantemir. Pierre n'arriva à Soroka qu'après le feld-maréchal et atteignit le Prut le 5 juillet (Massie, p.528).

[52] Il avait pris les devants avec la cavalerie, précise Müller (Š, p.418).

les bords du Pruth, était menacé de se voir bientôt environné de
cent mille Turcs, et d'une armée de Tartares. Pierre avant de
passer le Boristhène, [53] avait craint d'exposer Catherine à un danger
qui devenait chaque jour plus terrible; mais Catherine regarda   195
cette attention du czar comme un outrage à sa tendresse et à son
courage; elle fit tant d'instances que le czar ne put se passer d'elle;
l'armée la voyait avec joie à cheval à la tête des troupes; elle se
servait rarement de voiture. [54] Il fallut marcher au delà du Boristhène par quelques déserts, [55] traverser le Bog, et ensuite la   200
rivière du Tiras qu'on nomme aujourd'hui Niester; après quoi l'on
trouvait encore un autre désert avant d'arriver à Jassi sur les bords
du Pruth. Elle encourageait l'armée, y répandait la gaieté, envoyait
des secours aux officiers malades, et étendait ses soins sur les
soldats.   205

4 juillet.   On arriva enfin à Jassi, où l'on devait établir des magasins. Le
hospodar de Valachie Bassaraba, rentré dans les intérêts de la
Porte, et feignant d'être dans ceux du czar, lui proposa la paix,
quoique le grand vizir ne l'en eût point chargé; on sentit le piège;
on se borna à demander des vivres qu'il ne pouvait ni ne voulait   210
fournir. Il était difficile d'en faire venir de Pologne; ses provisions
que Cantemir avait promises, et qu'il espérait en vain tirer de
la Valachie, ne pouvaient arriver; [56] la situation devenait très

[53] Le Dniestr, comme le répète Müller (Š, p.418).

[54] Elle se servait ordinairement d'une voiture, assure au contraire Müller; ce n'est
que dans la marche vers le Prut, et au retour jusqu'au Dniestr, qu'on l'a vue
quelquefois à cheval (Š, p.418).

[55] Les déserts avant le Dniestr ne sont pas considérables, note Müller, mais de
l'autre côté ce sont des plaines immenses. L'armée les traversa en trois marches, en
faisant halte pendant le jour pour se garantir de l'ardeur du soleil. Cependant, on
ne put éviter les sauterelles, qui dévoraient l'herbe et infectaient l'armée avec leurs
excréments. Elles ont causé la perte de beaucoup de chevaux et de bétail. On ne
perdit pas moins d'hommes à cause du soleil brûlant et de la soif. Pierre, arrivé sur
les bords du Prut, envoya des tonneaux remplis d'eau aux troupes qui marchaient
dans les déserts (Š, p.419).

[56] La Moldavie étant remplie de déserts et peuplée assurait à peine la subsistance
de ses habitants, observe Müller (Š, p.419).

inquiétante. Un fléau dangereux se joignit à tous ces contretemps;
215 des nuées de sauterelles couvrirent les campagnes, les dévorèrent
et les infectèrent: l'eau manquait souvent dans la marche sous un
soleil brûlant et dans des déserts arides; on fut obligé de faire
porter à l'armée de l'eau dans des tonneaux. [57]

Pierre, dans cette marche, se trouvait, par une fatalité singulière,
220 à portée de Charles XII; car Bender n'est éloigné que de vingt-
cinq lieues communes de l'endroit où l'armée russe campait auprès
de Jassi. Des partis de Cosaques pénétrèrent jusqu'auprès de la
retraite de Charles; mais les Tartares de Crimée qui voltigeaient
dans ces quartiers, mirent le roi de Suède à couvert d'une
225 surprise. Il attendait avec impatience et sans crainte dans son camp
l'événement de la guerre.

Pierre se hâta de marcher sur la rive droite du Pruth, dès qu'il
eut formé quelques magasins. Le point décisif était d'empêcher les
Turcs, postés au-dessous, sur la rive gauche, de passer ce fleuve,
230 et de venir à lui. Cette manœuvre devait le rendre maître de la
Moldavie et de la Valachie; il envoya le général Janus avec l'avant-
garde, pour s'opposer à ce passage des Turcs; mais ce général
n'arriva que dans le temps même qu'ils passaient sur leurs pontons:
il se retira; et son infanterie fut poursuivie jusqu'à ce que le czar
235 vînt lui-même le dégager. [58]

222-223   K: jusqu'à la retraite

[57] Ces lignes ne figuraient évidemment pas dans le manuscrit, commente Šmurlo
(p.420). Voltaire répète ici presque intégralement ce que lui a communiqué
l'Académie: cf. ci-dessus, n.55.

[58] Voltaire résume peut-être ici Aubry de La Mottraye, *Voyages en Europe, Asie
et Afrique* (La Haye 1727), ii.16-17, mais sans indiquer comme lui les pertes
qu'auraient subies les Russes. Comme le rapporte longuement Müller, le tsar avait
appris que les Turcs avaient formé de grands magasins non gardés sur le Prut
inférieur, près de son confluent avec le Danube; le général Karl Ewald Rönne fut
chargé, avec la cavalerie, d'aller s'emparer de ces vivres. En même temps, l'armée
avançait le long de la rive droite du Prut. Le 18 juillet, on apprit par Ebert Janus,
en avant-garde, que les Turcs avaient déjà franchi le Prut. La nouvelle était fausse,
mais Janus battit en retraite. Les Turcs enhardis passèrent le Prut et poursuivirent

L'armée du grand vizir s'avança donc bientôt vers celle du czar, le long du fleuve. Ces deux armées étaient bien différentes: celle des Turcs, renforcée des Tartares, était, dit-on, de près de deux cent cinquante mille hommes; celle des Russes n'était alors que d'environ trente-sept mille combattants. [59] Un corps assez considérable sous le général Renne, [60] était au delà des montagnes de la Moldavie, sur la rivière de Sireth; et les Turcs coupèrent la communication.

240

---

238   63:   était de près de

Janus. Mais Pierre Ier arriva à son secours et le dégagea (Š, p.420-21). En fait, Pierre avait ordonné à Janus de rebrousser chemin pour le rejoindre (Massie, p.531).

[59] Les Turcs étaient plus de deux cent mille et les Russes ne dépassaient pas les trente-huit mille, confirme Müller, qui renvoie au Journal de Pierre le Grand, à Nordberg, etc. (Š, p.421). Selon le MS 1-1 (f.91r) et le *Journal de Pierre le Grand* (éd. 1773, ii.169, 176), il y avait du côté russe 31 554 fantassins et 6692 cavaliers dont la plupart étaient démontés, soit en tout 38 246 hommes, alors que les Turcs disposaient de 220 000 hommes, sans compter les 50 000 Tatars, suivant ce que dirent aux ministres russes le vizir et les bachas. La Mottraye, qui, parti de Bender le 7 juillet, avait rejoint l'armée du grand vizir, rapporte que, selon les Turcs, elle était composée de deux cent mille hommes, mais qu'elle ne paraissait guère en compter que cent cinquante mille, et qu'il fallait en excepter au moins cinquante mille, qui consistaient en domestiques ou vivandiers (*Voyages*, 1727, ii.15). Pierre Lefort, qui participait à la bataille, fait état de trente-cinq mille hommes d'infanterie et de douze mille cavaliers du côté russe, et estime que le vizir était à la tête de 160 000 spahis et de 53 à 54 000 janissaires, sans compter les Tatars, Polonais et Cosaques (lettre à son père, 29 septembre 1711, MS 3-25, f.159v-160r). Mais, selon les historiens turcs, du côté ottoman, l'armée régulière ne dépassait pas les quatre-vingt à cent mille hommes, auxquels s'ajoutaient vingt à trente mille cavaliers tatars et dix mille combattants de Bender, pour la plupart des irréguliers cosaques et polonais, soit au total cent vingt à cent quarante mille hommes, avec 250 à 400 canons (A. N. Kurat, 'Der Prutfeldzug und der Prutfrieden von 1711', *Jahrbücher für Geschichte Osteuropas* 10/1 (1962), p.41-43; cité par Ch. Lemercier-Quelquejay, 'La campagne de Pierre le Grand sur le Prut', p.227).

[60] Voltaire avait écrit 'très considérable'. Müller précisa qu'il était d'environ sept mille hommes, ce qui amena Voltaire à affaiblir son expression (Š, p.421). Rönne disposait en réalité de douze mille cavaliers (Massie, p.529; Lemercier-Quelquejay, p.225).

Le czar commençait à manquer de vivres,[61] et à peine ses
245 troupes campées non loin du fleuve pouvaient-elles avoir de l'eau;
elles étaient exposées à une nombreuse artillerie, placée par le
grand vizir sur la rive gauche, avec un corps de troupes qui tirait
sans cesse sur les Russes. Il paraît par ce récit très détaillé et très
fidèle, que le vizir Baltagi Mehemet, loin d'être un imbécile
250 comme les Suédois l'ont représenté, s'était conduit avec beaucoup
d'intelligence. Passer le Pruth à la vue d'un ennemi, le contraindre à
reculer[62] et le poursuivre, couper tout d'un coup la communication
entre l'armée du czar et un corps de sa cavalerie,[63] enfermer cette
armée sans lui laisser de retraite, lui ôter l'eau et les vivres, la tenir
255 sous des batteries de canon qui la menacent d'une rive opposée;
tout cela n'était pas d'un homme sans activité et sans prévoyance.

Pierre alors se trouva dans une plus mauvaise position que
Charles XII à Pultava;[64] enfermé comme lui par une armée
supérieure, éprouvant plus que lui la disette, et s'étant fié comme
260 lui aux promesses d'un prince trop peu puissant pour les tenir, il
prit le parti de la retraite, et tenta d'aller choisir un camp avantageux
en retournant vers Jassi.

Il décampa dans la nuit;[65] mais à peine est-il en marche, que les *20 juillet.*

---

[61] Les hommes étaient affamés, et il y avait près de quatre jours que les officiers
n'avaient pas mangé de pain (La Mottraye, *Voyages*, 1727, ii.18; signet de Voltaire,
CN, v.193). Pour suppléer au manque de pain, dit Müller, les soldats faisaient rôtir
des tranches de bœuf, et, après les avoir coupées en petits morceaux et séchées, ils
s'en servaient en guise de biscuits (Š, p.421-22).

[62] Voltaire avait écrit 'le chasser devant soi'. Müller fit observer que 'cette marche
en arrière se fit en très bon ordre' (Š, p.422), ce qui conduisit Voltaire à modifier
son texte.

[63] Voltaire avait parlé de 'deux armées' du tsar. Müller lui rappela que l'autre
n'était qu'un corps de cavalerie (Š, p.422). Voltaire tint compte de la remarque.

[64] Selon des Suédois enrôlés dans l'armée russe, Pierre aurait dit: 'Me voici aussi
mal que mon frère Charles à Poltava' (La Mottraye, *Voyages*, 1727, ii.19; signet de
Voltaire, CN, v.193).

[65] On décampa le 19 au soir, rappelle Müller. Les gros bagages prirent les devants.
On rejoignit dans la même nuit les divisions des généraux Adam Weyde et Nikita
Ivanovitch Repnine. Müller prie Voltaire de donner plus de détails sur les événements
de ces deux jours remarquables des 20 et 21 juillet. Il lui joint la relation tirée du

Turcs tombent sur son arrière-garde au point du jour. [66] Le régiment des gardes Préobazinsky arrêta longtemps leur impétuosité. On se forma, on fit des retranchements avec les chariots et le bagage. Le même jour toute l'armée turque attaqua encore les Russes. [67]

21 juillet. Une preuve qu'ils pouvaient se défendre, quoi qu'on en ait dit, c'est qu'ils se défendirent très longtemps, qu'ils tuèrent beaucoup d'ennemis, et qu'ils ne furent point entamés.

Il y avait dans l'armée ottomane deux officiers du roi de Suède, l'un le comte Poniatowski, l'autre le comte de Sparre, [68] avec quelques Cosaques du parti de Charles XII. Mes mémoires disent que ces généraux conseillèrent au grand vizir de ne point combattre, [69] de couper l'eau et les vivres aux ennemis, et de les forcer à se rendre prisonniers ou de mourir. D'autres mémoires prétendent qu'au contraire ils animèrent le grand vizir à détruire avec le sabre

265

270

275

---

265 63, 65: Préobrasinski
272 63, 65: Spare

Journal de Pierre le Grand revue et corrigée une seconde fois sur l'original russe (Š, p.422-23). Le MS 1-1 consacre quatre pages (f.88r-89v) et le *Journal de Pierre le Grand*, éd. 1773, six pages (ii.167-72) aux journées des 9/20 et 10/21 juillet.

[66] 'Le 9 au matin, tant l'infanterie que la cavalerie Turque tomba sur nôtre arrière-garde' (MS 1-1, f.88v; *Journal de Pierre le Grand*, éd. 1773, ii.167). 'La nuit [du 8 au 9] vers les deux heures le matin nous vîmes que les Turcs nous suivoient et en si grande quantité, que l'on auroit cru qu'ils nous alloient engloutir' (Pierre Lefort à son père, MS 3-25, f.159).

[67] Environ trois heures avant le coucher du soleil, précise Müller (Š, p.423); cf. MS 1-1, f.88v; *Journal de Pierre le Grand*, éd. 1773, ii.168. On ne sait pas jusqu'à quel point Voltaire a utilisé les informations et conseils de l'Académie, commente Šmurlo. Il est probable que les dates des 20 et 21 juillet manquaient dans le manuscrit de Voltaire.

[68] Axel Sparre (1652-1728), major général en 1705, lieutenant-général en 1710, général en 1713, feld-maréchal en 1721, comte en 1720 (cf. ci-dessus, I.xviii, n.9).

[69] Sparre et Poniatowski conseillèrent au vizir, qui voulait attaquer un ennemi qui fuyait, 'de se contenter de harceler sans relâche les troupes Russiennes, et de leur couper les passages, et que par ce moyen toute cette armée affamée tomberoit entre ses mains sans coup férir' (MS 1-1, f.88v-89r; traduction un peu différente dans le *Journal de Pierre le Grand*, éd. 1773, ii.168).

une armée fatiguée et languissante qui périssait déjà par la disette. [70]
La première idée paraît plus circonspecte, la seconde plus conforme
280 au caractère des généraux élevés par Charles XII. [71]

Le fait est que le grand vizir tomba sur l'arrière-garde, au point
du jour. [72] Cette arrière-garde était en désordre. Les Turcs ne
rencontrèrent d'abord devant eux qu'une ligne de quatre cents
hommes; [73] on se forma avec célérité. Un général allemand nommé
285 Allard [74] eut la gloire de faire des dispositions si rapides et si
bonnes, que les Russes résistèrent pendant trois heures à l'armée
ottomane sans perdre de terrain. [75]

La discipline à laquelle le czar avait accoutumé ses troupes, le
paya bien de ses peines. On avait vu à Nerva soixante mille
290 hommes défaits par huit mille, parce qu'ils étaient indisciplinés; et
ici on voit une arrière-garde d'environ huit mille Russes soutenir
les efforts de cent cinquante mille Turcs, leur tuer sept mille
hommes, [76] et les forcer à retourner en arrière.

285 63-w68: Alard
289 63-w68: Narva [passim]
291 K: ici l'on voit

[70] Dans ses *Remarques d'un seigneur polonais*, p.109-12, 119-20, Poniatowski écrit
qu'il a incité les Turcs à ne pas accepter la paix proposée par les Russes. Il aurait
même tenté d'acheter les janissaires avec mille ducats pour les animer contre le
grand vizir dont l'intérêt était de faire une paix honteuse (p.122-23).
[71] Dans l'*Histoire de Charles XII*, Poniatowski conseille au grand vizir d'affamer
l'armée russe (V 4, p.407).
[72] Voltaire a confondu avec l'autre attaque des Turcs à laquelle il a fait allusion,
et qui eut lieu le même jour, trois heures avant le coucher du soleil.
[73] 'La première ligne du front de leur infanterie n'étoit composée que de 3 à 400
hommes' (MS 1-1, f.89r; *Journal de Pierre le Grand*, éd. 1773, ii.168). Oui, mais il
s'agit des Turcs, dont la colonne s'étendait à 'près d'un mile de distance'!
[74] Ludwig von Hallart. Le MS 1-1, f.89r, et le *Journal de Pierre le Grand*, éd. 1773,
ii.169, le nomment Allart.
[75] 'Un combat qui dura près de 3 heures et dont le feu fut fort vif' (MS 1-1, f.89r).
'Le feu du combat dura trois heures, ou davantage, jusqu'au soir' (*Journal de Pierre
le Grand*, éd. 1773, ii.169).
[76] MS 1-1, f.89v; *Journal de Pierre le Grand*, éd. 1773, ii.170.

Après ce rude combat, les deux armées se retranchèrent pendant la nuit; mais l'armée russe restait toujours enfermée, privée de 295 provisions et d'eau même. Elle était près des bords du Pruth, et ne pouvait approcher du fleuve; car sitôt que quelques soldats hasardaient d'aller puiser de l'eau, un corps de Turcs posté à la rive opposée faisait pleuvoir sur eux le plomb et le fer d'une artillerie nombreuse chargée à cartouche.[77] L'armée turque qui 300 avait attaqué les Russes, continuait toujours de son côté à la foudroyer par son canon.

Il était probable qu'enfin les Russes allaient être perdus sans ressource par leur position, par l'inégalité du nombre et par la disette. Les escarmouches continuaient toujours; la cavalerie du 305 czar presque toute démontée, ne pouvait plus être d'aucun secours, à moins qu'elle ne combattît à pied; la situation paraissait désespérée. Il ne faut que jeter les yeux sur cette carte exacte du camp du czar, et de l'armée ottomane, pour voir qu'il n'y eut jamais de position plus dangereuse, que la retraite était impossible, qu'il 310 fallait remporter une victoire complète, ou périr jusqu'au dernier, ou être esclave des Turcs.[78]

309   63:   et l'armée

[77] 'L'ennemi avoit au delà du Prouth un gros corps d'armée et des bateries, dont le feu empêchoit les nôtres d'aprocher du fleuve pour y prendre de l'eau' (MS 1-1, f.89v; *Journal de Pierre le Grand*, éd. 1773, ii.170, avec une traduction un peu différente). Selon La Mottraye, les Turcs disposaient alors d'une moyenne artillerie de deux cents canons et d'une grosse artillerie de trois cents pièces (*Voyages*, 1727, ii.18; signet de Voltaire, CN, v.193).

[78] Une note de K84 (xxiv.217) renvoie à la 'nouvelle *Histoire de Russie*' [de Pierre-Charles Levesque, Paris 1782] qui prétend que le tsar envoya un courrier à Moscou pour défendre aux sénateurs, s'il était fait prisonnier, d'exécuter ceux de ses ordres qui leur paraîtraient contraires aux intérêts de l'empire, et leur ordonner de choisir un nouveau maître, si l'intérêt de l'Etat l'exigeait (Levesque, iv.291). K84 ajoute qu'il n'est question de cet ordre ni dans le *Journal* de Pierre Ier, ni dans aucun recueil authentique. Cette lettre est citée en français dans M.xvi.275-76, n.1 d'après un prétendu original. Waliszewski affirme que cet original n'existe pas, et rapporte que ce texte a paru pour la première fois dans les *Anecdotes* de Staehlin, selon un récit oral de Cheremetiev (*Pierre le Grand*, p.365). Il ne se trouve pas dans les archives

Toutes les relations, tous les mémoires du temps conviennent unanimement, que le czar incertain s'il tenterait le lendemain [79] le
315 sort d'une nouvelle bataille, s'il exposerait sa femme, son armée, son empire, et le fruit de tant de travaux, à une perte qui semblait inévitable, se retira dans sa tente, accablé de douleur, et agité de convulsions dont il était quelquefois attaqué, [80] et que ses chagrins redoublaient. Seul, en proie à tant d'inquiétudes cruelles, ne
320 voulant que personne fût témoin de son état, il défendit qu'on entrât dans sa tente. Il vit alors quel était son bonheur d'avoir permis à sa femme de le suivre. Catherine entra malgré la défense.

Une femme qui avait affronté la mort pendant tous ces combats, exposée comme un autre au feu d'artillerie des Turcs, avait le droit

---

324   K: feu de l'artillerie

---

russes, et c'est d'après l'édition allemande de Staehlin (Leipzig 1785, p.53) qu'il est reproduit dans *Pis'ma i boumagui*, xi(1), 1962, p.314-15, où il est considéré comme authentique.

[79] C'était le 21 juillet, rappelle Müller. On ignorait encore si l'ennemi renouvellerait ses attaques (Š, p.423).

[80] Cf. *Histoire de Charles XII* (V 4, p.408). Il suffit de dire 'accablé de chagrin', estime Müller. Ces convulsions n'étaient nullement douloureuses, ce n'était qu'un tic qui survenait quand ses esprits étaient plus agités qu'à l'ordinaire ou qu'il éprouvait de la joie ou du chagrin (Š, p.423). C'était l'habitude qu'avait Pierre, lorsqu'il était en colère, de faire des mouvements de tête et de hausser les épaules d'une manière précipitée, prétendait aussi la 'Réfutation' (Černy, p.145). Les témoignages montrant Pierre livré au désespoir et laissant à Catherine le soin de chercher le salut sont nombreux et concordants, estime Waliszewski, qui se réfère à William Coxe, Bruce, Rousset de Missy, La Mottraye, Mathieu Marais... (*Pierre le Grand*, p.365). En fait, La Mottraye rapporte deux versions opposées: celle de quelques Suédois engagés dans les troupes du tsar après avoir été faits prisonniers à Poltava, et qui profitèrent de la situation critique des Russes pour déserter, et celle de quelques Russes qu'il vit ensuite. Selon les Suédois, Pierre, ayant ou feignant d'avoir une atteinte de son mal convulsif, avait interdit l'accès de sa tente à tous, sauf à Catherine, qui, au nom de Piotr Pavlovitch Chafirov, lui avait proposé la suspension d'armes. Les Russes assuraient au contraire que Pierre avait montré un courage au-dessus de sa mauvaise fortune, qu'il avait présidé le conseil de guerre, et qu'au lieu de suivre l'opinion de ses généraux, qui proposaient d'attaquer, il s'était rallié à l'avis de Chafirov (*Voyages*, ii.19-20).

725

de parler. Elle persuada son époux de tenter la voie de la   325
négociation. [81]

C'est la coutume immémoriale dans tout l'Orient, quand on
demande audience aux souverains, ou à leurs représentants, de ne
les aborder qu'avec des présents. Catherine rassembla le peu de
pierreries qu'elle avait apportées dans ce voyage guerrier, dont   330
toute magnificence et tout luxe étaient bannis; elle y ajouta deux

[81] 'Elle lui proposa de tenter la voye des négociations' (réponse à la 13ᵉ question de Voltaire, app. VI, l.159). Perry indique qu'on ramassa 'tous les ducats qu'on put trouver', sans en attribuer l'initiative à Catherine (p.47). Weber rapporte que Catherine dépêcha un courrier au grand vizir pour lui offrir une somme d'argent considérable, à l'insu du tsar selon les uns, et, selon d'autres, après lui avoir demandé son consentement (i.130). 'C'est Catherine qui osa seule imaginer un expédient' en offrant une grosse somme d'argent au vizir, écrit Fontenelle (iii.206). C'est elle qui aurait fléchi le tsar par ses supplications, en sacrifiant 'tous ses joyaux pour éblouir les yeux de l'avare visir et de son kiaia', prétend aussi Rousset de Missy (*Mémoires du règne de Catherine*, p.29-32); vue semblable chez Frédéric II (*Continuation des Mémoires de Brandebourg*, p.86-87). Voltaire reprend ici la version de l'*Histoire de Charles XII*, sans parler toutefois d'une lettre du vice-chancelier Chafirov au grand vizir, que Catherine aurait fait signer à Pierre (V 4, p.411-12). Le MS 3-4, louant le courage de l'impératrice, va jusqu'à dire que sans elle, dans l'affaire du Prut, 'tout étoit perdu' (f.111r). Buchet écrit, au contraire, que le salut ne fut dû qu'à 'la fermeté inébranlable & à la sage conduite' du tsar (p.78). La Mottraye affirme que le vizir 'n'a pas reçû un bijou, ni un sou'; il a vu sur les lieux les présents qu'on lui a faits: 'ils consistoient en quelques pelisses de zebelines' (*Voyages*, 1732, p.156). Sur le rôle de Catherine, il faut choisir entre le témoignage assez suspect de Pierre et celui de quelques acteurs secondaires du drame, du côté russe ou suédois, qui ne font état que de l'initiative du tsar: Brasey de Lyon et le général von Hallart. Quant à Poniatowski, il dit simplement que Pierre a envoyé un parlementaire au camp turc. D'après le ministre danois Just Juel, qui a recueilli le témoignage de Hallart, il est faux que Catherine se soit dépouillée de ses pierreries: elle s'est bornée à les distribuer aux officiers de la Garde pour les mettre à l'abri, et les a réclamées ensuite (Waliszewski, p.366-67). Catherine n'aurait donc fait qu'appuyer la proposition de Pierre (Massie, p.533). Le témoignage de Pierre Lefort la présente sous un jour bien différent: selon lui, dans le centre du camp russe, 'les pleurs des femmes émouvoient [de] compassion. Notre Impératrice étoit de ce nombre et les femmes de tous nos généraux avec beaucoup d'autres étoient inconsolables' (MS 3-25, f.160r).

pelisses de renard noir; [82] l'argent comptant qu'elle ramassa fut destiné pour le kiaia. [83] Elle choisit elle-même un officier intelligent, qui devait avec deux valets porter les présents au grand vizir, [84] et
335 ensuite faire conduire au kiaia en sûreté, le présent qui lui était réservé. Cet officier fut chargé d'une lettre du maréchal Sheremeto à Mehemet Baltagi. Les mémoires de Pierre conviennent de la lettre; ils ne disent rien des détails dans lesquels entra Catherine; [85] mais tout est assez confirmé par la déclaration de Pierre lui-même
340 donnée en 1723 quand il fit couronner Catherine impératrice: *Elle nous a été*, dit-il, *d'un très grand secours dans tous les dangers, et particulièrement à la bataille du Pruth, où notre armée était réduite à*

---

[82] Cette petite anecdote des pelisses nous est inconnue, observe Müller (Š, p.423). Elle n'était pas rapportée dans l'*Histoire de Charles XII*. Pierre Lefort écrit que 'l'on a graissé la patte du Vizir aussi bien qu'aux janissaires et cela avec de beaux Ducats, autrement il n'y auroit rien eu a faire' (MS 3-25, f.160r). L'historien allemand Josef von Hammer-Purgstall, qui a consulté les sources turques, signale qu'une bague ayant appartenu à Catherine a été retrouvée dans les effets du kiaïa, mais que le bakchich reçu par le vizir et partagé avec le kiaïa n'a pas dépassé deux cent mille roubles (Waliszewski, p.367). Voir II.ii, n.7.

[83] Le lieutenant général du grand vizir, Osman aga (cf. *Histoire de Charles XII*, V 4, p.404-405, 412). C'était, dit l'*Encyclopédie*, art. 'Kihaia', 'l'emploi le plus considérable de l'empire ottoman'.

[84] Perry faisait état d'un trompette et d'un officier chargés d'offrir la paix aux Turcs, avec 'tous les ducats qu'on put trouver pour en faire un présent, à ce qu'on disoit, au grand vizir' (p.47). Il est plus vraisemblable que ces présents furent portés à la suite de Chafirov, estime Müller. Le premier qui fut envoyé au grand vizir avec un trompette et la lettre de Cheremetiev était un bas officier aux gardes, ajoute-t-il, en se référant au Journal de Pierre le Grand (Š, p.423-24). Šmurlo précise que c'était le sous-officier Chepelev (cf. *Journal de Pierre le Grand*, éd. 1773, ii.171). Dans le MS 1-1 (f.90r) et dans la 'Relation de la campagne du Pruth' (MS 1-18, f.419v), il n'est question que de Chafirov et de la lettre de Cheremetiev.

[85] En effet, le Journal de Pierre le Grand ne dit rien sur Catherine (MS 1-1; éd. 1774, p.365-66). Il n'y a rien non plus sur elle dans le MS 1-18. D'après Müller, Catherine, avant d'entrer dans la tente de Pierre, avait tenu conseil avec Cheremetiev et Chafirov, et ils y étaient convenus des mesures à prendre pour la réussite de leur projet (Š, p.424).

vingt-deux mille hommes.[86] Si le czar en effet n'avait plus alors que vingt-deux mille combattants, menacés de périr par la faim, ou par le fer, le service rendu par Catherine était aussi grand que les bienfaits dont son époux l'avait comblée. Le journal manuscrit(*e*) de Pierre le Grand dit,[87] que le jour même du grand combat du 20 juillet, il y avait trente et un mille cinq cent cinquante-quatre hommes d'infanterie, et six mille six cent quatre-vingt-douze de cavalerie, presque tous démontés; il aurait donc perdu seize mille deux cent quarante-six combattants dans cette bataille.[88] Les mêmes mémoires[89] assurent que la perte des Turcs fut beaucoup plus considérable que la sienne, et qu'attaquant en foule et sans ordre, aucun des coups tirés sur eux ne porta à faux. S'il est ainsi, la journée du Pruth du 20 au 21 juillet, fut une des plus meurtrières qu'on ait vue depuis plusieurs siècles.[90]

345

350

355

(*e*) Page 177 du journal de Pierre le Grand.

[86] Voir ci-dessous, dans les 'Pièces originales', l'ordonnance pour le couronnement de Catherine.

[87] Ajoutez, conseille Müller: 'le *Journal* de Pierre dit au contraire que le jour même, etc.' (Š, p.424); voir MS 1-1, p.177 (*Journal*, éd. 1773, ii.169, 176), et ci-dessus, n.59.

[88] Ces chiffres ont embarrassé les académiciens de Pétersbourg, et Šmurlo n'a pu que constater les contradictions entre le Journal de Pierre et le manifeste de 1723 (p.424-25). Devant cette énigme, que ses informateurs n'avaient pu résoudre, Voltaire, dans le paragraphe suivant, se borna à formuler deux hypothèses, sans prendre position. Le *Journal de Pierre le Grand* ne donne pas de chiffre pour les pertes russes. Selon Perry, elles se seraient élevées à sept mille hommes environ (p.46). La Mottraye ne croit pas que les pertes en tués et prisonniers des deux côtés atteignent dix mille (*Voyages*, 1727, ii.23). L'historien turc A. N. Kurat fait état de 2872 tués, blessés et prisonniers russes, cinq à six mille si l'on ajoute les irréguliers (Lemercier-Quelquejay, 'La campagne de Pierre le Grand sur le Prut', p.60).

[89] Les pertes turques se seraient élevées à sept mille tués sans les blessés, selon le MS 1-1 (f.89*v*) et le *Journal de Pierre le Grand* (éd. 1773, ii.176). Perry les évaluait à dix à douze mille morts, d'après des témoins oculaires (p.46).

[90] Voltaire avait écrit: 'Les Russes se firent un rempart de leurs morts entassés'. Il supprima cette phrase après que Pétersbourg l'ait invité à ne pas exagérer les pertes russes: la division Janus, la plus éprouvée, n'avait pas perdu plus de cinq

Il faut ou soupçonner Pierre le Grand de s'être trompé, lorsqu'en couronnant l'impératrice, il lui témoigne sa reconnaissance, *d'avoir sauvé son armée réduite à vingt-deux mille combattants*; ou accuser de faux son journal, dans lequel il est dit que le jour de cette bataille, son armée du Pruth, indépendamment du corps qui campait sur le Sireth, *montait à trente et un mille cinq cent cinquante-quatre hommes d'infanterie, et à six mille six cent quatre-vingt-douze de cavalerie.* Suivant ce calcul la bataille aurait été plus terrible que tous les historiens, et tous *les mémoires pour et contre ne l'ont rapporté jusqu'ici.* Il y a certainement ici quelque malentendu; et cela est très ordinaire dans les récits de campagnes lorsqu'on entre dans les détails. Le plus sûr est de s'en tenir toujours à l'événement principal, à la victoire et à la défaite: on sait rarement avec précision ce que l'une et l'autre ont coûté.

A quelque petit nombre que l'armée russe fût réduite, on se flattait qu'une résistance si intrépide et si opiniâtre en imposerait au grand vizir, qu'on obtiendrait la paix à des conditions honorables pour la Porte-Ottomane, que ce traité en rendant le vizir agréable à son maître ne serait pas trop humiliant pour l'empire de Russie. Le grand mérite de Catherine fut, ce semble, d'avoir vu cette possibilité dans un moment où les généraux paraissaient ne voir qu'un malheur inévitable. [91]

Norberg, dans son histoire de Charles XII, rapporte une lettre du czar au grand vizir, dans laquelle il s'exprime en ces mots: *Si contre mon attente j'ai le malheur d'avoir déplu à Sa Hautesse, je suis prêt à réparer les sujets de plainte qu'elle peut avoir contre moi. Je*

372-373   63, 65:   en imposait au
377   K: généraux ne paraissaient voir

---

cents hommes (Š, p.426). A noter qu'une section russe entière n'avait été protégée que par des chevaux de frise et les corps de bêtes de trait tuées (Massie, p.532).

[91] Voltaire a modifié son manuscrit en supprimant les premiers mots de ce paragraphe ('Si le tsar en effet...'), cités pourtant sans commentaire par Pétersbourg (Š, p.426-27).

*vous conjure, très noble général, d'empêcher qu'il ne soit répandu plus
de sang, et je vous supplie de faire cesser dans le moment le feu excessif
de votre artillerie. Recevez l'otage que je viens de vous envoyer.*   385

Cette lettre porte tous les caractères de fausseté, ainsi que la
plupart des pièces rapportées au hasard par Norberg: elle est datée
du 11 juillet nouveau style;[92] et on n'écrivit à Baltagi Mehemet que
le 21 nouveau style. Ce ne fut point le czar qui écrivit, ce fut le
maréchal Sheremeto;[93] on ne se servit point, dans cette lettre, de   390
ces expressions, *le czar a eu le malheur de déplaire à Sa Hautesse*;
ces termes ne conviennent qu'à un sujet qui demande pardon à
son maître; il n'est point question d'otage; on n'en envoya point;[94]
la lettre fut portée par un officier,[95] tandis que l'artillerie tonnait
des deux côtés. Sheremeto dans sa lettre, faisait seulement souvenir   395
le vizir de quelques offres de paix que la Porte avait faites au

395   63, 65:   dans sa tente, faisait

[92] Nordberg, ii.502-503. Dans cette prétendue lettre, Pierre demande aussi une
suspension d'armes de quelques jours, et s'en remet à la générosité du grand vizir
pour les conditions de la paix. Comme l'a senti Voltaire, cette lettre est fausse.

[93] Cette lettre de Cheremetiev, du 21 juillet n. st., est inconnue: elle ne se trouve
ni dans les manuscrits de Pétersbourg, ni dans les *Pis'ma i boumagui*. Mais il en
existe une, du 12 juillet v. st., dans laquelle Pierre informe le grand vizir qu'il a reçu
de Chafirov et Cheremetiev, ses plénipotentiaires, le traité pour une paix éternelle
entre la Russie et la Turquie, traité qu'il promet de respecter (*Pis'ma i boumagui*,
xi(1).327-28). Cette lettre ne figure pas parmi les 'Lettres de Pierre Premier' (MS 2-
5): il n'y a qu'un court exposé relatant les clauses du traité et la promesse de
Pierre Ier.

[94] Puisque Voltaire reconnaît le ridicule de cette lettre, ce n'est pas la peine de la
réfuter, estime Müller. Ou bien, que ce soit en peu de mots. Pierre Ier n'a écrit
qu'une lettre de créance pour Chafirov, parce que le grand vizir, sur la seule lettre
de Cheremetiev, n'a pas voulu négocier. C'est peut-être cela qui a fourni aux
ennemis de Pierre l'occasion de forger cette lettre absurde (Š, p.427). Müller semble
ignorer la lettre de Pierre au grand vizir (voir ci-dessus, n.93). Quant à la lettre de
créance du 12 juillet v. st. à Chafirov *et* Cheremetiev, elle n'est pas dans le MS 2-5,
mais figure dans les *Pis'ma i boumagui*, xi(1).322.

[95] Le sous-officier Chepelev (voir ci-dessus, n.84).

commencement de la campagne par les ministres d'Angleterre et de Hollande, [96] lorsque le divan demandait la cession de la citadelle et du port de Taganrok, qui étaient les vrais sujets de la guerre. [97]

400 Il se passa quelques heures avant qu'on eût une réponse du grand vizir. [98] On craignait que le porteur n'eût été tué par le canon, ou n'eût été retenu par les Turcs. On dépêcha un second *21 juillet.* courrier avec un duplicata, et on tint conseil de guerre en présence de Catherine. Dix officiers généraux signèrent le résultat que voici:

405 'Si l'ennemi ne veut pas accepter les conditions qu'on lui offre, et s'il demande que nous posions les armes, et que nous nous rendions à discrétion, tous les généraux et les ministres sont unanimement d'avis de se faire jour au travers des ennemis.' [99]

En conséquence de cette résolution, on entoura le bagage de
410 retranchements, et on s'avança jusqu'à cent pas de l'armée turque, lorsque enfin le grand vizir fit publier une suspension d'armes. [100]

Tout le parti suédois a traité dans ses mémoires ce vizir de lâche et d'infâme, qui s'était laissé corrompre. C'est ainsi que tant d'écrivains ont accusé le comte Piper d'avoir reçu de l'argent du
415 duc de Marlborough, pour engager le roi de Suède à continuer la guerre contre le czar, [101] et qu'on a imputé à un ministre de France

[96] Müller prie Voltaire d'ajouter: 'et en dernier lieu par Castriot, envoyé du hospodar de Valachie' (Š, p.428).

[97] Détail superflu, estime Müller, puisque Voltaire a déjà évoqué les motifs de la guerre. Les Turcs, précise-t-il, ne demandaient pas la cession, mais la démolition du port de Taganrog (Š, p.428).

[98] Apparemment, dans le manuscrit, ce paragraphe commençait par 'L'armée turque avançait' (Š, p.428).

[99] Voltaire reproduit presque textuellement la résolution du conseil de guerre. Elle était signée, non par dix généraux, mais par sept généraux, un lieutenant-colonel et le chancelier Gavriil Ivanovitch Golovkine, si l'on se réfère à la liste donnée par les académiciens russes (Š, p.429).

[100] Voltaire résume ici le texte envoyé par Pétersbourg (Š, p.429).

[101] Dans l'*Histoire de Charles XII*, Voltaire rapportait que 'le czar était persuadé, comme le reste de l'Europe, que ce ministre [Piper] avait vendu son maître au duc de Marlborough, et avait attiré sur la Moscovie les armes de la Suède' (V 4, p.362). Voltaire avait demandé des informations sur cette trahison de Piper (V 4, p.624-

d'avoir fait à prix d'argent le traité de Seville. [102] De telles accusations ne doivent être avancées que sur des preuves évidentes. Il est très rare que des premiers ministres s'abaissent à de si honteuses lâchetés, découvertes tôt ou tard par ceux qui ont donné l'argent, et par les registres qui en font foi. Un ministre est toujours un homme en spectacle à l'Europe; son honneur est la base de son crédit; il est toujours assez riche pour n'avoir pas besoin d'être un traître.

420

La place de vice-roi de l'empire ottoman est si belle, les profits en sont si immenses en temps de guerre, l'abondance et la magnificence régnaient à un si haut point dans les tentes de Baltagi Mehemet, la simplicité, et surtout la disette étaient si grandes dans l'armée du czar, que c'était bien plutôt au grand vizir à donner qu'à recevoir. Une légère attention de la part d'une femme qui envoyait des pelisses et quelques bagues, comme il est d'usage dans toutes les cours, ou plutôt dans toutes les Portes orientales, ne pouvait être regardée comme une corruption. La conduite franche et ouverte de Baltagi Mehemet semble confondre les accusations dont on a souillé tant d'écrits touchant cette affaire. Le vice-chancelier Shaffirof alla dans sa tente avec un grand appareil; [103] tout se passa publiquement, et ne pouvait se passer

425

430

435

436   63-w68:   Shaffiroff [*passim*]

---

26), dont Villelongue et Limiers l'accusaient. A la suite de la réponse de Poniatowski, Voltaire défend sa mémoire (V 4, p.312-13).

[102] Germain-Louis Chauvelin, garde des Sceaux et ministre des Affaires étrangères, fut accusé par Nicolas Lenglet Du Fresnoy dans ses *Lettres d'un pair de la Grande-Bretagne à milord archevêque de Cantorbéri sur l'état présent des affaires de l'Europe, traduites de l'anglais par le chevalier Edward Melton* (Londres 1745), d'avoir reçu 'cent mille guinées des Anglais pour le traité de Seville' (D3198, Voltaire au marquis d'Argenson, 19 août [1745]).

[103] Il y alla seul, avec un secrétaire et deux ou trois personnes, objecte Müller. Ce n'est qu'après avoir réglé les articles du traité que le major général Mikhaïl Borissovitch Cheremetiev, fils du feld-maréchal, passa au camp turc pour rester avec Chafirov auprès du grand vizir jusqu'à l'entière exécution du traité (Š, p.429).

autrement. La négociation même fut entamée en présence d'un homme attaché au roi de Suède, et domestique du comte Poniatow-
440 ski, officier de Charles XII, lequel servit d'abord d'interprète; et les articles furent rédigés publiquement par le premier secrétaire du viziriat,[104] nommé Hummer Effendi. Le comte Poniatowski y était présent lui-même. Le présent qu'on faisait au kiaia fut offert publiquement, et en cérémonie; tout se passa selon l'usage des
445 Orientaux; on se fit des présents réciproques; rien ne ressemble moins à une trahison. Ce qui détermina le vizir à conclure, c'est que dans ce temps-là même le corps d'armée commandé par le général Renne, sur la rivière de Sireth en Moldavie, avait passé trois rivières, et était alors vers le Danube, où Renne venait de
450 prendre la ville et le château de Brahila,[105] défendus par une garnison nombreuse, commandée par un pacha. Le czar avait encore un autre corps d'armée[106] qui avançait des frontières de la Pologne. Il est de plus très vraisemblable que le vizir ne fut pas instruit de la disette que souffraient les Russes. Le compte des
455 vivres et des munitions n'est pas communiqué à son ennemi; on se vante, au contraire, devant lui d'être dans l'abondance, dans le temps qu'on souffre le plus. Il n'y a point de transfuges entre les Turcs et les Russes; la différence des vêtements, de la religion et du langage, ne le permet pas. Ils ne connaissent point, comme
460 nous, la désertion: aussi le grand vizir ne savait pas au juste dans quel état déplorable était l'armée de Pierre.

451-452   K: avait un autre
460   63:   pas dans quel

[104] Voltaire avait d'abord écrit 'le secrétaire d'Etat de la Porte'. Il tint compte de la remarque selon laquelle il ne s'agissait que du secrétaire du viziriat (Š, p.430).

[105] On lisait dans le manuscrit 'l'autre armée russe'. On fit de nouveau observer à Voltaire que cette 'armée' était le corps de Rönne (Š, p.430). Pierre Ier ignorait que Rönne avait pris Braïla (Massie, p.534).

[106] On avait laissé sur la frontière quatre régiments pour couvrir les magasins qu'on y avait formés. Un autre petit corps était resté à Yassy (Š, p.430).

Baltagi qui n'aimait pas la guerre, et qui cependant l'avait bien faite, crut que son expédition était assez heureuse s'il remettait aux mains du Grand-Seigneur les villes et les ports pour lesquels il combattait; s'il renvoyait des bords du Danube en Russie, l'armée   465
victorieuse du général Renne, et s'il fermait à jamais l'entrée des Palus-Méotides, le Bosphore Cimmérien, la mer Noire, à un prince entreprenant; enfin s'il ne mettait pas des avantages certains au risque d'une nouvelle bataille, (qu'après tout le désespoir pouvait gagner contre la force:) il avait vu ses janissaires repoussés la   470
veille, et il y avait plus d'un exemple de victoires remportées par le petit nombre contre le grand; telles furent ses raisons: ni les officiers de Charles qui étaient dans son armée, ni le kam des Tartares ne les approuvèrent. L'intérêt des Tartares était de pouvoir exercer leurs pillages sur les frontières de Russie et de   475
Pologne. L'intérêt de Charles XII était de se venger du czar; mais le général, le premier ministre de l'empire ottoman, n'était animé ni par la vengeance particulière d'un prince chrétien, ni par l'amour du butin qui conduisait les Tartares. Dès qu'on fut convenu d'une suspension d'armes, les Russes achetèrent des Turcs les vivres   480
dont ils manquaient. Les articles de cette paix ne furent point rédigés comme le voyageur La Motraye le rapporte, et comme Norberg le copie d'après lui. [107] Le vizir, parmi les conditions qu'il

---

471   K: avait bien plus d'un

[107] Les articles de paix rapportés par Nordberg (ii.505-506) comportent neuf points, alors que le traité de paix du Prut n'en comprend que sept (*Pis'ma i boumagui*, xi(1).323-24), comme la version française des *Voyages* de La Mottraye (1727, ii.20-21). Par ailleurs, les articles 1 et 2 selon Nordberg et La Mottraye (sur Azov et Taganrog) correspondent au premier point du traité en russe, l'article 3 au second point (sur les affaires de Pologne), l'article 4 au troisième point, l'article 5 à une partie du point 7, l'article 6 au quatrième point. L'article 7 de La Mottraye est subdivisé en trois articles dans Nordberg (7, 8 et 9) et correspond au point 6 du traité. Nordberg n'a apparemment pas 'copié' La Mottraye, contrairement à ce qu'affirme Voltaire: outre qu'il a divisé le traité en 9 articles (au lieu de 7), il a sauté un passage de l'article 7 de La Mottraye, humiliant pour Pierre le Grand, autorisé à retourner dans ses Etats après que le sultan 'aura été supplié de pardonner la

exigeait, voulait d'abord que le czar s'engageât à ne plus entrer
485 dans les intérêts de la Pologne, [108] et c'est sur quoi Poniatowski
insistait; mais il était au fond convenable à l'empire turc que la
Pologne restât désunie et impuissante; ainsi cet article se réduisit
à retirer les troupes russes des frontières. [109] Le kam des Tartares
demandait un tribut de quarante mille sequins: ce point fut
490 longtemps débattu, et ne passa point. [110]

Le vizir demanda longtemps qu'on lui livrât Cantemir, comme
le roi de Suède s'était fait livrer Patkul. Cantemir se trouvait
précisément dans le même cas où avait été Mazeppa. Le czar avait
fait à Mazeppa son procès criminel, et l'avait fait exécuter en
495 effigie. Les Turcs n'en usèrent point ainsi; ils ne connaissent ni les
procès par contumace, ni les sentences publiques. Ces condamnations affichées, et les exécutions en effigie, sont d'autant moins en
usage chez eux, que leur loi leur défend les représentations
humaines, de quelque genre qu'elles puissent être. Ils insistèrent
500 en vain sur l'extradition de Cantemir. Pierre écrivit ces propres
paroles au vice-chancelier Shaffirof.

'J'abandonnerai plutôt aux Turcs tout le terrain qui s'étend
jusqu'à Cursk; il me restera l'espérance de le recouvrer: mais la
perte de ma foi est irréparable, je ne peux la violer. Nous

---

conduite irrégulière du czar'. D'autre part, on ne voit pas sur quoi se fonde Voltaire
pour dire que les articles du traité n'ont pas été rédigés comme le rapporte Nordberg.
Lui-même avait d'abord fait allusion à une trêve de quinze ans. On lui fit remarquer
que ce n'était pas stipulé dans le traité, et que s'il entendait par là la paix de 1700,
elle était de trente ans (Š, p.430). Voltaire a supprimé ce passage.

[108] C'est le point 2 du traité (le troisième chez La Mottraye et Nordberg). Ce
point est l'un de ceux qui ont été corrigés par Pierre le Grand; selon sa correction,
les deux parties (et non plus seulement le tsar) devaient s'engager à ne pas se mêler
des affaires de Pologne (*Pis'ma i boumagui*, xi(1).325).

[109] Le point sur les affaires de Pologne, dans le texte russe comme dans les
versions de La Mottraye et de Nordberg, ne se réduit pas 'à retirer les troupes russes
des frontières': il précise bien que le tsar ne devra pas se mêler des affaires de
Pologne; voir la note précédente.

[110] Dans l'*Histoire de Charles XII*, Voltaire avait au contraire affirmé que ce
tribut était un des articles de la paix (V 4, p.414).

n'avons de propre que l'honneur; y renoncer c'est cesser d'être 505
monarque.' [111]

Enfin le traité fut conclu et signé près du village nommé Falksen
sur les bords du Pruth. [112] On convint dans le traité qu'Asoph et
son territoire seraient rendus avec les munitions et l'artillerie dont
il était pourvu avant que le czar l'eût pris en 1696, que le port de 510
Taganrok sur la mer de Zabache [113] serait démoli, ainsi que celui
de Samara sur la rivière de ce nom, et d'autres petites citadelles.
On ajouta enfin un article touchant le roi de Suède, et cet article
même faisait assez voir combien le vizir était mécontent de lui. Il
fut stipulé que ce prince ne serait point inquiété par le czar, s'il 515
retournait dans ses Etats, et que d'ailleurs le czar et lui pouvaient
faire la paix, s'ils en avaient envie. [114]

Il est bien évident par la rédaction singulière de cet article, que
Baltagi Mehemet se souvenait des hauteurs de Charles XII. Qui
sait même si ces hauteurs n'avaient pas incliné Mehemet du côté 520
de la paix? La perte du czar était la grandeur de Charles, et il n'est
pas dans le cœur humain de rendre puissants ceux qui nous
méprisent. Enfin ce prince qui n'avait pas voulu venir à l'armée
du vizir, quand il avait besoin de le ménager, accourut quand
l'ouvrage, qui lui ôtait toutes ses espérances, allait être consommé. 525
Le vizir n'alla point à sa rencontre, et se contenta de lui envoyer

[111] Cette lettre n'est ni dans le MS 2-5, ni dans les *Pis'ma i boumagui*. Voltaire
reproduit, en l'abrégeant un peu, la réponse 'héroïque' de Pierre que Pétersbourg
lui a adressée (Š, p.431). Ces paroles du tsar ne figuraient manifestement pas dans
le manuscrit de Voltaire.

[112] Dans le manuscrit, on lisait 'un lieu nommé Falksin'. Les académiciens russes
ont précisé: 'c'est dans une plaine à quelques lieues de Falksin que ce traité fut
conclu et signé le 12/23 juillet' (Š, p.431). La petite ville, actuellement située en
Roumanie, porte le nom de Falciu.

[113] Voltaire avait déjà donné ce nom à la mer d'Azov (I.viii.19). Pétersbourg lui
fit remarquer que, comme il la nommait ailleurs 'Palus Méotides', il valait mieux
garder partout ce nom, plus usité (Š, p.431).

[114] Point 4 du traité (*Pis'ma i boumagui*, xi(1).323) ou point 6 dans La Mottraye
(ii.20) et Nordberg (ii.506). La Mottraye ne fait pas état d'une paix possible entre
Pierre Ier et Charles XII.

deux bachas; il ne vint au-devant de Charles qu'à quelque distance de sa tente.

La conversation ne se passa, comme on sait, qu'en reproches. 530 Plusieurs historiens ont cru que la réponse du vizir au roi, quand ce prince lui reprocha d'avoir pu prendre le czar prisonnier, et de ne l'avoir pas fait, était la réponse d'un imbécile; *Si j'avais pris le czar*, dit-il, *qui aurait gouverné son empire?* Il est aisé pourtant de comprendre que c'était la réponse d'un homme piqué; et ces mots 535 qu'il ajouta, *Il ne faut pas que tous les rois sortent de chez eux*, montrent assez combien il voulait mortifier l'hôte de Bender. [115]

Charles ne retira d'autre fruit de son voyage que celui de déchirer la robe du grand vizir avec l'éperon de ses bottes. [116] Le vizir qui pouvait l'en faire repentir, feignit de ne s'en pas apercevoir, 540 et en cela il était très supérieur à Charles. Si quelque chose put faire sentir à ce monarque, dans sa vie brillante et tumultueuse, combien la fortune peut confondre la grandeur, c'est qu'à Pultava un pâtissier avait fait mettre bas les armes à toute son armée, et qu'au Pruth un fendeur de bois avait décidé du sort du czar et du 545 sien; car ce vizir Baltagi Mehemet avait été fendeur de bois dans le sérail, [117] comme son nom le signifie; et loin d'en rougir, il s'en faisait honneur, tant les mœurs orientales diffèrent des nôtres.

Le sultan et tout Constantinople furent d'abord très contents de la conduite du vizir: [118] on fit des réjouissances publiques une 550 semaine entière; le kiaia de Mehemet, qui porta le traité au divan, fut élevé incontinent à la dignité de boujouk imraour, grand-écuyer; ce n'est pas ainsi qu'on traite ceux dont on croit être mal servi.

[115] Voltaire résume ici le dialogue qu'il a rapporté dans l'*Histoire de Charles XII*, d'après La Mottraye et Bellerive (V 4, p.415-16).

[116] Déjà rapporté dans l'*Histoire de Charles XII* (V 4, p.416).

[117] Voir ci-dessus, n.46.

[118] Le grand vizir a cherché à se justifier en exagérant le succès de ses troupes et les difficultés qu'elles avaient eu à surmonter; voir la lettre qu'il écrivit peu après la bataille à la sultane Validé, mère d'Ahmet III (publiée par Lemercier-Quelquejay, 'La campagne de Pierre le Grand sur le Prut', p.230-33).

Il paraît que Norberg connaissait peu le gouvernement ottoman, puisqu'il dit, *que le Grand-Seigneur ménageait son vizir, et que* 555 *Baltagi Mehemet était à craindre*. Les janissaires ont été souvent dangereux aux sultans; mais il n'y a pas un exemple d'un seul vizir qui n'ait été aisément sacrifié sur un ordre de son maître, et Mehemet n'était pas en état de se soutenir par lui-même. C'est de plus se contredire, que d'assurer dans la même page, que les 560 janissaires étaient irrités contre Mehemet, et que le sultan craignait son pouvoir.[119]

Le roi de Suède fut réduit à la ressource de cabaler à la cour ottomane. On vit un roi qui avait fait des rois, s'occuper à faire présenter au sultan des mémoires et des placets qu'on ne voulait 565 pas recevoir. Charles employa toutes les intrigues, comme un sujet qui veut décrier un ministre auprès de son maître. C'est ainsi qu'il se conduisit contre le vizir Mehemet et contre tous ses successeurs; tantôt on s'adressait à la sultane Validé par une juive; tantôt on employait un eunuque: il y eut enfin un homme qui se mêlant 570 parmi les gardes du Grand-Seigneur, contrefit l'insensé, afin d'attirer ses regards, et de pouvoir lui donner un mémoire du roi.[120] De toutes ces manœuvres Charles ne recueillit d'abord que la mortification de se voir retrancher son thaïm,[121] c'est-à-dire la subsistance que la générosité de la Porte lui fournissait par jour, 575 et qui se montait à quinze cents livres monnaie de France. Le

[119] Les janissaires 'jetaient les hauts cris', assure Nordberg, à cause de la 'manière honteuse' dont la campagne du Prut s'était achevée (ii.508). Pourtant, le sultan répondit 'en termes fort gracieux' à la lettre du grand vizir, 'pour ne pas heurter de front un homme qui se trouvait à la tête d'une puissante armée, et que la raison d'Etat voulait qu'on ménageât'; car, 'avec de l'argent que le vizir fait distribuer parmi le peuple crédule et avide, il ne lui est pas difficile de faire trembler son maître' (ii.510-11).

[120] Robert-Joseph de La Cerda de Villelongue; cf. *Histoire de Charles XII* (V 4, p.467-70).

[121] A l'article 'Thaïm' de l'*Encyclopédie*, Jaucourt recopie l'*Histoire de Charles XII* (V 4, p.421).

738

grand vizir au lieu de thaïm, lui dépêcha un ordre, en forme de
conseil, de sortir de la Turquie.

580 Charles s'obstina plus que jamais à rester, s'imaginant toujours
qu'il rentrerait en Pologne, et dans l'empire russe avec une armée
ottomane. Personne n'ignore quelle fut enfin en 1714 l'issue de
son audace inflexible; comment il se battit contre une armée de
janissaires, de spahis et de Tartares, avec ses secrétaires, ses valets
de chambre, ses gens de cuisine et d'écurie;[122] qu'il fut captif dans
585 le pays où il avait joui de la plus généreuse hospitalité; qu'il
retourna ensuite déguisé en courrier dans ses Etats, après avoir
demeuré cinq années en Turquie.[123] Il faut avouer que s'il y a eu
de la raison dans sa conduite, cette raison n'était pas faite comme
celle des autres hommes.

[122] Voir le récit circonstancié de cette aventure rocambolesque, qui se termina
par la capture du roi le 12 février 1713, dans l'*Histoire de Charles XII* (V 4, p.439-
55). Cet épisode est connu sous son nom turc, le *kalabalık* (charivari).

[123] Sur son extraordinaire voyage de retour en Suède, voir l'*Histoire de Charles XII*
(V 4, p.486-91).

CHAPITRE SECOND

Suite de l'affaire du Pruth.

Il est utile de rappeler ici un fait déjà raconté dans l'Histoire de Charles XII. Il arriva pendant la suspension d'armes qui précéda le traité du Pruth, que deux Tartares surprirent deux officiers italiens de l'armée du czar, et vinrent les vendre à un officier des janissaires; le vizir punit cet attentat contre la foi publique par la   5
mort des deux Tartares. [1] Comment accorder cette délicatesse si sévère avec la violation du droit des gens, dans la personne de l'ambassadeur Tolstoy, que le même grand vizir avait fait arrêter dans les rues de Constantinople? Il y a toujours une raison des contradictions dans la conduite des hommes. Baltagi Mehemet   10
était piqué contre le kam des Tartares, qui ne voulait pas entendre parler de paix; et il voulut lui faire sentir qu'il était le maître.

Le czar après la paix signée se retira par Jassi jusque sur la frontière, suivi d'un corps de huit mille Turcs, [2] que le vizir envoya, non seulement pour observer la marche de l'armée russe, mais   15
pour empêcher que les Tartares vagabonds ne l'inquiétassent.

Pierre accomplit d'abord le traité, en faisant démolir la forteresse de Samara et de Kamienska; [3] mais la reddition d'Asoph et la démolition de Taganrok [4] souffrit plus de difficultés: il fallait aux

19   K: Taganrok souffrirent plus

[1] Voir *Histoire de Charles XII* (V 4, p.412-13).
[2] On lisait dans le manuscrit: 'douze mille Turcs'. Voltaire corrigea après une observation de Müller, qui, cependant, peut-être par erreur, ne mentionne qu'environ huit cents hommes de cavalerie turque (Š, p.431).
[3] Pétersbourg invitait Voltaire à écrire *Kamennoï Zaton* (Š, p.431), dont le nom signifie forteresse de pierre dans une anse aménagée pour le stationnement et la réparation des navires de rivière.
[4] Voltaire avait écrit 'la reddition d'Asoph et de Taganrock'. Il corrigea après une observation de Müller (Š, p.432). On avait déjà fait cette remarque à Voltaire,

20 termes du traité distinguer l'artillerie et les munitions d'Asoph qui appartenaient aux Turcs, de celles que le czar y avait mises depuis qu'il avait conquis cette place. [5] Le gouverneur traîna en longueur cette négociation, et la Porte en fut justement irritée. [6] Le sultan

qui n'avait pas modifié son texte (cf. ii.i.398-399). Cette fois, il tint compte de la critique. Il avait d'ailleurs bien rapporté cette exigence des Turcs au chapitre i (ii.i.510-511).

[5] On lisait dans le manuscrit 'ces deux places'. On fit observer à Voltaire qu'il ne s'agisait que d'Azov, puisque le fort et le port de Taganrog n'existaient pas en 1696, et que c'était Pierre qui les avait fait construire (Š, p.432). Voltaire changea la rédaction de ce passage. Le premier point du traité stipulait que l'artillerie et les munitions d'Azov devaient être rendues aux Turcs, sans distinguer celles qui leur appartenaient et celles que le tsar y avaient mises (Nordberg, ii.505; la version russe ne mentionne rien là-dessus, *Pis'ma i boumagui*, xi(1).323). Pierre le Grand corrigea le texte en demandant que toute l'artillerie et les munitions soient retirées du côté russe, sauf les canons du Kamennyj Zaton (*Pis'ma i boumagui*, xi(1).325).

[6] Le gouverneur était le grand amiral Apraxine, précise Müller, qui renvoie à des extraits de lettres que Pierre Ier lui a écrites (Š, p.432). Le 12 juillet 1711, Pierre Ier informait Apraxine que, pour éviter une plus grande effusion de sang, il était convenu de céder Azov et le pays qui en dépend et de raser les places nouvellement fortifiées (MS 2-5, f.63r; MS 2-13, f.174r; *Pis'ma i boumagui*, xi(1).328-29). Mais la lettre du tsar à Apraxine du 15 juillet 1711 ordonne de ne pas se presser de respecter les clauses du traité, car, de toute façon, la destruction des fortifications de Taganrog ne peut s'achever avant la fin d'octobre ou le début de novembre (MS 2-5, f.64v-65r; *Pis'ma i boumagui*, xi(2).12-13). Dans le duplicata du 17 juillet, le tsar a ajouté à sa lettre du 15 qu'il fallait attendre les lettres de Chafirov, et il précisait: 'Lorsque la Porte nous enverra la ratification du traité et qu'elle fera sortir de ses états le Roi de Suede, vous songerés alors à exécuter et finir tout, mais non auparavant' (MS 2-5, f.65r; MS 2-13, f.176r). Dans une autre lettre, sans date, Pierre Ier demande à Apraxine de commencer à évacuer Azov peu à peu, sans se presser, mais de ne pas rendre la ville et de ne pas détruire Taganrog avant qu'il lui écrive de nouveau (MS 2-5, f.65; MS 2-13, f.176). Le 22 septembre, il ordonne à Apraxine de ne point démolir, mais de miner seulement les ouvrages qui sont du côté du Don. Il est surpris qu'il ait miné le grand bastion et qu'il veuille détruire les casernes et la citadelle, et il lui demande pourquoi il a pris une 'résolution si désespérée' (MS 2-5, f.66r; MS 2-13, f.176v). Le 6 novembre, il écrit à Apraxine: 'Il paroît par les dernières lettres de Schafiroff, que les Turcs sont fort irrités de ce qu'Asoff n'est pas rendüe'. Et il ordonne d'exécuter les clauses du traité si les Turcs menacent de déclarer la guerre (MS 2-5, f.67r; MS 2-13, f.177v; ces deux lettres ne sont pas dans les *Pis'ma i boumagui*). Le même 6 novembre, le tsar propose à Chafirov d'adresser au sultan une lettre dont il lui soumet deux variantes: ou bien rendre Azov dès que Charles XII

était impatient de recevoir les clefs d'Asoph; le vizir les promettait; le gouverneur différait toujours. Baltagi Mehemet en perdit les bonnes grâces de son maître, et sa place; le kam des Tartares et ses autres ennemis prévalurent contre lui: il fut enveloppé dans *Novembre.* la disgrâce de plusieurs bachas;[7] mais le Grand-Seigneur qui connaissait sa fidélité, ne lui ôta ni son bien ni sa vie; il fut envoyé à Mytilène,[8] où il commanda. Cette simple déposition, cette conservation de sa fortune, et surtout ce commandement dans Mytilène, démentent évidemment tout ce que Norberg avance pour faire croire que ce vizir avait été corrompu par l'argent du czar.

Norberg dit que le bostangi bachi[9] qui vint lui redemander le bul de l'empire,[10] et lui signifier son arrêt, le déclara *traître et désobéissant à son maître, vendu aux ennemis à prix d'argent, et*

25

30

35

sera expulsé de Turquie, ou bien que le sultan s'engage fermement par écrit à chasser le roi de Suède dès la reddition d'Azov. La première proposition est la meilleure, mais le choix est laissé à Chafirov (MS 2-5, f.67v-68r; MS 2-13, f.177v-178v; *Pis'ma i boumagui*, xi(1).237). Le 27 novembre 1711, Pierre écrit à Apraxine que le sultan a enfin donné l'ordre d'expulser le roi de Suède et que, s'il le fait, il faut respecter le traité (MS 2-5, f.68; MS 2-13, f.178v; *Pis'ma i boumagui*, xi(1).258-59). Le 12, puis le 31 décembre, ordre est donné à Apraxine de rendre Azov et de démolir Taganrog le plus tôt possible (MS 2-5, f.69v-70r; MS 2-13, f.179v-180r; *Pis'ma i boumagui*, xi(1).327-28). Ordre réitéré le 19 janvier 1712 (MS 2-5, f.70; MS 2-13, f.180; *Pis'ma i boumagui*, xi(2).26).

[7] Osman aga, chef de la chancellerie du grand vizir, et Ömer Efendi, son chef des finances, furent exécutés. Dans l'*Histoire de Charles XII*, Voltaire écrivait qu'on avait trouvé dans les trésors d'Osman 'la bague de la czarine, et vingt mille pièces d'or au coin de Saxe et de Moscovie' (V 4, p.424). Voir II.i, n.82. Selon Ch. Lemercier-Quelquejay, ces deux dignitaires, qui avaient été les plus ardents partisans de l'armistice, 'semblent avoir profité des largesses russes' ('La campagne de Pierre le Grand sur le Prut', p.229).

[8] Il y mourut peu après. Dans l'*Histoire de Charles XII*, Voltaire avait écrit par erreur que Baltadgi Mehmed avait été relégué à Lemnos et y était mort trois ans après (V 4, p.424). Il n'avait dû d'avoir la vie sauve qu'à l'intercession de la mère du sultan.

[9] Voltaire avait écrit 'le Baltadgi-Bachi'. Il corrigea après une observation de Müller (Š, p.432). Le bostangi bachi était le chef des jardiniers.

[10] Le sceau de l'empire (cf. l'*Histoire de Charles XII*, V 4, p.385).

coupable de n'avoir point veillé aux intérêts du roi de Suède.[11]
Premièrement ces sortes de déclarations ne sont point du tout en
usage en Turquie: les ordres du sultan sont donnés en secret et
exécutés en silence. Secondement si le vizir avait été déclaré *traître,*
rebelle et corrompu, de tels crimes auraient été punis par la mort,
dans un pays où ils ne sont jamais pardonnés. Enfin, s'il avait été
puni pour n'avoir pas assez ménagé l'intérêt de Charles xii, il est
clair que ce prince aurait eu en effet à la Porte-Ottomane un
pouvoir qui devait faire trembler les autres ministres; ils devaient
en ce cas implorer sa faveur et prévenir ses volontés; mais au
contraire, Jussuf Pacha, aga des janissaires, qui succéda à Mehemet
Baltagi dans le viziriat, pensa hautement comme son prédécesseur
sur la conduite de ce prince; loin de le servir, il ne songea qu'à se
défaire d'un hôte dangereux; et quand Poniatowski, le confident
et le compagnon de Charles xii, vint complimenter ce vizir sur sa
nouvelle dignité, il lui dit, *Païen, je t'avertis qu'à la première intrigue*
que tu voudras tramer, je te ferai jeter dans la mer, une pierre au
cou.[12]

Ce compliment que le comte Poniatowski rapporte lui-même
dans les mémoires qu'il fit à ma réquisition,[13] ne laisse aucun doute
sur le peu d'influence que Charles xii avait à la Porte. Tout ce
que Norberg a rapporté des affaires de Turquie, paraît d'un homme

[11] Voltaire ne cite pas exactement Nordberg; celui-ci écrit que, selon le *bostangi*
bachi, le grand vizir 'avait agi comme *traître,* n'avait *point respecté l'amitié entre la*
Porte et le roi de Suède, s'était laissé *corrompre* par l'ennemi *à force d'argent,* avait
fait une paix honteuse à la puissance des Ottomans, *n'avait point obéi à la volonté du*
Grand Seigneur qui l'avait rappelé depuis longtemps à Constantinople' (ii.537; c'est
nous qui soulignons).

[12] 'Payen, je sçai toutes tes intrigues passées. Je t'avertis, qu'à la premiere, que
je découvrirai que tu voudras tramer, je te ferai attacher une Pierre au cou, & te
ferai jetter dans la mer' (Poniatowski, *Remarques d'un seigneur polonais,* p.148).
Dans l'*Histoire de Charles XII,* Voltaire ne rapportait pas les propos de ce 'fantôme
de ministre' (V 4, p.424).

[13] Poniatowski ne dit pas dans ses *Remarques d'un seigneur polonais* qu'elles ont
été faites 'à la réquisition' de Voltaire.

passionné, et mal informé. Il faut ranger parmi les erreurs de 60
l'esprit de parti, et parmi les mensonges politiques, tout ce qu'il
avance sans preuve de la prétendue corruption d'un grand vizir,
c'est-à-dire, d'un homme qui disposait de plus de soixante millions
par an, sans rendre compte. J'ai encore entre les mains la lettre
que le comte Poniatowski écrivit au roi Stanislas immédiatement 65
après la paix du Pruth: il reproche à Baltagi Mehemet son
éloignement pour le roi de Suède, son peu de goût pour la guerre,
sa facilité: mais il se garde bien de l'accuser de corruption;[14] il
savait trop ce que c'est que la place d'un grand vizir, pour penser
que le czar pût mettre un prix à la trahison du vice-roi de l'empire 70
ottoman.

Shaffirof et Sheremeto demeurés en otage à Constantinople ne
furent point traités comme ils l'auraient été s'ils avaient été
convaincus d'avoir acheté la paix, et d'avoir trompé le sultan de
concert avec le vizir; ils demeurèrent en liberté dans la ville, 75
escortés de deux compagnies de janissaires.

L'ambassadeur Tolstoy étant sorti des sept Tours immédiatement après la paix du Pruth, les ministres d'Angleterre et de
Hollande[15] s'entremirent auprès du nouveau vizir pour l'exécution
des articles. 80

Asoph venait enfin d'être rendu aux Turcs;[16] on démolissait les
forteresses stipulées dans le traité. Quoique la Porte-Ottomane
n'entre guère dans les différends des princes chrétiens, cependant
elle était flattée alors de se voir arbitre entre la Russie, la Pologne
et le roi de Suède: elle voulait que le czar retirât ses troupes de la 85

---

62   K: preuve touchant la prétendue

[14] Cette lettre de Poniatowski à Stanislas ne figure pas dans les *Remarques d'un
seigneur polonais*.
[15] Sir Robert Sutton (1661-1723) et Jacobus Colyer (1683-1725).
[16] En avril 1712, après une nouvelle guerre que Voltaire passe sous silence et
pendant laquelle Chafirov, Tolstoï et le jeune Cheremetiev furent envoyés aux
Sept-Tours (Massie, p.538).

Pologne, et délivrât la Turquie d'un voisinage si dangereux; elle souhaitait que Charles retournât dans ses Etats, afin que les princes chrétiens fussent continuellement divisés; mais jamais elle n'eut l'intention de lui fournir une armée. Les Tartares désiraient
90 toujours la guerre, comme les artisans veulent exercer leurs professions lucratives. Les janissaires la souhaitaient, mais plus par haine contre les chrétiens, par fierté, par amour pour la licence que par d'autres motifs. Cependant les négociations des ministres anglais et hollandais prévalurent contre le parti opposé. La paix
95 du Pruth fut confirmée; mais on ajouta dans le nouveau traité, que le czar retirerait dans trois mois toutes ses troupes de la Pologne, et que l'empereur turc renverrait incessamment Charles XII. [17]

On peut juger, par ce nouveau traité, si le roi de Suède avait à la Porte autant de pouvoir qu'on l'a dit. Il était évidemment sacrifié
100 par le nouveau vizir Jussuf Pacha, ainsi que par Baltagi Mehemet. Ses historiens n'ont eu d'autre ressource pour couvrir ce nouvel affront, que d'accuser Jussuf d'avoir été corrompu, ainsi que son prédécesseur. De pareilles imputations tant de fois renouvelées sans preuve, sont bien plutôt les cris d'une cabale impuissante que
105 les témoignages de l'histoire. L'esprit de parti obligé d'avouer les faits en altère les circonstances et les motifs; et malheureusement

---

[17] Dans le nouveau traité, du 5/16 avril 1712, le premier point stipule que deux mois après la signature le tsar retirera toutes ses troupes de Pologne. Mais il n'est pas dit que le sultan renverra incessamment Charles XII: selon le deuxième point, 'lorque la Haute Porte jugera à propos que le roi de Suède retourne dans ses Etats, cela se fera par tel chemin que le Grand Seigneur trouvera bon, sans stipuler pour cela ni tems ni route' (Nordberg, iv.268; voir aussi Nordberg, iii.100 pour le résumé de ces deux points). Dans le préambule, Chafirov et Mikhaïl Cheremetiev affirment que, selon le premier traité du Prut, le tsar devait retirer ses troupes de Pologne dans les trente jours du côté turc, 'mais que, pour celles qui étoient à l'autre extrémité dudit royaume', on accorderait le terme de trois mois (Nordberg, iv.267). Ces dispositions ne figurent pas dans le premier traité de 1711, où il était dit seulement que le tsar ne devait plus se mêler des affaires de Pologne (Nordberg, ii.505; *Pis'ma i boumagui*, xi(1).323), mais dans le traité du 5/16 avril 1712 (*Pis'ma i boumagui*, xii(1).203-204). Voltaire a-t-il confondu le délai de trois mois (qui ne figure pas dans l'ancien traité) et le délai de deux mois stipulé dans le nouveau?

c'est ainsi que toutes les histoires contemporaines parviennent falsifiées à la postérité, qui ne peut plus guère démêler la vérité du mensonge.

CHAPITRE TROISIÈME

Mariage du czarovitz, et déclaration solennelle du
mariage de Pierre avec Catherine, qui reconnaît son frère.

Cette malheureuse campagne du Pruth fut plus funeste au czar,
que ne l'avait été la bataille de Nerva: car après Nerva il avait su
tirer parti de sa défaite même, réparer toutes ses pertes, et enlever
l'Ingrie à Charles XII. Mais après avoir perdu par le traité de
5   Falksen avec le sultan ses ports [1] et ses forteresses sur les Palus-
Méotides, il fallut renoncer à l'empire sur la mer Noire. Il lui
restait un champ assez vaste pour ses entreprises; il avait à
perfectionner tous ses établissements en Russie, ses conquêtes sur
la Suède à poursuivre, le roi Auguste à raffermir en Pologne, et
10   ses alliés à ménager. Les fatigues avaient altéré sa santé; il fallut
qu'il allât aux eaux de Carelsbad en Bohême; mais pendant qu'il
prenait les eaux, il faisait attaquer la Poméranie; Stralsund était
bloqué, et cinq petites villes étaient prises.

La Poméranie est la province d'Allemagne la plus septentrionale,
15   bornée à l'orient par la Prusse et la Pologne, à l'occident par le
Brandebourg, au midi par le Meklembourg, [2] et au nord par la mer
Baltique: elle eut presque de siècle en siècle différents maîtres.
Gustave-Adolphe s'en empara dans la fameuse guerre de Trente
Ans, et enfin elle fut cédée solennellement aux Suédois par le traité

---

[1] Il n'y avait pas d'autre port que celui de Taganrog, fit-on remarquer à
Pétersbourg (Š, p.433).

[2] Erreurs de Voltaire: par rapport à la Poméranie, dont les limites historiques ont
d'ailleurs varié, le Brandebourg n'est pas situé à l'ouest, mais au sud, et le
Mecklembourg n'est pas au sud, mais à l'ouest. Voltaire a confondu ces deux
provinces, ou leurs situations respectives.

de Vestphalie,[3] à la réserve de l'évêché de Camin et de quelques   20
petites places situées dans la Poméranie ultérieure. Toute cette
province devait naturellement appartenir à l'électeur de Brandebourg, en vertu des pactes de famille faits avec les ducs de
Poméranie. La race de ces ducs s'était éteinte en 1637; par
conséquent, suivant les lois de l'Empire, la maison de Brandebourg   25
avait un droit évident sur cette province; mais la nécessité, la
première des lois, l'emporta dans le traité d'Osnabruck[4] sur les
pactes de famille, et depuis ce temps, la Poméranie presque tout
entière avait été le prix de la valeur suédoise.

Le projet du czar était de dépouiller la couronne de Suède de   30
toutes les provinces qu'elle possédait en Allemagne; il fallait pour
remplir ce dessein, s'unir avec les électeurs de Brandebourg et
d'Hanovre, et avec le Dannemarck. Pierre écrivit tous les articles
du traité qu'il projetait avec ces puissances, et tout le détail des
opérations nécessaires pour se rendre maître de la Poméranie.   35

25 octobre.   Pendant ce temps-là même il maria[5] dans Torgau son fils
Alexis,[6] avec la princesse de Volfembutel sœur de l'impératrice

[3] On sait que les traités de Westphalie ont mis partiellement fin à la guerre de
Trente ans, en 1648, et furent ratifiés en février 1649. Ils abaissèrent la Maison
d'Autriche et réduisirent le Saint-Empire à l'impuissance.

[4] Par le traité d'Osnabrück (6 août 1648), la Suède annexait non seulement la
Poméranie occidentale, comme l'indique Voltaire, mais les évêchés de Wismar, de
Brême et de Verden. Ces territoires restant partie intégrante de l'Empire, le roi de
Suède devenait un prince allemand et siégeait à la Diète de Francfort. La Suède
s'assurait par ailleurs le contrôle des estuaires de l'Oder, de l'Elbe et de la Weser,
et donc du commerce allemand dans la mer du Nord et la Baltique. Quant au
Brandebourg, dont Voltaire minimise les acquisitions, il recevait la Poméranie
orientale, avec les évêchés de Kammin, de Minden et d'Halberstadt, et l'expectative
de l'évêché de Magdebourg. Kammin (Kamien Pomorski) et la Poméranie orientale
appartiennent actuellement à la Pologne.

[5] Le mariage eut lieu le 14/25 octobre 1711. C'est sur le conseil de Müller que
Voltaire a mis la date dans son texte imprimé (Š, p.433).

[6] Voltaire avait écrit 'son fils Alexiovits'. On lui fit observer qu'il s'appelait
Alexis, comme Voltaire le nommait d'ailleurs plus loin, car Alexiovits signifie 'fils
d'Alexis' (Š, p.433).

d'Allemagne, épouse de Charles VI; mariage qui fut depuis si funeste, et qui coûta la vie aux deux époux. [7]

40   Le czarovitz était né du premier mariage de Pierre avec Eudoxie Lapoukin, [8] mariée, comme on l'a dit, en 1689. Elle était alors confinée dans un couvent à Susdal. Son fils Alexis Petrovitz, né le premier mars 1690, était dans sa 22e année. Ce prince n'était pas encore connu en Europe. Un ministre dont on a imprimé des
45   mémoires sur la cour de Russie, [9] dit dans une lettre écrite à son maître, datée du 25 août 1711, 'que ce prince était grand et bien fait, qu'il ressemblait beaucoup à son père, qu'il avait le cœur bon, qu'il était plein de piété, qu'il avait lu cinq fois l'Ecriture sainte, qu'il se plaisait fort à la lecture des anciennes histoires grecques:
50   il lui trouve l'esprit étendu et facile; il dit que ce prince sait les mathématiques, qu'il entend bien la guerre, la navigation, la science de l'hydraulique, qu'il sait l'allemand, qu'il apprend le

41   63-w68: Lapukin

[7] Charlotte de Wolfenbüttel mourut le 1er novembre 1715, neuf jours après avoir mis au monde le prince qui succéda à Catherine Ière, précise-t-on à Pétersbourg (il s'agit du futur Pierre II). Les chagrins que lui causait son époux n'avaient pas moins contribué à sa mort que la négligence de la sage-femme (Š, p.433). Voir ci-dessus, *Anecdotes*, n.82.

[8] Voltaire avait écrit 'Eudoxie Theodore Lapuskin'. Il corrigea après qu'on lui eut fait remarquer qu'Eudoxie était la fille de Fedor Lopoukhine (Š, p.433).

[9] Voltaire semble penser qu'il s'agit de Friedrich Christian Weber, puisqu'il a publié la lettre sur Alexis, mais c'est douteux (voir note suivante). Résident de Hanovre en Russie de 1714 à 1719, Weber est l'auteur de *Das veränderte Russland* (i: Francfort 1721; ii et iii: Hannover 1739-1740). Le premier volume parut en français sous le titre de *Mémoires pour servir à l'histoire de l'empire russien sous le règne de Pierre le Grand* (La Haye 1725); les volumes 2 et 3 furent traduits en français par un jésuite, le père Malassis, sous le titre de *Nouveaux mémoires sur l'état présent de la Grande Russie ou Moscovie* (Paris, Amsterdam 1725; BV3833). Une traduction anglaise du premier volume, *The Present State of Russia*, parut en deux tomes à Londres en 1722 et 1723.

749

français; mais que son père n'a jamais voulu qu'il fît ce qu'on appelle ses exercices.'[10]

Voilà un portrait bien différent de celui que le czar lui-même fit quelque temps après de ce fils infortuné: nous verrons avec quelle douleur son père lui reprocha tous les défauts contraires aux bonnes qualités que ce ministre admire en lui.

C'est à la postérité à décider entre un étranger qui peut juger légèrement, ou flatter le caractère d'Alexis, et un père qui a cru devoir sacrifier les sentiments de la nature au bien de son empire. Si le ministre n'a pas mieux connu l'esprit d'Alexis que sa figure, son témoignage a peu de poids: il dit que ce prince était grand et bien fait: les mémoires que j'ai reçus de Pétersbourg, disent qu'il n'était ni l'un ni l'autre.[11]

---

[10] Weber, *Mémoires anecdotes d'un ministre étranger résidant à Pétersbourg*, p.LXI (voir ci-dessus, I.xviii, n.26). La lettre que Voltaire cite en substance est-elle de Weber? C'est peu probable, car son auteur dit n'avoir séjourné que deux mois à la cour de Pétersbourg, et, d'autre part, Weber n'a commencé à séjourner en Russie qu'en 1714 (et non en 1711). Cette lettre se recoupe avec un manuscrit évoqué par la comtesse de Bassewitz (voir II.x, n.5). Ce portrait est absolument faux, déclarat-on à Pétersbourg. Alexis n'était ni grand ni bien fait, et il n'avait aucune des qualités que ce ministre lui attribue. On voit bien qu'il ne l'a guère connu. Son éducation fut négligée, il savait très peu de mathématiques, rien en navigation et en hydraulique, et ne possédait que l'allemand. Extrêmement superstitieux, il ne fréquentait que des prêtres et autres ennemis des connaissances utiles, blâmant toujours les actions et les projets de son père, et promettant de rétablir les anciens usages dès qu'il parviendrait au trône. Alexis n'avait aucune inclination pour les exercices et pour le métier de la guerre. Pierre a essayé de le corriger en le mariant avec une princesse allemande, mais il n'a fait que la rendre malheureuse (Š, p.434). Comme l'écrit Šmurlo, Voltaire n'a pas tenu compte des efforts de Pétersbourg pour présenter Alexis sous un jour moins favorable. Toutefois, s'il conserva le témoignage de Weber, il en limita la portée en rapportant l'opinion contraire de Pierre Ier dans les deux paragraphes suivants.

[11] Voltaire fait allusion aux remarques reçues de Pétersbourg (voir note précédente). Il n'y a pas de portrait physique du fils de Pierre le Grand dans les 'Particularités concernant la vie et la mort du Tsarevits Alexei Petrovits' (MS 3-52). Une copie de ce manuscrit a été achetée et publiée par le prince Augustin Galitzin sous le titre de *Mémoire abrégé sur la vie du zarewitsch Alexis Petrowitsch envoyé par ordre de la cour de Saint-Pétersbourg à M. de Voltaire lorsqu'il composait l'histoire de l'empire de Russie* (A. Galitzin, *Dans la Russie du XVIIIe siècle: mémoires inédits*

Catherine sa belle-mère n'assista point à ce mariage; car quoi-qu'elle fût regardée comme czarine, elle n'était point reconnue solennellement en cette qualité,[12] et le titre d'*altesse* qu'on lui donnait à la cour du czar lui laissait encore un rang trop équivoque, pour qu'elle signât au contrat, et pour que le cérémonial allemand lui accordât une place convenable à sa dignité d'épouse du czar Pierre. Elle était alors à Thorn dans la Prusse polonaise. Le czar envoya d'abord les deux nouveaux époux à Volfembutel,[13] et reconduisit bientôt la czarine à Pétersbourg, avec cette rapidité et cette simplicité d'appareil qu'il mettait dans tous ses voyages.

Ayant fait le mariage de son fils, il déclara plus solennellement le sien, et le célébra à Pétersbourg.[14] La cérémonie fut aussi auguste qu'on peut la rendre dans un pays nouvellement créé, dans un temps où les finances étaient dérangées par la guerre soutenue contre les Turcs, et par celle qu'on faisait encore au roi de Suède. Le czar ordonna seul la fête, et y travailla lui-même

1712.

9 janvier.

19 février.

---

sur les règnes de Pierre le Grand, Catherine Ière et Pierre II, Paris 1863, p.360-67). Qui doutera, rétorqua-t-on à Pétersbourg, que Pierre Ier n'ait pas mieux connu son fils qu'un étranger qui peut-être ne l'a vu que dans des manifestations publiques, et dont le récit ne se fonde que sur des ouï-dire? (Š, p.435).

[12] Son mariage n'avait pas encore été célébré solennellement, précise Müller (Š, p.435). Pierre estimait en effet que Catherine méritait mieux que le mariage secret de novembre 1707, auquel Voltaire fait allusion au chapitre 1 (II.i.97).

[13] Voltaire avait d'abord écrit 'le tsar y alla lui présenter son beau-fils et sa belle-fille'. On lui objecta qu'il y était allé seul le 7 novembre 1711 et qu'il était retourné avec son épouse à Pétersbourg le 9 janvier 1712. Les nouveaux époux partirent de Torgau pour Wolfenbüttel (Š, p.435). Il est difficile, remarque Šmurlo, d'établir avec certitude en quoi consiste le changement apporté par rapport au manuscrit.

[14] On lisait dans le manuscrit: 'il déclara solennellement le sien'. Il l'avait déjà déclaré le 17 mars 1711, observa-t-on à Pétersbourg, et il le célébra le 1er mars 1712 (Š, p.435). Effectivement, en mars 1711, Pierre avait présenté sa sœur Nathalie, sa belle-sœur Praskovie, veuve d'Ivan V, et deux des filles de cette dernière à Catherine pour leur dire qu'elle était son épouse (Massie, p.356). Rousset de Missy disait seulement que le mariage, resté jusque-là secret, avait été 'déclaré' en 1711 (*Mémoires du règne de Catherine*, p.14). Voltaire modifia son texte. A noter qu'il donne la date du mariage de Pierre et de Catherine en vieux style.

751

selon sa coutume. Ainsi Catherine fut reconnue publiquement
czarine, [15] pour prix d'avoir sauvé son époux et son armée.

Les acclamations avec lesquelles ce mariage fut reçu dans
Pétersbourg étaient sincères: mais les applaudissements des sujets   85
aux actions d'un prince absolu sont toujours suspects: ils furent
confirmés par tous les esprits sages de l'Europe, qui virent avec
plaisir, presque dans le même temps, d'un côté, l'héritier de cette
vaste monarchie n'ayant de gloire que celle de sa naissance, marié
à une princesse; et de l'autre un conquérant, un législateur   90
partageant publiquement son lit et son trône avec une inconnue,
captive à Marienbourg, et qui n'avait que du mérite. L'approbation
même est devenue plus générale, à mesure que les esprits se sont
plus éclairés par cette saine philosophie qui a fait tant de progrès
depuis quarante ans, philosophie sublime et circonspecte, qui   95
apprend à ne donner que des respects extérieurs à toute espèce de
grandeur et de puissance, et à réserver les respects véritables pour
les talents, et pour les services.

Je dois fidèlement rapporter ce que je trouve, concernant ce
mariage, dans les dépêches du comte de Bassevitz, conseiller   100
aulique à Vienne, et longtemps ministre de Holstein à la cour de
Russie. C'était un homme de mérite, plein de droiture et de
candeur, et qui a laissé en Allemagne une mémoire précieuse. [16]

[15] Voltaire avait écrit 'autocratrice'. On lui fit remarquer que ce titre ne se donnait
jamais à la femme du souverain (Š, p.436).
[16] Le comte Henning Frédéric de Bassewitz (1680-1749), chevalier de Saint-
André, fut grand échanson du duc Frédéric-Guillaume de Mecklembourg jusqu'en
1710, puis président du conseil privé du duc Charles-Frédéric de Holstein-Gottorp
(le père du futur Pierre III) jusqu'en 1730. Envoyé à Berlin (1713) puis à Pétersbourg
(1714), il s'efforce en vain de gagner Pierre le Grand à la cause de la maison de
Gottorp et se brouille avec Görtz. Après 1721, fixé à Pétersbourg avec le duc de
Gottorp, il tente vainement de récupérer le Holstein perdu, mais obtient le mariage
de Charles-Frédéric avec Anne, fille de Pierre le Grand. A la mort du tsar, il
contribue à l'avènement de Catherine. Après la mort de Catherine Ière en 1727, le
duc et Bassewitz retournent à Kiel. Tombé en disgrâce, il quitta la cour de Gottorp
en 1730, devint conseiller privé de l'empereur Charles VI, puis se retira sur ses terres
du Mecklembourg. Passionné et fantasque, cet ambassadeur à la cour de Pierre le

Voici ce qu'il dit dans ses lettres. 'La czarine avait été non
105 seulement nécessaire à la gloire de Pierre, mais elle l'était à la
conservation de sa vie. Ce prince était malheureusement sujet à
des convulsions douloureuses, qu'on croyait être l'effet d'un poison
qu'on lui avait donné dans sa jeunesse. [17] Catherine seule avait
trouvé le secret d'apaiser ses douleurs par des soins pénibles, et
110 des attentions recherchées, dont elle seule était capable, et se
donnait tout entière à la conservation d'une santé aussi précieuse
à l'Etat qu'à elle-même. Ainsi le czar ne pouvant vivre sans elle,
la fit compagne de son lit et de son trône.' Je me borne à rapporter
ses propres paroles. [18]
115   La fortune, qui dans cette partie du monde avait produit tant
de scènes extraordinaires à nos yeux, et qui avait élevé l'impératrice
Catherine de l'abaissement, de la calamité, au plus haut degré
d'élévation, la servit encore singulièrement quelques années après
la solennité de son mariage.
120   Voici ce que je trouve dans le manuscrit curieux d'un homme
qui était alors au service du czar et qui parle comme témoin. [19]

---

117   K: l'abaissement et de la
120   63, 65, avec manchette: page 56 du mss.

Grand est l'auteur de Mémoires sur la Russie de 1713 à 1725, dont des Extraits (MS
3-1, 3-2, 3-3) ont paru sous le titre d'*Eclaircissements*, dans *Büschings Magazin*, IX
(1775). Selon Pétersbourg, Bassewitz n'avait pas les qualités que Voltaire lui attribue.
Il était extrêmement présomptueux, méchant et indiscret. Son procès avec le duc de
Holstein est connu et les pièces imprimées de part et d'autre. Ce qu'il dit de
Catherine et des convulsions douloureuses de Pierre Ier est aussi faux que mal
tourné (Š, p.436).

[17] Voltaire faisait allusion à ce poison dans les *Anecdotes*, l.52-53.

[18] Ces lettres de Bassewitz ne sont pas dans les *Eclaircissements*, dont le récit ne
commence qu'après le mariage de Catherine (1711), au moment du siège de Tönning.

[19] L'anecdote figure dans le MS 2-4 (voir aussi Bn F14637, p.110-18). Elle y est
plus développée et comporte des variantes (Skavronski n'est pas un noble, mais un
paysan polonais, ce qui mortifie un peu Catherine, trois mois après son couronnement). Eon de Beaumont écrit à propos de cette anecdote: 'M. de Voltaire cite pour
garant de ce qu'il avance un manuscrit dont il est seul dépositaire; nul moyen plus
propre, je l'avoue, pour accréditer la flatterie, mais qui ne peut séduire un historien

Un envoyé du roi Auguste à la cour du czar, retournant à Dresde par la Courlande, entendit dans un cabaret un homme qui paraissait dans la misère, et à qui on faisait l'accueil insultant que cet état n'inspire que trop aux autres hommes. Cet inconnu piqué, dit que l'on ne le traiterait pas ainsi s'il pouvait parvenir à être présenté au czar, et que peut-être il aurait dans sa cour de plus puissantes protections qu'on ne pensait.

L'envoyé du roi Auguste qui entendit ce discours eut la curiosité d'interroger cet homme, et sur quelques réponses vagues qu'il en reçut, l'ayant considéré plus attentivement, il crut démêler dans ses traits quelques ressemblances avec l'impératrice. Il ne put s'empêcher, quand il fut à Dresde, d'en écrire à un de ses amis à Pétersbourg. La lettre tomba dans les mains du czar. Ce prince envoya ordre au prince Repnin gouverneur de Riga, de tâcher de découvrir l'homme dont il était parlé dans la lettre. Le prince Repnin fit partir un homme de confiance pour Mittau en Courlande; on découvrit l'homme; il s'appelait Charles Scavronski; il était fils d'un gentilhomme de Lithuanie, mort dans les guerres de Pologne, et qui avait laissé deux enfants au berceau, un garçon et une fille. L'un et l'autre n'eurent d'éducation que celle qu'on peut recevoir de la nature dans l'abandon général de toutes choses. Scavronski séparé de sa sœur dès la plus tendre enfance, savait seulement qu'elle avait été prise dans Marienbourg en 1704, et il la croyait encore auprès du prince Menzikoff, où il pensait qu'elle avait fait quelque fortune.

Le prince Repnin, suivant les ordres exprès de son maître, fit

125

130

135

140

145

134-135 K: czar, qui envoya
144 K: et la croyait

---

que guide seul la vérité'. Pour le chevalier, Catherine était la fille d'un paysan, vassal du colonel Rosen (*Histoire impartiale d'Eudoxie Foederowna première femme de Pierre le Grand, empereur de Russie*, dans *Les Loisirs du chevalier d'Eon pendant son séjour en Angleterre*, Amsterdam 1774, vi.18).

conduire à Riga Scavronski, sous prétexte de quelque délit dont on l'accusait; on fit contre lui une espèce d'information, et on l'envoya sous bonne garde à Pétersbourg, avec ordre de le bien traiter sur la route.

Quand il fut arrivé à Pétersbourg, on le mena chez un maître d'hôtel du czar, nommé Shepleff. Ce maître d'hôtel instruit du rôle qu'il devait jouer, tira de cet homme beaucoup de lumières sur son état, et lui dit enfin que l'accusation qu'on avait intentée contre lui à Riga était très grave, mais qu'il obtiendrait justice, qu'il devait présenter une requête à Sa Majesté, qu'on dresserait cette requête en son nom, et qu'on ferait en sorte qu'il pût la lui donner lui-même.

Le lendemain le czar alla dîner chez Shepleff; on lui présenta Scavronski: ce prince lui fit beaucoup de questions, et demeura convaincu par la naïveté de ses réponses, qu'il était le propre frère de la czarine. Tous deux avaient été dans leur enfance en Livonie. Toutes les réponses que fit Scavronski aux questions du czar, se trouvaient conformes à ce que sa femme lui avait dit de sa naissance et des premiers malheurs de sa vie.

Le czar ne doutant plus de la vérité, proposa le lendemain à sa femme d'aller dîner avec lui chez ce même Shepleff: il fit venir au sortir de table ce même homme qu'il avait interrogé la veille. Il vint vêtu des mêmes habits qu'il avait portés dans le voyage; le czar ne voulut point qu'il parût dans un autre état que celui auquel sa mauvaise fortune l'avait accoutumé.

Il l'interrogea encore devant sa femme. Le manuscrit porte qu'à la fin il lui dit ces propres mots: *Cet homme est ton frère: allons, Charles, baise la main de l'impératrice, et embrasse ta sœur.*

L'auteur de la relation ajoute que l'impératrice tomba en défaillance, et que lorsqu'elle eut repris ses sens, le czar lui dit: *Il n'y a là rien que de simple; ce gentilhomme est mon beau-frère; s'il a du mérite, nous en ferons quelque chose; s'il n'en a point, nous n'en ferons rien.*

Il me semble qu'un tel discours montre autant de grandeur que de simplicité, et que cette grandeur est très peu commune. L'auteur dit que Scavronski resta longtemps chez Shepleff, qu'on lui assigna une pension considérable, et qu'il vécut très retiré. Il ne pousse pas plus loin le récit de cette aventure, qui servit seulement à 185 découvrir la naissance de Catherine: mais on sait d'ailleurs que ce gentilhomme fut créé comte, qu'il épousa une fille de qualité, et qu'il eut deux filles mariées à des premiers seigneurs de Russie. Je laisse au peu de personnes qui peuvent être instruites de ces détails, à démêler ce qui est vrai dans cette aventure, et ce qui peut y avoir 190 été ajouté. [20] L'auteur du manuscrit ne paraît pas avoir raconté ces faits dans la vue de débiter du merveilleux à ses lecteurs, puisque son mémoire n'était point destiné à voir le jour. Il écrit à un ami avec naïveté ce qu'il dit avoir vu. Il se peut qu'il se trompe sur quelques circonstances, mais le fond paraît très vrai; car si ce 195 gentilhomme avait su qu'il était frère d'une personne si puissante,

188   63, 65:   mariées aux premiers

[20] Karl Skavronski arriva à Pétersbourg en 1724, précise Müller. Il était le fils d'un pauvre gentilhomme lituanien mort dans les guerres de Pologne, affirme-t-il comme Voltaire. Skavronski avait encore deux sœurs mariées à des gentilshommes polonais. Ils arrivèrent quelque temps après, et Chepelev, depuis grand maréchal de la cour, fut chargé de les conduire à Pétersbourg. Le fils de Skavronski est actuellement grand-maître de la cour de l'impératrice, et sa fille est mariée au chancelier Vorontsov. En dehors de cela, tout ce que cite Voltaire du manuscrit est dénué de fondement (Š, p.437-38). Voltaire n'a pas voulu supprimer les paroles qui auraient été prononcées par Pierre le Grand, sujettes à caution selon Müller. Le père de Catherine avait eu effectivement quatre enfants, mais, contrairement à ce qu'assure Müller, il n'était pas noble, mais paysan lituanien, mort de la peste (Massie, p.352). Karl Skavronski était le frère aîné de Catherine. Son fils Martyn (1714-1776) devint général en chef et Hofmeister. Quant à la fille de Karl Skavronski, Anna Karlovna (1722-1775), épouse du chancelier M. I. Vorontsov, elle est évoquée dans le *Voyage en Sibérie* de Chappe d'Auteroche (p.121). Apparemment, Voltaire avait affirmé dans son manuscrit que le pasteur Gluck avait qualifié Catherine de 'Erbmagd' (c'est ainsi que la 'Lettre écrite de Lithuanie sur l'origine de l'Impératrice', publiée en appendice par Rousset de Missy dans ses *Mémoires du règne de Catherine*, désigne la *mère* de Catherine, p.605-606). C'est absolument faux, dit Müller, car ce nom signifie 'esclave' (Š, p.438). Voltaire a supprimé ce mot.

il n'aurait pas attendu tant d'années pour se faire reconnaître. Cette reconnaissance, toute singulière qu'elle paraît, n'est pas si extraordinaire que l'élévation de Catherine: l'une et l'autre sont
200 une preuve frappante de la destinée, et peuvent servir à nous faire suspendre notre jugement, quand nous traitons de fables tant d'événements de l'antiquité moins opposés peut-être à l'ordre commun des choses que toute l'histoire de cette impératrice.

Les fêtes que Pierre donna pour le mariage de son fils et le sien,
205 ne furent pas des divertissements passagers, qui épuisent le trésor, et dont le souvenir reste à peine. Il acheva la fonderie des canons et les bâtiments de l'Amirauté; les grands chemins furent perfectionnés; de nouveaux vaisseaux furent construits; il creusa des canaux; la Bourse et les magasins furent achevés, et le commerce
210 maritime de Pétersbourg commença à être dans sa vigueur. Il ordonna que le sénat de Moscou fût transporté à Pétersbourg; ce qui s'exécuta au mois d'avril 1712. Par là cette nouvelle ville devint comme la capitale de l'empire.[21] Plusieurs prisonniers suédois furent employés aux embellissements de cette ville, dont la fonda-
215 tion était le fruit de leur défaite.[22]

208   63, 65:   furent bâtis; il creusa

[21] On ne saurait dire que Pétersbourg devint la capitale avec le transfert du Sénat, objecta Müller. Ce Sénat de régence ne fut établi que l'année d'avant, lorsque Pierre 1er partit pour faire la guerre aux Turcs. Il l'a maintenu après à perpétuité en le chargeant de l'administration de l'intérieur (Š, p.438).

[22] Ils furent employés à bâtir une ville, etc., rectifie Müller (Š, p.439). Il semble qu'à Pétersbourg, commente Šmurlo, on ait voulu supprimer le mot 'embellissement'.

CHAPITRE QUATRIÈME

PRISE DE STETIN

Descente en Finlande. Evénements de 1712.

Pierre se voyant heureux dans sa maison, dans son gouvernement, dans ses guerres contre Charles XII, dans ses négociations avec tous les princes qui voulaient chasser les Suédois du continent, et les renfermer pour jamais dans la presqu'île de la Scandinavie, portait toutes ses vues sur les côtes occidentales du nord de l'Europe, et oubliait les Palus-Méotides et la mer Noire. Les clefs d'Asoph longtemps refusées au bacha qui devait entrer dans cette place au nom du Grand-Seigneur, avaient été enfin rendues;[1] et malgré tous les soins de Charles XII, malgré toutes les intrigues de ses partisans à la cour ottomane, malgré même plusieurs démonstrations d'une nouvelle guerre,[2] la Russie et la Turquie étaient en paix.

Charles XII restait toujours obstinément à Bender, et faisait dépendre sa fortune et ses espérances du caprice d'un grand vizir, tandis que le czar menaçait toutes ses provinces, armait contre lui le Dannemarck et Hanovre, était prêt de faire déclarer la Prusse, et réveillait la Pologne et la Saxe.

La même fierté inflexible que Charles mettait dans sa conduite avec la Porte, dont il dépendait, il la déployait contre ses ennemis

---

16 K: et l'Hanovre
    K: prêt à faire

---

[1] En avril 1712.

[2] Il y eut en fait quatre guerres russo-turques en trois ans. La deuxième s'acheva en avril 1712; les Turcs déclarèrent la troisième en décembre 1712 et la quatrième en avril 1713 pour que les Russes respectent leur engagement de quitter la Pologne. La paix fut signée à Andrinople le 18/29 octobre 1713.

20 éloignés, réunis pour l'accabler. Il bravait du fond de sa retraite, dans les déserts de la Bessarabie, et le czar, et les rois de Pologne, de Dannemarck et de Prusse, et l'électeur de Hanovre devenu bientôt après roi d'Angleterre, et l'empereur d'Allemagne qu'il avait tant offensé quand il traversa la Silésie en vainqueur.

25 L'Empereur s'en vengeait en l'abandonnant à sa mauvaise fortune, et en ne donnant aucune protection aux Etats que la Suède possédait encore en Allemagne.

Il eût été aisé de dissiper la ligue qu'on formait contre lui. Il n'avait qu'à céder Stetin au premier roi de Prusse Frédéric, électeur

30 de Brandebourg, qui avait des droits très légitimes sur cette partie de la Poméranie: mais il ne regardait pas alors la Prusse comme une puissance prépondérante: ni Charles, ni personne, ne pouvait prévoir que le petit royaume de Prusse presque désert, et l'électorat de Brandebourg, deviendraient formidables. Il ne voulut consentir

35 à aucun accommodement, et résolu de rompre, plutôt que de plier, il ordonna qu'on résistât de tous côtés, sur mer et sur terre. Ses Etats étaient presque épuisés d'hommes et d'argent; cependant on obéit: le sénat de Stockholm équipa une flotte de treize vaisseaux de ligne; on arma des milices; chaque habitant devint soldat. Le

40 courage et la fierté de Charles XII semblèrent animer tous ses sujets, presque aussi malheureux que leur maître.

Il est difficile de croire que Charles eût un plan réglé de conduite. Il avait encore un parti en Pologne, qui aidé des Tartares de Crimée pouvait ravager ce malheureux pays, mais non pas remettre

45 le roi Stanislas sur le trône; son espérance d'engager la Porte-Ottomane à soutenir ce parti, et de prouver au divan qu'il devait envoyer deux cent mille hommes à son secours, sous prétexte que le czar défendait en Pologne son allié Auguste, était une espérance chimérique.

50 Il attendait à Bender l'effet de tant de vaines intrigues; et les

29 63, 65: Stetin en Pomeranie au
    63: Féderic
38 63: Stokolm   65, w68: Stokholm

Russes, les Danois, les Saxons étaient en Poméranie. Pierre mena
Septembre. son épouse à cette expédition. [3] Déjà le roi de Dannemarck s'était
emparé de Stade, ville maritime du duché de Brême; les armées
russe, saxonne, et danoise étaient devant Stralsund.

Octobre. Ce fut alors que le roi Stanislas voyant l'état déplorable de tant 55
de provinces, l'impossibilité de remonter sur le trône de Pologne,
et tout en confusion par l'absence obstinée de Charles XII, assembla
les généraux suédois qui défendaient la Poméranie avec une armée
d'environ dix à onze mille hommes, seule et dernière ressource de
la Suède dans ces provinces. 60

Il leur proposa un accommodement avec le roi Auguste, et
offrit d'en être la victime. Il leur parla en français; voici les propres
paroles dont il se servit, et qu'il leur laissa par un écrit que signèrent
neuf officiers généraux, entre lesquels il se trouvait un Patkul, [4]
cousin germain de cet infortuné Patkul que Charles XII avait fait 65
expirer sur la roue.

'J'ai servi jusqu'ici d'instrument à la gloire des armes de la
Suède; je ne prétends pas être le sujet funeste de leur perte. Je me
déclare de sacrifier ma couronne (*a*) et mes propres intérêts à
la conservation de la personne sacrée du roi, ne voyant pas 70
humainement d'autre moyen pour le retirer de l'endroit où il se
trouve.' [5]

Ayant fait cette déclaration, il se disposa à partir pour la
Turquie, dans l'espérance de fléchir l'opiniâtreté de son bienfaiteur,

(*a*) On a cru devoir laisser la déclaration du roi Stanislas telle qu'il
la donna, mot pour mot: il y a des fautes de langue: *je me déclare de
sacrifier* n'est pas français; mais la pièce en est plus authentique, et n'en
est pas moins respectable.

[3] Il partit avec elle pour la Poméranie le 27 juin et arriva au camp devant Stettin
le 4 août, précisa-t-on à Pétersbourg. Il y trouva le tsarévitch qui devait faire la
campagne sous les ordres de Menchikov (Š, p.439).
[4] Georg Reinhold Patkul von Posendorf (1656-1723), comte, major général.
[5] Voir ci-dessus, 1.xix.57-60.

75 et de le toucher par ce sacrifice. Sa mauvaise fortune le fit arriver
en Bessarabie, précisément dans le temps même que Charles, après
avoir promis au sultan de quitter son asile, et ayant reçu l'argent
et l'escorte nécessaire pour son retour, mais s'étant obstiné à rester
et à braver les Turcs et les Tartares, soutint contre une armée
80 entière, aidé de ses seuls domestiques, ce combat malheureux de
Bender, où les Turcs pouvant aisément le tuer, se contentèrent
de le prendre prisonnier. Stanislas arrivant dans cette étrange
conjoncture, fut arrêté lui-même; ainsi deux rois chrétiens furent
à la fois captifs en Turquie.[6]

85 Dans ce temps où toute l'Europe était troublée, et où la France
achevait contre une partie de l'Europe une guerre non moins
funeste, pour mettre sur le trône d'Espagne le petit-fils de Louis XIV,
l'Angleterre donna la paix à la France, et la victoire que le maréchal
de Villars remporta à Denain en Flandre, sauva cet Etat de ses
90 autres ennemis. La France était depuis un siècle l'alliée de la Suède;
il importait que son alliée ne fût pas privée de ses possessions en
Allemagne. Charles trop éloigné, ne savait pas même encore à
Bender ce qui se passait en France.

La régence de Stockholm hasarda de demander de l'argent à la
95 France épuisée, dans un temps où Louis XIV n'avait pas même de
quoi payer ses domestiques. Elle fit partir un comte de Sparre[7]
chargé de cette négociation qui ne devait pas réussir. Sparre vint
à Versailles, et représenta au marquis de Torci l'impuissance où
l'on était de payer la petite armée suédoise qui restait à Charles XII
100 en Poméranie, qu'elle était prête à se dissiper faute de paye, que
le seul allié de la France allait perdre des provinces dont la
conservation était nécessaire à la balance générale, qu'à la vérité
Charles XII dans ses victoires avait trop négligé le roi de France,
mais que la générosité de Louis XIV était aussi grande que les
105 malheurs de Charles. Le ministre français fit voir au Suédois

[6] Voir l'*Histoire de Charles XII* (V 4, p.463-67).
[7] Le comte Erik Sparre (1665-1726), frère cadet d'Axel, au service de la France
de 1705 à 1712, ambassadeur de Suède en France de 1715 à 1718.

l'impuissance où l'on était de secourir son maître, et Sparre désespérait du succès.

Un particulier de Paris fit ce que Sparre désespérait d'obtenir. Il y avait à Paris un banquier nommé Samuel Bernard, qui avait fait une fortune prodigieuse, tant par les remises de la cour dans les pays étrangers, que par d'autres entreprises; c'était un homme enivré d'une espèce de gloire rarement attachée à sa profession, qui aimait passionnément toutes les choses d'éclat, et qui savait que tôt ou tard le ministère de France rendait avec avantage ce qu'on hasardait pour lui. Sparre alla dîner chez lui, il le flatta, et au sortir de table le banquier fit délivrer au comte de Sparre six cent mille livres; après quoi il alla chez le ministre marquis de Torci, et lui dit, 'J'ai donné en votre nom deux cent mille écus à la Suède; vous me les ferez rendre quand vous pourrez.'[8]

Le comte de Steinbock, général de l'armée de Charles, n'attendait pas un tel secours; il voyait ses troupes sur le point de se mutiner, et n'ayant à leur donner que des promesses, voyant grossir l'orage autour de lui, craignant enfin d'être enveloppé par trois armées, de Russes, de Danois, de Saxons, il demanda un armistice, jugeant que Stanislas allait abdiquer, qu'il fléchirait la hauteur de Charles XII, qu'il fallait au moins gagner du temps et sauver ses troupes par les négociations. Il envoya donc un courrier à Bender, pour représenter au roi l'état déplorable de ses finances, de ses affaires, et de ses troupes, et pour l'instruire qu'il se voyait

110

115

120

125

---

120   63, 65: Steimbock [passim]

---

[8] Voltaire traite le financier Samuel Bernard (1651-1739) de Crésus (D1489, D2212). Sur son crédit mis au service de Louis XIV, voir Le Siècle de Louis XIV, ch.30 (OH, p.991). Dans les Discours en vers sur l'homme, Voltaire écrit que Bernard est heureux 'non par le bien qu'il a, mais par le bien qu'il fait' (V 17, p.461). L'anecdote rapportée par Voltaire ne se trouve ni dans les Mémoires de Torcy (Londres 1757) ni dans les Mémoires de Saint-Simon. Dans son Histoire de Samuel Bernard et de ses enfants (Paris 1914), E. de Clermont-Tonnerre se réfère à Voltaire pour cette anecdote (p.48).

130 forcé à cet armistice, qu'il serait trop heureux d'obtenir. Il n'y avait pas trois jours que ce courrier était parti, et Stanislas ne l'était pas encore, quand Steinbock reçut ces deux cent mille écus du banquier de Paris; c'était alors un trésor prodigieux dans un pays ruiné. Fort de ce secours, avec lequel on remédie à tout, il
135 encouragea son armée; il eut des munitions, des recrues; il se vit à la tête de douze mille hommes, et renonçant à toute suspension d'armes, il ne chercha plus qu'à combattre.

C'était ce même Steinbock qui en 1710, après la défaite de Pultava, avait vengé la Suède sur les Danois, dans une irruption
140 qu'ils avaient faite en Scanie: il avait marché contre eux avec de simples milices, qui n'avaient que des cordes pour bandoulières, et avait remporté une victoire complète. Il était comme tous les autres généraux de Charles XII, actif et intrépide; mais sa valeur était souillée par la férocité. C'est lui qui après un combat contre
145 les Russes, ayant ordonné qu'on tuât tous les prisonniers, aperçut un officier polonais du parti du czar qui se jetait à l'étrier de Stanislas, et que ce prince tenait embrassé pour lui sauver la vie; Steinbock le tua d'un coup de pistolet entre les bras du prince, comme il est rapporté dans la vie de Charles XII; [9] et le roi Stanislas
150 a dit à l'auteur, qu'il aurait cassé la tête à Steinbock, s'il n'avait été retenu par son respect et par sa reconnaissance pour le roi de Suède.

Le général Steinbock marcha donc dans le chemin de Vismar, *9 décembre.* aux Russes, aux Saxons et aux Danois réunis. Il se trouva vis-à-
155 vis l'armée danoise et saxonne, qui précédait les Russes éloignés de trois lieues. Le czar envoie trois courriers coup sur coup au roi de Dannemarck, pour le prier de l'attendre et pour l'avertir du danger qu'il court, s'il combat les Suédois sans être supérieur en forces. Le roi de Dannemarck ne voulut point partager l'honneur
160 d'une victoire qu'il croyait sûre: il s'avança contre les Suédois, et

---

[9] Cette anecdote ne figure pas dans l'*Histoire de Charles XII*. Voltaire l'a rapportée dans le présent ouvrage (1.xv.42-47, où l'officier n'est pas polonais, mais russe).

les attaqua près d'un endroit nommé Gadebush. [10] On vit encore
à cette journée quelle était l'inimitié naturelle entre les Suédois et
les Danois. Les officiers de ces deux nations s'acharnaient les uns
contre les autres, et tombaient morts percés de coups.

Steinbock remporta la victoire avant que les Russes pussent   165
arriver à portée du champ de bataille; il reçut quelques jours après
la réponse du roi son maître qui condamnait toute idée d'armistice;
il disait qu'il ne pardonnerait cette démarche honteuse qu'en cas
qu'elle fût réparée, et que fort ou faible il fallait vaincre ou périr.
Steinbock avait déjà prévenu cet ordre par la victoire.   170

Mais cette victoire fut semblable à celle qui avait consolé un
moment le roi Auguste, quand dans le cours de ses infortunes, il
gagna la bataille de Calish contre les Suédois vainqueurs de tous
côtés. La victoire de Calish ne fit qu'aggraver les malheurs
d'Auguste, et celle de Gadebush recula seulement la perte de   175
Steinbock et de son armée.

Le roi de Suède en apprenant la victoire de Steinbock crut ses
affaires rétablies: il se flatta même de faire déclarer l'empire
ottoman, qui menaçait encore le czar d'une nouvelle guerre; [11] et
dans cette espérance, il ordonna à son général Steinbock de se   180
porter en Pologne, croyant toujours, au moindre succès, que le
temps de Nerva et ceux où il faisait des lois, allaient renaître. Ces
idées furent bientôt après confondues par l'affaire de Bender, et
par sa captivité chez les Turcs.

Tout le fruit de la victoire de Gadebush fut d'aller réduire   185
en cendres pendant la nuit la petite ville d'Altena, peuplée de
commerçants, et de manufacturiers; ville sans défense, qui n'ayant
point pris les armes ne devait point être sacrifiée: elle fut entièrement

[10] Le 20 décembre 1712. Voltaire avait écrit 'Gadebuth' pour Gadebusch, petite
ville à l'ouest de Schwerin. Il a corrigé après une remarque de Müller (Š, p.439).
Le récit de Voltaire, dans ce paragraphe, se fonde sur les faits relatés par Pétersbourg
(Š, p.439-40).
[11] Voir ci-dessus, n.2.

190 détruite; [12] plusieurs habitants expirèrent dans les flammes; d'autres échappés nus à l'incendie, vieillards, femmes, enfants, expirèrent de froid [13] et de fatigues aux portes de Hambourg. (*b*) Tel a été

(*b*) Le chapelain confesseur Norberg dit froidement dans son histoire que le général Steinbock ne mit le feu à la ville, que parce qu'il n'avait pas de voitures pour emporter les meubles. [14]

[12] Le 9 janvier 1713. Voir le récit de cet incendie dans l'*Histoire de Charles XII* (V 4, p.478-79).

[13] Nordberg ne dit pas que des habitants d'Altona périrent de froid après avoir échappé à l'incendie. Voltaire s'inspire ici apparemment de la réponse de Flemming et Scholten au général Welling (Hambourg, 13 janvier 1713), dans laquelle ils écrivent: 'combien d'enfans & de vieillards arrachés à la fureur des flammes, n'ont pu résister à la rigueur du froid, & ont péri misérablement dans la neige?' (Lamberty, *Mémoires pour servir à l'histoire du XVIIIe siècle*, La Haye 1730, viii.294).

[14] Il y avait à Altona un 'magasin très considérable' dressé par les Danois. Quand les Suédois approchèrent 'pour enlever aux ennemis leurs provisions ou pour ruiner leur magasin', les habitants d'Altona prirent la fuite. 'Les Hambourgeois leur refusèrent d'abord l'entrée de leur ville, de peur du mal contagieux qui régnoit en ces quartiers-là', mais leur ouvrirent ensuite les portes, de sorte que peu de personnes périrent. 'On croit que, s'il avoit été possible de se saisir des effets qui appartenoient aux ennemis, sans causer la ruine totale de la ville, le comte Stenbock auroit accepté une somme d'argent pour rançon: mais, comme il n'y avoit point de voitures, & que le tems ne permettoit pas d'en faire venir, on fut obligé de détruire le tout ensemble. Au milieu de la nuit, les Suédois mirent le feu, premièrement à l'Hôtel de ville, & après cela à tous les coins des rues. Altena fut bientôt réduit en cendres: il ne resta, de tous les édifices publics, que le temple luthérien, & celui des réformez, avec environ une centaine de maisons particulieres' (Nordberg, ii.593). Nordberg s'appuie ici apparemment sur une note du quartier général de l'armée suédoise à Pinneberg, du 8 janvier 1713, qui rapporte notamment que Stenbock fut obligé de brûler Altona à cause du 'manque de voitures' pour enlever les provisions (Lamberty, *Mémoires pour servir à l'histoire du XVIIIe siècle*, viii.292). Dans l'*Histoire de Charles XII*, Voltaire avait rapporté les bruits selon lesquels les Hambourgeois auraient donné secrètement une somme considérable à Stenbock pour qu'il détruise Altona. Il avait corrigé par la suite et écrit une lettre à ce sujet (voir V 4, p.608-11). Dans une note, le traducteur de Nordberg rappelle ces faits, et signale que des lettres de Stenbock, Welling, Flemming et Scholten sur l'incendie d'Altona ont été publiées par Lamberty. Il s'étonne que Nordberg ne dise rien de tout cela (ii.593, n.*a*).

souvent le sort de plusieurs milliers d'hommes, pour les querelles de deux hommes. Steinbock ne recueillit que cet affreux avantage. Les Russes, les Danois, les Saxons le poursuivirent si vivement après sa victoire, qu'il fut obligé de demander un asile dans Toninge, forteresse du Holstein, pour lui et pour son armée.

Le pays de Holstein était alors un des plus dévastés du Nord, et son souverain un des plus malheureux princes. C'était le propre neveu de Charles XII; c'était pour son père, beau-frère de ce monarque, [15] que Charles avait porté ses armes jusque dans Copenhague avant la bataille de Nerva: c'était pour lui qu'il avait fait le traité de Travendal, [16] par lequel les ducs de Holstein étaient rentrés dans leurs droits.

Ce pays est en partie le berceau des Cimbres et de ces anciens Normands, qui conquirent la Neustrie en France, l'Angleterre entière, Naples, et Sicile. On ne peut aujourd'hui être moins en état de faire des conquêtes que l'est cette partie de l'ancienne Chersonèse Cimbrique: deux petits duchés la composent; Slesvig [17]

[15] Frédéric IV (1671-1702), duc de Holstein-Gottorp, avait épousé Hedwige-Sophie (1681-1708), sœur de Charles XII. A la mort de Frédéric, leur fils Charles-Frédéric (1700-1739) n'avait que deux ans et l'administration du duché fut confiée à l'évêque de Lübeck, Christian-Auguste, frère de Frédéric. Charles-Frédéric épousera Anne, fille aînée de Pierre le Grand, et sera le père du futur Pierre III.

[16] Voltaire a corrigé son erreur ('Frauendal') après une remarque de Pétersbourg (Š, p.440). Le traité de Travendal fut conclu le 5 août 1700 (cf. *Histoire de Charles XII*, V 4, p.206).

[17] Voltaire avait écrit 'Slesevits'. Pétersbourg lui a proposé de lire 'Slesvick' (Š, p.440). Le Schleswig n'appartenait pas 'en commun' au roi de Danemark et au duc de Holstein. Christian V, qui s'était emparé du sud du Schleswig en 1684, avait dû le rendre en 1689, mais ce territoire restait un objet de conflit entre le Danemark et le Holstein. En 1720, par le traité de Fredriksborg, le roi de Danemark Frédéric IV s'en fit confirmer la possession. Le duc Charles-Frédéric, neveu de Charles XII, tentera vainement de faire valoir ses droits (voir ci-dessus, *Anecdotes*, introduction, n.12). Son fils Pierre III revendiquera également le sud du Schleswig, mais Catherine II y renoncera. Au congrès de Vienne, en 1815, le Holstein, le Schleswig et le Lauenburg sont intégrés à la Confédération germanique, mais donnés à titre personnel au roi de Danemark pour compenser la perte de la Norvège. On sait qu'après la 'guerre des duchés', en 1864, le Schleswig sera administré par la Prusse et le Holstein par l'Autriche. En 1866, après la défaite de l'Autriche, les duchés sont

appartenant au roi de Dannemarck et au duc en commun; Gottorp,
210 au duc de Holstein seul. Slesvig est une principauté souveraine,
Holstein est membre de l'empire d'Allemagne qu'on appelle empire
romain.

Le roi de Dannemarck et le duc de Holstein-Gottorp étaient de
la même maison; mais le duc neveu de Charles XII et son héritier
215 présomptif, était né l'ennemi du roi de Dannemarck qui accablait
son enfance. Un frère de son père, évêque de Lubeck, administrateur des Etats de cet infortuné pupille, se voyait entre l'armée
suédoise qu'il n'osait secourir, et l'armée russe, danoise et saxonne
qui menaçaient. Il fallait pourtant tâcher de sauver les troupes de
220 Charles XII, sans choquer le roi de Dannemarck, devenu maître
du pays, dont il épuisait toute la substance.

L'évêque administrateur du Holstein était entièrement gouverné
par ce fameux baron de Gôrtz, (c) le plus délié et le plus entreprenant
des hommes, d'un esprit vaste et fécond en ressources, ne trouvant
225 jamais rien de trop hardi, ni de trop difficile, aussi insinuant dans
les négociations qu'audacieux dans les projets; sachant plaire,
sachant persuader, et entraînant les esprits par la chaleur de son
génie, après les avoir gagnés par la douceur de ses paroles. Il eut
depuis sur Charles XII le même ascendant qui lui soumettait
230 l'évêque administrateur du Holstein, et l'on sait qu'il paya de sa

(c) Nous prononçons Gueurts.

216 63, 65: Lubec
223 63-w68: Goertz [passim]

incorporés à l'Etat prussien. En 1919, au traité de Versailles, le Schleswig du nord
retournera au Danemark.

tête l'honneur qu'il eut de gouverner le plus inflexible et le plus opiniâtre souverain qui jamais ait été sur le trône.[18]

21 janvier.   Gôrtz(d) s'aboucha secrètement à Usum avec Steinbock,[19] et lui promit qu'il lui livrerait la forteresse de Toninge,[20] sans compromettre l'évêque administrateur son maître;[21] et dans le même temps, il fit assurer le roi de Dannemarck qu'on ne la livrerait pas. C'est ainsi que presque toutes les négociations se conduisent; les affaires d'Etat étant d'un autre ordre que celles des

235

(d) Mémoires secrets de Bassevitz.

n.d   63, 65, texte en manchette

[18] Georg Heinrich von Görtz (1668-1719), baron von Schlitz, homme politique originaire du Holstein dont l'évêque administrateur était Christian-Auguste (cf. ci-dessus, n.15). Selon Bassewitz, il 'n'était attaché qu'à la fortune, et changeait constamment de parti avec elle' (MS 3-1, f.1v; Eclaircissements, p.283). 'Né pour la duplicité, le plus habile des mortels à feindre, et pas même fidèle aux dehors de la bonne foi' (MS 3-2, f.31v; Eclaircissements, p.311), il finit toutefois par se mettre au service des Suédois. A la direction des finances de Suède, il créa une 'monnaie de crise' qui permit la levée d'une armée pour attaquer la Norvège (1715). Il parcourut l'Europe en quête d'alliances, puis négocia avec des émissaires de Pierre Ier aux îles Åland (1718). Après la mort du roi de Suède, il fut condamné et exécuté. Sur Görtz, que Voltaire avait rencontré à Paris, voir aussi l'Histoire de Charles XII, VIII.
[19] Le 21 janvier 1713 (MS 3-1, f.2v; Eclaircissements, p.284). Pour Husum, Voltaire a maintenu son orthographe malgré une remarque de Pétersbourg (Š, p.440).
[20] Là non plus, Voltaire n'a pas suivi le conseil de Pétersbourg, qui l'invitait à écrire Tonningue (Š, p.440). Il s'agit de Tönning, au sud de Husum.
[21] Le 24 janvier, Stenbock adressa une lettre à l'administrateur du Holstein pour lui demander de lui livrer la forteresse de Tönning. Il rappelait que le duc de Holstein était un proche parent du roi de Suède et que le Danemark avait de fait rompu sa neutralité. Il insistait sur la menace russe, mais déclarait que si son ultimatum était rejeté, la 'raison de la guerre' l'obligerait peut-être à se comporter plus cruellement que les Moscovites eux-mêmes. Il assurait qu'il ne se mêlerait pas des affaires et de l'administration du Holstein (Copia Schreibens Ihro Hochgräfl. Excellenz Herrn Grafen Magnus Stenbock [...] an Ihro Hoch-Fürst, Durchl. den Herrn Administrator von Hollstein-Gottorff wegen Einräumung der Vestung Tönning, s.l.n.d., 8 p.).

particuliers, l'honneur des ministres consistant uniquement dans
240 le succès, et l'honneur des particuliers dans l'observation de leurs
paroles.

Steinbock se présenta devant Toninge; le commandant de la
ville refuse de lui ouvrir les portes: ainsi on met le roi de
Dannemarck hors d'état de se plaindre de l'évêque administrateur;
245 mais Gôrtz fait donner un ordre au nom du duc mineur, [22] de
laisser entrer l'armée suédoise dans Toninge. Le secrétaire du
cabinet nommé Stamke [23] signe le nom du duc de Holstein: par là
Gôrtz ne compromet qu'un enfant qui n'avait pas encore le droit
de donner ses ordres: il sert à la fois le roi de Suède, auprès duquel
250 il voulait se faire valoir, et l'évêque administrateur son maître, qui
paraît ne pas consentir à l'admission de l'armée suédoise. Le
commandant de Toninge aisément gagné livra la ville aux Suédois,
et Gôrtz se justifia comme il put auprès du roi de Dannemarck, en
protestant que tout avait été fait malgré lui. [24]
255 L'armée suédoise (e) retirée en partie dans la ville, et en partie

(e) Mémoires de Steinbock. [25]

n.e   63, 65, en manchette: Mémoires de Bassevitz.

[22] L'ordre de Charles-Frédéric, antidaté du 23 juillet 1712, est la première des dix
pièces annexes publiées à la suite de la lettre de Magnus Stenbock à l'administrateur
du Holstein (voir ci-dessus, n.21).

[23] Dans le manuscrit on lisait 'Slamke'. C'était peut-être une faute de copiste,
comme le suppose Šmurlo. Voltaire l'a corrigée, mais sans intercaler la lettre *b* qui
figurait dans le mot Stambke proposé par Pétersbourg (Š, p.440).

[24] Voltaire suit ici fidèlement le récit de Bassevitz: sept jours avant l'accord de
Husum, Görtz envoya le comte de Dernath porter à Copenhague les assurances
que la cour de Gottorp ne livrerait pas Tönning à Stenbock. Wolff, commandant
de la forteresse, refusa de recevoir les Suédois, malgré l'ordre de l'évêque de
Lübeck, Christian-Auguste, mais il céda à celui du jeune duc Charles-Frédéric, daté
de juillet de l'année précédente. Le secrétaire du cabinet Stambke contrefit le seing
(MS 3-1, f.3r; *Eclaircissements*, p.284).

[25] Sur Stenbock, voir ci-dessus, I.xi, n.24. Les mémoires de Stenbock ont été
publiés par Joachim-Christoph Nemeitz à Francfort-sur-le-Main en 1745 (BV2563),
puis en 1773 dans les *Anecdotes de Suédois célèbres*.

sous son canon, ne fut pas pour cela sauvée: le général Steinbock fut obligé de se rendre prisonnier de guerre [26] avec onze mille hommes, de même qu'environ seize mille s'étaient rendus après Pultava.

Il fut stipulé que Steinbock, ses officiers et soldats, pourraient être rançonnés ou échangés; on fixa la rançon de Steinbock à huit mille écus d'Empire; c'est une bien petite somme, cependant on ne put la trouver, et Steinbock resta captif à Copenhague jusqu'à sa mort.

Les Etats de Holstein demeurèrent à la discrétion d'un vainqueur irrité. Le jeune duc fut l'objet de la vengeance du roi de Dannemarck, pour prix de l'abus que Gôrtz avait fait de son nom; les malheurs de Charles XII retombaient sur toute sa famille.

Gôrtz voyant ses projets évanouis, toujours occupé de jouer un grand rôle dans cette confusion, revint à l'idée qu'il avait eue d'établir une neutralité dans les Etats de Suède en Allemagne.

Le roi de Dannemarck était près d'entrer dans Toninge. George électeur de Hanovre voulait avoir les duchés de Brême et de Verden, avec la ville de Stade. Le nouveau roi de Prusse Frédéric-Guillaume jetait la vue sur Stetin. Pierre Ier se disposait à se rendre maître de la Finlande. Tous les Etats de Charles XII, hors la Suède, étaient des dépouilles qu'on cherchait à partager; comment accorder tant d'intérêts avec une neutralité? Gôrtz négocia en même temps avec tous les princes qui avaient intérêt à ce partage: il courait jour et nuit d'une province à une autre; il engagea le gouverneur de Brême et de Verden à remettre ces deux duchés [27] à l'électeur de Hanovre en séquestre, afin que les Danois ne les prissent pas pour eux: il fit tant qu'il obtint du roi de Prusse, qu'il se chargerait conjointement avec le Holstein du séquestre de Stetin et de Vismar; moyennant quoi le roi de Dannemarck laisserait le Holstein en paix, et n'entrerait pas dans Toninge. C'était assuré-

[26] Le 6 mars 1714.
[27] Voltaire avait écrit 'ces places'. Il a corrigé après une remarque de Pétersbourg (Š, p.441).

ment un étrange service à rendre à Charles XII que de mettre ses places entre les mains de ceux qui pourraient les garder à jamais: mais Gôrtz en leur remettant ces villes comme en otage, les forçait
290 à la neutralité, du moins pour quelque temps; il espérait qu'ensuite il pourrait faire déclarer Hanovre et le Brandebourg en faveur de la Suède: il faisait entrer dans ses vues le roi de Pologne, dont les Etats ruinés avaient besoin de la paix: enfin il voulait se rendre nécessaire à tous les princes. Il disposait du bien de Charles XII
295 comme un tuteur qui sacrifie une partie du bien d'un pupille ruiné pour sauver l'autre, et d'un pupille qui ne peut faire ses affaires par lui-même; tout cela sans mission, sans autre garantie de sa conduite qu'un plein pouvoir d'un évêque de Lubeck, qui n'était nullement autorisé lui-même par Charles XII.

300 Tel a été ce Gôrtz, que jusqu'ici on n'a pas assez connu. On a vu des premiers ministres de grands Etats, comme un Oxenstiern, [28] un Richelieu, un Albéroni, donner le mouvement à une partie de l'Europe; mais que le conseiller privé d'un évêque de Lubeck en ait fait autant qu'eux, sans être avoué de personne, c'était une
305 chose inouïe.

Il réussit d'abord: il fit un traité avec le roi de Prusse, par *Juin.* lequel ce monarque s'engageait, en gardant Stetin en séquestre, à conserver à Charles XII le reste de la Poméranie. En vertu de ce traité, Gôrtz fit proposer au gouverneur de la Poméranie
310 (Mayerfeld) [29] de rendre la place de Stetin au roi de Prusse pour le bien de la paix, croyant que le Suédois, gouverneur de Stetin, [30] pourrait être aussi facile que l'avait été le Holstenois, gouverneur de

291 K: déclarer l'Hanovre

[28] Le comte Axel Oxenstierna (1583-1654), chancelier de Gustave II Adolphe et après sa mort, tuteur de la reine Christine.
[29] Le comte Johan August Meijerfelt (1664-1749), major général, gouverneur de la Poméranie.
[30] Voltaire a corrigé son inadvertance ('gouverneur de Holstein') après une remarque de Pétersbourg (Š, p.441).

Toninge: mais les officiers de Charles XII n'étaient pas accoutumés à obéir à de pareils ordres. Mayerfeld répondit qu'on n'entrerait dans Stetin que sur son corps et sur des ruines. Il informa son 315 maître de cette étrange proposition. Le courrier trouva Charles XII captif à Demirtash, après son aventure de Bender. On ne savait alors si Charles ne resterait pas prisonnier des Turcs toute sa vie, si on ne le reléguerait pas dans quelque île de l'Archipel ou de l'Asie. Charles de sa prison manda à Mayerfeld ce qu'il avait 320 mandé à Steinbock, qu'il fallait mourir plutôt que de plier sous ses ennemis, et lui ordonna d'être aussi inflexible qu'il l'était lui-même.

Gôrtz voyant que le gouverneur de Stetin dérangeait ses mesures, et ne voulait entendre parler ni de neutralité ni de 325 séquestre, se mit dans la tête non seulement de faire séquestrer cette ville de Stetin, mais encore Stralsund; et il trouva le secret de faire avec le roi de Pologne électeur de Saxe, le même traité pour Stralsund qu'il avait fait avec l'électeur de Brandebourg pour Stetin. Il voyait clairement l'impuissance des Suédois, de garder 330 ces places sans argent et sans armée, pendant que le roi était captif en Turquie; et il comptait écarter le fléau de la guerre de tout le Nord, au moyen de ces séquestres. Le Dannemarck lui-même se prêtait enfin aux négociations de Gôrtz; il gagna absolument l'esprit du prince Menzikoff, général et favori du czar: il lui 335 persuada qu'on pourrait céder le Holstein à son maître; il flatta le czar de l'idée de percer un canal du Holstein dans la mer Baltique,[31] entreprise si conforme au goût de ce fondateur, et surtout d'obtenir une puissance nouvelle, en voulant bien être un des princes de l'empire d'Allemagne, et en acquérant aux diètes de Ratisbonne 340 un droit de suffrage qui serait toujours soutenu par le droit des armes.

328   63, 65, avec manchette: juin 1713

[31] Le canal de Kiel sera percé 174 ans plus tard, en 1887.

On ne peut ni se plier en plus de manières, ni prendre plus de formes différentes, ni jouer plus de rôles que fit ce négociateur
345 volontaire: il alla jusqu'à engager le prince Menzikoff à ruiner cette même ville de Stetin qu'il voulait sauver, à la bombarder, afin de forcer le commandant Mayerfeld à la remettre en séquestre; et il osait ainsi outrager le roi de Suède, auquel il voulait plaire, [32] et à qui en effet il ne plut que trop dans la suite pour son malheur.

350 Quand le roi de Prusse vit qu'une armée russe bombardait Stetin, il craignit que cette ville ne fût perdue pour lui, et ne restât à la Russie. C'était où Gôrtz l'attendait. Le prince Menzikoff manquait d'argent, il lui fit prêter 400 000 écus par le roi de Prusse; il fit parler ensuite au gouverneur de la place: *Lequel aimez-vous*
355 *mieux*, lui dit-on, *ou de voir Stetin en cendres sous la domination de la Russie, ou de la confier au roi de Prusse qui la rendra au roi votre maître?* [33] Le commandant se laissa enfin persuader; il se rendit; [34] Menzikoff entra dans la place, et moyennant les 400 000 écus, il la remit avec tout le territoire entre les mains du roi de Prusse, qui
360 pour la forme y laissa entrer deux bataillons de Holstein, et qui n'a jamais rendu depuis cette partie de la Poméranie.

Dès lors le second roi de Prusse, successeur d'un roi faible et

---

[32] Un des deux articles secrets du traité de la Prusse avec le Holstein (22 juin 1713) stipulait que l'évêque-régent persuaderait le roi de Suède de céder Stettin et son district au roi de Prusse. Görtz 'dressa une instruction particulière' à Bassewitz 'pour la persuasion de Meyerfeld'. 'Raisons spécieuses', reconnaît Bassewitz, car elles 'présentaient les intérêts de la Suède sous un faux jour: menaces de la ruine et du saccagement de la province'. Bassewitz n'en était pas moins d'avis que les intérêts du jeune duc de Holstein étaient que Stettin ne passât que dans les mains de la Prusse (MS 3-1, f.8*v*-10*v*; *Eclaircissements*, p.289-91).

[33] Cette phrase ne figure pas dans les *Eclaircissements*. Bassewitz alla voir Menchikov et lui proposa une convention entre lui et le roi de Prusse par laquelle, contre 400 000 écus et le libre passage des alliés pour l'attaque de Stralsund, il se contenterait de la vaine gloire d'entrer en vainqueur à Stettin. Bassewitz alla ensuite trouver Meijerfelt et lui remontra qu'une plus longue résistance ferait soulever les habitants de Stettin, désespérés de la ruine de leur ville (MS 3-1, f.10*v*-11*r*; *Eclaircissements*, p.291).

[34] Le 30 septembre 1713 (MS 3-1, f.11*r*; *Eclaircissements*, p.291).

prodigue, jeta les fondements de la grandeur où son pays parvint dans la suite, par la discipline militaire, et par l'économie.

Le baron de Gôrtz qui fit mouvoir tant de ressorts, ne put venir à bout d'obtenir que les Danois pardonnassent à la province de Holstein, ni qu'ils renonçassent à s'emparer de Toninge: il manqua ce qui paraissait être son premier but, mais il réussit à tout le reste, et surtout à devenir un personnage important dans le Nord, ce qui était en effet sa vue principale. 370

Septembre. Déjà l'électeur de Hanovre s'était assuré de Brême et de Verden dont Charles XII était dépouillé; les Saxons étaient devant sa ville de Vismar; Stetin était entre les mains du roi de Prusse; les Russes allaient assiéger Stralsund avec les Saxons, et ceux-ci étaient déjà dans l'île de Rugen; et le czar au milieu de tant de négociations 375 était descendu en Finlande, [35] pendant qu'on disputait ailleurs sur la neutralité et sur les partages. Après avoir lui-même pointé l'artillerie devant Stralsund, [36] abandonnant le reste à ses alliés, et au prince Menzikoff, il s'était embarqué dans le mois de mai [37] sur la mer Baltique, et montant un vaisseau de cinquante canons [38] 380 qu'il avait fait construire lui-même à Pétersbourg, il vogua vers la Finlande, suivi de quatre-vingt-douze galères, et de cent dix demi-galères, qui portaient seize mille combattants. [39]

365

370

375

380

375 K: Rugen; le czar

[35] Pierre 1er avait laissé ses troupes en Holstein aux ordres du roi de Danemark, rappelle Müller. Il était parti le 25 février 1713 pour s'en retourner à Pétersbourg, d'où il repartit pour la Finlande le 7 mai (Š, p.441).

[36] Le 14 septembre 1712, précisa-t-on à Pétersbourg, Pierre 1er, devant Stralsund avec le roi de Pologne, fit dresser sur le bord de la mer deux batteries pour arrêter cinq vaisseaux suédois qui étaient dans une baie près de la côte (Š, p.442).

[37] Voir ci-dessus, n.35.

[38] Il monta une galère, objecte Müller. Il n'y eut aucun vaisseau de guerre ni de transport à la suite de la flotte des galères, excepté quelques senaux et brigantins (Š, p.442).

[39] Voltaire a retenu à la lettre les chiffres fournis par Pétersbourg. Il a négligé le fait que Pierre commandait l'avant-garde en qualité de contre-amiral (voir Š, p.441). Voir aussi MS 2-12: 'Le 26 avril [1713], la flotte composée de 93 Galères, de 60

La descente se fit à Elsinford,[40] qui est dans la partie la plus *22 mai.*
385 méridionale de cette froide et stérile contrée, par le soixante et
unième degré.

Cette descente réussit malgré toutes les difficultés.[41] On feignit
d'attaquer par un endroit, on descendit par un autre: on mit les
troupes à terre, et l'on prit la ville. Le czar s'empara de Borgo,
390 d'Abo,[42] et fut maître de toute la côte. Il ne paraissait pas que les
Suédois eussent désormais aucune ressource; car c'était dans ce
temps-là même que l'armée suédoise commandée par Steinbock
se rendait prisonnière de guerre.

Tous ces désastres de Charles XII furent suivis, comme nous

384m   63, 65:   *22 mai n.s. 1713.*

Calebasses, et de 50 grands Canots, ayant à bord 16 050 hommes, fit voile de St
Petersbourg en Finnlande [...] Pierre le Grand y étoit luy même, et commandoit
l'avant-garde comme contre amiral. Il se hazarda plus d'une fois en avant sur une
Galère, quelquefois même sur une Chalouppe tant pour reconnoître l'Ennemy que
pour chercher un passage aux Galères entre les Eceuils [*sic*] qui sont vis à vis de la
côte de Finnlande' ('Etablissement et accroissement de la flotte Russienne' (f.158*v*-
159*r*).

[40] Voltaire a maintenu son orthographe malgré la remarque de Pétersbourg
('Helsingfors'), mais il a utilisé la date qui lui était indiquée (Š, p.442).

[41] Voltaire avait écrit: 'Cette descente n'ayant pas réussi'. Il est faux qu'une
première descente ait échoué, comme le dit Nordberg, assura-t-on à Pétersbourg,
en renvoyant au Journal de Pierre le Grand. (Selon Nordberg, le tsar avait
commencé à canonner la ville, mais les Suédois firent une telle résistance qu'il ne
put débarquer et dut tenter la descente en un autre endroit, le Sandwiken, où la
ville était entièrement ouverte et où il n'y avait pas de troupes suédoises. Là, le
débarquement se fit 'sans la moindre opposition'; Nordberg, iii.41.) La descente
réussit le 22 mai. Le brigadier Grigori Petrovitch Tchernychev (1672-1745) avait
pris les devants avec quelques galères pour reconnaître Helsingfors. C'est sur lui
que les Suédois tirèrent de leurs batteries qui défendaient le port (Š, p.442). Voltaire
fut obligé de remanier complètement son texte. Le MS 1-1 ne mentionne que la
descente sur Åbo (f.110*v*).

[42] Voltaire avait cru qu'il s'agissait de Vyborg. Il corrigea après qu'on lui eut
rappelé que cette ville avait été prise par les Russes en 1710, et qu'il s'agissait d'Åbo
(Š, p.443); cf. MS 1-1, f.110*v*.

l'avons vu, de la perte de Brême, de Verden, de Stetin, d'une 395
partie de la Poméranie; et enfin le roi Stanislas et Charles lui-
même étaient prisonniers en Turquie; cependant il n'était pas
encore détrompé de l'idée de retourner en Pologne à la tête d'une
armée ottomane, de remettre Stanislas sur le trône, et de faire
trembler tous ses ennemis. 400

CHAPITRE CINQUIÈME

SUCCÈS DE PIERRE LE GRAND

Retour de Charles XII dans ses Etats.

Pierre suivant le cours de ses conquêtes, perfectionnait l'établisse- *1714.*
ment de sa marine, faisait venir douze mille familles à Pétersbourg,
tenait tous ses alliés attachés à sa fortune et à sa personne, quoiqu'ils
eussent tous des intérêts divers, et des vues opposées. Sa flotte
5 menaçait à la fois toutes les côtes de la Suède, sur les golfes de
Finlande et de Bothnie.

L'un de ses généraux de terre, le prince Gallitzin, [1] formé par
lui-même, comme ils l'étaient tous, avançait d'Elsinford où le czar
avait débarqué, jusqu'au milieu des terres vers le bourg de
10 Tavasthus: [2] c'était un poste qui couvrait la Bothnie. Quelques
régiments suédois, avec huit mille hommes de milice, le défendaient. Il fallut livrer une bataille; les Russes la gagnèrent entière- *13 mars.*
ment; ils dissipèrent toute l'armée suédoise, et pénétrèrent jusqu'à
Vasa; de sorte qu'ils furent les maîtres de quatre-vingts lieues de
15 pays.

Il restait aux Suédois une armée navale, avec laquelle ils tenaient
la mer. Pierre ambitionnait depuis longtemps de signaler la marine
qu'il avait créée. Il était parti de Pétersbourg, et avait rassemblé
une flotte [3] de seize vaisseaux de ligne, cent quatre-vingts galères

---

1, manchette   63, 65:   *1713 et 1714.*
14   63-w68:   Vaza [*passim*]

---

[1] Voir ci-dessus, II.i, n.29.

[2] Tavastehus est le nom suédois de Hämeenlinna, au nord d'Helsinki.

[3] A Pétersbourg, on déplorait que Voltaire ait très peu parlé des exploits de
Pierre sur mer, qui l'avaient distingué de tous les souverains de son temps. On le
pria 'très instamment' d'en rapporter tout ce qui méritait de l'être (Š, p.444). Comme
le constate Šmurlo, il est impossible de savoir dans quelle mesure Voltaire a répondu

propres à manœuvrer à travers les rochers qui entourent l'île 20
d'Aland,[4] et les autres îles de la mer Baltique non loin du rivage
de la Suède, vers laquelle il rencontra la flotte suédoise. Cette
flotte était plus forte en grands vaisseaux que la sienne, mais
inférieure en galères, plus propre à combattre en pleine mer qu'à
travers des rochers. C'était une supériorité que le czar ne devait 25
qu'à son seul génie. Il servait dans sa flotte en qualité de contre-
amiral, et recevait les ordres de l'amiral Apraxin. Pierre voulait
s'emparer de l'île d'Aland, qui n'est éloignée de la Suède que de
douze lieues. Il fallait passer à la vue de la flotte des Suédois: ce
dessein hardi fut exécuté; les galères s'ouvrirent le passage sous le 30
canon ennemi, qui ne plongeait pas assez. On entra dans Aland;
et comme cette côte est hérissée d'écueils presque tout entière, le
czar fit transporter à bras quatre-vingts petites galères par une
langue de terre, et on les remit à flot dans la mer qu'on nomme de
Hango, où étaient ses gros vaisseaux. Erenschild contre-amiral 35
des Suédois[5] crut qu'il allait prendre aisément, ou couler à fond
ces quatre-vingts galères; il avança de ce côté pour les reconnaître;
mais il fut reçu avec un feu si vif, qu'il vit tomber presque tous
ses soldats et tous ses matelots.[6] On lui prit les galères et les
8 août. prames[7] qu'il avait amenées, et le vaisseau qu'il montait; il se 40
sauvait dans une chaloupe, mais il y fut blessé; enfin obligé de se

aux souhaits de ses censeurs russes, puisqu'on ne dispose pas de son manuscrit. En
tout cas, il n'a pas tiré parti de la fin du MS 2-12, consacré à la chronologie des
progrès de la marine et aux 'exploits' de Pierre en mer, de 1713 à 1721 (f.159r-171r).

[4] Voltaire avait écrit 'à travers les rochers qui couvrent l'île d'Aland'. Pétersbourg
proposa 'à travers les îles et les roches le long des côtes de la Finlande' (Š, p.444).
Voltaire n'a modifié que légèrement son texte.

[5] Nils Ehrensköld (1674-1728), après la bataille de Hangö, restera à Pétersbourg
où il s'occupera d'astronomie, de géométrie et de physique. Il ne retournera en
Suède qu'en 1721, après la paix de Nystad. Il deviendra intendant général de
l'amirauté suédoise.

[6] C'est la journée de Hangout, précise-t-on à Pétersbourg (Š, p.444). Voltaire
continua à donner à la bataille de Hangö le nom de bataille d'Åland.

[7] Terme emprunté au néerlandais: navire à fond plat, à voiles ou à rames, pouvant
porter une puissante artillerie et servant à la défense des côtes.

rendre, on l'amena sur la galère où le czar manœuvrait lui-même. Le reste de la flotte suédoise regagna la Suède. On fut consterné dans Stockholm, on ne s'y croyait pas en sûreté.

45 Pendant ce temps-là même, le colonel Schouvalow Neushlof[8] attaquait la seule forteresse qui restait à prendre sur les côtes occidentales de la Finlande, et la soumettait au czar malgré la plus opiniâtre résistance.

Cette journée d'Aland fut, après celle de Pultava, la plus
50 glorieuse de la vie de Pierre. [9] Maître de la Finlande dont il laissa le gouvernement au prince Gallitzin, vainqueur de toutes les forces navales de la Suède, et plus respecté que jamais de ses alliés, il retourna dans Pétersbourg, quand la saison devenue très orageuse *15 septembre.* ne lui permit plus de rester sur les mers de Finlande et de Bothnie.
55 Son bonheur voulut encore qu'en arrivant dans sa nouvelle capitale, la czarine accouchât d'une princesse, mais qui mourut un an après. [10] Il institua l'ordre de Ste Catherine[11] en l'honneur de son épouse, et célébra la naissance de sa fille par une entrée triomphale. C'était de toutes les fêtes auxquelles il avait accoutumé ses peuples,
60 celle qui leur était devenue la plus chère. Le commencement de cette fête fut d'amener dans le port de Cronslot neuf galères suédoises, [12] sept prames remplies de prisonniers, et le vaisseau du contre-amiral Erenschild.

[8] Peut-être un colonel Chouvalov qui ait un rapport avec la prise de la ville de Neïchlot (en suédois Nyslot, en finnois Savonlinna), en Finlande.

[9] Et même aussi importante que Poltava (voir Massie, p.563). Pierre 'attaqua le 27. [juin] près d'Angout le contre amiral suedois Ehrenschild [...] et entra en triomphe à St Petersbourg le 9ᵉ octobre. Cet exploit lui valut la charge de Vice Amiral' (MS 2-12, f.161*v*-162*r*). Sur le comportement du tsar dans cette bataille, les avis diffèrent.

[10] Voltaire avait écrit 'la czarine accoucha de la princesse Anne Petrovna'. Il corrigea à demi après que Pétersbourg lui eut fait remarquer que c'était Marguerite, née le 19 septembre 1714, et morte le 7 avril 1715 (Š, p.444).

[11] Pierre l'institua le 5 décembre 1714, précise-t-on à Pétersbourg, en reconnaissance du service que Catherine lui avait rendu dans l'affaire du Prut (Š, p.445).

[12] C'étaient six galères, trois sherbots et le vaisseau d'Ehrensköld, corrigea-t-on à Pétersbourg. Ils étaient escortés par six galères russes (Š, p.445). Voltaire ne

779

Le vaisseau amiral de Russie [13] était chargé de tous les canons, des drapeaux, et des étendards pris dans la conquête de la Finlande. On apporta toutes ces dépouilles à Pétersbourg, où l'on arriva en ordre de bataille. Un arc de triomphe que le czar avait dessiné selon sa coutume, fut décoré des emblèmes de toutes ses victoires: les vainqueurs passèrent sous cet arc triomphal; l'amiral Apraxin marchait à leur tête, [14] ensuite le czar en qualité de contre-amiral, et tous les autres officiers selon leur rang; on les présenta tous au vice-roi Romadonoski, [15] qui dans ces cérémonies représentait le maître de l'empire. Ce vice-czar distribua à tous les officiers des médailles d'or; tous les soldats et les matelots en eurent d'argent. Les Suédois prisonniers passèrent sous l'arc de triomphe, et l'amiral Erenschild suivait immédiatement le czar son vainqueur. Quand on fut arrivé au trône où le vice-czar était, l'amiral Apraxin lui présenta le contre-amiral Pierre, qui demanda à être vice-amiral pour prix de ses services: on alla aux voix, et l'on croit bien que toutes les voix lui furent favorables.

Après cette cérémonie qui comblait de joie tous les assistants, et qui inspirait à tout le monde l'émulation, l'amour de la patrie et celui de la gloire, le czar prononça ce discours, [16] qui mérite de passer à la dernière postérité.

65

70

75

80

---

78 63-w68: être créé vice-amiral

modifia pas son texte, bien que, dans l'*Histoire de Charles XII*, il ait fait état de six galères suédoises, de trois bateaux plus petits, d'une frégate et du vaisseau d'Ehrensköld (V 4, p.497), sans doute d'après Rousset de Missy (iii.347).

[13] Il n'y avait point de vaisseau amiral, objecta-t-on à Pétersbourg, c'était la galère de Pierre Ier en sa qualité de contre-amiral (Š, p.445).

[14] Il n'y était pas, et ne revint de Finlande que le 9 décembre, rectifient les censeurs russes (Š, p.445).

[15] Sur Fedor Iourevitch Romodanovski, voir ci-dessus, 1.ix, n.7. Selon Weber, Romodanovski était un homme 'd'une grande équité', mais 'd'une humeur étrange' (Weber, i.220-21).

[16] Voltaire fait allusion à ce discours dans sa lettre à Chouvalov du 11 septembre 1759 (D8477). Il l'a tiré de Weber (i.22-25, à la date de mai 1714) ou de Rousset de Missy (iii.352-54) avec des coupures et des modifications de détail qui visent à

85 'Mes frères, est-il quelqu'un de vous qui eût pensé il y a vingt ans, qu'il combattrait avec moi sur la mer Baltique, dans des vaisseaux construits par vous-mêmes, et que nous serions établis dans ces contrées, conquises par nos fatigues et par notre courage?...

On place l'ancien siège des sciences dans la Grèce; elles s'établirent
90 ensuite dans l'Italie, d'où elles se répandirent dans toutes les parties de l'Europe; c'est à présent notre tour, si vous voulez seconder mes desseins, en joignant l'étude à l'obéissance. Les arts circulent dans le monde, comme le sang dans le corps humain;[17] et peut-être ils établiront leur empire parmi nous pour retourner dans la
95 Grèce leur ancienne patrie. J'ose espérer que nous ferons un jour rougir les nations les plus civilisées, par nos travaux et par notre solide gloire.'

C'est là le précis véritable de ce discours digne d'un fondateur. Il a été énervé dans toutes les traductions: mais le plus grand
100 mérite de cette harangue éloquente est d'avoir été prononcée par un monarque victorieux, fondateur et législateur de son empire.

Les vieux boyards écoutèrent cette harangue avec plus de regret pour leurs anciens usages, que d'admiration pour la gloire de leur maître; mais les jeunes en furent touchés jusqu'aux larmes.[18]

---

condenser. Il a notamment supprimé une phrase sur les ténèbres dans lesquelles la Russie aurait vécu auparavant (qui allait pourtant dans le sens de sa vision d'une Moscovie barbare) et un passage sur le grand nombre d'étrangers et de gens de métier qui viennent s'établir en Russie. Mais il a conservé presque toutes les proclamations de foi 'slavophiles' du tsar. Pierre prononça ce discours à l'occasion du lancement d'un vaisseau de guerre en 1714, corrigea-t-on à Pétersbourg (Š, p.445). Il se situerait quelques mois avant la victoire de Hangö, après une autre victoire plus modeste sur la flotte suédoise, que Voltaire n'a pas cru devoir rappeler (Š, p.113, n.8). Selon Jacob von Staehlin, *Anecdotes originales de Pierre le Grand* (Strasbourg 1787), p.268, ce discours fut prononcé au Sénat. (Il ne figure pas dans l'original allemand de l'ouvrage: il est tiré du *Journal de Paris* du 26 janvier 1786, qui écrit que Voltaire n'en a cité que les principaux extraits.)

[17] L'idée de la circularité des arts et des sciences a peut-être été inspirée à Pierre par Leibniz, comme l'affirme Merejkovski (*Antichrist (Piotr i Aleksei)*, Moscou 1993, p.30). Voir par exemple un brouillon de lettre de Leibniz à Pierre le Grand du 16 janvier 1716 (Leibniz, *Œuvres*, Paris 1875, vii.512).

[18] Ce passage est reproduit sans guillemets dans Staehlin, p.270.

Ces temps furent encore signalés par l'arrivée des ambassadeurs   105
15 décembre. russes, qui revinrent de Constantinople, avec la confirmation de
la paix avec les Turcs. [19] Un ambassadeur de Perse était arrivé
quelque temps auparavant de la part de Cha-Ussin; [20] il avait amené
au czar un éléphant et cinq lions. Il reçut en même temps une
ambassade du kam [21] des Usbecks, Mehemet Bahadir, qui lui   110
demandait sa protection contre d'autres Tartares. Du fond de
l'Asie et de l'Europe tout rendait hommage à sa gloire.

La régence de Stockholm désespérée de l'état déplorable de ses
affaires et de l'absence de son roi qui abandonnait le soin de ses
Etats, avait pris enfin la résolution de ne le plus consulter; et   115
immédiatement après la victoire navale du czar, elle avait demandé
un passeport au vainqueur pour un officier chargé de propositions
de paix. Le passeport fut envoyé; mais dans ce temps-là même la
princesse Ulrique Eléonore, sœur de Charles XII, reçut la nouvelle
que le roi son frère se disposait enfin à quitter la Turquie, et à   120
revenir se défendre. On n'osa pas alors envoyer au czar le

[19] Avec le traité d'Andrinople, signé le 15 juin 1713 v. st., ratifié par le sultan le
18 octobre, et qui garantissait la paix pour vingt-cinq ans.

[20] Voltaire avait écrit 'Cha Ussem'. Pétersbourg proposa 'shah Ussum' (Š, p.445).
Voltaire modifia à sa manière. Husayn Ier (v. 1675-1729) fut shah de Perse de 1694
à 1722. L'ambassadeur de Perse avait amené un des plus beaux éléphants d'Asie
(Rousset de Missy, iii.356).

[21] Voltaire avait écrit 'grand kan'. Il accepta la correction de Pétersbourg, qui
observait qu'il était 'kan simplement' (Š, p.446). Le khan des Ouzbeks, appelé
Hatschi Mehemet Bahadir par Rousset de Missy et Hadgi Mahomet Badir par
Weber, était âgé d'une trentaine d'années. Son ambassadeur, nommé Atscherbi,
avait environ cinquante ans. Il arriva le 17 mai 1714 à Pétersbourg avec sa suite.
L'une de ses trois missions consistait à prier le tsar d'ordonner à un vassal du khan
de vivre en paix avec son maître (il semblait porté à se joindre aux Tatars sujets de
la Chine et à soulever plusieurs autres de ses voisins). En échange de la protection
du tsar, le khan lui offrait cinquante mille hommes. Par ailleurs, il s'engageait à
laisser passer par ses Etats les caravanes russes qui allaient en Chine, ce qui leur
permettrait de se rendre à Pékin en quatre mois au lieu d'un an. Après l'audience,
l'ambassadeur fut invité à s'embarquer sur un vaisseau à Cronslot, mais un 'furieux
orage' s'étant levé, la croisière faillit se terminer par un naufrage (Weber, i.30-37).
Rousset de Missy rapporte brièvement cette ambassade (iii.356).

négociateur qu'on avait nommé en secret: on supporta la mauvaise fortune, et l'on attendit que Charles XII se présentât pour la réparer.

125 En effet Charles après cinq années et quelques mois de séjour en Turquie, en partit sur la fin d'octobre 1714.[22] On sait qu'il mit dans son voyage la même singularité qui caractérisait toutes ses actions. Il arriva à Stralsund le 22 novembre 1714. Dès qu'il y fut, le baron de Gôrtz se rendit auprès de lui; il avait été l'instrument

130 d'une partie de ses malheurs; mais il se justifia avec tant d'adresse, et lui fit concevoir de si hautes espérances, qu'il gagna sa confiance comme il avait gagné celle de tous les ministres, et de tous les princes avec lesquels il avait négocié; il lui fit espérer qu'il détacherait les alliés du czar, et qu'alors on pourrait faire une paix

135 honorable, ou du moins une guerre égale. Dès ce moment Gôrtz eut sur l'esprit de Charles beaucoup plus d'empire que n'en avait jamais eu le comte Piper.

La première chose que fit Charles en arrivant à Stralsund fut de demander de l'argent aux bourgeois de Stockholm. Le peu qu'ils

140 avaient fut livré; on ne savait rien refuser à un prince qui ne demandait que pour donner, qui vivait aussi durement que les simples soldats, et qui exposait comme eux sa vie. Ses malheurs, sa captivité, son retour, touchaient ses sujets et les étrangers: on ne pouvait s'empêcher de le blâmer, ni de l'admirer, ni de le

145 plaindre, ni de le secourir. Sa gloire était d'un genre tout opposé à celle de Pierre; elle ne consistait ni dans l'établissement des arts, ni dans la législation, ni dans la politique, ni dans le commerce; elle ne s'étendait pas au delà de sa personne: son mérite était une valeur au-dessus du courage ordinaire; il défendait ses Etats avec

150 une grandeur d'âme égale à cette valeur intrépide; et c'en était assez pour que les nations fussent frappées de respect pour lui. Il avait plus de partisans que d'alliés.

---

[22] Dans l'*Histoire de Charles XII*, où Voltaire retrace la chevauchée fantastique du roi de Suède, il écrit qu'il est parti de Turquie le 1er octobre 1714 (V 4, p.486).

CHAPITRE SIXIÈME

Siège de Stralsund, etc.

Lorsque Charles XII revint enfin dans ses Etats à la fin de 1714, il trouva l'Europe chrétienne dans un état bien différent de celui où il l'avait laissée. La reine Anne d'Angleterre était morte, après avoir fait la paix avec la France.[1] Louis XIV assurait l'Espagne à son petit-fils, et forçait l'empereur d'Allemagne Charles VI et les 5 Hollandais à souscrire à une paix nécessaire; ainsi toutes les affaires du midi de l'Europe prenaient une face nouvelle.

Celles du Nord étaient encore plus changées; Pierre en était devenu l'arbitre. L'électeur de Hanovre appelé au royaume d'Angleterre, voulait agrandir ses terres d'Allemagne aux dépens de la 10 Suède, qui n'avait acquis des domaines allemands que par les conquêtes du grand Gustave. Le roi de Dannemarck prétendait reprendre la Scanie, la meilleure province de la Suède, qui avait autrefois appartenu aux Danois. Le roi de Prusse, héritier des ducs de Poméranie, prétendait rentrer au moins dans une partie de cette 15 province. D'un autre côté la maison de Holstein opprimée par le roi de Dannemarck, et le duc de Meklembourg en guerre presque ouverte avec ses sujets, imploraient la protection de Pierre Ier. Le roi de Pologne électeur de Saxe désirait qu'on annexât la Courlande à la Pologne; ainsi de l'Elbe jusqu'à la mer Baltique Pierre était 20 l'appui de tous les princes, comme Charles en avait été la terreur.

On négocia beaucoup depuis le retour de Charles, et on n'avança rien. Il crut qu'il pourrait avoir assez de vaisseaux de guerre et d'armateurs pour ne point craindre la nouvelle puissance maritime du czar. A l'égard de la guerre de terre, il comptait sur son courage; 25

---

[1] Anne Stuart, née en 1665, était morte en 1714 après la paix d'Utrecht (1713).

et Gôrtz devenu tout d'un coup son premier ministre, lui persuada qu'il pourrait subvenir aux frais avec une monnaie de cuivre qu'on fit valoir quatre-vingt-seize fois autant que sa valeur naturelle; ce qui est un prodige dans l'histoire des gouvernements.[2] Mais dès le mois d'avril 1715 les vaisseaux de Pierre prirent les premiers armateurs suédois qui se mirent en mer; et une armée russe marcha en Poméranie.

Les Prussiens, les Danois et les Saxons se joignirent devant Stralsund. Charles XII vit qu'il n'était revenu de sa prison de Demirtash et de Demirtoca[3] vers la mer Noire, que pour être assiégé sur le rivage de la mer Baltique.

On a déjà vu dans son histoire avec quelle valeur fière et tranquille il brava dans Stralsund tous ses ennemis réunis.[4] On n'y ajoutera ici qu'une petite particularité qui marque bien son caractère. Presque tous ses principaux officiers ayant été tués ou blessés dans le siège, le colonel baron de Reichel, après un long combat, accablé de veilles et de fatigues, s'étant jeté sur un banc pour prendre une heure de repos, fut appelé pour monter la garde sur le rempart; il s'y traîna en maudissant l'opiniâtreté du roi, et tant de fatigues si intolérables et si inutiles; le roi qui l'entendit courut à lui, et se dépouillant de son manteau qu'il étendit devant lui; 'Vous n'en pouvez plus, lui dit-il, mon cher Reichel; j'ai dormi une heure, je suis frais, je vais monter la garde pour vous; dormez, je vous éveillerai quand il en sera temps.' Après ces mots il l'enveloppa malgré lui, le laissa dormir, et alla monter la garde.[5]

---

31   63, 65, avec manchette: Avril 1715.

---

[2] Allusion à la 'monnaie de crise' qui permit de lever des troupes pour attaquer la Norvège en 1715.

[3] Lapsus pour Demotica (Dimotika), mais cette petite ville est située au sud d'Andrinople, et non 'vers la mer Noire'.

[4] D'octobre au 20 décembre 1715 (*Histoire de Charles XII*, V 4, p.503-14).

[5] Voltaire rapporte ici librement une anecdote de Bassewitz (MS 3-1, f.30; *Eclaircissements*, p.310). Elle ne figurait pas dans l'*Histoire de Charles XII*.

Ce fut pendant ce siège de Stralsund, que le nouveau roi d'Angleterre électeur de Hanovre acheta du roi de Dannemarck la province de Brême et de Verden, avec la ville de Stade, que les *Octobre.* Danois avaient prises sur Charles XII. Il en coûta au roi George huit cent mille écus d'Allemagne. On trafiquait ainsi des Etats de Charles, tandis qu'il défendait Stralsund pied à pied. Enfin cette *Décembre.* ville n'étant plus qu'un monceau de ruines, ses officiers le forcèrent d'en sortir. Quand il fut en sûreté, son général Duker rendit ces ruines au roi de Prusse.

Quelque temps après Duker s'étant présenté devant Charles XII, ce prince lui fit des reproches d'avoir capitulé avec ses ennemis. 'J'aimais trop votre gloire, lui répondit Duker, pour vous faire l'affront de tenir dans une ville dont Votre Majesté était sortie.'[6] Au reste, cette place ne demeura que jusqu'en 1721 aux Prussiens, qui la rendirent à la paix du Nord.[7]

Pendant ce siège de Stralsund, Charles reçut encore une mortification, qui eût été plus douloureuse, si son cœur avait été sensible à l'amitié autant qu'il l'était à la gloire. Son premier ministre, le comte Piper, homme célèbre dans l'Europe, toujours fidèle à son prince, (quoi qu'en aient dit tant d'auteurs indiscrets, sur la foi d'un seul mal informé) Piper, dis-je, était sa victime depuis la bataille de Pultava. Comme il n'y avait point de cartel entre les Russes et les Suédois, il était resté prisonnier à Moscou; et quoiqu'il n'eût point été envoyé en Sibérie comme tant d'autres, son état était à plaindre. Les finances du czar n'étaient point alors administrées aussi fidèlement qu'elles devaient l'être, et tous ses nouveaux établissements exigeaient des dépenses auxquelles il

55

60

65

70

75

[6] L'anecdote n'est rapportée ni par Bassewitz, ni par Nordberg. Une autre anecdote sur Dücker figure dans l'*Histoire de Charles XII* (V 4, p.491-92). Carl Gustaf Dücker (1663-1732), né en Livonie, avait commencé sa carrière en France et était passé en Suède au début de la guerre du Nord. Il avait été blessé à Narva et fait prisonnier à Poltava. Lieutenant général en 1711, général en 1713, il était gouverneur de Stralsund en 1714. Il fut fait comte en 1719.
[7] La paix de Nystad, en 1721.

avait peine à suffire; il devait une somme d'argent assez considérable aux Hollandais, au sujet de deux de leurs vaisseaux marchands
80 brûlés sur les côtes de la Finlande. Le czar prétendit que c'était aux Suédois à payer cette somme, et voulut engager le comte Piper à se charger de cette dette: on le fit venir de Moscou à Pétersbourg, on lui offrit sa liberté en cas qu'il pût tirer sur la Suède environ soixante mille écus en lettres de change. On dit qu'il tira en effet
85 cette somme sur sa femme à Stockholm, qu'elle ne fut en état ni peut-être en volonté de donner, que le roi de Suède ne fit aucun mouvement pour la payer. [8] Quoi qu'il en soit, le comte Piper fut enfermé dans la forteresse de Shlusselbourg, où il mourut l'année d'après à l'âge de soixante et dix ans. [9] On rendit son corps au roi
90 de Suède, qui lui fit faire des obsèques magnifiques; tristes et vains dédommagements de tant de malheurs et d'une fin si déplorable. [10]

Pierre était satisfait d'avoir la Livonie, l'Estonie, la Carélie, l'Ingrie, qu'il regardait comme des provinces de ses Etats, et d'y avoir ajouté encore presque toute la Finlande, qui servait de gage
95 en cas qu'on pût parvenir à la paix. Il avait marié une fille de son frère avec le duc de Meklembourg Charles-Léopold, au mois

86   K: donner, et que

[8] Voltaire apporte ici des précisions par rapport à l'*Histoire de Charles XII*. La source de cette page est apparemment Weber (i.139-40), à quelques détails près. Chez Weber, la somme à payer par Piper est de cinquante mille roubles, et la femme du ministre aurait accepté la lettre de change, mais le roi lui aurait 'défendu sous de grosses peines d'en faire le payement'.

[9] Dans l'*Histoire de Charles XII*, Voltaire avait écrit que Piper était mort en Moscovie (V 4, p.362). Il corrigea après une remarque de La Mottraye. Piper mourut en 1716, à l'âge de 69 ans. Voltaire avait allégué par ailleurs que Piper était peu secouru par sa famille, qui vivait à Stockholm 'dans l'opulence' (V 4, p.363). Nordberg avait pris la défense de la famille Piper (iii.232) en assurant que Pierre Ier cherchait à extorquer de l'argent au premier ministre de Charles XII. Celui-ci exhorta sa famille à ne pas payer de rançon, car, selon lui, le tsar était décidé à poursuivre indéfiniment le chantage.

[10] Voir l'*Histoire de Charles XII* (V 4, p.362-63).

d'avril de la même année;[11] de sorte que tous les princes du Nord étaient ses alliés ou ses créatures. Il contenait en Pologne les ennemis du roi Auguste: une de ses armées d'environ dix-huit mille hommes y dissipait sans effort toutes ces confédérations si souvent renaissantes dans cette patrie de la liberté et de l'anarchie. Les Turcs fidèles enfin aux traités, laissaient à sa puissance et à ses desseins toute leur étendue.

Dans cet Etat florissant presque tous les jours étaient marqués par de nouveaux établissements, pour la marine, pour les troupes, le commerce, les lois; il composa lui-même un code militaire pour l'infanterie.[12]

8 novembre. Il fondait une académie de marine à Pétersbourg.[13] Lange chargé des intérêts du commerce, partait pour la Chine, par la Sibérie.[14] Des ingénieurs levaient des cartes dans tout l'empire; on bâtissait la maison de plaisance de Pétershof;[15] et dans le même temps on élevait des forts sur l'Irtish; on arrêtait les brigandages

[11] Catherine Ivanovna (1692-1733), fille aînée d'Ivan v, mère d'Anna Leopoldovna et grand-mère du malheureux Ivan vi. Le mariage eut lieu à Dantzig en présence du tsar, le 8 avril 1716.

[12] Le Règlement militaire de 1716 a une longue histoire. Il est l'aboutissement d'une série de dispositions prises depuis 1698, inspirées de l'exemple des armées étrangères: règlements d'infanterie élaborés par A. M. Golovine (1699-1700), code de Cheremetiev (1702). Les nouveaux principes militaires révèlent l'intervention personnelle du tsar. Ils manifestent le souci d'adapter les règlements aux conditions russes, mais aussi et surtout un esprit nouveau: une conception plus moderne de la tactique liée à la guerre de mouvement, un encouragement à l'initiative personnelle des chefs subalternes, un rôle primordial dévolu à l'artillerie (Portal, p.118-20).

[13] En 1715. Elle fut ouverte dans l'été 1716 selon Weber. Il rapporte qu'il n'y eut pas de famille noble qui ne fût obligée d'y envoyer un ou deux enfants ou parents, de dix à dix-huit ans (i.289).

[14] Laurent (Lorenz) Lange, né à Stockholm, partit de Pétersbourg en août 1715 pour une première expédition en Chine. Il y retourna en 1719 avec le capitaine Lev Izmaïlov, ambassadeur, et resta à Pékin jusqu'en 1722 comme agent commercial. Le *Journal de voyage de Laurent Lange à la Chine* a paru dans Weber, ii.89-144.

[15] Sur la description de Peterhof, voir Weber (i.67 et ii.86-87), La Mottraye (*Voyages*, 1732, p.257-58) et le ms 6-9, f.380v. Voltaire n'en a pas tenu compte.

des peuples de la Boukarie;[16] et d'un autre côté les Tartares de
Kouban étaient réprimés.[17]

115 Il semblait que ce fût le comble de la prospérité que dans la
même année il lui naquit un fils de sa femme Catherine,[18] et un
héritier de ses Etats dans un fils du prince Alexis.[19] Mais l'enfant
que lui donna la czarine fut bientôt enlevé par la mort; et nous
verrons que le sort d'Alexis fut trop funeste pour que la naissance
120 d'un fils de ce prince pût être regardée comme un bonheur.

Les couches de la czarine interrompirent les voyages qu'elle
faisait continuellement avec son époux sur terre et sur mer; et dès
qu'elle fut relevée, elle l'accompagna dans des courses nouvelles.

122   63: son épouse sur

[16] Voltaire fait peut-être allusion à la malheureuse expédition du prince Bekovitch-
Tcherkasski, rapportée par Weber: tombé dans une embuscade, son détachement
fut massacré par le khan de Khiva, considéré pourtant comme l'ami des Russes (cf.
1.i, n.218).

[17] Voltaire a sans doute appris également par Weber qu'en février 1716 il y eut
une révolte de Cosaques du Kouban (des 'Cuban-Tartares'), qui firent sept à huit
mille prisonniers russes: la révolte fut réprimée par un colonel allemand et les
prisonniers libérés; mais il y eut une nouvelle menace d'incursion en janvier 1718
(Weber, i.181-82 et 314-15; voir aussi Rousset de Missy, iii.376-77). Voltaire passe
sous silence (ou ignore) la révolte de Kondrati Afanassievitch Boulavine, en 1707-
1709: regroupant essentiellement des Cosaques du Don et des paysans, cette
jacquerie avait des liens avec les Cosaques du Kouban. Il ne mentionne pas non
plus la guerre coloniale contre les Bachkirs, dont la révolte, commencée en 1705,
durera jusqu'en 1720.

[18] Le fils de Catherine, Pierre, naquit le 8 novembre 1715, précise-t-on à
Pétersbourg (Š, p.446). Il mourut en 1719.

[19] Voltaire avait mentionné par erreur 'la perte d'un fils du tsarevits'. Il remania
son manuscrit après que les Russes lui eurent fait observer qu'Alexis n'avait eu
qu'une fille, née le 23 juillet 1714, et un fils, le futur Pierre II, né le 23 octobre 1715
(Š, p.446). La fille d'Alexis, Nathalie, mourut en 1728.

CHAPITRE SEPTIÈME

PRISE DE VISMAR

Nouveaux voyages du czar.

Vismar était alors assiégée par tous les alliés du czar. Cette ville qui devait naturellement appartenir au duc de Meklembourg, est située sur la mer Baltique, à sept lieues de Lubeck, et pourrait lui disputer son grand commerce; elle était autrefois une des plus considérables villes hanséatiques, et les ducs de Meklembourg y exerçaient le droit de protection, beaucoup plus que celui de la souveraineté. C'était encore un de ces domaines d'Allemagne qui étaient demeurés aux Suédois par la paix de Vestphalie. Il fallut enfin se rendre comme Stralsund; les alliés du czar se hâtèrent de s'en rendre maîtres avant que ses troupes fussent arrivées; mais Pierre étant venu lui-même devant la place après la capitulation *Février.* qui avait été faite sans lui, fit la garnison prisonnière de guerre. Il fut indigné que ses alliés laissassent au roi de Dannemarck une ville qui devait appartenir au prince auquel il avait donné sa nièce; et ce refroidissement dont le ministre Gôrtz profita bientôt, fut la première source de la paix qu'il projeta de faire entre le czar et Charles XII.

Gôrtz dès ce moment fit entendre au czar que la Suède était assez abaissée, qu'il ne fallait pas trop élever le Dannemarck et la Prusse. Le czar entrait dans ses vues;[1] il n'avait jamais fait la

---

[1] Voltaire dit le contraire plus loin (II.viii.75-77 et n.8). Il a peut-être été influencé par Rousset de Missy, selon qui le tsar ne voulait pas pousser à bout la Suède et contribuer à l'agrandissement excessif du roi de Danemark, sans compter qu'il n'avait pas intérêt à risquer de faire périr de faim l'élite de ses troupes dans une Scanie où les Suédois avaient pratiqué la tactique de la terre brûlée (Rousset de Missy, iii.389). Quoi qu'il en soit, la descente en Scanie fut repoussée au printemps, et fut ensuite annulée.

guerre qu'en politique, au lieu que Charles XII ne l'avait faite qu'en guerrier. Dès lors il n'agit plus que mollement contre la Suède;[2] et Charles XII malheureux partout en Allemagne, résolut, par un de ces coups désespérés que le succès seul peut justifier,
25 d'aller porter la guerre en Norvège.

Le czar cependant voulut faire en Europe un second voyage. Il avait fait le premier en homme qui s'était voulu instruire des arts; il fit le second en prince, qui cherchait à pénétrer le secret de toutes les cours. Il mena sa femme à Copenhague,[3] à Lubeck, à Schverin,
30 à Neustadt;[4] il vit le roi de Prusse dans la petite ville d'Aversberg;[5] de là ils passèrent à Hambourg, à cette ville d'Altena que les Suédois avaient brûlée, et qu'on rebâtissait. Descendant l'Elbe jusqu'à Stade, ils passèrent par Brême,[6] où le magistrat donna un feu d'artifice, et une illumination dont le dessin formait en cent
35 endroits ces mots: *Notre libérateur vient nous voir*. Enfin il revit Amsterdam,[7] et cette petite chaumière de Sardam, où il avait *17 décembre.* appris l'art de la construction des vaisseaux, il y avait environ dix-huit années: il trouva cette chaumière changée en une maison agréable et commode, qui subsiste encore, et qu'on nomme la
40 *maison du prince*.[8]

On peut juger avec quelle idolâtrie il fut reçu par un peuple de commerçants et de gens de mer, dont il avait été le compagnon;

---

[2] Repris textuellement de Bassewitz, p.314. Mais une lettre de Pierre le Grand d'avril 1715 prouve le contraire (voir ci-dessous, II.xv.21-24, n.5).

[3] Pierre arriva à Copenhague en juillet 1716, Catherine un peu plus tard. Ils repartirent le 15/26 octobre pour aller retrouver Frédéric-Guillaume de Prusse.

[4] Neustadt am Rübenberge, au nord-ouest de Hanovre.

[5] Havelberg.

[6] Pierre et Catherine ne passèrent pas ensemble à Hambourg, Altona et Brême. Catherine, près d'accoucher, suivait plus lentement.

[7] Pierre arriva à Amsterdam le 6/17 décembre 1716. Quant à Catherine, elle s'arrêta à Wesel, près de la frontière hollandaise, comme le rapporte plus loin Voltaire.

[8] Rousset de Missy, iii.400. Cette maisonnette en bois de Zaandam, appartenant à une veuve, comprenait deux pièces, deux fenêtres, un poêle en faïence, et, derrière un rideau, un réduit exigu pour dormir (Massie, p.177).

791

ils croyaient voir dans le vainqueur de Pultava, leur élève, qui avait fondé chez lui le commerce et la marine, et qui avait appris chez eux à gagner des batailles navales; ils le regardaient comme un de leurs concitoyens devenu empereur. 45

Il paraît dans la vie, dans les voyages, dans les actions de Pierre le Grand, comme dans celles de Charles XII, que tout est éloigné de nos mœurs, peut-être un peu trop efféminées;[9] et c'est par cela même que l'histoire de ces deux hommes célèbres excite tant notre curiosité. 50

L'épouse du czar était demeurée à Schverin malade, fort avancée dans sa nouvelle grossesse; cependant, dès qu'elle put se mettre en route, elle voulut aller trouver le czar en Hollande: les douleurs *14 janvier.* la surprirent à Vesel, où elle accoucha d'un prince qui ne vécut qu'un jour.[10] Il n'est pas dans nos usages qu'une femme malade voyage immédiatement après ses couches: la czarine au bout de dix jours arriva dans Amsterdam: elle voulut voir cette chaumière de Sardam, dans laquelle le czar avait travaillé de ses mains. Tous deux allèrent sans appareil, sans suite, avec deux domestiques, 60 dîner chez un riche charpentier de vaisseaux de Sardam nommé Kalf, qui avait le premier commercé à Pétersbourg.[11] Le fils revenait de France où Pierre voulait aller. La czarine et lui écoutèrent avec plaisir l'aventure de ce jeune homme, que je ne rapporterais pas, si elle ne faisait connaître des mœurs entièrement 65 opposées aux nôtres. 55

Ce fils du charpentier Kalf avait été envoyé à Paris par son père, pour y apprendre le français, et son père avait voulu qu'il y

---

[9] Y a-t-il là une réminiscence de Fontenelle? 'Nous devons toujours nous souvenir de ne pas prendre pour règle de nos jugements des mœurs aussi délicates, pour ainsi dire, et aussi adoucies que les nôtres; elles condamneraient trop vite des mœurs plus fortes et plus vigoureuses' (iii.226). Sur la fascination de Voltaire pour les hommes d'action et les héros virils, voir ci-dessus, p.252.

[10] Paul, né le 2/13 janvier 1717, mourut le même jour.

[11] Cornelis Calf avait été en effet le premier à commercer avec Pétersbourg. Sa galiote chargée de vin et de sel était arrivée en novembre 1703; voir I.xiii, n.24.

vécût honorablement. Il ordonna que le jeune homme quittât
70 l'habit plus que simple, que tous les citoyens de Sardam portent,
et qu'il fît à Paris une dépense plus convenable à sa fortune qu'à
son éducation; connaissant assez son fils pour croire que ce
changement ne corromprait pas sa frugalité et la bonté de son
caractère.

75 Kalf signifie *veau* dans toutes les langues du Nord;[12] le voyageur
prit à Paris le nom de *du Veau*; il vécut avec quelque magnificence;
il fit des liaisons. Rien n'est plus commun à Paris que de prodiguer
les titres de marquis et de comte, à ceux qui n'ont pas même une
terre seigneuriale, et qui sont à peine gentilshommes. Ce ridicule
80 a toujours été toléré par le gouvernement, afin que les rangs étant
plus confondus, et la noblesse plus abaissée, on fût désormais à
l'abri des guerres civiles, autrefois si fréquentes. Le titre de haut
et puissant seigneur a été pris par des anoblis, par des roturiers
qui avaient acheté chèrement des offices. Enfin les noms de
85 marquis, de comte, sans marquisat et sans comté, comme de
chevalier sans ordre, et d'abbé sans abbaye, sont sans aucune
conséquence dans la nation.

Les amis et les domestiques de Kalf l'appelèrent toujours *le
comte du Veau*; il soupa chez les princesses, et joua chez la duchesse
90 de Berri: peu d'étrangers furent plus fêtés. Un des jeunes marquis,
qui avait été de tous ses plaisirs, lui promit de l'aller voir à Sardam,
et tint parole. Arrivé dans ce village, il fit demander la maison du
comte de Kalf. Il trouva un atelier de constructeur de vaisseaux,
et le jeune Kalf habillé en matelot hollandais, la hache à la main,
95 conduisant les ouvrages de son père. Kalf reçut son hôte avec
toute la simplicité antique, qu'il avait reprise, et dont il ne s'écarta

90   κ: Un jeune marquis

[12] Approximatif: c'est vrai pour le néerlandais (*kalf*) et pour l'anglais (*calf*), mais
la forme scandinave est *kalv* et la forme allemande *Kalb*.

jamais. Un lecteur sage peut pardonner cette petite digression, qui n'est que la condamnation des vanités et l'éloge des mœurs. [13]

Le czar resta trois mois en Hollande. [14] Il se passa pendant son séjour des choses plus sérieuses que l'aventure de Kalf. La Haye depuis la paix de Nimègue, de Risvick et d'Utrecht avait conservé la réputation d'être le centre des négociations de l'Europe: cette petite ville, ou plutôt ce village, le plus agréable du Nord, était principalement habité par des ministres de toutes les cours, et par des voyageurs qui venaient s'instruire à cette école. On jetait alors les fondements d'une grande révolution dans l'Europe. Le czar informé des commencements de ces orages prolongea son séjour dans les Pays-Bas, pour être plus à portée de voir ce qui se tramait à la fois au Midi et au Nord, et pour se préparer au parti qu'il devait prendre.

[13] Voltaire a-t-il plus ou moins inventé cette anecdote? C'est ce que prétend Jacobus Scheltema dans son ouvrage *Peter de Groote, keizer van Rusland in Holland en te Zaandam in 1697 en 1717* (Amsterdam 1814), ii.240-48 (trad. française par N. P. Muilman, *Anecdotes historiques sur Pierre le Grand et sur ses voyages en Hollande et à Zaandam dans les années 1697 et 1717*, Lausanne 1842, p.220 et 434, n.17). Nicolas Calf (1676-1734), fils de Cornelis Michielszoon Calf, fit un premier voyage de plus de deux ans à l'étranger à partir de juin 1698 (Angleterre, France, Italie, Autriche, Hongrie, Allemagne). C'est au cours d'un second voyage en France (octobre 1713-septembre 1714) qu'il aurait fait parler de lui sous le nom de comte du Veau. Il vécut à Paris 'sur un pied très brillant' et fut admis avec les ambassadeurs des Pays-Bas aux fêtes de la cour qui célébraient la paix d'Utrecht (Scheltema, *Anecdotes historiques*, p.435-37). Dans l'ouvrage néerlandais de Scheltema, il est précisé que les journaux de voyage de Calf comptent cinq tomes in-4, conservés dans les archives de Zaandam. Voltaire les a-t-il consultés? Il est plus vraisemblable qu'il a simplement entendu parler de Nicolas Calf au cours de ses séjours aux Pays-Bas. Dans son *Voyage en Hollande* (1774), Diderot a raconté après Voltaire, mais avec plus de détails, la même anecdote. C'est au marché, et non sur le chantier, que deux Français retrouvent le 'baron du Veau'.

[14] Pierre séjourna en fait plus de quatre mois en Hollande, du 17 décembre 1716 à la fin d'avril 1717.

CHAPITRE HUITIÈME

SUITE DES VOYAGES DE PIERRE LE GRAND

Conspiration de Gôrtz. Réception de Pierre en France.

Il voyait combien ses alliés étaient jaloux de sa puissance, et qu'on a souvent plus de peine avec ses amis qu'avec ses ennemis.

Le Meklembourg était un des principaux sujets de ces divisions presque toujours inévitables entre des princes voisins qui partagent
5 des conquêtes. Pierre n'avait point voulu que les Danois prissent Vismar pour eux, encore moins qu'ils démolissent les fortifications; cependant ils avaient fait l'un et l'autre.

Le duc de Meklembourg, mari de sa nièce, et qu'il traitait comme son gendre, était ouvertement protégé par lui contre la
10 noblesse du pays; et le roi d'Angleterre protégeait la noblesse. Enfin il commençait à être très mécontent du roi de Pologne, ou plutôt de son premier ministre, le comte Flemming,[1] qui voulait secouer le joug de la dépendance, imposé par les bienfaits et par la force.

15 Les cours d'Angleterre, de Pologne, de Dannemarck, de Holstein, de Meklembourg, de Brandebourg, étaient agitées d'intrigues et de cabales.

A la fin de 1716 et au commencement de 1717, Gôrtz, qui, comme le disent les mémoires de Bassevitz,[2] était las de n'avoir que
20 le titre de conseiller de Holstein, et de n'être qu'un plénipotentiaire

---

3   63: Meklenbourg

---

[1] Le Suédois Jacob Heinrich von Flemming (1667-1728), comte, général, ministre de Saxe en 1705, feld-maréchal et premier ministre de Pologne en 1712.

[2] Gôrtz était 'ennuyé de la sphère étroite où le renfermait la position de son maître' (MS 3-1, f.1v; *Eclaircissements*, p.283).

secret de Charles XII, avait fait naître la plupart de ces intrigues, et il résolut d'en profiter pour ébranler l'Europe. Son dessein était de rapprocher Charles XII du czar, non seulement de finir leur guerre, mais de les unir, de remettre Stanislas sur le trône de Pologne, et d'ôter au roi d'Angleterre George Ier Brême et Verden, et même le trône d'Angleterre, afin de le mettre hors d'état de s'approprier les dépouilles de Charles.

Il se trouvait dans le même temps un ministre de son caractère, dont le projet était de bouleverser l'Angleterre et la France: c'était le cardinal Albéroni, plus maître alors en Espagne que Gôrtz ne l'était en Suède, homme aussi audacieux, et aussi entreprenant que lui, mais beaucoup plus puissant, parce qu'il était à la tête d'un royaume plus riche, et qu'il ne payait pas ses créatures en monnaies de cuivre. [3]

Gôrtz des bords de la mer Baltique se lia bientôt avec la cour de Madrid. Albéroni et lui furent également d'intelligence avec tous les Anglais errants qui tenaient pour la maison Stuard. Gôrtz courut dans tous les Etats où il pouvait trouver des ennemis du roi George, en Allemagne, en Hollande, en Flandre, en Lorraine, et enfin à Paris sur la fin de l'année 1716. Le cardinal Albéroni

25

30

35

40

---

[3] Sur le cardinal Giulio Alberoni (1664-1752), voir le *Précis du Siècle de Louis XV* (*OH*, p.1302-304, 1306) et l'*Histoire de Charles XII* (V 4, p.522, 529-30). Dans une lettre du 10 février 1735 (D842), Alberoni avait remercié Voltaire de ce qu'il avait dit de lui dans l'*Histoire de Charles XII*. Voltaire avait répondu en mars (D850). En 1706, Alberoni accompagna le duc de Vendôme à Paris et fut présenté à Louis XIV. Le duc de Vendôme étant devenu généralissime des armées espagnoles en 1711, Alberoni lui servit de secrétaire. A la mort du duc de Vendôme, en 1712, le duc de Parme fit d'Alberoni son agent consulaire en Espagne. Alberoni parvint à faire expulser la toute puissante princesse des Ursins, favorite de Philippe V, et à faire épouser au roi Elisabeth Farnèse, nièce du duc de Parme. Il partagea avec la nouvelle reine son influence illimitée. En 1716, il devint cardinal et premier ministre d'Espagne. Il voulut rendre à l'Espagne les domaines européens perdus au traité d'Utrecht. Mais la mort de Louis XIV fit changer la politique de Madrid. L'hostilité du Régent et la politique anglophile de Dubois ruinèrent les plans d'Alberoni. Philippe V le renvoya en 1719, et il se retira à Rome. Son *Testament politique* parut à Lausanne en 1753.

commença par lui envoyer dans Paris même un million de livres de France, pour commencer à mettre le feu aux poudres; c'était l'expression d'Albéroni. [4]

Gôrtz voulait que Charles cédât beaucoup à Pierre pour reprendre tout le reste sur ses ennemis, et qu'il pût en liberté faire une descente en Ecosse, tandis que les partisans des Stuards se déclareraient efficacement en Angleterre, après s'être tant de fois montrés inutilement. Pour remplir ces vues, il était nécessaire d'ôter au roi régnant d'Angleterre son plus grand appui, et cet appui était le régent de France. Il était extraordinaire qu'on vît la France unie avec un roi d'Angleterre, contre le petit-fils de Louis XIV que cette même France avait mis sur le trône d'Espagne aux prix de ses trésors et de son sang, [5] malgré tant d'ennemis conjurés; mais tout était sorti alors de sa route naturelle; et les intérêts du régent n'étaient pas les intérêts du royaume. Albéroni ménagea dès lors une conspiration en France, contre ce même régent. Les fondements de toute cette vaste entreprise furent jetés presque aussitôt que le plan en eut été formé. Gôrtz fut le premier dans ce secret, et devait alors aller déguisé en Italie pour s'aboucher avec le Prétendant [6] auprès de Rome, et de là revoler à la Haye, y voir le czar, et terminer tout auprès du roi de Suède.

Celui qui écrit cette histoire est si instruit de ce qu'il avance, que Gôrtz lui proposa de l'accompagner dans ses voyages, et que

52-53   K: d'Espagne au prix
62-63   K: est très instruit de ce qu'il avance, puisque Gortz

[4] Dans le *Précis du siècle de Louis XV*, Voltaire attribuait cette expression au prince de Cellamare (*OH*, p.1303).
[5] Voltaire reprend ici presque textuellement l'expression de l'*Histoire de Charles XII*: 'aux dépens de tant de trésors et de sang' (V 4, p.529).
[6] Jacques Francis Edouard Stuart (1688-1766), fils de Jacques II, que Voltaire nomme plus loin.

tout jeune qu'il était alors, il fut un des premiers témoins d'une
grande partie de ces intrigues. [7]   65

Gôrtz était revenu en Hollande à la fin de 1716 muni des lettres
de change d'Albéroni, et du plein pouvoir de Charles. Il est très
certain que le parti du Prétendant devait éclater, tandis que Charles
descendrait de la Norvège dans le nord d'Ecosse. Ce prince qui
n'avait pu conserver ses Etats dans le continent, allait envahir et   70
bouleverser ceux d'un autre, et de la prison de Demirtash en
Turquie, et des cendres de Stralsund, on eût pu le voir couronner
le fils de Jacques II à Londres, comme il avait couronné Stanislas
à Varsovie.

Le czar qui savait une partie des entreprises de Gôrtz, en   75
attendait le développement, sans entrer dans aucun de ses plans, [8]
et sans les connaître tous; il aimait le grand et l'extraordinaire
autant que Charles XII, Gôrtz et Albéroni; mais il l'aimait en
fondateur d'un Etat, en législateur, en vrai politique; et peut-être
Albéroni, Gôrtz et Charles même, étaient-ils plutôt des hommes   80
inquiets qui tentaient de grandes aventures, que des hommes
profonds qui prissent des mesures justes: peut-être après tout leurs
mauvais succès les ont-ils fait accuser de témérité.

Quand Gôrtz fut à la Haye, le czar ne le vit point; [9] il aurait

[7] Voltaire a rencontré Görtz près de Paris, au château de Châtillon, où habitait
le banquier Antoine Hogguer, en novembre 1718, après la publication d'*Œdipe*.
Görtz lui proposa une place de secrétaire. Voltaire eut la prudence de refuser. Il
avait évoqué les intrigues de l'aventureux ministre, mais moins longuement, dans
l'*Histoire de Charles XII* (V 4, p.516-21).

[8] Voltaire avait dit le contraire (II.vii.20), mais ici il insiste sur ce point; voir plus
loin, l.88-89 et 140-141. Pierre aurait tenté de se disculper d'avoir participé au
complot de Görtz au moment de l'arrestation de Gyllenborg, en faisant rédiger un
mémoire destiné au roi d'Angleterre, et qu'il aurait envoyé à Vesselovski, son
ministre à Londres, en mars 1717 (Rousset de Missy, iii.403-15). En réalité, Pierre
est impliqué dans un véritable imbroglio diplomatique; voir ci-dessous, II.xv, n.4.

[9] Dans l'*Histoire de Charles XII*, Voltaire écrivait au contraire que Görtz avait
rencontré deux fois le tsar à La Haye au début de 1717 (V 4, p.525). Selon Bassewitz,
Görtz, revenu d'un tour fait pour la seconde fois à Paris, en février 1717, avait
conféré avec Pierre à La Haye (MS 3-1, f.38v; *Eclaircissements*, p.316). Il l'aurait
même vu secrètement à Hanovre auparavant, au moment du blocus de Tönning

85 donné trop d'ombrage aux Etats-Généraux, ses amis, attachés au roi d'Angleterre. Ses ministres ne virent Gôrtz qu'en secret, avec les plus grandes précautions, avec ordre d'écouter tout et de donner des espérances, sans prendre aucun engagement, et sans le compromettre. [10] Cependant les clairvoyants s'apercevaient bien à

90 son inaction, pendant qu'il eût pu descendre en Scanie avec sa flotte et celle de Dannemarck, [11] à son refroidissement envers ses alliés, aux plaintes qui échappaient à leurs cours, et enfin à son voyage même, qu'il y avait dans les affaires un grand changement qui ne tarderait pas à éclater.

95 Au mois de janvier 1717, un paquebot suédois, qui portait des lettres en Hollande, ayant été forcé par la tempête de relâcher en Norvège, les lettres furent prises. On trouva dans celles de Gôrtz et de quelques ministres, de quoi ouvrir les yeux sur la révolution qui se tramait. [12] La cour de Dannemarck communiqua les lettres

---

(MS 3-1, f.4r; *Eclaircissements*, p.285). En fait, la rencontre de Pierre le Grand et de Görtz n'aura lieu que le 21 août 1717 au château de Loo. 'Certains historiens, s'inspirant de Voltaire, ont cru que le tsar et Goertz s'étaient déjà vus en Hollande, mais cela semble impossible. Selon Goertz, la rencontre aurait eu lieu par hasard, ce que l'on ne saurait croire' (Cl. J. Nordmann, *La Crise du Nord au début du XVIIIe siècle*, Paris 1956, p.113, n.97).

[10] En février 1717, Görtz a rencontré à Amsterdam le docteur Robert Erskine, médecin de Pierre le Grand, qui lui a déclaré que le tsar avait l'intention de s'entretenir avec lui. Dès la fin de décembre 1716, Charles Erskine, frère cadet du docteur, était allé à La Haye de la part du tsar pour rencontrer Görtz, mais celui-ci venait de partir pour Paris (Nordmann, p.92-93).

[11] Les intrigues de Görtz ont-elles joué un rôle dans la décision du tsar d'annuler l'attaque contre la Suède? Voltaire l'affirmait déjà dans l'*Histoire de Charles XII* (V 4, p.520). Pierre en tout cas accusa les alliés d'avoir tergiversé pendant l'été 1716. Il semble bien qu'il ait eu vraiment l'intention d'envahir la Scanie, mais la date du 21 septembre fixée pour le débarquement lui parut trop tardive, à l'approche de l'hiver.

[12] Sur ce projet d'insurrection en Angleterre soutenue par la Suède, voir l'échange de lettres entre Görtz, Gyllenborg, Sparre et autres, *Letters which passed between count Gyllenborg, the barons Gortz, Sparre, and others; Relating to the design of raising a rebellion in His Majesty's dominions, to be supported by a force from Sweden. Translated into English. Published by authority* (London 1717). Il y est question de soutenir le Prétendant avec dix mille hommes venus de Suède, et grâce à une aide

à celle d'Angleterre. Aussitôt on fait arrêter à Londres le ministre   100
suédois Gyllembourg; on saisit ses papiers, et on y trouve une
partie de sa correspondance avec les jacobites.[13]

Février.   Le roi George écrit incontinent en Hollande; il requiert que
suivant les traités qui lient l'Angleterre et les Etats-Généraux à
leur sûreté commune, le baron de Gôrtz soit arrêté. Ce ministre   105
qui se faisait partout des créatures, fut averti de l'ordre; il part
incontinent; il était déjà dans Arnheim sur les frontières, lorsque
les officiers et les gardes qui couraient après lui, ayant fait une
diligence peu commune en ce pays-là,[14] il fut pris, ses papiers
saisis, sa personne traitée durement;[15] le secrétaire Stamke, celui-   110

---

101   63-w68:   Gillembourg [*passim*]
110   63-w68:   Stank

---

de soixante mille livres sterling. Voltaire avait déjà raconté cette conspiration, sans
parler des documents saisis, dans l'*Histoire de Charles XII* (V 4, p.522-27). Selon
Nordberg, les lettres saisies furent d'abord imprimées par le Danemark (iii.282).

[13] Carl, comte de Gyllenborg (1679-1746), littérateur et homme d'Etat suédois,
après des études à Uppsala, fit une carrière militaire, puis diplomatique. Après avoir
été secrétaire d'ambassade, puis résident à Londres (1703-1717), il rentra en Suède,
où, après la mort de Charles XII, il devint le chef du parti des Chapeaux, opposé au
parti des Bonnets du comte de Horn. La faction des Chapeaux l'ayant emporté,
Gyllenborg, conseiller d'Etat, devint président de la Chancellerie en 1738. Homme
d'Etat de talent, auteur de poésies, Gyllenborg avait de profondes connaissances en
littérature et en histoire. On lui attribue un pamphlet, *Remarques d'un marchand
anglais* (Londres, vers 1710). Gyllenborg fut arrêté dans la nuit du 29 au 30 janvier
1717. Les lettres saisies chez lui furent imprimées à Londres, puis traduites en
plusieurs langues. Selon Nordberg, la cour d'Angleterre n'a jamais produit l'original
d'aucune de ces lettres, ni le moindre petit papier appartenant aux jacobites qui eût
été trouvé chez Gyllenborg (iii.288-89 et 285, n.*a*).

[14] Le commissaire Vleertman et ses gardes, pour pouvoir arrêter Görtz, chan-
geaient de chevaux toutes les deux lieues (Nordberg, iii.293).

[15] 'Görtz fut traité avec tant de dureté qu'à peine voulut-on lui laisser son cuisinier
avec deux laquais pour le servir [...] On le tenoit enfermé dans une petite chambre,
dont on ferma de bonne heure les portes & les fenêtres, sans presque laisser entrer
le moindre air, jusques-là que les soldats qui étoient de garde, & qu'on ne relevoit
que deux fois en vingt-quatre heures, se plaignoient souvent de la cruelle chaleur
qu'il y faisoit, & de ce qu'ils couroient risque d'y étouffer. Un capitaine anglois,

là même qui avait contrefait le seing du duc de Holstein dans l'affaire de Toninge,[16] plus maltraité encore.[17] Enfin le comte de Gyllembourg envoyé de Suède en Angleterre, et le baron de Gôrtz avec des lettres de ministre plénipotentiaire de Charles xii,[18] furent
115 interrogés, l'un à Londres, l'autre à Arnheim, comme des criminels. Tous les ministres des souverains crièrent à la violation du droit des gens.[19]

Ce droit qui est plus souvent réclamé que bien connu, et dont jamais l'étendue et les limites n'ont été fixées, a reçu dans tous les
120 temps des atteintes. On a chassé plusieurs ministres des cours où ils résidaient; on a plus d'une fois arrêté leurs personnes; mais jamais encore on n'avait interrogé des ministres étrangers comme des sujets du pays. La cour de Londres et les Etats passèrent par-dessus toutes les règles, à la vue du péril qui menaçait la maison
125 de Hanovre: mais enfin ce danger étant découvert, cessait d'être danger, du moins dans la conjoncture présente.[20]

112 63-w68: Tonninge
120 63-w68: temps bien des atteintes

---

qui étoit aussi chargé de garder le prisonnier, ne le tourmenta pas moins, en barricadant les portes, en faisant éteindre la lumière à une certaine heure & en lui cherchant mille chicanes sur les sujets les plus légers' (Nordberg, iii.294).

[16] Voltaire avait écrit 'Stanck'. Après la rectification de Pétersbourg ('Stambke'), il corrigea, mais en omettant le *b*, comme il l'avait fait précédemment (S̆, p.446-47).

[17] Nordberg ne dit pas que Stambke fut 'plus maltraité encore'.

[18] Dans une résolution du 18 mai 1717, les Etats Généraux de Hollande alléguèrent que Görtz n'avait pas produit de lettres de créance (Nordberg, iii.298).

[19] Sans doute Voltaire exagère-t-il, comme dans l'*Histoire de Charles XII* (V 4, p.526). Nordberg lui-même ne fait état que des protestations du secrétaire de Suède à La Haye, Joakim Fredrik Preis, et des ministres étrangers qui résidaient dans cette ville (iii.294-95).

[20] Gyllenborg avait été arrêté dans la nuit du 29 au 30 janvier 1717. Le 1er février, le secrétaire d'Etat Stanhope avait envoyé une lettre circulaire à tous les ministres étrangers de Londres en justifiant cette arrestation par le fait que l'ambassadeur suédois s'était rendu indigne de la protection 'dont autrement il devoit jouir par le droit des gens & des privilèges dus à son caractère' (Nordberg, iii.286). Souvent bafoué, le *droit des gens* est cependant une notion admise par toutes les nations

Il faut que l'historien Norberg ait été bien mal informé, qu'il ait bien mal connu les hommes et les affaires, ou qu'il ait été bien aveuglé par la partialité, ou du moins bien gêné par sa cour, pour essayer de faire entendre que le roi de Suède n'était pas entré très avant dans le complot. [21]

130

civilisées. A plus forte raison devrait-il être respecté par l'Angleterre, pays des libertés. Or, la cour de Londres, comme celle de Hollande, a enfreint ici 'toutes les règles' en traitant un ambassadeur comme un 'criminel'. On est loin de l'Angleterre 'symbolique' des *Lettres philosophiques*. Voltaire, en historien, enregistre le fonction-nement de cette Angleterre réelle. Il l'avait d'ailleurs déjà fait, mais sans la moindre indignation, dans l'*Histoire de Charles XII*, où il écrivait: 'Comme Gyllenborg, ambassadeur de Suède, avait violé le droit des gens en conspirant contre le prince auprès duquel il était envoyé, on viola sans scrupule le même droit en sa personne'. Voltaire insistait beaucoup plus alors sur la culpabilité des Hollandais, tandis que le roi d'Angleterre 'n'avait rien fait que de juste' en arrêtant un ennemi (V 4, p.526-27). Sur le droit des gens, voir ci-dessus, p.246, n.77.

[21] Renvoyant aux *Mémoires* de Guillaume de Lamberty, Nordberg affirme que, lorsque le Prétendant (fils de Jacques II) 'médita en 1716 de faire une descente en Ecosse et demanda au roi de Suède un secours d'hommes, Sa Majesté refusa tout court de soutenir ce prince ennemi de sa religion' (iii.286, n.*b*). Nordberg, qui rappelle que George Ier avait enlevé à Charles XII deux de ses meilleures provinces et envoyé la flotte anglaise au secours de ses ennemis, n'en prétend pas moins que 'croire que Charles avoit part directement à la rébellion projettée, & que son dessein étoit de la soutenir par le moyen d'un corps d'armée, c'est ce que l'on ne pouvoit pas se persuader' (iii.290). Charles aurait prié le comte de La Marck, nouvel ambassadeur de France, d'écrire à Louis XV et au Régent que 'Sa Majesté suédoise n'avoit aucune connoissance, ni n'étoit entrée dans aucun des desseins attribués à ses ministres; qu'elle n'avoit jamais eu, ni n'avoit point encore intention de troubler la tranquillité de la Grande-Bretagne, ou d'y transporter des troupes; que Sa Majesté regarderoit comme une chose injurieuse pour Elle le simple soupçon qu'Elle eût eu part à de pareils projets' (iii.298-99). Peut-être Görtz n'a-t-il écouté les jacobites, qui croyaient grâce à lui être aidés par la Suède, que pour obtenir d'eux en faveur de Charles XII des sommes en échange desquelles il comptait ne rien donner. Peut-être aussi Colbert de Croissy, ambassadeur de France à Stockholm en 1715, a-t-il fait au roi de Suède des ouvertures au sujet des jacobites qui dépassaient ses instructions. On lui écrivit en effet de Versailles en juin 1715: 'Le temps n'est pas venu où le roi de Suède peut prendre aucune mesure au sujet de l'agitation actuelle en Angleterre. Ne l'y excitez pas' (A. Geffroy, *Recueil des instructions données aux ambassadeurs et ministres de France*, Paris 1885, ii (Suède), p.LXXXVII).

L'affront fait à ses ministres affermit en lui la résolution de tout tenter pour détrôner le roi d'Angleterre. Cependant il fallut qu'une fois en sa vie il usât de dissimulation, qu'il désavouât ses ministres
135 auprès du régent de France qui lui donnait un subside, et auprès des Etats-Généraux qu'il voulait ménager: [22] il fit moins de satisfaction au roi George. Gôrtz et Gyllembourg ses ministres furent retenus près de six mois, [23] et ce long outrage confirma en lui tous ses desseins de vengeance.

140 Pierre au milieu de tant d'alarmes et de tant de jalousies, ne se commettant en rien, [24] attendant tout du temps, et ayant mis un assez bon ordre dans ses vastes Etats, pour n'avoir rien à craindre du dedans ni du dehors, résolut enfin d'aller en France: il n'entendait pas la langue du pays, [25] et par là perdait le plus grand fruit de son
145 voyage; mais il pensait qu'il y avait beaucoup à voir, et il voulut apprendre de près, en quels termes était le régent de France avec l'Angleterre, et si ce prince était affermi.

Pierre le Grand fut reçu en France comme il devait l'être. On envoya d'abord le maréchal de Tessé avec un grand nombre de
150 seigneurs, un escadron des gardes, et les carrosses du roi à sa

144   63, 65:   par là il perdait

[22] Dans l'*Histoire de Charles XII*, Voltaire écrit que le roi de Suède 'n'avoua ni ne désavoua le baron de Görtz' (V 4, p.527-28). Cette phrase est critiquée par Nordberg (iii.297, n.*a*): il cite la résolution par laquelle les Etats Généraux de Hollande, en juin 1717, prennent acte que le roi de Suède, dans sa déclaration au comte de La Marck, 'désavouait la conduite de ses ministres' (iii.299).
[23] Görtz et Stambke furent libérés le 21 juillet 1717 et Gyllenborg le 12 août, après près de six mois de détention (Nordberg, iii.301, 306-307).
[24] Pierre n'était pas étranger à ces intrigues; cf. ci-dessous, II.xv, n.4.
[25] Voir ci-dessus, *Anecdotes*, n.16.

rencontre. [26] Il avait fait, selon sa coutume, une si grande diligence, qu'il était déjà à Gournay lorsque les équipages arrivèrent à Elbeuf. [27] On lui donna sur la route toutes les fêtes qu'il voulut bien recevoir. [28] On le reçut d'abord au Louvre, [29] où le grand appartement était préparé pour lui, et d'autres pour toute sa suite, pour les princes Kourakin et Dolgorouki, pour le vice-chancelier baron Shaffirof, [30] pour l'ambassadeur Tolstoy, le même qui avait essuyé tant de violations du droit des gens en Turquie. Toute cette cour devait être magnifiquement logée et servie; mais Pierre étant venu pour voir ce qui pouvait lui être utile, et non pour

155

160

---

157   63, 65:   Tolstoi [*passim*]

---

[26] Pierre, de Rotterdam, s'était rendu à Breda en bateau, puis était passé par Anvers, Bruxelles, Gand, Bruges, Ostende. Arrivé le 21 avril 1717 à Zuydcoote, il fut accueilli avec sa suite de cinquante-sept personnes par Etienne Rossius de Liboy, gentilhomme ordinaire de la Maison du roi, et son escorte. Il passa ensuite par Dunkerque, Calais (qu'il quitta le 4 mai après un arrêt de neuf jours), Boulogne, Abbeville, Breteuil.

[27] C'est le 7 mai 1717, à Beaumont-sur-Oise, que Pierre rencontra le maréchal de Tessé, avec une procession de carrosses royaux et une escorte de cavaliers de la Maison du roi en tunique rouge (Buchet, p.178; MS 3-55, f.249v; Massie, p.615). On ne voit pas pourquoi Pierre aurait fait un détour par Gournay-en-Bray, à l'ouest de Beauvais, ni pourquoi les équipages français seraient passés par Elbeuf au lieu de se diriger directement vers le nord de Paris.

[28] Pierre, de Calais, ne suivit pas l'itinéraire prévu, si bien qu'il évita Amiens, où une réception l'attendait. A Beauvais, il refusa le banquet qui lui était offert.

[29] Pierre arriva à Paris le 7 mai 1717.

[30] Le prince Boris Ivanovitch Kourakine (1676-1727), diplomate russe, beau-frère de Pierre le Grand. Envoyé en mission auprès du pape en 1707, puis ambassadeur à Londres, à Hanovre, à La Haye, et à Paris en 1722. Le prince Vassili Loukitch Dolgorouki fera partie du Haut Conseil secret créé par Catherine Ière; en disgrâce sous Anna Ivanovna comme tous les Dolgorouki, il sera exécuté. Piotr Pavlovitch Chafirov (1669-1739), l'un des principaux collaborateurs de Pierre le Grand, d'obscure origine, fils d'un juif converti à l'orthodoxie; il avait fait partie de la Grande Ambassade comme traducteur; il devint vice-chancelier en 1709 et baron décoré de l'ordre de Saint-André en 1719. Il est l'auteur d'un livre sur les origines de la guerre avec la Suède (1717).

essuyer de vaines cérémonies qui gênaient sa simplicité,[31] et qui consumaient un temps précieux, alla se loger le soir même à l'autre bout de la ville, au palais, ou hôtel de Lesdiguière,[32] appartenant au maréchal de Villeroi, où il fut traité, et défrayé comme au *8 mai.*
165 Louvre. Le lendemain, le régent de France vint le saluer à cet hôtel: le surlendemain[33] on lui amena le roi encore enfant, conduit par le maréchal de Villeroi son gouverneur, de qui le père avait été gouverneur de Louis XIV. On épargna adroitement au czar la gêne de rendre la visite immédiatement après l'avoir reçue; il y
170 eut deux jours d'intervalle;[34] il reçut les respects du corps de ville, et alla le soir voir le roi: la maison du roi était sous les armes: on mena ce jeune prince jusqu'au carrosse du czar. Pierre étonné, et inquiété de la foule qui se pressait autour de ce monarque enfant, le prit et le porta quelque temps dans ses bras.[35]

[31] Le comportement de Pierre fut parfois jugé 'extravagant' à la cour de France; cf. la lettre de Voltaire au marquis Bernard Louis de Chauvelin du 3 novembre 1760 (D9378) et les excentricités du tsar signalées par Dangeau, xvii.96, et par Waliszewski, *Pierre le Grand*, p.412-13.

[32] Cet hôtel du Marais avait été bâti par le célèbre financier français d'origine italienne Sébastien Zamet, puis acheté à ses héritiers par François de Bonne, duc de Lesdiguières (1543-1626). Haussmann a fait passer le boulevard Henri IV dans les jardins de l'hôtel, et l'hôtel lui-même a été abattu en 1877. Il ne reste qu'une plaque rappelant la visite de Pierre Ier sur le mur du n° 10 de la rue de la Cerisaie. L'hôtel Lesdiguières était situé près de la Bastille, dont les huit tours surplombaient le mur du jardin de l'hôtel. Il n'est pas impossible que Voltaire, alors enfermé à la Bastille, ait pu apercevoir le tsar se promenant dans ce jardin (voir *Anecdotes*, introduction, p.3).

[33] En fait, non pas le 9, mais le 10 mai, trois jours après l'arrivée de Pierre; voir, par exemple, les 'Remarques de L'année 1717' (MS 3-55, f.250r); Buchet, p.186-87; et Dangeau, xvii.83.

[34] Non. C'est le lendemain même, 11 mai, que Pierre rendit sa visite au roi de France; voir MS 3-55, f.250r; Buchet, p.192-93; Dangeau, xvii.84; et la gravure de Gérard Jollain, *Almanach pour 1718*, dans le catalogue de l'exposition *La France et la Russie au siècle des Lumières* (Paris 1986), n° 21.

[35] Il l'aurait même fait à deux reprises, le 10 mai et le 11 mai, selon Soloviev (cf. Massie, p.616-17). Saint-Simon, alors inédit, écrit que le roi, le 10 mai, alla voir le tsar, 'qui le reçut à sa portière, le vit descendre de carrosse, et marcha de front à la gauche du Roi jusque dans sa chambre [...] On fut étonné de voir le Czar prendre

Des ministres plus raffinés que judicieux[36] ont écrit que le   175
maréchal de Villeroi voulant faire prendre au roi de France la
main et le pas, l'empereur de Russie se servit de ce stratagème
pour déranger ce cérémonial par un air d'affection et de sensibilité:
c'est une idée absolument fausse: la politesse française, et ce qu'on
devait à Pierre le Grand, ne permettaient pas qu'on changeât en   180
dégoût les honneurs qu'on lui rendait. Le cérémonial consistait à
faire pour un grand monarque et pour un grand homme, tout ce
qu'il eût désiré lui-même, s'il avait fait attention à ces détails. Il
s'en faut beaucoup que les voyages des empereurs Charles IV,
Sigismond et Charles V en France[37] aient eu une célébrité compa-   185
rable à celle du séjour qu'y fit Pierre le Grand: ces empereurs n'y
vinrent que par des intérêts de politique, et n'y parurent pas dans
un temps où les arts perfectionnés pussent faire de leur voyage
une époque mémorable: mais quand Pierre le Grand alla dîner
chez le duc d'Antin dans le palais de Petitbourg,[38] à trois lieues de   190
Paris, et qu'à la fin du repas il vit son portrait qu'on venait de

le Roi sous les deux bras, le hausser à son niveau, l'embrasser ainsi en l'air, et le
Roi à son âge, et qui n'y pouvait pas être préparé, n'en avoir aucune frayeur [...] il
l'embrassa à plusieurs reprises' (*Mémoires*, éd. Coirault, Paris 1983-1988, vi.355).
Selon Buvat, le 10 mai, 'le roi alla voir le czar qui alla recevoir Sa Majesté jusqu'à
la portière de son carrosse [...] et l'embrassant, le descendit lui-même, et puis, lui
donnant la droite, le soutint le long de l'escalier pour le faire monter dans son
appartement' (J. Buvat, *Gazette de la Régence*, Paris 1887, p.173).

[36] Voltaire semble avoir raison: d'après Saint-Simon, le tsar 'eut la droite sur le
Roi partout', car 'on était convenu de tout le cérémonial avant que le Roi l'allât
voir' (éd. Coirault, vi.355).

[37] Charles IV de Luxembourg (1316-1378), roi de Bohême et 33e empereur, avait
été élevé à la cour de France; il était venu à Paris en 1377 pour voir son neveu
Charles V, comme l'avait rappelé Voltaire dans les *Annales de l'Empire* (M.xiii.420).
Sigismond de Luxembourg (1368-1437), roi de Bohême et de Hongrie, margrave
de Brandebourg et 37e empereur, se rendit en 1416 à Paris, où il se mit 'à la place
du roi dans le parlement' (*Annales de l'Empire*, M.xiii.436). Charles-Quint, 41e
empereur, fit en 1536 un voyage à Paris, 'bien plus étonnant que celui des empereurs
Sigismond et Charles IV' (*Essai sur les mœurs*, ch.125; ii.198).

[38] Le dimanche 30 mai 1717 (MS 3-55, f.252r; Buchet, p.207; voir aussi Dangeau,
xvii.98). Voir ci-dessus, *Anecdotes*, n.89.

peindre, placé tout d'un coup dans la salle, il sentit que les Français savaient mieux qu'aucun peuple du monde recevoir un hôte si digne.

195   Il fut encore plus surpris, lorsque allant voir frapper des médailles dans cette longue galerie du Louvre, [39] où tous les artistes du roi sont honorablement logés, une médaille qu'on frappait étant tombée, et le czar s'empressant de la ramasser, il se vit gravé sur cette médaille, avec une renommée sur le revers, posant un pied
200 sur le globe, et ces mots de Virgile si convenables à Pierre le Grand, VIRES ACQUIRIT EUNDO: [40] allusion également fine et noble, et également convenable à ses voyages et à sa gloire; on lui présenta de ces médailles d'or, à lui, et à tous ceux qui l'accompagnaient. Allait-il chez les artistes? on mettait à ses pieds tous les
205 chefs-d'œuvre, et on le suppliait de daigner les recevoir. Allait-il voir les hautes-lisses des Gobelins, [41] les tapis de la Savonnerie, les ateliers des sculpteurs, des peintres, des orfèvres du roi, des fabricateurs d'instruments de mathématique? [42] tout ce qui semblait mériter son approbation lui était offert de la part du roi.
210   Pierre était mécanicien, artiste, géomètre. Il alla à l'Académie

---

[39] Le 12 juin 1717 (MS 3-55, f.252v-253r).

[40] Déjà évoqué dans les *Anecdotes* (l.345-351). A l'avers de la médaille, il y avait un portrait du tsar avec l'inscription *Petrus Alex. Magno Russiae imperat* (MS 3-55, f.252v). La médaille a été gravée par Michel (ou Martin) Rög. Elle est conservée à la Bn.

[41] La première fois, le 12 mai 1717 (MS 3-55, f.250r; Buchet, p.194; Dangeau, xvii.85). Pierre retourna aux Gobelins le 15 juin; il visita le même jour la Salpétrière et d'autres manufactures (MS 3-55, f.253r). Il écrivit par la suite au duc d'Antin pour lui commander des tapisseries des Gobelins représentant ses principaux exploits militaires ('Recueil de différentes Anecdotes et particularités', MS 2-7, f.91v, lettre sans date, apparemment inédite).

[42] Le 22 mai, il rendit visite aux 'faiseurs d'instruments de mathématiques', Chapotot, Bion, Butterfield (Buchet, p.202). Buchet précise que Pierre est allé trois ou quatre fois chez Butterfield pour voir les effets de ses belles pierres d'aimant, et lui a parlé en hollandais. Le 22 mai, Pierre alla voir également à Bercy le cabinet de curiosités de Louis-Léon Pajot, comte d'Ons-en-Bray, où il admira les nombreuses machines et les expériences mécaniques du P. Sébastien, carmélite (Buchet, p.201-202; Dangeau, xvii.93; MS 3-55, f.251r).

des sciences, [43] qui se para pour lui de tout ce qu'elle avait de plus rare; mais il n'y eut rien d'aussi rare que lui-même; il corrigea de sa main plusieurs fautes de géographie dans les cartes qu'on avait de ses Etats, et surtout dans celles de la mer Caspienne. [44] Enfin il daigna être un des membres de cette Académie, [45] et entretint depuis une correspondance suivie d'expériences et de découvertes, avec ceux dont il voulait bien être le simple confrère. Il faut remonter aux Pythagores, et aux Anacarsis, pour trouver de tels voyageurs, et ils n'avaient pas quitté un empire pour s'instruire.

On ne peut s'empêcher de remettre ici sous les yeux du lecteur, ce transport, dont il fut saisi, en voyant le tombeau du cardinal de Richelieu; peu frappé de la beauté de ce chef-d'œuvre de sculpture, [46] il ne le fut que de l'image d'un ministre qui s'était rendu célèbre dans l'Europe en l'agitant, et qui avait rendu à la France sa gloire perdue après la mort de Henri IV. On sait qu'il embrassa sa statue, et qu'il s'écria, *Grand homme, je t'aurais donné la moitié*

215

220

225

225-226   K: embrassa cette statue

---

[43] Le 21 mai et le 19 juin 1717 (MS 3-55, f.251r, 253v). Il alla aussi à l'Académie des inscriptions et belles-lettres, observe-t-on à Pétersbourg (Š, p.447). En réalité, il se rendit à l'Académie royale de peinture et de sculpture (MS 3-55, f.250r; Buchet, p.196).

[44] Pierre envoya cette carte à l'Académie des sciences de Paris après son retour à Pétersbourg, en 1721, précisent les Russes (Š, p.447). Le 24 mai, le maréchal de Villeroi avait montré au tsar une carte de la 'Moscovie' de Delisle, sur laquelle Pierre avait indiqué la jonction entreprise entre la Volga et le Don (Buchet, p.204-205; le MS 3-55 situe cet événement le 18 juin, f.253r). Voir l'extrait du mémoire de Delisle sur la nouvelle carte de la Caspienne (avec une carte), dans De Bruyn, *Voyage au Levant*, iii.462-63.

[45] Voir la lettre d'Erskine à l'abbé Bignon du 7 novembre 1717, la réponse de Fontenelle du 27 décembre 1719, la lettre de Pierre le Grand du 11 février 1721, accompagnée d'une lettre de Blumentrost commentant la carte de la Caspienne envoyée à l'Académie, et la réponse de Fontenelle du 15 octobre 1721 (*Histoire de l'Académie royale des sciences*, année 1720, Paris 1722, p.125-32).

[46] Hubert Le Blanc prétend le contraire: voir ci-dessus, *Anecdotes*, n.92. Rousset de Missy écrit aussi que le tsar 'admira le tombeau du cardinal de Richelieu, que l'on regarde comme un des chefs-d'œuvre de Girardon' (iii.427).

de mes Etats pour apprendre de toi à gouverner l'autre![47] Enfin, avant
de partir,[48] il voulut voir cette célèbre madame de Maintenon,[49]
qu'il savait être veuve en effet de Louis XIV, et qui touchait à sa
230 fin. Cette espèce de conformité entre le mariage de Louis XIV et le
sien, excitait vivement sa curiosité: mais il y avait entre le roi de
France et lui cette différence, qu'il avait épousé publiquement une
héroïne, et que Louis XIV n'avait eu en secret qu'une femme
aimable. La czarine n'était pas de ce voyage: il avait trop craint
235 les embarras du cérémonial, et la curiosité d'une cour peu faite
pour sentir le mérite d'une femme, qui des bords du Pruth à ceux
de Finlande, avait affronté la mort à côté de son époux sur mer et
sur terre.

234   K: voyage: Pierre avait

[47] Déjà rapporté dans les *Anecdotes* (l.356-358).
[48] Voltaire passe sous silence bien des visites de Pierre le Grand, qui eussent
donné une idée plus complète de son intense activité au cours de son séjour parisien.
Ces faits étaient relatés en détail, avec une chronologie précise, dans le MS 3-55.
Pierre, par exemple, est allé deux fois à l'Observatoire, ainsi qu'à la Monnaie et à
Marly, où il a admiré la conduite d'eau; il s'est entretenu à la Bibliothèque du roi
avec l'abbé Bignon, a assisté à une séance du Parlement et à un conseil des ministres.
[49] Mme de Maintenon (1635-1719) mourut deux ans après la visite de Pierre Ier.
Selon Saint-Simon, qui n'y était pas, cette visite au couvent de Saint-Cyr se serait
déroulée dans un silence total (*Mémoires*, vi.360). La version de Mme de Maintenon
est tout autre. Le jour même de la visite, le 11 juin 1717, elle écrivit à sa nièce, Mme
de Caylus: 'Le Czar est arrivé à sept heures, et il s'est assis au chevet de mon lit; il
m'a fait demander si j'étais malade: j'ai répondu que oui. Il m'a fait demander ce
que c'était que mon mal. J'ai répondu: une grande vieillesse, avec un tempérament
assez faible. Il ne savait que me dire, et son truchement ne me paraissait pas
m'entendre. Sa visite a été fort courte' (A. Geoffroy, *Madame de Maintenon d'après
sa correspondance authentique*, Paris 1887, ii.389). Mme de Maintenon lui aurait
demandé pourquoi il était venu la voir. Pierre aurait répondu: 'je suis venu voir
tout ce qui compte en France' (S. M. Soloviev, *Istoria Rossii s drevneichikh vremen*
[*Histoire de la Russie depuis les temps les plus anciens*], Moscou 1960-1966, ix.68; ce
fait n'est pas rapporté dans la lettre citée à Mme de Caylus). Une estampe (Bn)
représentant cette visite a été reproduite dans le livre de F.-R. Bastide, *Saint-Simon
par lui-même* (Paris 1953), p.163.

CHAPITRE NEUVIÈME

Sa politique, ses occupations.

La démarche que la Sorbonne fit auprès de lui, quand il alla voir le mausolée du cardinal de Richelieu, mérite d'être traitée à part.

Quelques docteurs de Sorbonne voulurent avoir la gloire de réunir l'Eglise grecque avec l'Eglise latine. Ceux qui connaissent l'antiquité savent assez que le christianisme est venu en Occident 5 par les Grecs d'Asie, que c'est en Orient qu'il est né, que les premiers Pères, les premiers conciles, les premières liturgies, les premiers rites, tout est de l'Orient; qu'il n'y a pas même un seul terme de dignité et d'office qui ne soit grec, et qui n'atteste encore aujourd'hui la source dont tout nous est venu. L'empire romain 10 ayant été divisé, il était impossible qu'il n'y eût tôt ou tard deux religions, comme deux empires, et qu'on ne vît entre les chrétiens d'Orient et d'Occident le même schisme qu'entre les Osmanlis et les Persans.

C'est ce schisme que quelques docteurs de l'université de Paris 15 crurent éteindre tout d'un coup, en donnant un mémoire à Pierre le Grand. [1] Le pape Léon IX [2] et ses successeurs n'avaient pu en

---

[1] Ce mémoire sur l'union des Eglises, rédigé par l'abbé Laurent-François Boursier (1679-1749), a été publié par lui dans *Histoire et analyse du livre de l'action de Dieu* (s.l. 1753), iii.359-89, puis par Barbeau de La Bruyère dans sa traduction de Strahlenberg, ii.27-54, et par les *Annales philosophiques, morales et littéraires, ou suite des annales catholiques*, 1800, i.163-71. Il était signé par dix-huit docteurs de la Sorbonne, tous jansénistes appelants (contre la bulle *Unigenitus*), sauf un.

[2] Léon IX, pape de 1049 à 1054. On admet que c'est sous son pontificat qu'eut lieu le schisme Orient-Occident. La date de 1054 n'est toutefois qu'un repère théorique: la séparation des Eglises n'était pas alors définitive. Il suffit de rappeler qu'au concile de Florence, en 1439, l'Eglise orthodoxe reconnut la primauté du pape.

venir à bout avec des légats, des conciles, et même de l'argent.
Ces docteurs auraient dû savoir que Pierre le Grand, qui gouvernait
son Eglise, n'était pas homme à reconnaître le pape;[3] en vain ils
parlèrent dans leur mémoire des libertés de l'Eglise gallicane, dont
le czar ne se souciait guère; en vain ils dirent que les papes doivent
être soumis aux conciles, et que le jugement d'un pape n'est point
une règle de foi; ils ne réussirent qu'à déplaire beaucoup à la cour
de Rome par leur écrit, sans plaire à l'empereur de Russie ni à
l'Eglise russe.

Il y avait dans ce plan de réunion, des objets de politique qu'ils
n'entendaient pas, et des points de controverse qu'ils disaient
entendre, et que chaque parti explique comme il lui plaît. Il
s'agissait du Saint-Esprit qui procède du Père et du Fils selon les
Latins, et qui procède aujourd'hui du Père par le Fils selon les
Grecs, après n'avoir longtemps procédé que du Père: ils citaient
St Epiphane, qui dit que *le Saint-Esprit n'est pas frère du Fils*[4] *ni
petit-fils du Père*.

Mais le czar en partant de Paris avait d'autres affaires qu'à
vérifier des passages de St Epiphane. Il reçut avec bonté[5] le

---

[3] Il n'en eut jamais l'intention, car, 'flatté de sa suprématie', il eût considérablement diminué son autorité s'il l'avait transférée au pape, remarque le MS 4-3, f.233r. On sait que Pierre n'avait aucune sympathie pour l'Eglise catholique, et qu'il détestait les jésuites. Il se sentait plus proche des protestants: le MS 4-3 rapporte qu'il posa la première pierre d'une église luthérienne dans les faubourgs de Moscou, et qu'il assista avec toute sa cour à un office calviniste dans une église de la même ville (f.216v).

[4] 'Le fils du frère', rapporte le MS 4-3, f.228r. Voltaire a interverti les termes, ce qui est plus logique. Saint Epiphane, métropolite de Chypre (v. 310-403), écrit dans son livre II contre les hérésies: 'Le Saint-Esprit est toujours avec le Père et le Fils, non comme Frère du Père, ou comme engendré ou créé par le Père, ou comme Frère du Fils, ni enfin comme petit-fils du Père, mais comme procédant du Père & recevant du Fils il n'est point étranger au Père & au Fils, mais il est du Père & du Fils, étant de la même substance & de la même divinité que le Père & le Fils' (Boursier, *Histoire et analyse du livre de l'action de Dieu*, iii.382-83; le mémoire de la Sorbonne ajoute que saint Cyrille d'Alexandrie dit la même chose...).

[5] Le tsar reçut ce discours avec bonté, mais dit qu'il n'avait pas le temps de s'en occuper (MS 4-3, f.220r).

mémoire des docteurs. Ils écrivirent à quelques évêques russes, qui firent une réponse polie;[6] mais le plus grand nombre fut indigné de la proposition.

Ce fut pour dissiper les craintes de cette réunion, qu'il institua quelque temps après la fête comique du conclave, lorsqu'il eut chassé les jésuites de ses Etats en 1718.

Il y avait à sa cour un vieux fou nommé Sotof,[7] qui lui avait appris à écrire, et qui s'imaginait avoir mérité par ce service les plus importantes dignités. Pierre qui adoucissait quelquefois les chagrins du gouvernement par des plaisanteries convenables à un peuple non encore entièrement réformé par lui, promit à son maître à écrire de lui donner une des premières dignités du monde; il le créa knès papa, avec deux mille roubles d'appointement,[8] et lui assigna une maison à Pétersbourg, dans le quartier des Tartares; des bouffons l'installèrent en cérémonie; il fut harangué par quatre bègues; il créa des cardinaux, et marcha en procession à leur tête. Tout ce sacré collège était ivre d'eau-de-vie. Après la mort de ce Sotof, un officier nommé Buturlin[9] fut créé pape. Moscou et Pétersbourg ont vu trois fois renouveler cette cérémonie, dont le ridicule semblait être sans conséquence, mais qui en effet confirmait les peuples dans leur aversion pour une Eglise qui prétendait un

[6] Il existe une quarantaine de versions des deux réponses des évêques russes, l'une de Feofan Prokopovitch, archevêque de Pskov, de Narva et d'Izborsk, l'autre de Stefan Iavorski, métropolite de Riazan et de Mourom. Sur ces deux textes, voir Jubé, *La Religion, les mœurs et les usages des Moscovites*, p.25-26.

[7] Voltaire avait écrit 'Sosoff', comme Rousset de Missy (iii.366). Il corrigea après une remarque de Pétersbourg (Š, p.447). Nikita Zotov, ancien précepteur de Pierre Ier, avait été employé des impôts. Il ne manquait pas de culture et connaissait bien la Bible.

[8] 'Relation De l'élection d'un Knés Pape', MS 2-28, f.324v.

[9] Dans le programme des fêtes de la paix de Nystad, en 1721, Pierre inséra 'la noce indécente du prince-pape, le vieux Boutourline avec la vieille veuve de son prédécesseur Nikita Zotov' (Klioutchevski, *Pierre le Grand et son œuvre*, p.55). Voltaire n'a pas tenu compte du MS 2-28, qui n'est pas clair: après la mort de Boutourline, l'élection d'un nouveau knès-pape aurait eu lieu dans la maison du défunt Zotov (f.323r).

pouvoir suprême, et dont le chef avait anathématisé tant de rois.
Le czar vengeait en riant vingt empereurs d'Allemagne, dix rois
60 de France, et une foule de souverains. C'est là tout le fruit que la
Sorbonne recueillit de l'idée peu politique de réunir les Eglises
grecque et latine. [10]

Le voyage du czar en France fut plus utile par son union avec
ce royaume commerçant, et peuplé d'hommes industrieux, que
65 par la prétendue réunion de deux Eglises rivales, dont l'une
maintiendra toujours son antique indépendance, et l'autre sa
nouvelle supériorité.

Pierre ramena à sa suite plusieurs artisans français, [11] ainsi qu'il
en avait amené d'Angleterre; car toutes les nations chez lesquelles
70 il voyagea, se firent un honneur de le seconder dans son dessein
de porter tous les arts dans une patrie nouvelle, et de concourir à
cette espèce de création.

Il minuta dès lors un traité de commerce avec la France, et le
remit entre les mains de ses ministres en Hollande, dès qu'il y fut
75 de retour. Il ne put être signé par l'ambassadeur de France
Châteauneuf, que le 15 août 1717 à la Haye. [12] Ce traité ne concernait

[10] Voltaire est persuadé que Pierre le Grand 'n'a jamais voulu entendre parler de
la réunion de l'Eglise grecque à la romaine, proposée par la Sorbonne' (à Jacques
Lacombe, 9 mai 1760, D8898). Il ironisera sur la manière dont la Sorbonne 's'illustra
en présentant à Pierre le Grand les moyens de soumettre la Russie au pape' (à
Marmontel, 21 juin 1771, D17255). Il a très peu tenu compte de Weber (i.424) et du
long développement consacré au projet d'union des Eglises dans le MS 4-3 (f.217v-
233v). Il minimise l'influence du mémoire de la Sorbonne, et cela d'autant plus,
peut-être, qu'il émanait de docteurs jansénistes. Il ignore manifestement que ces
derniers ont envoyé l'abbé Jacques Jubé en Russie en 1728. La mission de ce dernier
échoua, mais elle n'était pas dépourvue de chances d'aboutir, du moins avant
l'avènement d'Anna Ivanovna, en 1730 (voir Jubé, *La Religion, les mœurs et les
usages des Moscovites*, p.65).
[11] Ils furent moins nombreux que les artisans anglais recrutés par Pierre. Ces
vingt-huit artisans et artistes français – dont l'architecte Jean-Baptiste Leblond et
le sculpteur Nicolas Pineau – furent engagés dès le 7 avril 1716 par Jean Lefort, le
neveu de l'amiral.
[12] Ou plutôt à Amsterdam. Le traité fut signé du côté russe par le prince Boris
Kourakine. Il comportait six articles, plus un article secret sur la médiation de la

pas seulement le commerce, il regardait la paix du Nord. Le roi de France, l'électeur de Brandebourg, acceptèrent le titre de médiateurs qu'il leur donna. C'était assez faire sentir au roi d'Angleterre qu'il n'était pas content de lui,[13] et c'était combler les espérances de Gôrtz, qui mit dès lors tout en œuvre pour réunir Pierre et Charles, pour susciter à George de nouveaux ennemis, et pour prêter la main au cardinal Albéroni d'un bout de l'Europe à l'autre. Le baron de Gôrtz vit alors publiquement à la Haye les ministres du czar;[14] il leur déclara qu'il avait un plein pouvoir de conclure la paix de la Suède.

Le czar laissait Gôrtz préparer toutes leurs batteries sans y toucher, prêt à faire la paix avec le roi de Suède, mais aussi à continuer la guerre; toujours lié avec le Dannemarck, la Pologne, la Prusse, et même en apparence avec l'électeur de Hanovre.

Il paraît évidemment qu'il n'avait d'autre dessein arrêté, que celui de profiter des conjonctures. Son principal objet était de perfectionner tous ses nouveaux établissements. Il savait que les négociations, les intérêts des princes, leurs ligues, leurs amitiés, leurs défiances, leurs inimitiés, éprouvent presque tous les ans des

80

85

90

95

France pour la paix dans le Nord (MS 2-16, f.207). Le 24 mai 1717, à Paris, Pierre avait assisté à un conseil sur un traité de commerce et à une conférence sur la paix du Nord 'avec les ministres les plus affidés' (MS 3-55, f.251r).

[13] On trouve un écho des manœuvres de l'Angleterre deux ans plus tard dans une lettre du baron Johann Christoph von Schleinitz [Schleimiss] du 9 juin 1719: envoyé du tsar à Paris, Schleinitz se plaint que le triumvirat entre l'Empereur, l'Angleterre et la France se mêle de gouverner toute l'Europe, et voudrait s'étendre sur les affaires du Nord. L'Angleterre fait tout pour susciter partout des ennemis à la Russie et pour lui ôter ses anciens alliés, elle travaille de concert avec le Danemark pour signer une paix séparée avec la Suède, qui fait traîner les conférences d'Aland. Whitworth est à Berlin pour détacher le roi de Prusse de l'alliance avec le tsar (MS 3-22, f.151).

[14] Pierre lui-même rencontra Görtz au château de Loo en août 1717, selon Nordberg (iii.302-303). Le 21 août, il lui aurait permis de passer par la Russie pour faire une proposition de paix au roi de Suède (MS 3-55, f.254v). Il l'aurait vu secrètement et serait entré 'de plain-pied dans ses projets' (Waliszewski, *Pierre le Grand*, p.376).

vicissitudes, et que souvent il ne reste aucune trace de tant d'efforts de politique. Une seule manufacture bien établie, fait quelquefois plus de bien à un Etat, que vingt traités.

100   Pierre ayant rejoint sa femme qui l'attendait en Hollande, continua ses voyages avec elle.[15] Ils traversèrent ensemble la Vestphalie, et arrivèrent à Berlin sans aucun appareil. Le nouveau roi de Prusse[16] n'était pas moins ennemi des vanités du cérémonial et de la magnificence que le monarque de Russie. C'était un spectacle instructif pour l'étiquette de Vienne et d'Espagne, pour
105 le *ponctilio* d'Italie, et pour le goût du luxe qui règne en France, qu'un roi qui ne se servait jamais que d'un fauteuil de bois, qui n'était vêtu qu'en simple soldat, et qui s'était interdit toutes les délicatesses de la table, et toutes les commodités de la vie.

   Le czar et la czarine menaient une vie aussi simple et aussi dure,
110 et si Charles XII s'était trouvé avec eux, on eût vu ensemble quatre têtes couronnées accompagnées de moins de faste qu'un évêque allemand, ou qu'un cardinal de Rome. Jamais le luxe et la mollesse n'ont été combattus par de si nobles exemples.

   Il faut avouer qu'un de nos citoyens s'attirerait parmi nous de
115 la considération, et serait regardé comme un homme extraordinaire, s'il avait fait une fois en sa vie par curiosité, la cinquième partie des voyages que fit Pierre pour le bien de ses Etats. De Berlin il va à Dantzick avec sa femme; il protège à Mittau la duchesse de Courlande sa nièce devenue veuve:[17] il visite toutes ses conquêtes,

---

111   63-w68:   couronnées, entourées de moins
           w75G: couronnées de moins [carton: β]
118   63, 65:   Dantzic

---

[15] Pierre arriva le 2/13 août à Amsterdam, où il retrouva Catherine. Ils quittèrent ensemble la Hollande un mois plus tard, le 2/13 septembre.

[16] Frédéric-Guillaume Ier, dit le Roi-Sergent, roi de Prusse depuis 1713, et père du futur Frédéric II.

[17] La fille d'Ivan V et future impératrice Anna Ivanovna.

donne de nouveaux règlements dans Pétersbourg,[18] va dans   120
Moscou, y fait rebâtir des maisons de particuliers tombées en
ruine: de là il se transporte à Czarisin sur le Volga[19] pour arrêter
les incursions des Tartares de Cuban: il construit des lignes du
Volga au Tanaïs, et fait élever des forts de distance en distance
d'un fleuve à l'autre.[20] Pendant ce temps-là même, il fait imprimer   125
le code militaire[21] qu'il a composé: une chambre de justice est
établie pour examiner la conduite de ses ministres,[22] et pour
remettre de l'ordre dans les finances; il pardonne à quelques
coupables, il en punit d'autres; le prince Menzikoff même fut un
de ceux qui eurent besoin de sa clémence:[23] mais un jugement plus   130
sévère qu'il se crut obligé de rendre contre son propre fils, remplit
d'amertume une vie si glorieuse.

[18] Allusion aux règlements de police rapportés dans le MS 2-14 et dont certains
concernent effectivement Pétersbourg. Voltaire s'en inspirera en partie dans le
chapitre 11, ainsi que d'autres 'règlements' sur la capitale rapportés dans les 'Edits
de S. M. Czarienne' (MS 5-29). Mais il n'a pas tenu compte d'un certain nombre de
dispositions contenues dans ce dernier manuscrit: maisons bâties selon un certain
plan (édits de 1714 et de 1715, f.112v et 116r), obligation pour les habitants du rivage
de planter des pilots sur la grande et la petite Neva et d'affermir la chaussée (édit
de 1716, f.117v)...

[19] Voltaire avait situé Tsaritsyn sur le Tanaïs (le Don). On lui fit observer que
cette ville se trouvait sur la Volga (Š, p.447). Sur les incursions réprimées des Tatars
du Kouban, voir II.vi.113-114 et n.17.

[20] Ce passage tient compte des renseignements fournis par les Russes (Š, p.447-
48).

[21] En 1716. Sur l'histoire de ce Règlement militaire, voir II.vi, n.12.

[22] Cette chambre de justice était créée pour juger les ministres et le Sénat. Elle
était divisée en plusieurs collèges (Rousset de Missy, iv.3). Par la réforme de 1716,
les voiévodes étaient déchus de leurs pouvoirs judiciaires, des cours de première et
de seconde instances étaient créées dans les provinces, ainsi que des cours d'appel
dans la capitale et les villes les plus importantes (Waliszewski, *Pierre le Grand*,
p.543).

[23] Menchikov pillait le trésor et était entouré d'une foule de prévaricateurs. Il eut
plus de chance que le gouverneur de Sibérie, Matvei Gagarine, que l'*oberfiskal*
Alekseï Nesterov réussit à faire condamner à la potence pour ses malversations.

CHAPITRE DIXIÈME

Condamnation du prince Alexis Petrovitz.

Pierre le Grand avait en 1689, à l'âge de dix-sept ans, épousé Eudoxie Théodore ou Theodorouna Lapoukin. [1] Elevée dans tous les préjugés de son pays, et incapable de se mettre au-dessus d'eux comme son époux, les plus grandes contradictions qu'il éprouva, quand il voulut créer un empire et former des hommes, vinrent de sa femme; [2] elle était dominée par la superstition, si souvent attachée à son sexe. Toutes les nouveautés utiles lui semblaient des sacrilèges, et tous les étrangers dont le czar se servait pour exécuter ses grands desseins, lui paraissaient des corrupteurs.

Ses plaintes publiques encourageaient les factieux, et les partisans des anciens usages. Sa conduite d'ailleurs ne réparait pas des fautes

---

1   MS1:   avait à l'âge de dix-sept ans
2   MS1:   Eudoxie Theodora Fedeorona Lapuchin, élevée
4   MS1:   époux. Les
     63:    son épouse; les

---

[1] Il vaut mieux dire Eudoxie fille de Théodore Lapoukin, parce qu'en la nommant Eudoxie Théodore, on pourrait croire qu'elle avait deux noms de baptême, observe Müller dans ses remarques manuscrites qu'il publiera en 1769, en expliquant que le second prénom a pour origine celui du père (*BM*, 1769, iii.201-202).

[2] Point de vue confirmé par Müller en 1769. Mais le mariage fut malheureux avant même que le tsar ait commencé ses réformes, ajoute-t-il. Il est plus vraisemblable que le malheur de la tsarine vint de sa jalousie causée par la liaison du tsar avec Mlle Mons, dont parlent Korb et Gordon (*BM*, p.202). Nicolas-Gabriel Le Clerc insistera sur la jalousie et les récriminations d'Eudoxie, qui finirent par indisposer le tsar (*Histoire physique, morale, civile et politique de la Russie moderne*, Paris 1783-1785, iii.143 ss.).

si graves. Enfin le czar fut obligé de la répudier en 1696,[3] et de l'enfermer dans un couvent à Susdal, où on lui fit prendre le voile sous le nom d'Hélène.

Le fils qu'elle lui avait donné en 1690 naquit malheureusement avec le caractère de la mère, et ce caractère se fortifia par la première éducation qu'il reçut. Mes mémoires disent qu'elle fut confiée à des superstitieux qui lui gâtèrent l'esprit pour jamais.[4] Ce fut en vain qu'on crut corriger ces premières impressions en lui donnant des précepteurs étrangers; cette qualité même d'étrangers le révolta. Il n'était pas né sans ouverture d'esprit; il parlait et écrivait bien l'allemand; il dessinait; il apprit un peu de mathématique: mais ces mêmes mémoires qu'on m'a confiés assurent que la lecture des livres ecclésiastiques fut ce qui le perdit.[5] Le jeune Alexis crut voir dans ces livres la réprobation de

[3] En fait, selon Müller, on voit par les manifestes imprimés concernant la tsarine que l'acte de répudiation ne date pas d'avant 1699 (*BM*, p.202). Pierre aurait été encouragé par Menchikov et Lefort à répudier Eudoxie. Quant à la 'conduite' de la tsarine, à laquelle fait allusion Voltaire, était-elle en cause? Selon Bassville, Voltaire est le seul qui, sans aucun fondement, l'ait accusée d'adultère (*Précis historique sur la vie et les exploits de François Le Fort*, p.97).

[4] 'Les mauvaises habitudes qu'il [Alexis] contracta dans cet intervalle parmi des ignorans et des superstitieux avaient tellement pris racine, qu'on doutait de le corriger jamais' (MS 3-52, f.228v; traduction un peu différente dans le *Mémoire abrégé sur la vie du ʒarewitsch Alexis Petrowitsch envoyé par ordre de la cour de Saint-Pétersbourg à M. de Voltaire lorsqu'il composait l'histoire de l'empire de Russie*, p.360).

[5] Le MS 3-52 ne dit rien de ces 'livres ecclésiastiques'. En revanche, le 9 mars 1762, la comtesse de Bassewitz, d'après un manuscrit russe anonyme sur le tsarévitch, écrivait à Voltaire qu'Alexis, 'guidé d'un louable penchant pour les lectures théologiques', avait lu 'cinq fois la Bible en langue slavonne, une fois la version allemande de Luther, l'histoire ecclésiastique d'Arnauld, plusieurs pères grecs, et les homélies de Macaire, imprimées pour lui à Kiow'. Cela 'l'empêcha de faire des progrès égaux dans les autres leçons'. Comme le MS 3-52 (f.228v), ce mémoire rapporte que le tsarévitch parlait et écrivait passablement l'allemand, et ajoute qu'il dessinait assez bien (D10368). Müller constate que Voltaire ne cite que deux fois les mémoires qu'on lui a envoyés. On pourrait en déduire que ce sont les seuls passages qu'il en a tirés. Mais comme tous les événements pour lesquels il ne cite pas d'autres sources se fondent apparemment sur ces mêmes mémoires, ses citations

tout ce que faisait son père. Il y avait des prêtres à la tête des mécontents, et il se laissa gouverner par les prêtres. [6]

Ils lui persuadaient que toute la nation avait les entreprises de Pierre en horreur, que les fréquentes maladies du czar ne lui promettaient pas une longue vie; que son fils ne pouvait espérer de plaire à la nation, qu'en marquant son aversion pour les nouveautés. Ces murmures et ces conseils ne formaient pas une faction ouverte, une conspiration; mais tout semblait y tendre, et les esprits étaient échauffés.

Le mariage de Pierre avec Catherine en 1707 [7] et les enfants qu'il eut d'elle, achevèrent d'aigrir l'esprit du jeune prince. Pierre tenta tous les moyens de le ramener; il le mit même à la tête de la régence pendant une année; [8] il le fit voyager; il le maria en 1711 à la fin de la campagne du Pruth, avec la princesse de Brunsvick, ainsi que nous l'avons rapporté. [9] Ce mariage fut très malheureux. Alexis âgé de vingt-deux ans se livra à toutes les débauches de la jeunesse et à toute la grossièreté des anciennes mœurs, qui lui étaient si chères. Ces dérèglements l'abrutirent. Sa femme méprisée,

33   MS1:   tout y tendait, et
39-40 MS1, 63-w68:   Brunsvic
        K: princesse de Volfenbuttel, ainsi

---

sont superflues. N'avait-il pas par ailleurs l'intention de mettre les circonstances désagréables sur le compte d'autrui (*BM*, p.202)?

[6] Voltaire semble ici prendre davantage en compte les mémoires de Pétersbourg. Il présente Alexis sous un jour moins favorable que dans II.iii.44-54.

[7] Il s'agit du mariage secret de novembre 1707. Aussi Müller suggérait-il de 'mettre' 1712, date du mariage officiel (*BM*, p.203).

[8] En envoyant son manuscrit en Russie, Voltaire avait demandé 'en quelle année' le tsarévitch avait été associé à la régence. On lui répondit: 'La même année que le Tsar partit pour la guerre contre les Turcs, savoir 1711' (app. IX, l.1-5). On voit qu'il ne tint pas compte du renseignement. Müller, moins affirmatif, écrit en 1769 que c'est 'peut-être en 1711' qu'Alexis a été placé à la tête du gouvernement, mais il ne sait pour combien de temps (*BM*, p.203).

[9] Voir ci-dessus, II.iii.36-39.

maltraitée, [10] manquant du nécessaire, privée de toute consolation, languit dans le chagrin, et mourut enfin de douleur, en 1715 le premier de novembre. [11]   45

Elle laissait au prince Alexis un fils, dont elle venait d'accoucher, et ce fils devait être un jour l'héritier de l'empire, [12] suivant l'ordre naturel. Pierre sentait avec douleur, qu'après lui tous ses travaux seraient détruits par son propre sang. Il écrivit à son fils après la   50
mort de la princesse, une lettre également pathétique et menaçante; elle finissait par ces mots: *J'attendrai encore un peu de temps, pour voir si vous voulez vous corriger; sinon, sachez que je vous priverai de*

[10] Voltaire demandait à Pétersbourg: 'Pourrait-on avoir quelques détails des souffrances de sa femme?' On lui répondit que la vie d'Alexis n'était connue que par des gens dignes de foi, témoins oculaires des mauvais traitements qu'il faisait subir à sa femme, mais que le lecteur, informé d'une 'conduite si dépravée', pouvait très bien les imaginer (app. IX, l.9-16). L'"Histoire de la Princesse femme du Czarowitz' rapporte qu'Alexis 'maltraittoit souvent' son épouse, avait tenté neuf fois de l'empoisonner, et lui avait donné de si furieux coups de pieds dans le ventre alors qu'elle était enceinte de huit mois qu'elle était tombée noyée dans son sang (MS 2-32, f.341r). Si Pétersbourg rend le tsarévitch responsable de tout, Müller, en 1769, pense que les deux époux ont des torts partagés. Alexis ne s'est d'ailleurs épris de la servante finnoise Euphrosyne qu'après la mort de son épouse. Certains estiment que la princesse de Frise orientale (Juliana Arnheim) qui a accompagné celle-ci en Russie a une grande part de responsabilité, car elle mettait de l'huile sur le feu (*BM*, p.203).

[11] La princesse mourut en couches, précise Müller: elle enfanta le 10/21 octobre 1715 et mourut le 20 octobre/1er novembre (*BM*, p.203). Müller souligne que les dates de Weber sont contradictoires et diffèrent de celles des archives et du *Mercure historique*; ces contradictions mériteraient d'être résolues par des informations fiables (*BM*, p.204-205). En 1722, Voltaire a été le voisin d'une aventurière polonaise, Mme d'Auban, qui se faisait passer pour la veuve du tsarévitch (voir D9568). Intrigué par cette histoire 'incroyable', Voltaire demanda à Choiseul des éclaircissements à ce sujet (voir D9270, à Chouvalov, 27 septembre 1760). Dans la réponse (de la main de Choiseul?) qui se trouve à la suite de la question de Voltaire dans le MS 2-32, f.344v, l'histoire est qualifiée de 'fable'. Le 28 juin 1763, Jean Hellot reprochera à Voltaire d'avoir fait mourir la veuve du tsarévitch, alors qu'elle est vivante et réside à Vitry sous le nom de Mme de Maldagne (D11282).

[12] Il régnera effectivement sous le nom de Pierre II, après la mort de Catherine Ière.

la succession, comme on retranche un membre inutile. N'imaginez pas
55 *que je ne veuille que vous intimider; ne vous reposez pas sur le titre de*
mon fils unique; car si je n'épargne pas ma propre vie pour ma patrie
et pour le salut de mes peuples, comment pourrai-je vous épargner? Je
préférerai de les transmettre plutôt à un étranger qui le mérite, qu'à
mon propre fils qui s'en rend indigne. [13]

60   Cette lettre est d'un père, mais encore plus d'un législateur; [14]
elle fait voir d'ailleurs que l'ordre de la succession n'était point
invariablement établi en Russie, comme dans d'autres royaumes,
par ces lois fondamentales qui ôtent aux pères le droit de déshériter
leurs fils; et le czar croyait surtout avoir la prérogative de disposer
65 d'un empire qu'il avait fondé. [15]

54   MS1:   *Ne vous imaginez pas*
57   MS1:   *comment pourrais-je*
64   MS1:   avoir acquis la prérogative

[13] Weber, ii.239-40. Cette lettre, selon Weber, aurait été écrite le 11 octobre 1715 (v. st.), au retour des funérailles de l'épouse du tsarévitch, et aurait été transmise au tsarévitch le jour même (ii.232; voir aussi MS 3-52, f.230*v*), mais ces funérailles eurent lieu le 22 octobre. Voltaire a fortement remanié et simplifié la traduction qui figure dans Weber. Principales différences: a) 'J'ai jugé à propos de vous donner par écrit cet acte de ma dernière volonté, résolu pourtant d'attendre encore un peu de temps avant de rien exécuter, pour voir si vous voulez vous corriger' (p.239). – b) 'Ne vous imaginez pas que parce que je n'ai point d'autre enfant que vous, je ne veuille que vous faire peur. Je l'exécuterai assurément, s'il plaît à Dieu' (p.239). Weber observe que cette lettre a été écrite avant la naissance du tsarévitch Pierre, quand Alexis était le seul fils du tsar (mais il avait deux filles, Anne et Elisabeth). La traduction citée par Voltaire est plus proche de l'original russe, où figure le mot *fils*, et non *enfant*. – c) Après 'vous épargner' Voltaire a omis la fin de la phrase, peut-être pour éviter une répétition: 'vous qui ne vous en rendez pas digne' (p.240). A noter que dans l'original russe, Pierre tutoie son fils.

[14] Pour N. Le Clerc, cette lettre n'est digne ni d'un père, qui dit 'corrige-toi, ou je te retrancherai comme un membre inutile et gangrené', ni d'un législateur, qui proportionne la punition au crime, alors qu'il n'y a pas de proportion entre les mauvaises mœurs d'Alexis et la menace d'exhérédation et de mort (iii.426-27).

[15] Voltaire avait demandé à Pétersbourg: 'Le terme de croire ne suppose-t-il pas qu'il s'étoit arrogé faussement cette prérogative?' On lui répondit: 'Elle lui appartenait pourtant à juste titre. Suivant la constitution fondamentale de l'Empire

Dans ce temps-là même, l'impératrice Catherine accoucha d'un prince, qui mourut depuis en 1719.[16] Soit que cette nouvelle abattît le courage d'Alexis,[17] soit imprudence, soit mauvais conseil, il écrivit à son père qu'il renonçait à la couronne, et à toute espérance de régner. *Je prends Dieu à témoin*, dit-il, *et je jure sur mon âme, que je ne prétendrai jamais à la succession. Je mets mes enfants entre vos mains, et je ne demande que mon entretien pendant ma vie.*[18]

Son père lui écrivit une seconde fois. 'Je remarque, dit-il, que vous ne parlez dans votre lettre que de la succession, comme si j'avais besoin de votre consentement. Je vous ai remontré quelle douleur votre conduite m'a causée pendant tant d'années,[19] et vous ne m'en parlez pas. Les exhortations paternelles ne vous touchent point. Je me suis déterminé à vous écrire encore pour la dernière fois. Si vous méprisez mes avis de mon vivant, quel cas en ferez-vous après ma mort? Quand vous auriez présentement la volonté d'être fidèle à vos promesses, ces grandes barbes pourront vous tourner à leur fantaisie, et vous forceront à les violer… Ces gens-là ne s'appuient que sur vous. Vous n'avez aucune reconnaissance pour celui qui vous a donné la vie. L'assistez-vous dans ses travaux, depuis que vous êtes parvenu à un âge mur? Ne blâmez-vous pas, ne détestez-vous pas tout ce que je peux faire pour le bien de mes peuples? J'ai sujet de croire, que si vous me survivez, vous

70

75

80

85

---

67 MS1: prince. Soit

il pouvait comme souverain absolu choisir un successeur à son gré, et comme père priver son fils de la succession' (app. IX, l.19-24).

[16] Voltaire avait demandé à Pétersbourg la date de la mort de ce fils de Catherine. On lui répondit: 'en 1719 le 25 août v. st.' (app. IX, l.27-28). En 1769, Müller écrit que ce fils, né le 28 octobre/8 novembre, est mort le 25 avril/6 mai (*BM*, p.204).

[17] Müller fit observer que le mot 'courage' supposait une fermeté d'âme qui manquait à Alexis, mais il laissait Voltaire libre d'employer ce mot (Š, p.451).

[18] Voltaire a condensé la réponse d'Alexis; voir Weber, ii.240.

[19] 'Si je tourne les yeux sur la postérité qui me doit succéder, j'ai le cœur encore plus penetré de douleur sur l'avenir, que je ne l'ai de joie' (lettre de Pierre du 11 octobre 1715, Weber, ii.233).

détruirez mon ouvrage. Corrigez-vous, rendez-vous digne de la succession, ou faites-vous moine. Répondez, soit par écrit, soit de
90 vive voix, sinon j'agirai avec vous comme avec un malfaiteur.'[20]

Cette lettre était dure; il était aisé au prince de répondre qu'il changerait de conduite; mais il se contenta de répondre en quatre lignes à son père, qu'il voulait se faire moine.[21]

Cette résolution ne paraissait pas naturelle; et il paraît étrange
95 que le czar voulût voyager, en laissant dans ses Etats un fils si mécontent et si obstiné: mais aussi ce voyage même prouve que le czar ne voyait pas de conspiration à craindre de la part de son fils.

Il alla le voir avant de partir pour l'Allemagne et pour la France;
100 le prince malade, ou feignant de l'être, le reçut au lit, et lui confirma par les plus grands serments, qu'il voulait se retirer dans un cloître. Le czar lui donna six mois pour se consulter, et partit avec son épouse.

A peine fut-il à Copenhague, qu'il apprit (ce qu'il pouvait

92   MS1:   contenta d'écrire en
94   MS1:   il est étrange
96-99   MS1:   obstiné. Il alla
99-100   MS1:   France. Son fils malade
104-105   MS1:   qu'il devait bien présumer

[20] Lettre du 19 janvier 1716, intitulée 'dernière monition' (Weber, ii.242-44). La citation respecte le sens général, mais comporte des coupures non indiquées et de nombreuses variantes. Voltaire a rendu le texte plus concis et plus élégant. Principaux passages remaniés: l.75: coupure non signalée. – l.75-76: 'le *mécontentement* que j'ai de votre conduite' (version proche de l'original russe). – l.80: coupure non signalée. – l.82: 'vous forceront à les *fausser*'. – l.83-84: 'je ne vois pas que vous reconnaissiez les obligations que vous avez à votre père qui vous a donné la vie'. – l.84: 'l'assistez-vous dans ses *sollicitudes et ses peines.*' (original russe: 'dans mes *peines* et mes *travaux*'). – l.85-87: 'bien au contraire, vous blâmez & vous détestez tout ce que je puis faire de bon, *au prix & aux dépens de ma santé*, pour l'amour & le bien de mes peuples' (plus proche de l'original russe).

[21] Réponse d'Alexis du 20 janvier 1716 (Weber, ii.245).

823

présumer) [22] qu'Alexis ne voyait que des mécontents qui flattaient   105
ses chagrins. Il lui écrivit qu'il eût à choisir du couvent ou du
trône, et que s'il voulait un jour lui succéder, il fallait qu'il vînt le
trouver à Copenhague. [23]

Les confidents du prince lui persuadèrent qu'il serait dangereux
pour lui de se trouver loin de tout conseil, entre un père irrité et   110
une marâtre. Il feignit donc d'aller trouver son père à Copenhague;
mais il prit le chemin de Vienne, et alla se mettre entre les mains
de l'empereur Charles VI son beau-frère, comptant y demeurer
jusqu'à la mort du czar.

C'était à peu près [24] la même aventure que celle de Louis XI,   115
lorsque étant encore dauphin, il quitta la cour du roi Charles VII
son père, et se retira chez le duc de Bourgogne. Le dauphin était
bien plus coupable que le czarovitz, puisqu'il s'était marié malgré
son père, qu'il avait levé des troupes, qu'il se retirait chez un
prince naturellement ennemi de Charles VII, et qu'il ne revint   120
jamais à sa cour, quelque instance que son père pût lui faire. [25]

Alexis au contraire ne s'était marié que par ordre du czar, ne
s'était point révolté, n'avait point levé de troupes, ne se retirait
point chez un prince ennemi, et retourna aux pieds de son père sur

113   MS1:   de Charles 6 son
115   MS1:   C'était précisément la
116   MS1:   dauphin de France, il

[22] Voltaire avait écrit: 'ce qu'il devait bien présumer'. Cette parenthèse, écrit
Müller, 'n'accuse-t-elle pas finement le tsar de manque de prudence?' Et cela
d'autant plus que Voltaire vient de trouver étrange que le tsar ait voulu voyager en
laissant en Russie un fils si mécontent? (Š, p.451). Voltaire a modifié sa parenthèse
en en atténuant la portée.
[23] Lettre du 26 août 1716 (Weber, ii.246-48).
[24] Voltaire a corrigé après la critique de Müller (voir ci-dessous, n.26), tout en
maintenant l'essentiel de son point de vue.
[25] Dans l'*Essai sur les mœurs*, ch.80, 94, Voltaire accuse Louis XI d'avoir causé la
mort de son père Charles VII (i.756; ii.2).

125 la première lettre qu'il reçut de lui. [26] Car dès que Pierre sut que
son fils avait été à Vienne, qu'il s'était retiré dans le Tyrol, et
ensuite à Naples, qui appartenait alors à l'empereur Charles VI, il
dépêcha le capitaine aux gardes Romanzoff et le conseiller privé
Tolstoy, [27] chargés d'une lettre écrite de sa main, datée de Spa du
130 21 juillet n. st. 1717. Ils trouvèrent le prince à Naples dans le
château St Elme, et lui remirent la lettre: elle était conçue en ces
termes:
......'Je vous écris pour la dernière fois, pour vous dire que vous
ayez à exécuter ma volonté, que Tolstoy et Romanzoff vous
135 annonceront de ma part. Si vous m'obéissez, je vous assure et je
promets à Dieu que je ne vous punirai pas, et que si vous revenez,
je vous aimerai plus que jamais; mais que si vous ne le faites pas,
je vous donne comme père, en vertu du pouvoir que j'ai reçu de
Dieu, ma malédiction éternelle; et comme votre souverain, je vous
140 assure que je trouverai bien les moyens de vous punir; en quoi

127   MS1:   appartenait à
129-130   MS1:   de Spaa du 10ᵉ juillet 1717.

[26] Ce parallèle a suscité une longue réfutation de Müller. Selon lui, les caractères
des deux princes sont diamétralement opposés, et leurs démarches très différentes:
'Charles VII voyait dans le Dauphin un successeur dont les vertus et les vices se
contrebalançaient tellement que la gloire du royaume ne courait aucun risque'.
Pierre Iᵉʳ, au contraire, 'ne pouvait envisager dans son fils que le destructeur de ses
grands travaux'. Le tsarévitch 'avait bien plus de vices que le dauphin sans avoir
aucune de ses vertus'. Il ne s'était pas marié contre le gré de son père, mais il avait
si mal traité son épouse qu'il avait abrégé ses jours. Il n'a point levé de troupes,
mais avoue que *si les rebelles l'avaient appelé et qu'ils eussent été assez forts, il se serait
déclaré pour eux.* Il ne s'est point retiré chez un prince ennemi, mais, quelques années
plus tôt, il se serait peut-être joint à Charles XII. Quant à son retour en Russie, il
ne fut pas une marque d'obéissance, puisque Charles VI a renvoyé Alexis quand le
tsar le lui a demandé (Š, p.452-53). On notera qu'ici, pour Müller, le tsarévitch est
responsable de la mort de sa femme, alors qu'en 1769 il considérera que les deux
époux avaient des torts partagés (voir ci-dessus, n.10).
[27] Le major Alexandre Ivanovitch Roumiantsev et Piotr Andreevitch Tolstoï,
ambassadeur à Constantinople de 1701 à 1714. Sur P. A. Tolstoï, voir II.i, n.8.

j'espère que Dieu m'assistera, et qu'il prendra ma juste cause en main.

'Au reste, souvenez-vous que je ne vous ai violenté en rien. Avais-je besoin de vous laisser le libre choix du parti que vous voudriez prendre. Si j'avais voulu vous forcer, n'avais-je pas en main la puissance? Je n'avais qu'à commander, et j'aurais été obéi.' [28]   145

Le vice-roi de Naples persuada aisément Alexis de retourner auprès de son père. C'était une preuve incontestable que l'empereur d'Allemagne ne voulait prendre avec ce jeune prince aucun   150 engagement, dont le czar eût à se plaindre. Alexis avait voyagé avec sa maîtresse Aphrosine; il revint avec elle. [29]

On pouvait le considérer comme un jeune homme mal conseillé, [30] qui était allé à Vienne et à Naples, au lieu d'aller à Copenhague. S'il n'avait fait que cette seule faute, commune à tant   155 de jeunes gens, elle était bien pardonnable. [31] Son père prenait

---

152   MS1:   maîtresse Aphronise; il
152-154   MS1:   elle. C'était un jeune homme qui était

---

[28] Weber, ii.250, avec les variantes suivantes: l.135: 'Si vous *m'appréhendez*'. – l.139: coupure non signalée 'pour le mépris et les offenses que vous avez faites à votre père'. – l.140: 'les moyens de vous *traiter comme tel*'. – l.141: 'ma juste *défense*'. – l.146: 'la puissance *de le faire*.' Comme le remarque N. Le Clerc (iii.433), la traduction citée par Voltaire est incomplète: il manque le début, où le tsar reproche à son fils de s'être enfui comme un traître, de s'être mis sous une protection étrangère et d'avoir violé ses serments (cf. Weber, ii.249-50, et Soloviev, *Istoria Rossii*, xvii-xviii.160).

[29] Sur les 'voyages' d'Alexis, voir ci-dessus, *Anecdotes*, n.87.

[30] Voici des excuses pour le tsarévitch, et des accusations contre le tsar, observe Müller (*BM*, p.207); dans ces notes de 1769, il souligne d'emblée que Voltaire ne se déclare que trop clairement pour Alexis (p.201). Ces remarques n'ont pas été reproduites par Šmurlo.

[31] Son évasion est pardonnable, concède Müller. Mais son crime est d'avoir cherché à obtenir auprès de l'empereur des secours contre son père. Il avoue lui-même qu'il *cherchait à parvenir à la succession de quelque autre manière que ce fût excepté de la bonne, et qu'il voulait l'obtenir par une assistance étrangère.* Müller conclut: c'est un rebelle qui aspire au trône (Š, p.454). Le simple fait d'émigrer, en

Dieu à témoin, que non seulement il lui pardonnerait, mais qu'il l'aimerait plus que jamais. Alexis partit sur cette assurance; mais par l'instruction des deux envoyés qui le ramenèrent, et par la
160 lettre même du czar, il paraît que le père exigea que le fils déclarât ceux qui l'avaient conseillé, [32] et qu'il exécutât son serment de renoncer à la succession.

Il semblait difficile de concilier cette exhérédation avec l'autre serment que le czar avait fait dans sa lettre d'aimer son fils plus
165 que jamais. [33] Peut-être que le père combattu entre l'amour paternel et la raison du souverain, se bornait à aimer son fils retiré dans un cloître; peut-être espérait-il encore le ramener à son devoir, et le rendre digne de cette succession même, en lui faisant sentir la perte d'une couronne. Dans des conjonctures si rares, si difficiles,
170 si douloureuses, il est aisé de croire que ni le cœur du père, ni celui du fils, également agités, n'étaient d'abord bien d'accord avec eux-mêmes. [34]

Le prince arrive le 13 février 1718 n. st. à Moscou, où le czar était alors. Il se jette le jour même aux genoux de son père; il a un
175 très long entretien avec lui: [35] le bruit se répand aussitôt dans la ville, que le père et le fils sont réconciliés, que tout est oublié; mais

---

170 MSI: est à croire que
173 MSI: arrive le 22 février 1717 n. st. à

---

réalité, le rendait coupable (voir ci-dessus, p.824), comme Voltaire l'admet plus loin.

[32] Weber, ii.254; Rousset de Missy, iv.23.

[33] J'en conviens, écrit Müller. Mais il suggère, pour 'disculper' le tsar, de dire que, lorsqu'il écrivit cette lettre à Alexis, il ne savait pas encore à quel point il était criminel. Il avait juré de pardonner à un fils désobéissant, mais non à un fils dénaturé qui souhaitait la mort de son père. Il a donc très bien pu accorder le châtiment avec la religion et ne pas respecter son serment sans être parjure (Š, p.454).

[34] On sent l'embarras de Voltaire. Il insiste sur l'absence de conspiration. Il semble bien pourtant qu'il y ait eu l'amorce d'un complot; voir ci-dessus, p.295-96.

[35] 'Une longue conférence' (Rousset de Missy, iv.23). Le 3/14 février selon Müller (BM, p.208). Voir app. IX, l.29-48.

le lendemain on fait prendre les armes aux régiments des gardes, à la pointe du jour; on fait sonner la grosse cloche de Moscou. Les boyards, les conseillers privés sont mandés dans le château; les évêques, les archimandrites et deux religieux de St Basile, professeurs en théologie, s'assemblent dans l'église cathédrale. Alexis est conduit sans épée et comme prisonnier dans le château, devant son père. Il se prosterne en sa présence, et lui remet en pleurant un écrit par lequel il avoue ses fautes, se déclare indigne de lui succéder, et pour toute grâce lui demande la vie. [36]

Le czar après l'avoir relevé, le conduisit dans un cabinet, où il lui fit plusieurs questions. Il lui déclara que s'il célait quelque chose touchant son évasion, il y allait de sa tête. [37] Ensuite on ramena le prince dans la salle où le Conseil était assemblé; là on lut publiquement la déclaration du czar déjà dressée. [38]

180

185

190

[36] Cet événement eut lieu le 3/14 février, dès le premier interrogatoire selon Müller, qui doute que cela se soit déroulé avec toutes les circonstances rapportées par Voltaire (*BM*, p.208). Ce récit n'est pas dans Weber. Voltaire s'inspire ici de près de Rousset de Missy (iv.23-24), qui toutefois ne mentionne pas les deux religieux de saint Basile. Mais il atténue la responsabilité d'Alexis en disant qu'il avoue ses 'fautes', sans d'ailleurs préciser lesquelles. Rousset de Missy dit en effet qu'Alexis a présenté une confession écrite de son *crime*. Weber, avant lui, faisait dire au tsarévitch, en présence du peuple assemblé dans la grande salle du château: 'J'apporte ici l'écrit de confession de mes crimes, que je vous ai envoyé de Naples. Je confesse encore à présent de m'être écarté de mes devoirs d'enfant & de sujet en m'évadant, & me mettant sous la protection de l'Empereur, & en réclamant son appui. J'implore votre gracieux pardon & votre clémence' (Weber, ii.253).

[37] Le tsar lui demanda oralement de dire toute la vérité, et de dénoncer ses complices et ceux qui lui avaient conseillé l'évasion. Dans la cathédrale, Alexis promit de dire toute la vérité. Il reçut le pardon du tsar, qui le menaça de mort s'il cachait ou déguisait quelque chose (Weber, ii.254). Dès ce jour, Pierre fit signer à Alexis un acte par lequel il renonçait à la couronne. Les boïars et autres dignitaires, ainsi que les ecclésiastiques, auraient signé un texte excluant Alexis de la succession et prêté serment à Pierre Petrovitch (Rousset de Missy, iv.24-25).

[38] Ce long manifeste publié le 3 février 1718 v. st., signalé sous le nom de 'manifeste de Moscou' par Weber (ii.230), est reproduit intégralement par Rousset de Missy (iv.26-40). Mais, selon Müller, c'est le 4 février v. st. qu'Alexis aurait été conduit dans la salle du Conseil où fut lue la déclaration du tsar (*BM*, p.208).

Le père, dans cette pièce, reproche à son fils tout ce que nous avons détaillé, son peu d'application à s'instruire, ses liaisons avec les partisans des anciennes mœurs, sa mauvaise conduite avec sa femme. *Il a violé*, dit-il, *la foi conjugale, en s'attachant à une fille de la plus basse extraction, du vivant de son épouse.*[39] Il est vrai que Pierre avait répudié sa femme en faveur d'une captive; mais cette captive était d'un mérite supérieur, et il était justement mécontent de sa femme qui était sa sujette. Alexis au contraire avait négligé sa femme pour une jeune inconnue qui n'avait de mérite que sa beauté. Jusque-là on ne voit que des fautes de jeune homme qu'un père doit reprendre et qu'il peut pardonner.

Il lui reproche ensuite d'être allé à Vienne, se mettre sous la protection de l'Empereur. Il dit qu'*Alexis a calomnié son père*, en faisant entendre à l'empereur Charles VI qu'il était persécuté, qu'on le forçait à renoncer à son héritage; qu'enfin il a prié l'Empereur de le protéger à main armée.[40]

On ne voit pas d'abord comment l'Empereur aurait pu faire la

195-202 MSI: *épouse.* ¶Il lui reproche
206 MSI: *à main armée.*
207 MSI: pas comment

[39] Voltaire a édulcoré le texte du manifeste, selon lequel Alexis 'donna son attachement à une prostituée de la plus basse extraction, vivant publiquement avec elle dans le crime au mépris de sa légitime épouse' (Rousset de Missy, iv.29-30). Weber dit simplement qu'elle était 'd'une naissance très commune' (i.347).
[40] Rousset de Missy, iv.32. Alexis n'a pas demandé à l'empereur d'être 'protégé à main armée' (voir ci-dessous, n.63). En arrivant à Vienne, le 21 novembre 1716 à dix heures du soir, Alexis avait demandé 'avec impétuosité' et 'force gesticulations' à être reçu sans tarder par l'empereur son beau-frère. Il alléguait qu'on voulait le priver de la couronne, le mettre au couvent et même le tuer, alors qu'il avait encore assez de raison pour gouverner. Quelques jours plus tard, il jurait ses grands dieux qu'il n'avait jamais pensé à une rébellion ou à un soulèvement du peuple russe, bien que cela eût été facile (notes de Schönborn en allemand, publiées par Nikolaï Oustrialov, *Istoria tsarstvovania Petra Velikogo* [Histoire du règne de Pierre le Grand], Saint-Pétersbourg 1858-1863, vi.581 et 586).

guerre au czar pour un tel sujet, [41] et comment il eût pu interposer autre chose que des bons offices entre le père irrité et le fils désobéissant. Aussi Charles VI s'était contenté de donner une retraite au prince, et on l'avait renvoyé, quand le czar instruit de sa retraite l'avait redemandé.   210

Pierre ajoute dans cette pièce terrible, qu'Alexis avait persuadé à l'Empereur, *qu'il n'était pas en sûreté de sa vie*, [42] s'il revenait en Russie. C'était en quelque façon justifier les plaintes d'Alexis, [43]   215
que de le faire condamner à mort après son retour, et surtout après avoir promis de lui pardonner: mais nous verrons pour quelle cause le czar fit ensuite porter ce jugement mémorable. Enfin on voyait dans cette grande assemblée un souverain absolu plaider contre son fils.   220

'Voilà, dit-il, de quelle manière notre fils est revenu; et quoiqu'il ait mérité la mort par son évasion, et par ses calomnies, [44] cependant notre tendresse paternelle lui pardonne ses crimes: mais considérant son indignité et sa conduite déréglée, nous ne pouvons en conscience lui laisser la succession au trône, prévoyant trop   225
qu'après nous sa conduite dépravée détruirait la gloire de la

208   MS1:   et comme il
218   MS1:   mémorable. ¶Enfin

[41] Combien de guerres commencées pour de moindres sujets, objecte non sans raison Müller; si la politique y avait trouvé son compte, croyez-vous que ce prétexte ne lui eût pas paru assez valable? 'Au reste, l'équité et la modération de la cour de Vienne dans cette affaire ne rend pas l'intention du tsarevitch moins criminelle' (Š, p.455).

[42] Rousset de Missy, iv.32. Voir aussi ci-dessus, n.40. Pour Pierre le Grand, c'est une des calomnies débitées contre lui, comme celles rapportées plus haut par Voltaire.

[43] Voltaire tente une fois de plus de minimiser la responsabilité d'Alexis. On vient de voir à la note précédente que Pierre Ier dénonçait cela comme une calomnie.

[44] Voltaire a abrégé le début de cet alinéa et sauté ensuite le membre de phrase suivant: 'qu'il a publiées sur notre sujet, comme si nous eussions été un père dénaturé' (Rousset de Missy, iv.38).

nation,[45] et ferait perdre tant d'Etats reconquis par nos armes. Nous plaindrions surtout nos sujets, si nous les rejetions par un tel successeur dans un état beaucoup plus mauvais qu'ils n'ont été.

230 'Ainsi par le pouvoir paternel, en vertu duquel, selon les droits de notre empire, chacun même de nos sujets peut déshériter un fils comme il lui plaît,[46] et en vertu de la qualité de prince souverain, et en considération du salut de nos Etats, nous privons notre dit fils Alexis de la succession après nous à notre trône de Russie, à 235 cause de ses crimes et de son indignité, quand même il ne subsisterait pas une seule personne de notre famille après nous.[47]

'Et nous constituons et déclarons successeur audit trône après nous, notre second fils Pierre (a) quoique encore jeune, n'ayant pas de successeur plus âgé.

240 'Donnons à notre susdit fils Alexis notre malédiction paternelle,

(a) C'est ce même fils de l'impératrice Catherine qui mourut en 1719 le 15 avril.[48]

232 MS1: plaît, comme aussi en qualité
238 MS1, sans note

[45] Après le mot 'nation', Voltaire a considérablement abrégé la fin de la phrase.
[46] La loi du 'majorat' était récente (1714). Un père, en vertu de cette loi, pouvait transmettre un héritage, non au fils aîné, mais à celui qu'il estimait le plus digne. Pierre le Grand appliqua en quelque sorte cette loi à la succession au trône. Le Statut du 5 février 1722, première loi de succession qui eut un caractère constitutionnel, proclamait: 'Nous avons résolu de publier ce Statut pour qu'il soit toujours dans le pouvoir du souverain régnant de nommer héritier qui bon lui semblera, et que, en cas d'inconduite de celui qui sera ainsi nommé, il puisse le révoquer' (Klioutchevski, *Pierre le Grand et son œuvre*, p.249). Ce statut, intitulé *Pravda voli monarcheï*, a été édité et traduit par Antony Lentin sous le titre *The Justice of the monarch's right* (Oxford 1995; l'ouvrage comprend le texte russe, la traduction anglaise, une longue introduction, des notes, des appendices, une bibliographie et un index).
[47] On a vu que Pierre, au nom du mérite, préfère transmettre le pouvoir à un étranger plutôt qu'à un fils indigne (cf. sa première lettre à Alexis).
[48] En réalité, il y a des incertitudes sur la date de sa mort (voir ci-dessus, n.16).

si jamais, en quelque temps que ce soit, il prétend à ladite succession, ou la recherche.

'Désirons aussi de nos fidèles sujets de l'état ecclésiastique et séculier, et de tout autre état, et de la nation entière, que selon cette constitution, et suivant notre volonté, ils reconnaissent et 245 considèrent notre dit fils Pierre, désigné par nous à la succession, pour légitime successeur, et qu'en conformité de cette présente constitution, ils confirment le tout par serment devant le saint autel, sur les saints Evangiles, en baisant la croix.

'Et tous ceux qui s'opposeront jamais, en quelque temps que ce 250 soit, à notre volonté, et qui dès aujourd'hui oseront considérer notre fils Alexis comme successeur, ou l'assister à cet effet, nous les déclarons traîtres envers nous et la patrie; et avons ordonné que la présente soit partout publiée, afin que personne n'en prétende cause d'ignorance. Fait à Moscou le 14 février 1718 n. st. 255 Signé de notre main, et scellé de notre sceau.' [49]

Il paraît que ces actes étaient préparés, ou qu'ils furent dressés avec une extrême célérité, puisque le prince Alexis était revenu le 13, et que son exhérédation en faveur du fils de Catherine est du 14. 260

Le prince de son côté signa qu'il renonçait à la succession. 'Je reconnais, dit-il, cette exclusion pour juste; je l'ai méritée par mon

---

249   MS1:   Evangiles, baisant
252   MS1:   Alexis pour successeur
253   MS1:   déclarons pour traîtres
255   MS1:   le 3 février 1718 v. st.
       63, 65:   le 13 n. st. février 1718.
256-265   MS1:   sceau.' ¶Ces actes

---

[49] Dans les premières éditions, on lit 13 février n. st., ensuite 14, cette dernière date correspondant à celle qui est indiquée dans le manuscrit. Contrairement à ce que suppose Šmurlo (p.455), le 14 n'est pas une faute d'impression: le manifeste a été lu le jour même de l'assemblée à l'église de l'Assomption, le 3/14 février (Soloviev, *Istoria Rossii*, xvii-xviii.169-70). En 1769, Müller a donné la date du 4/15 février (*BM*, p.210), ce qui est une erreur.

indignité, et je jure, au Dieu tout-puissant en Trinité, de me soumettre en tout à la volonté paternelle, etc.'[50]

265   Ces actes étant signés, le czar marcha à la cathédrale; on les y lut une seconde fois, et tous les ecclésiastiques mirent leurs approbations et leurs signatures au bas d'une autre copie.[51] Jamais prince ne fut déshérité d'une manière si authentique. Il y a beaucoup d'Etats où un tel acte ne serait d'aucune valeur; mais en
270   Russie, comme chez les anciens Romains, tout père avait le droit de priver son fils de sa succession,[52] et ce droit était plus fort dans un souverain que dans un sujet, et surtout dans un souverain tel que Pierre.

    Cependant il était à craindre qu'un jour ceux-mêmes qui avaient
275   animé le prince contre son père, et conseillé son évasion, ne tâchassent d'anéantir une renonciation imposée par la force,[53] et de rendre au fils aîné la couronne transférée au cadet d'un second lit. On prévoyait en ce cas une guerre civile, et la destruction inévitable de tout ce que Pierre avait fait de grand et d'utile. Il
280   fallait décider entre les intérêts de près de dix-huit millions d'hommes que contenait alors la Russie,[54] et un seul homme qui

273-274   MS1, sans alinéa

[50] Rousset de Missy, iv.41. Traduction un peu différente dans le *Manifeste* [...] *de Sa Majesté Czarienne* (Paris 1718), p.14-15. Le texte n'a pas été reproduit par Weber. Cette renonciation aurait été signée le 8/19 février selon Müller (*BM*, p.210). Voltaire a un peu abrégé la déclaration d'Alexis et omis de signaler qu'il reconnaissait pour légitime successeur son frère cadet, Pierre Petrovitch.

[51] Rousset de Missy, iv.25. On a vu que les boïars et les officiers signèrent aussi cet acte (voir ci-dessus, n.37).

[52] Voir ci-dessus, n.46. Sur cette comparaison avec le droit romain, N. Le Clerc fait des objections (voir ci-dessus, p.327).

[53] L'argumentation était déjà la même dans les *Anecdotes*: 'Il n'était pas hors de vraisemblance, qu'un tel acte serait un jour annulé' (l.370-371).

[54] Qui peut le savoir, observe Müller en 1769, puisqu'il n'y a pas eu de recensement en Russie avant 1721 (*BM*, p.211). La population ne devait pas dépasser douze à quatorze millions d'habitants en 1720 (voir ci-dessus, *Anecdotes*, n.115).

833

n'était pas capable de les gouverner. Il était donc important de connaître les malintentionnés; et le czar menaça encore une fois son fils de mort, s'il lui cachait quelque chose. En conséquence le prince fut donc interrogé juridiquement par son père, et ensuite   285
par des commissaires. [55]

Une des charges qui servirent à sa condamnation fut une lettre d'un résident de l'Empereur nommé Beyer, [56] écrite de Pétersbourg après l'évasion du prince; cette lettre portait qu'il y avait de la mutinerie dans l'armée russe, assemblée dans le Meklembourg,   290
que plusieurs officiers parlaient d'envoyer la nouvelle czarine Catherine et son fils, dans la prison où était la czarine répudiée, et de mettre Alexis sur le trône quand on l'aurait retrouvé. Il y avait en effet alors une sédition dans cette armée du czar, mais elle fut bientôt réprimée. Ces propos vagues n'eurent aucune suite. [57]   295
Alexis ne pouvait les avoir encouragés; un étranger en parlait comme d'une nouvelle: La lettre n'était point adressée au prince Alexis, et il n'en avait qu'une copie qu'on lui avait envoyée de Vienne. [58]

Une accusation plus grave fut une minute de sa propre main   300
d'une lettre écrite de Vienne aux sénateurs et aux archevêques de

---

288   MSI: Bleyer [*passim*]
297-298   MSI: prince, et il

---

[55] Voltaire omet ici de rapporter les sept questions posées par le tsar et les réponses écrites d'Alexis, datées du 8 février 1718 v. st. (reproduites dans Weber, ii.256-84).

[56] Bleyer, selon Weber. Müller, en 1769, indique cette correction (*BM*, p.211). En fait, il s'agit de Otto-Antonin Pleyer (voir Soloviev, *Istoria Rossii*, xvii-xviii.155).

[57] Ce doit être le récit d'une gazette qui s'est fourvoyée, remarque Müller; mais M. de Voltaire n'aurait pas dû l'enjoliver par encore plus de détails (*BM*, p.211).

[58] Effectivement, la lettre de Pleyer n'était pas adressée à Alexis. Une copie en avait été incluse dans la lettre que le vice-chancelier Schönborn lui avait envoyée de Vienne le 24 avril 1717 (Alexis était alors dans le Tyrol). Le 8 février 1718, Alexis avait déclaré avoir reçu cette copie, puis il l'avait nié et l'avait de nouveau reconnu le 17 juin, en ajoutant qu'il l'avait brûlée (Weber, ii.275-77, 334, 338).

Russie: les termes en étaient forts: *Les mauvais traitements continuels que j'ai essuyés sans les avoir mérités, m'ont obligé de fuir: peu s'en est fallu qu'on ne m'ait mis dans un couvent. Ceux qui ont enfermé* 305 *ma mère ont voulu me traiter de même. Je suis sous la protection d'un grand prince. Je vous prie de ne me point abandonner à présent.* [59] Ce mot d'*à présent*, qui pouvait être regardé comme séditieux, était rayé, et ensuite remis de sa main, et puis rayé encore; [60] ce qui marquait un jeune homme troublé, se livrant à son ressentiment, 310 et s'en repentant au moment même. [61] On ne trouva que la minute de ces lettres; elles n'étaient jamais parvenues à leur destination, [62] et la cour de Vienne les retint; preuve assez forte que cette cour ne voulait pas se brouiller avec celle de Russie, et soutenir à main armée le fils contre le père. [63]

315 On confronta au prince plusieurs témoins; l'un d'eux nommé Afanassief soutint qu'il lui avait entendu dire autrefois, *Je dirai*

309-310 MSI: à sa douleur et
312 MSI: preuve évidente que
313-314 MSI: de Russie.//
315 K: confronta plusieurs témoins au prince; l'un

---

[59] Il s'agit en fait de deux lettres distinctes (Weber, ii.290-92). Voltaire a coupé après 'couvent', 'même' et 'prince', et allégé la phrase l.304-305, ainsi libellée: 'Cela est provenu des mêmes personnes qui ont traité ma mère de la même manière'.

[60] Voir Weber, ii.293. 'A présent' est effectivement rayé deux fois dans les brouillons de ces deux lettres. Mais il ne figure pas dans les lettres originales, du 8 mai 1717, conservées à Vienne (Oustrialov, *Istoria tsarstvovania Petra Velikogo*, vi.380-81).

[61] Là encore, Voltaire minimise la culpabilité d'Alexis. Müller fait observer que ce comportement peut être aussi bien le signe d'un esprit en proie à la crainte d'échouer dans une entreprise périlleuse, et qui pèse ses mots afin qu'au cas où sa lettre serait interceptée il y eût encore un moyen de se défendre (Š, p.456).

[62] Voir Weber, ii.293. Ces lettres ont été retenues par la cour de Vienne (voir ci-dessus, n.60).

[63] Cependant, le comte de Schönborn aurait dit à Alexis qu'*après la mort de Pierre* l'empereur l'aiderait à monter sur le trône, même *à main armée* (voir ci-dessous, l.391-394).

quelque chose aux évêques, qui le rediront aux curés, les curés aux
paroissiens, et on me fera régner, fût-ce malgré moi. [64]

Sa propre maîtresse Aphrosine déposa contre lui. Toutes les
accusations n'étaient pas bien précises; [65] nul projet digéré, nulle   320
intrigue suivie, nulle conspiration, aucune association, encore
moins de préparatifs. C'était un fils de famille mécontent et
dépravé, qui se plaignait de son père, qui le fuyait, et qui espérait
sa mort; mais ce fils de famille était l'héritier de la plus vaste
monarchie de notre hémisphère, et dans sa situation et dans sa   325
place, il n'y avait point de petite faute. [66]

319-320   MSI: lui, mais toutes les accusations étaient vagues, nul projet formé,
nulle

322-323   MSI: mécontent, qui

325   MSI: monarchie du monde, et

[64] Weber, ii.297, avec des phrases plus longues que celles de Voltaire: l.316: 'Je
dirai quelque chose à l'oreille aux évêques'. – l.318: 'Je suis sûr qu'on me fera
régner, quand ce serait malgré moi'.

[65] Voltaire avait écrit: 'mais toutes les accusations étaient vagues'. Müller objecta
qu'elles s'accordaient avec les aveux du prince, assez clairs pour rendre son crime
avéré. Voltaire modifia son texte, ce qui n'empêcha pas Müller d'écrire en 1769 qu'il
y avait là 'encore une fois une apologie mal placée du tsarévitch' (*BM*, p.212). La
maîtresse d'Alexis l'avait accusé notamment d'avoir écrit de Naples à l'empereur
contre le tsar, et de s'être réjoui des mutineries de l'armée dans le Mecklembourg
et dans les villes voisines de Moscou (Weber, ii.298-300). Le 12 mai 1718, Alexis
répondit qu'il avait écrit pour se plaindre de son père, mais qu'il n'avait pas envoyé
la lettre, puis reconnut qu'il y exposait les raisons de son évasion et de son refus de
retourner en Russie (Weber, ii.301-302). N. Le Clerc observe que Voltaire ne
rapporte pas la déposition d'Euphrosyne. Il pense que, d'après les lois russes, les
juges devaient la récuser, car elle était cause de l'adultère du tsarévitch et réputée
sa maîtresse; elle avait d'ailleurs été subornée, car elle avait gardé les bijoux d'Alexis
et avait reçu une pension (iii.456-57).

[66] Sur l'absence de conspiration, voir ci-dessus, n.34. Voltaire, on le voit, est
partagé entre le désir de disculper Alexis, puisqu'il n'y a 'nulle conspiration', et le
souci de justifier sa condamnation, sous peine de faire apparaître Pierre 1er comme
un monstre. Il passe sous silence les dépositions du 8 février 1718, où Alexis avoue
ses mensonges et sa dissimulation, et ne tient pas compte des commentaires de
Weber, très hostile au tsarévitch.

Accusé par sa maîtresse, il le fut encore au sujet de l'ancienne czarine sa mère, et de Marie sa sœur.[67] On le chargea d'avoir consulté sa mère sur son évasion, et d'en avoir parlé à la princesse Marie. Un évêque de Rostou,[68] confident de tous trois, fut arrêté, et déposa que ces deux princesses prisonnières dans un couvent, avaient espéré un changement qui les mettrait en liberté, et avaient par leurs conseils engagé le prince à la fuite. Plus leurs ressentiments étaient naturels, plus ils étaient dangereux. On verra à la fin de ce chapitre quel était cet évêque, et quelle avait été sa conduite.

Alexis nia d'abord plusieurs faits de cette nature, et par cela même il s'exposait à la mort, dont son père l'avait menacé, en cas qu'il ne fît pas un aveu général et sincère.

Enfin il avoua quelques discours peu respectueux qu'on lui imputait contre son père, et il s'excusa sur la colère et sur l'ivresse.[69]

Le czar dressa lui-même de nouveaux articles d'interrogatoire. Le quatrième était ainsi conçu.

Quand vous avez vu par la lettre de Beyer, qu'il y avait une révolte

327-328 MSI: de la czarine
330 MSI: Rostow
340 MSI: imputait d'avoir tenus contre
342-343 MSI, sans alinéa

[67] Pas sa sœur Marie, corrige Müller en 1769 (*BM*, p.213). Voltaire a confondu Marie, sœur du tsarévitch Alexis, avec Marie, fille du tsar Alexis et tante du tsarévitch, que ce dernier a rencontrée pendant son évasion, et avec laquelle il s'est entretenu de sa mère répudiée. Dans sa confession écrite du 27 février, Alexis n'avoue cependant pas que la princesse Marie sa tante a eu connaissance de sa fuite (Weber, ii.295-96).

[68] Dosithée, évêque de Rostov, dont Voltaire parle plus loin.

[69] Selon Ivan Afanassiev, Alexis aurait juré de faire empaler Menchikov et quelques autres, de faire planter sur un poteau la tête d'Alexandre Golovkine, le fils du chancelier Alekseï Golovkine, et il aurait dit à Afanassiev: 'vive le petit peuple!' (Weber, ii.297). Le 12 mai, Alexis déclare qu'il a parlé du petit peuple sous l'emprise de la colère et de l'ivresse (Weber, ii.305). Dans sa confession écrite du 16 mai, il ne nie pas ce qu'Afanassiev a déposé, mais répète qu'il était ivre, et ne s'en souvient pas mot pour mot (Weber, ii.312).

à l'armée du Meklembourg, vous en aveʒ eu de la joie; je crois que 345
vous avieʒ quelque vue, et que vous vous serieʒ déclaré pour les rebelles
même de mon vivant. [70]

C'était interroger le prince sur le fond de ses sentiments secrets. On peut les avouer à un père dont les conseils les corrigent, et les cacher à un juge qui ne prononce que sur les faits avérés. Les sentiments cachés du cœur ne sont pas l'objet d'un procès 350 criminel. [71] Alexis pouvait les nier, les déguiser aisément; il n'était pas obligé d'ouvrir son âme; cependant il répondit par écrit: *Si les rebelles m'avaient appelé de votre vivant, j'y serais apparemment allé, supposé qu'ils eussent été asseʒ forts.* [72]

Il est inconcevable qu'il ait fait cette réponse de lui-même, [73] et 355 il serait aussi extraordinaire, du moins suivant les mœurs de l'Europe, qu'on l'eût condamné sur l'aveu d'une idée qu'il aurait pu avoir un jour dans un cas qui n'est point arrivé.

A cet étrange aveu de ses plus secrètes pensées qui ne s'étaient point échappées au delà du fond de son âme, on joignit des preuves, 360

351 MS1: criminel. Il pouvait
356 MS1: mœurs du reste de

[70] Weber, ii.315, avec deux coupures après 'joie' et 'vue'. Voltaire avait demandé à Pétersbourg: 'Est-il possible qu'un père et un juge tende un tel piège à son fils? Une pensée secrète doit-elle entrer dans un procès verbal?' On lui répondit que plus une personne nous est proche, plus il est important de connaître sa conduite et ses plus secrètes pensées. 'La tendresse paternelle y étoit trop intéressée pour condamner la ruse dont elle s'est servie pour parvenir à son but' (app. IX, l.54-63).

[71] Voltaire pense que le dessein de faire le mal n'est pas punissable et ne peut faire l'objet d'un procès, écrit Müller en 1769. Selon lui, Voltaire se trompe: au temps de l'Inquisition, l'accusé n'était pas obligé de révéler son intention; mais en Russie, il n'y a pas d'Inquisition (*BM*, p.213).

[72] Weber, ii.316. Déclaration du 16 mai 1718 v. st., avec de légères modifications.

[73] C'est une accusation contre l'empereur qui ne pourrait être imaginée de manière plus grossière, écrit Müller en 1769 (*BM*, p.214). Cette réponse semble au contraire conforme au caractère pusillanime d'Alexis, rétorque N. Le Clerc; elle n'est pas plus extraordinaire que l'éloge de Menchikov qu'on l'obligea à faire lors de ses interrogatoires, de Menchikov qui le méprisait et l'outrageait (iii.462).

qui en plus d'un pays ne sont pas admises au tribunal de la justice humaine.

Le prince accablé, hors de ses sens, recherchant dans lui-même, avec l'ingénuité de la crainte, tout ce qui pouvait servir à le perdre, avoua enfin que dans la confession il s'était accusé devant Dieu, à l'archiprêtre Jacques,[74] d'avoir souhaité la mort de son père, et que le confesseur Jacques lui avait répondu, *Dieu vous le pardonnera, nous lui en souhaitons autant.*[75]

Toutes les preuves qui peuvent se tirer de la confession, sont inadmissibles par les canons de notre Eglise: ce sont des secrets entre Dieu et le pénitent. L'Eglise grecque ne croit pas, non plus que la latine, que cette correspondance intime et sacrée entre un pécheur et la Divinité soit du ressort de la justice humaine: mais il s'agissait de l'Etat et d'un souverain. Le prêtre Jacques fut appliqué à la question, et avoua ce que le prince avait révélé. C'était une chose rare dans ce procès de voir le confesseur accusé par son pénitent, et le pénitent par sa maîtresse.[76] On peut encore ajouter à la singularité de cette aventure, que l'archevêque de Rézan[77] ayant été impliqué dans les accusations, ayant autrefois, dans les premiers éclats des ressentiments du czar contre son fils, prononcé un sermon trop favorable au jeune czarovitz, ce prince

362-363   MSI, sans alinéa

371-374   MSI: pénitent. Peut-être en était-il autrement alors dans l'Eglise grecque, et surtout quand il s'agissait d'un

[74] Le protopope Iakov Ignatiev.

[75] Confession du 19 juin 1718 v. st. (Weber, i.133 et ii.366).

[76] Müller écrit non sans ironie en 1769: qui croirait que M. de Voltaire tînt le *Sigillum confessionis* pour si important qu'il ne dût pas être rompu même en cas de haute trahison, et ne dût pas être adopté dans ce procès? Il ne s'est pas souvenu que *Salus patriae* doit être *suprema lex*. Le prêtre accusé par son pénitent et l'amant par sa maîtresse n'est pas une comparaison des plus décentes. En outre, Euphrosyne n'était pas l'accusatrice du prince, elle ne faisait que répondre aux questions qui lui étaient posées. N'aurait-elle pas dû le faire? (*BM*, p.214).

[77] Stefan Iavorski, archevêque de Riazan; voir ci-dessous, n.96.

avoua dans ses interrogatoires, qu'il comptait sur ce prélat; [78] et ce même archevêque de Rézan fut à la tête des juges ecclésiastiques, consultés par le czar sur ce procès criminel, comme nous l'allons voir bientôt.

Il y a une remarque essentielle à faire dans cet étrange procès, très mal digéré dans la grossière histoire de Pierre Ier par le prétendu boyard Nestesuranoy; [79] et cette remarque la voici.

Dans les réponses que fit Alexis au premier interrogatoire de son père, il avoue que quand il fut à Vienne, où il ne vit point l'Empereur, il s'adressa au comte de Schonborn, chambellan; que ce chambellan lui dit: *L'Empereur ne vous abandonnera pas; et quand il en sera temps, après la mort de votre père, il vous aidera à monter sur le trône à main armée. Je lui répondis*, ajoute l'accusé, *Je ne demande pas cela; que l'Empereur m'accorde sa protection, je n'en veux pas davantage.* [80] Cette déposition est simple, naturelle, porte un grand caractère de vérité: car c'eût été le comble de la folie de demander des troupes à l'Empereur pour aller tenter de détrôner son père; et personne n'eût osé faire ni au prince Eugène, ni au Conseil, ni à l'Empereur une proposition si absurde. Cette déposition est du mois de février; et quatre mois après au 1er juillet, dans le cours et sur la fin de ces procédures, on fait dire au czarovitz, dans ses dernières réponses par écrit:

'Ne voulant imiter mon père en rien, je cherchais à parvenir à la succession de quelque autre manière que ce fût, *excepté de la*

385

390

395

400

405

388-389 MS1, sans alinéa
396 MS1: naturelle, et porte
400 MS1: proposition si ridicule et si absurde.

[78] Confession écrite du 17 juin 1718 v. st. (Weber, ii.340-41).
[79] Voir ci-dessus, 'Préface historique et critique', n.12. En fait, pour l'histoire du tsarévitch, Rousset de Missy n'a fait que reproduire comme Weber, en l'abrégeant, le texte d'un des manifestes publiés par Pierre le Grand.
[80] Réponse au sixième point, le 8 février 1718 v. st. (Weber, ii.281, avec de petites variantes).

bonne façon. Je la voulais avoir par une assistance étrangère; et si j'y étais parvenu, et que l'Empereur eût mis en exécution *ce qu'il m'avait promis*, de me procurer la couronne de Russie, même à main armée, je n'aurais rien épargné pour me mettre en possession
410 de la succession. Par exemple, si l'Empereur avait demandé en échange des troupes de mon pays pour son service, contre qui que ce fût de ses ennemis, ou de grosses sommes d'argent, j'aurais fait tout ce qu'il aurait voulu, et j'aurais donné de grands présents à ses ministres et à ses généraux. J'aurais entretenu à mes dépens les
415 troupes auxiliaires qu'il m'aurait données pour me mettre en possession de la couronne de Russie; et en un mot rien ne m'aurait coûté pour accomplir en cela ma volonté.'[81]

Cette dernière déposition du prince paraît bien forcée;[82] il semble qu'il fasse des efforts pour se faire croire coupable: ce qu'il
420 dit est même contraire à la vérité dans un point capital. Il dit que l'Empereur lui avait promis de lui *procurer la couronne à main armée*: cela était faux. Le comte de Schonborn lui avait fait espérer qu'un jour après la mort du czar, l'Empereur l'aiderait à soutenir le droit de sa naissance;[83] mais l'Empereur ne lui avait rien promis.
425 Enfin il ne s'agissait pas de se révolter contre son père, mais de lui succéder après sa mort.

Il dit dans ce dernier interrogatoire, ce qu'il crut qu'il eût fait, s'il avait eu à disputer son héritage; héritage auquel il n'avait point juridiquement renoncé avant son voyage à Vienne et à Naples. Le
430 voilà donc qui dépose une seconde fois, non pas ce qu'il a fait, et

418-420   MS1:   forcée, elle est contraire
424-425   MS1:   promis, il ne

[81] Weber, ii.373-74, avec de légères différences.
[82] C'est ce que Voltaire écrivait à Chouvalov le 7 novembre 1761: 'On force après quatre mois d'un procez criminel ce malheureux prince, à dire, à écrire *que s'il y avait eu des révoltez puissants qui se fussent soulevez et qui l'eussent appellé il se serait mis à leur tête*' (D10141).
[83] Voir la déposition d'Alexis du 8 février 1718 (ci-dessus, l.392-396).

ce qui peut être soumis à la rigueur des lois, mais ce qu'il imagine qu'il eût pu faire un jour, et qui par conséquent ne semble soumis à aucun tribunal; le voilà qui s'accuse deux fois des pensées secrètes qu'il a pu concevoir pour l'avenir. On n'avait jamais vu auparavant dans le monde entier un seul homme jugé et condamné sur les idées inutiles qui lui sont venues dans l'esprit, et qu'il n'a communiquées à personne. Il n'est aucun tribunal en Europe où l'on écoute un homme qui s'accuse d'une pensée criminelle, et l'on prétend même que Dieu ne les punit que quand elles sont accompagnées d'une volonté déterminée.

On peut répondre à ces considérations si naturelles, qu'Alexis avait mis son père en droit de le punir, par sa réticence sur plusieurs complices de son évasion; sa grâce était attachée à un aveu général, et il ne le fit que quand il n'était plus temps. Enfin après un tel éclat, il ne paraissait pas dans la nature humaine, qu'il fût possible qu'Alexis pardonnât un jour au frère en faveur duquel il était déshérité; et il valait mieux, disait-on, punir un coupable que d'exposer tout l'empire. La rigueur de la justice s'accordait avec la raison d'Etat.

Il ne faut pas juger des mœurs et des lois d'une nation par celles des autres; le czar avait le droit fatal, mais réel, de punir de mort son fils pour sa seule évasion;[84] il s'en explique ainsi dans sa déclaration aux juges et aux évêques:

'Quoique selon toutes les lois divines et humaines, et surtout

435

440

445

450

---

437   MSI: personne. ¶Il n'est
438   MSI: et on
440-442   MSI: déterminée. ¶Mais Alexis avait remis son père
447   MSI: mieux punir
448   MSI: La sévérité de la

[84] Contradiction avec ce que Voltaire disait plus haut (l.155-156). En 1759, il écrivait au contraire: 'Il ne paraît pas bien décidé par les lois divines et humaines qu'un jeune homme doive avoir le cou coupé pour avoir voulu voyager' (*Mémoires pour servir à la vie de M. de Voltaire*, M.i.13).

455 suivant celles de Russie, qui excluent toute juridiction entre un
père et un enfant parmi les particuliers, nous ayons un pouvoir
assez abondant et absolu de juger notre fils, suivant ses crimes,
selon notre volonté, sans en demander avis à personne; cependant
comme on n'est point aussi clairvoyant dans ses propres affaires
460 que dans celles des autres, et comme les médecins même les plus
experts ne risquent point de se traiter eux-mêmes, et qu'ils en
appellent d'autres dans leurs maladies; craignant de charger ma
conscience de quelque péché, je vous expose mon état, et je
demande du remède; car j'appréhende la mort éternelle, si ne
465 connaissant peut-être point la qualité de mon mal, je voulais m'en
guérir seul, vu principalement, que j'ai juré sur les jugements de
Dieu, et que j'ai promis par écrit le pardon de mon fils, et je l'ai
ensuite confirmé de bouche, au cas qu'il me dît la vérité.

'Quoique mon fils ait violé sa promesse, toutefois pour ne
470 m'écarter en rien de mes obligations, je vous prie de penser à cette
affaire et de l'examiner avec la plus grande attention, pour voir ce
qu'il a mérité. Ne me flattez point; n'appréhendez pas, que s'il ne
mérite qu'une légère punition, et que vous le jugiez ainsi, cela me
soit désagréable; car je vous jure par le grand Dieu et par ses
475 jugements, que vous n'avez absolument rien à en craindre.

'N'ayez point d'inquiétude sur ce que vous devez juger le fils
de votre souverain: mais sans avoir égard à la personne, rendez
justice, et ne perdez pas votre âme et la mienne. Enfin, que notre
conscience ne nous reproche rien au jour terrible du jugement, et
480 que notre patrie ne soit point lésée.' [85]

463-464   K: je vous demande
472   MSI: n'appréhendez point que
478   MSI: mienne, afin que notre

[85] Déclaration aux ministres, sénateurs, etc. (Weber, ii.330-33). Principales
variantes: l.454: 'lois divines et *civiles*'. – l.459: '*Comme il est assez ordinaire* qu'on
ne soit point aussi clairvoyant'. – l.462: 'craignant *Dieu* et de charger ma
conscience'. – l.463: '*nous* vous exposons' (Pierre emploie le 'nous' tout au long de
sa déclaration). – l.469, après 'promesse', passage sauté: 'en taisant les choses les

Le czar fit au clergé une déclaration à peu près semblable; [86] ainsi tout se passa avec la plus grande authenticité, et Pierre mit dans toutes ses démarches une publicité qui montrait la persuasion intime de sa justice.

Ce procès criminel de l'héritier d'un si grand empire, dura depuis la fin de février jusqu'au 5 juillet n. st. Le prince fut interrogé plusieurs fois; il fit les aveux qu'on exigeait: nous avons rapporté ceux qui sont essentiels. 485

Le premier juillet le clergé donna son sentiment par écrit. [87] Le czar en effet ne lui demandait que son sentiment, et non pas une sentence. Le début mérite l'attention de l'Europe. [88] 490

'Cette affaire, disent les évêques et les archimandrites, n'est point du tout du ressort de la juridiction ecclésiastique, et le pouvoir absolu établi dans l'empire de Russie n'est point soumis au jugement des sujets; mais le souverain y a l'autorité d'agir suivant son bon plaisir, sans qu'aucun inférieur y intervienne.' [89] 495

Après ce préambule, on cite le Lévitique, où il est dit que celui qui aura maudit son père ou sa mère, sera puni de mort; et l'Evangile

---

488 MS1: essentiels. Dans toutes les affaires l'entassement des petits détails inutiles ne font que détourner l'attention. Les preuves faibles ne servent qu'à affaiblir la force des autres. J'ai dit tout ce qui pouvait servir ou à justifier le prince, ou à le condamner. C'est au lecteur à porter son jugement. Voyez maintenant celui de la nation représentée par le clergé et par les grands de l'empire.//

---

plus importantes touchant ses desseins de rebellion contre nous son seigneur et père'. – l.476-477: 'Ne faites point réflexion non plus sur ce que vous devez juger le fils de votre souverain'. – l.478-479: 'et la mienne, *afin* que notre'.

[86] Weber, ii.328-30. Entre temps, observe Müller, le tsar est parti le 24 mars pour Pétersbourg (*BM*, p.217).

[87] Le 18/29 juin, d'après les actes du procès, indique Müller (*BM*, p.218).

[88] Dans cette affaire du tsarévitch, Voltaire se sent investi d'une responsabilité vis-à-vis de l'opinion européenne. Il écrit par exemple à Chouvalov le 7 novembre 1761: 'Je vais comparaître devant l'Europe en donnant cette histoire' (D10141).

[89] Weber, ii.352, avec quelques différences. Au tout début de cette déclaration, omis par Voltaire, le clergé faisait état du 'grand crime' commis par un fils (ii.351).

de St Matthieu, qui rapporte cette loi sévère du Lévitique.[90]
On finit, après plusieurs autres citations, par ces paroles très
remarquables.

'Si Sa Majesté veut punir celui qui est tombé, selon ses actions,
et suivant la mesure de ses crimes, il a devant lui des exemples de
l'Ancien Testament; s'il veut faire miséricorde, il a l'exemple de
Jésus-Christ même, qui reçoit le fils égaré revenant à la repentance;
qui laisse libre la femme surprise en adultère, laquelle a mérité la
lapidation selon la loi; qui préfère la miséricorde au sacrifice; il a
l'exemple de David, qui veut épargner Absalon son fils et son
persécuteur; car il dit à ses capitaines qui voulaient l'aller combattre,
Épargnez mon fils Absalon: le père le voulut épargner lui-même,
mais la justice divine ne l'épargna point.

'Le cœur du czar est entre les mains de Dieu; qu'il choisisse le
parti auquel la main de Dieu le tournera.'[91]

Ce sentiment fut signé par huit évêques, quatre archimandrites,
et deux professeurs; et comme nous l'avons déjà dit, le métropolite
de Rézan, avec qui le prince avait été en intelligence,[92] signa le
premier.

Cet avis du clergé fut incontinent présenté au czar. On voit
aisément que le clergé voulait le porter à la clémence,[93] et rien

510   MS1:   Absalon; et le père l'a voulu épargner
515-516 MS1:   le métropolitain de
518-519 MS1:   voit clairement que

[90] Weber, ii.342-43 (extraits du Lévitique et du Deutéronome) et 344-46 (extraits
de Matthieu, Marc, Romains et Ephésiens). Le clergé russe se réfère au Lévitique
xx.9, et à Matthieu xv.4.

[91] Weber, ii.363-64, avec des différences minimes et des coupures après 'sacrifice'
(l.507) et avant 'Le cœur' (l.512).

[92] Alexis reconnaît par écrit le 17 juin 1718 v. st. que c'est sur l'archevêque de
Riazan qu'il a le plus compté, mais prétend qu'il ne lui a pas parlé (Weber, ii.340-
41).

[93] Dans les *Anecdotes*, Voltaire, peut-être mal informé, écrivait que les évêques
ne se référaient qu'à l'Ancien Testament, et que leur avis revenait à une sentence
de mort (l.381). Ici, il force l'avis des évêques dans un sens contraire.

n'est plus beau peut-être que cette opposition de la douceur de 520
Jésus-Christ à la rigueur de la loi judaïque, mise sous les yeux
d'un père qui faisait le procès à son fils.

Le jour même, on interrogea encore Alexis pour la dernière
fois; et il mit par écrit son dernier aveu; c'est dans cette confession
qu'il s'accuse, 'd'avoir été bigot dans sa jeunesse, d'avoir fréquenté 525
les prêtres et les moines, d'avoir bu avec eux, d'avoir reçu d'eux
les impressions qui lui donnèrent de l'horreur pour les devoirs de
son état, et même pour la personne de son père'. [94]

S'il fit cet aveu de son propre mouvement, [95] cela prouve qu'il
ignorait le conseil de clémence que venait de donner ce même 530
clergé qu'il accusait; et cela prouve encore davantage combien le
czar avait changé les mœurs des prêtres de son pays, [96] qui de la

[94] Voltaire ne cite pas, mais paraphrase ici la confession d'Alexis du 22 juin 1718
v. st. (Weber, ii.370). Par ailleurs, ce ne sont pas les prêtres et les moines qui, selon
Alexis, lui ont fait prendre en horreur les 'affaires militaires', les 'autres actions' de
son père et 'sa personne même', mais Alekseï et Vassili Narychkine et son précepteur
Nikifor Viazemski, qui, voyant son penchant à la bigoterie et à l'oisiveté, l'ont
encouragé à fréquenter les religieux et à boire avec eux (Weber, ii.368-70, et
Soloviev, xvii-xviii.185).

[95] Ce doute est de nouveau très choquant, estime Müller en 1769 (*BM*, p.219).
Mais il ne fait bien entendu aucune allusion aux séances de torture auxquelles fut
soumis Alexis; voir ci-dessous, n.121.

[96] Sans rien connaître de leurs écrits, Voltaire a senti le changement survenu,
non au sein des 'prêtres', mais du haut clergé russe. Stefan Iavorski (1658-1722),
sorti de la célèbre Académie de Kiev, avait étudié dans les écoles ecclésiastiques
supérieures de Vilna, de Lvov, de Lublin et de Poznan. Devenu archevêque de
Riazan, professeur de théologie à la faculté orthodoxe de Kiev et prédicateur, il
séduisait Pierre Ier par son érudition et son éloquence; si bien qu'à la mort du
patriarche Adrien, en 1700, il fut nommé 'gardien du trône patriarcal'. En 1701, il
devint président de l'Académie slavo-gréco-latine fondée à Moscou en 1687. Son
ouvrage posthume *La Pierre de la foi* fera grand bruit. Quant au deuxième signataire
de l'avis du clergé, Feofan Prokopovitch (1681-1736), lui aussi sorti de l'Académie
de Kiev, il avait étudié à Rome. Il enseigna ensuite à Kiev la théologie, la poétique,
la rhétorique, la logique, la philosophie (le tout en latin), et innova en introduisant
l'étude de la physique et des mathématiques. Admirateur de Descartes et de Bacon,
il avait lu Erasme, Luther, Galilée, Kepler, Machiavel, Hobbes, Locke... Partisan
des réformes de Pierre le Grand, il était l'un des Russes les plus cultivés de son

grossièreté et de l'ignorance étaient parvenus en si peu de temps, à pouvoir rédiger un écrit, dont les plus illustres Pères de l'Eglise n'auraient désavoué ni la sagesse ni l'éloquence.[97]

C'est dans ces derniers aveux qu'Alexis déclare ce qu'on a déjà rapporté, qu'il voulait arriver à la succession, *de quelque manière que ce fût, excepté de la bonne.*

Il semblait par cette dernière confession, qu'il craignît de ne s'être pas assez chargé, assez rendu criminel dans les premières, et qu'en se donnant à lui-même les noms de *mauvais caractère*, de *méchant esprit*,[98] en imaginant ce qu'il aurait fait s'il avait été le maître, il cherchait avec un soin pénible à justifier l'arrêt de mort qu'on allait prononcer contre lui. En effet cet arrêt fut porté le 5 juillet. Il se trouvera dans toute son étendue à la fin de cette histoire. On se contentera d'observer ici, qu'il commence, comme l'avis du clergé, par déclarer qu'un tel jugement n'a jamais appartenu à des sujets, mais au seul souverain, dont le pouvoir ne dépend que de Dieu seul.[99] Ensuite après avoir exposé toutes les charges contre le prince, les juges s'expriment ainsi: *Que penser de son dessein de rébellion, tel qu'il n'y en eut jamais de semblable dans le monde, joint à celui d'un horrible double parricide contre son souverain, comme père de la patrie, et père selon la nature?*[100]

Peut-être ces mots furent mal traduits d'après le procès criminel

---

544   MS1:   lui. ¶En effet
545   MS1:   juillet n. st. Il

---

temps. Auteur d'ouvrages juridiques et pédagogiques, de tragi-comédies, il est un précurseur du classicisme russe.

[97] N. Le Clerc juge au contraire que cette réponse du clergé russe a été 'dictée par la bassesse, la flatterie & la crainte' (voir ci-dessus, p.330).

[98] Weber, ii.371.

[99] Weber, ii.375-76; voir ci-dessous, 'Pièces originales', l.19-21.

[100] Weber, ii.383; voir ci-dessous, 'Pièces originales', l.140-143. On voit que Voltaire a modifié un peu le texte.

imprimé par ordre du czar;[101] car assurément il y a de plus grandes 555
rébellions dans le monde, et on ne voit point par les actes, que
jamais le czarovitz eût conçu le dessein de tuer son père. Peut-être
entendait-on par ce mot de *parricide*[102] l'aveu que ce prince venait
de faire, de s'être confessé un jour, d'avoir souhaité la mort à son
père et à son souverain. Mais l'aveu secret, dans la confession, 560
d'une pensée secrète, n'est pas un double parricide.

Quoi qu'il en soit, il fut jugé à mort unanimement, sans que
l'arrêt prononçât le genre du supplice. De cent quarante-quatre
juges,[103] il n'y en eut pas un seul qui imaginât seulement une peine
moindre que la mort. Un écrit anglais, qui fit beaucoup de bruit 565
dans ce temps-là, porte, que si un tel procès avait été jugé au
parlement d'Angleterre, il ne se serait pas trouvé parmi cent

558   MS1:   mot *parricide*
560-561   MS1:   son souverain.//

[101] Müller, en 1769, cite la traduction anglaise: 'What may we think of a design
of rebellion, whitch has hardly had a Parallel in the world, and is joyned to a double
Parricide'; il cite également la traduction allemande: 'Dieses gottlose und in der
Welt fast nie erhörte Absehn eines doppelten Todschlages'; il faudrait voir, dit-il,
l'original russe (*BM*, p.220). On lit dans le texte russe: 'sie sverkh bountovnogo,
malo prikladnoe v svete, bogomerzkoe, dvoïnoe, roditelei oubivstvennoe namerenie'
['ce dessein sacrilège, doublement parricide, plus que rebelle, comme il y en a peu
au monde']. Le terme propre signifiant parricide (*otseoubiitsa*, attesté dès le quinzième
siècle) n'est pas employé ici, mais le sens est le même. Le texte n'a donc pas été mal
traduit en français (voir 'Pièces originales', l.140-142).

[102] Le 7 novembre 1761, Voltaire écrivait à Chouvalov: 'Il est clair que le terme
de *parricide* dont on s'est servi dans le jugement de ce prince, a dû révolter tous les
lecteurs parce que dans aucun pays de L'Europe, on ne donne le nom de parricide
qu'à celuy qui a exécuté ou préparé effectivement le meurtre de son père' (D10141).

[103] Dans les *Anecdotes*, Voltaire ne comptait que cent vingt-quatre juges, ce qui
correspond au nombre des signataires; voir Weber, ii.385-93. Selon Soloviev, ils
étaient cent vingt-six (*Istoria Rossii*, xvii-xviii.189). Pour Müller, l'écrit anglais ne
mérite pas d'être pris en considération, car on sait comment jugent les Anglais
(*BM*, p.220; note non reproduite par Šmurlo).

quarante-quatre juges, un seul qui eût prononcé la plus légère
peine.

570   Rien ne fait mieux connaître la différence des temps et des lieux.
Manlius aurait pu être condamné lui-même à mort, par les lois
d'Angleterre, pour avoir fait périr son fils, et il fut respecté par les
Romains sévères. [104] Les lois ne punissent point en Angleterre
l'évasion d'un prince de Galles, qui comme pair du royaume est
575   maître d'aller où il veut. Les lois de la Russie ne permettent pas
au fils du souverain de sortir du royaume malgré son père. Une
pensée criminelle sans aucun effet, ne peut être punie ni en
Angleterre, ni en France, elle peut l'être en Russie. Une désobéissance longue, formelle et réitérée, n'est parmi nous qu'une mau-
580   vaise conduite qu'il faut réprimer; mais c'était un crime capital
dans l'héritier d'un vaste empire, dont cette désobéissance même
eût produit la ruine. Enfin le czarovitz était coupable envers toute
la nation, de vouloir la replonger dans les ténèbres dont son père
l'avait tirée. [105]

585   Tel était le pouvoir reconnu du czar, qu'il pouvait faire mourir
son fils coupable de désobéissance, sans consulter personne;

---

586   MSI: coupable, sans

---

[104] Voltaire écrivait à Chouvalov le 1ᵉʳ novembre 1761: 'Je tâcherai à l'aide de
vos instructions de m'en tirer d'une manière qui ne puisse blesser en rien la mémoire
de L'Empereur Pierre 1ᵉʳ. Si nous avons contre nous les Anglais, nous aurons pour
nous les anciens Romains, les Manlius et les Brutus' (D10121). Peut-être s'est-il
souvenu de Rousset de Missy, qui écrit dans sa Préface: 'les mêmes gens qui
admirent dans les Brutus & dans les Manlius une action semblable, l'ont désapprouvée
dans la personne de Pierre le Grand' (p.xx). Manlius Torquatus, dictateur de 353 à
349 av. J.-C., avait fait décapiter son fils parce qu'il avait combattu hors des rangs.
[105] Dans les *Anecdotes*, Voltaire déclarait qu'Alexis pouvait 'replonger dans la
barbarie' l'empire de Pierre (l.373). 'Il est évident que si le Czarovits eût régné, il
eût détruit l'ouvrage immense de son père, et que le bien d'une *nation entière* est
préférable à un seul homme', écrivait-il à Chouvalov le 1ᵉʳ novembre 1761 (D10121;
souligné par nous). Voltaire, on l'a vu, insiste sur ce thème face à une 'destruction
inévitable': le tsar décide pour dix-huit millions d'habitants contre un seul.

849

cependant il s'en remit au jugement de tous ceux qui représentaient la nation;[106] ainsi ce fut la nation elle-même qui condamna ce prince, et Pierre eut tant de confiance dans l'équité de sa conduite, qu'en faisant imprimer et traduire le procès,[107] il se soumit lui-même au jugement de tous les peuples de la terre. 590

La loi de l'histoire ne nous a permis de rien déguiser, ni de rien affaiblir dans le récit de cette tragique aventure. On ne savait dans l'Europe qui on devait plaindre davantage, ou un jeune prince accusé par son père, et condamné à la mort par ceux qui devaient 595 être un jour ses sujets, ou un père qui se croyait obligé de sacrifier son propre fils au salut de son empire.[108]

On publia dans plusieurs livres que le czar avait fait venir d'Espagne le procès de don Carlos, condamné à mort par Philippe II.[109] Mais il est faux qu'on eût jamais fait le procès à don 600 Carlos.[110] La conduite de Pierre Ier fut entièrement différente de celle de Philippe. L'Espagnol ne fit jamais connaître ni pour quelle

592   MS1: La vérité de l'histoire
596   MS1: être ses sujets
       MS1: se voyait obligé
601   MS1: Pierre le Grand fut

[106] 'Etes-vous content de cette tournure?', demandait Voltaire. Réponse de Pétersbourg: 'Autant que tout lecteur équitable a sujet de l'être de la conduite du Tsar même' (app. IX, l.68-70). N. Le Clerc rejette catégoriquement cette interprétation (voir ci-dessus, p.328 et 331).

[107] Sur les traductions du procès, voir ci-dessus, p.280.

[108] Après la phrase citée à la note 105, Voltaire concluait: 'C'est là ce me semble, ce qui rend Pierre le grand respectable dans ce malheur, et on peut sans altérer la vérité forcer le lecteur à révérer le monarque qui juge, et à plaindre le père qui condamne son fils' (D10121). Dans les *Anecdotes*, Voltaire parlait déjà du 'salut de ses Etats' (l.415).

[109] Voir ci-dessus, *Anecdotes*, l.390-391. Dans l'*Essai sur les mœurs*, ch.166, Voltaire écrivait aussi: 'On a imprimé dans la vie du czar Pierre Ier que, lorsqu'il voulut condamner son fils à la mort, il fit venir d'Espagne les actes du procès de don Carlos' (ii.463).

[110] Le procès eut bien lieu: voir ci-dessus, *Anecdotes*, n.102.

raison il avait fait arrêter son fils, ni comment ce prince était mort. Il écrivit à ce sujet des lettres au pape et à l'impératrice,[111]
605 absolument contradictoires. Le prince d'Orange, Guillaume, accusa publiquement Philippe d'avoir sacrifié son fils et sa femme à sa jalousie, et d'avoir moins été un juge sévère qu'un mari jaloux et cruel, et un père dénaturé et parricide. Philippe se laissa accuser, et garda le silence. Pierre au contraire ne fit rien qu'au grand jour,
610 publia hautement qu'il préférait sa nation à son propre fils, s'en remit au jugement du clergé et des grands, et rendit le monde entier juge des uns et des autres et de lui-même.[112]

Ce qu'il y eut encore d'extraordinaire dans cette fatalité, c'est que la czarine Catherine, haïe du czarovitz, et menacée ouvertement
615 du sort le plus triste si jamais ce prince régnait, ne contribua pourtant en rien à son malheur,[113] et ne fut ni accusée ni même soupçonnée par aucun ministre étranger résidant à cette cour, d'avoir fait la plus légère démarche contre un beau-fils dont elle avait tout à craindre. Il est vrai qu'on ne dit point qu'elle ait
620 demandé grâce pour lui: mais tous les mémoires de ce temps-là, et surtout ceux du comte de Bassevitz,[114] assurent unanimement qu'elle plaignit son infortune.

604-605   K: sujet au pape et à l'impératrice des lettres absolument
608   K: cruel, un père
609   MSI: silence. ¶Pierre
611   MSI: remit à l'équité du
620-621   K: temps-là, surtout

[111] La sœur de Philippe II, Marie, épouse de Maximilien II.
[112] 'Cela suffit-il?', demandait Voltaire. Réponse de Pétersbourg: 'Cela fait voir du moins que Pierre n'était animé par aucune raison secrète comme Philippe, que par conséquent il ne doit pas être mis au rang des pères dénaturés, mais marcher de pair avec Manlius et Brutus, et que le véritable héroïsme est de tous les pays et de tous les siècles' (app. IX, l.74-79). Voltaire rejoint ici le point de vue de Fontenelle (voir ci-dessus, p.299).
[113] Voir ci-dessus, *Anecdotes*, n.79. Fréron conteste le point de vue de Voltaire (voir ci-dessous, n.115), de même que N. Le Clerc (voir ci-dessus, p.331).
[114] Voir la note suivante.

J'ai en main les mémoires d'un ministre public, où je trouve ces propres mots: 'J'étais présent quand le czar dit au duc de Holstein, que Catherine l'avait prié d'empêcher qu'on ne prononçât au czarovitz sa condamnation. *Contentez-vous*, me dit-elle, *de lui faire prendre le froc, parce que cet opprobre d'un arrêt de mort signifié, rejaillira sur votre petit-fils.* [115] 625

Le czar ne se rendit point aux prières de sa femme; il crut qu'il était important que la sentence fût prononcée publiquement au prince, afin qu'après cet acte solennel il ne pût jamais revenir contre un arrêt auquel il avait acquiescé lui-même, et qui le rendant mort civilement le mettrait pour jamais hors d'état de réclamer la couronne. 630

Cependant après la mort de Pierre, si un parti puissant se fût élevé en faveur d'Alexis, cette mort civile l'aurait-elle empêché de régner? [116] 635

624 MS1: quand l'empereur dit
634-635 MS1, sans alinéa

[115] Voltaire cite librement Bassewitz (MS 3-2, f.41r; *Eclaircissements*, p.318). Pour Fréron, ce discours prouve seulement, s'il est authentique, que Catherine était plus modérée dans sa haine que le tsar: 'N'étoit-ce pas faire un assez grand tort à l'héritier présomptif de la Couronne que de le forcer à prendre un état qui devoit l'en exclure à jamais?' (*L'Année littéraire*, 1763, ii.262-63). Pour son texte: depuis 'Ce qu'il y eut encore d'extraordinaire', Voltaire demandait: 'Ceci est-il bien? Ceci n'est-il pas essentiel?' Pétersbourg répondit qu'il serait souhaitable d'ajouter que 'la raison d'Etat alléguée par la Tsarine n'était qu'un détour que la compassion lui suggéra' (app. IX, l.90-101). Voltaire négligea la remarque.

[116] Voltaire tente d'expliquer la sévérité de Pierre par la crainte de voir son œuvre détruite. Perry de même était certain que si le tsar venait à mourir la Russie reviendrait 'sur l'ancien pied' (p.251), et Fontenelle estimait aussi que les réformes de Pierre auraient péri si Catherine ne lui avait pas succédé (iii.229). Et il est vrai que, sous le court règne de son petit-fils Pierre II, fils d'Alexis (1727-janvier 1730), Menchikov a été exilé, Prokopovitch a perdu de l'influence et les adversaires des réformes en ont gagné. Mais pouvait-on revenir à la Moscovie d'avant Pierre le Grand? C'est peu probable. Si Alexis avait régné, la Russie serait retombée dans la routine, mais, dans l'ensemble, peu de choses auraient changé: 'la Russie ne serait pas retournée aux caftans, aux barbes et au térem. L'histoire peut aller lentement, mais elle ne va pas à reculons' (Massie, p.684).

L'arrêt fut prononcé au prince. [117] Les mêmes mémoires m'apprennent qu'il tomba en convulsion à ces mots, *Les lois divines et* 640 *ecclésiastiques, civiles et militaires, condamnent à mort sans miséricorde ceux dont les attentats contre leur père et leur souverain sont manifestes.* [118] Ses convulsions se tournèrent, dit-on, en apoplexie; [119] on eut peine à le faire revenir. Il reprit un peu ses sens, et dans cet intervalle de vie et de mort, il fit prier son père de venir le voir. 645 Le czar vint; les larmes coulèrent des yeux du père et du fils infortuné; [120] le condamné demanda pardon, le père pardonna

642   MS1:   tournèrent en
645   MS1:   et de ce fils
646   MS1:   le coupable demanda

[117] Le 24 juin, après une séance de torture (Soloviev, *Istoria Rossii*, xvii-xviii.186). Le 25 juin/6 juillet selon Müller (*BM*, p.222).

[118] Ce texte ne figure pas dans Bassewitz, ni dans le MS 3-3, ni dans le texte imprimé des *Eclaircissements*. Question de Voltaire: 'Pourquoi ne m'a-t-on pas fourni de Pétersbourg quelque mémoire authentique qui fortifiât ce que j'ai déterré ici avec tant de peine?' Réponse: 'ce fait n'est point entré dans les détails du procès', mais Voltaire ne doit 'pas être moins certain de cette particularité', car 'elle est encore récente dans la mémoire de quelques personnes qui ont été témoins oculaires et sur la foi desquelles on peut se reposer' (app. IX, l.107-114).

[119] Voir ci-dessus, *Anecdotes*, n.105. Strahlenberg pense aussi que le tsarévitch 'fut si épouvanté de la lecture de l'Arrêt, qu'il en mourut de chagrin' (i.199*n*). Voltaire écrivait à Chouvalov le 7 novembre 1761: 'Soyez très convaincu Monsieur, qu'il n'y a pas un seul homme en Europe, qui pense que le csarovits soit mort naturellement. On lève les épaules quand on entend dire qu'un prince de vingt trois ans est mort d'apoplexie à la lecture d'un arrest qu'il devoit espérer qu'on n'exécuterait pas' (D10141). Selon Bassewitz, un historien anonyme (sans doute Mauvillon) assure que jamais personne ne mourut de frayeur en s'entendant condamner à mort. 'Soit. Néanmoins tant de personnes sont mortes de convulsions apoplectiques prises subitement. Il n'était pas plus incroyable qu'Alexis, quoique Russe, en fût attaqué au jour de sa condamnation, qu'à un autre, il pouvait même l'être d'autant plutôt à celui-là que l'émotion d'un tel revers devait agir avec violence, sur un corps aussi affaibli de débauche et de chagrins que l'était le sien' (MS 3-2, f.41*v*; *Eclaircissements*, p.319).

[120] Voir *Anecdotes*, l.403-404. Le tsar et sa suite 'fondaient presque en larmes'; ceux qui assistèrent aux funérailles du tsarévitch rapportèrent que pendant la marche

publiquement. L'extrême-onction fut administrée solennellement au malade agonisant. Il mourut en présence de toute la cour, le lendemain de cet arrêt funeste. [121] Son corps fut porté d'abord à la cathédrale, et déposé dans un cercueil ouvert. Il y resta quatre jours exposé à tous les regards, et enfin il fut inhumé dans l'église de la citadelle, à côté de son épouse. [122] Le czar et la czarine assistèrent à la cérémonie.

650

On est indispensablement obligé ici d'imiter, si on ose le dire, la conduite du czar, c'est-à-dire, de soumettre au jugement du public tous les faits qu'on vient de raconter avec la fidélité la plus scrupuleuse, et non seulement ces faits, mais les bruits qui coururent, et ce qui fut imprimé sur ce triste sujet par les auteurs les plus accrédités. Lamberti le plus impartial de tous, et le plus exact, qui s'est borné à rapporter les pièces originales et

655

660

651   MS1:   enfin fut
653   MS1:   cérémonie funèbre.//
659   MS1:   accrédités. ¶Lamberti

---

du convoi et pendant tout le service à l'église le tsar 'étoit baigné de larmes' (Weber, i.352, 354).

[121] Alexis est mort le 26 juin 1718 v. st., comme le note Müller (*BM*, p.223), non le lendemain, mais deux jours après sa condamnation. Et non 'en présence de toute la cour', mais en prison, comme l'observe Müller (*BM*, p.225). Selon Soloviev, il aurait été soumis à la torture à deux reprises: le 19 juin, il aurait reçu vingt-cinq coups de knout et, le 24, quinze autre coups. Le 19, il avoue qu'il a dit à son confesseur qu'il souhaitait la mort de son père (Soloviev, *Istoria Rossii*, xvii-xviii.184, 186; Waliszewski, *Pierre le Grand*, p.588-89). D'après le Journal de la garnison de Saint-Pétersbourg, il y aurait eu deux séances de torture le 19 juin, une troisième séance le 20, deux séances le 24, et encore une séance le 26, en présence du tsar: ainsi, même après sa condamnation, Alexis aurait été encore torturé (Oustrialov, p.595 et 613, et Waliszewski, p.593-94).

[122] L'enterrement eut lieu le 30 juin/11 juillet 1718, comme l'indique Müller (*BM*, p.223).

854

authentiques [123] concernant les affaires de l'Europe, semble s'éloigner ici de cette impartialité et de ce discernement qui fait son
caractère; [124] il s'exprime en ces termes: 'La czarine craignant
toujours pour son fils, n'eut point de relâche qu'elle n'eût porté le
665 czar à faire au fils aîné le procès, et à le faire condamner à mort;
ce qui est étrange, c'est que le czar après lui avoir donné lui-même
le knout, qui est une question, lui coupa aussi lui-même la tête. Le
corps du czarovitz fut exposé en public, et la tête tellement adaptée
au corps, que l'on ne pouvait pas discerner qu'elle en avait été

663   MS1:   caractère, s'exprime en ces termes. ¶'La czarine

[123] Guillaume de Lamberty (1660?-1742), auteur des *Mémoires pour servir à
l'histoire du XVIIIe siècle* (Amsterdam 1734-1736; BV1889, sans notes marginales,
mais avec des signets; CN, v.164). Dans le MS 3-52, on lit ceci: 'Les prétendues
Anecdotes sur la mort du Tsarevits dont Lamberti dit qu'elles lui ont été communiquées par une personne fort distinguée de la Nation Russienne ne sont que des
calomnies atroces forgées par les ennemis de la Russie pour noircir la memoire de
Pierre le Grand et de l'Imperatrice Catherine' (f.233v; souligné par nous). Cf.
Mémoire abrégé sur la vie du zarewitsch Alexis Petrowitsch, p.365-66. Voir aussi ci-
dessous, n.130 (une 'action aussi atroce'). Voltaire écrivait à Chouvalov le 7
novembre 1761: 'Je crois réfuter Lamberti assez heureusement à l'aide des manuscrits
qui nous sont favorables, et j'abandonne ceux qui nous sont contraires. Lamberti
mérite une très grande attention par la réputation qu'il a d'être exact, de ne rien
hazarder, et de rapporter des pièces originales' (D10141).
[124] Mauvillon estime aussi que la relation de Lamberty 'porte des caractères
visibles de fausseté' (ii.307-308). Dans les 'Remarques' sur le tsarévitch, envoyées
en Russie en mai 1762, Voltaire avait justifié ainsi sa démarche: 'Si je ne prends pas
ce parti, tous les soupçons subsistent, mon histoire est décréditée, et je me couvre
d'opprobre sans rien faire pour la mémoire du Czar'. On l'avait approuvé à
Pétersbourg en ces termes: 'Je suis d'autant plus content que Vous ayés pris ce parti
que ce que Lamberti débite à ce sujet est si connu qu'en le passant sous silence Vous
n'auriés fait que fortifier les mal informés dans des soupçons également faux et
injurieux' (app. IX, l.121-127). Or, en 1769, Müller estime au contraire que l'histoire
n'a pas à faire état de bruits, surtout aussi mal fondés (*BM*, p.223).

séparée. [125] Il arriva quelque temps après, que le fils de la czarine 670
vint à décéder, à son grand regret, et à celui du czar. Ce dernier
qui avait décollé de sa propre main son fils aîné, réfléchissant qu'il
n'avait point de successeur, devint de mauvaise humeur. Il fut
informé dans ce temps-là, que la czarine avait des intrigues secrètes
et illégitimes avec le prince Menzikoff. Cela joint aux réflexions 675
que la czarine était la cause qu'il avait sacrifié lui-même son fils
aîné, il médita de faire raser la czarine, et de l'enfermer dans un
couvent, ainsi qu'il avait fait sa première femme, qui y était encore.
Le czar avait accoutumé de mettre ses pensées journalières sur des
tablettes; il y avait mis son dit dessein sur la czarine. Elle avait 680
gagné des pages qui entraient dans la chambre du czar. Un de
ceux-ci qui était accoutumé à prendre les tablettes sous la toilette,
pour les faire voir à la czarine, prit celles où il y avait le dessein
du czar. Dès que cette princesse l'eut parcouru, elle en fit part à
Menzikoff; et un jour ou deux après le czar fut pris d'une maladie 685
inconnue et violente, qui le fit mourir. Cette maladie fut attribuée
au poison, puisqu'on vit manifestement qu'elle était si violente et
subite, qu'elle ne pouvait venir que d'une telle source qu'on dit
être assez usitée en Moscovie.' [126]

Ces accusations consignées dans les mémoires de Lamberti, se 690
répandirent dans toute l'Europe. Il reste encore un grand nombre

678   K: fait de sa
690   MSI: Ces horreurs consignées
691-692   MSI: un nombre prodigieux d'imprimés

[125] Lamberty, 'Affaires de Moscovie', xi.162. Lamberty a bien entendu dire que
le tsarévitch avait été décapité, remarque Müller en 1769. Seulement, cela n'a pas
été exécuté par le tsar, mais sur son ordre, par un général dont Müller a oublié le
nom (Šmurlo précise qu'il s'agit d'Adam Weyde). Une ancienne cameriste nommée
Cramern, originaire de Narva et devenue maîtresse du tsar, a recousu la tête au
corps (*BM*, p.224). C'est ce qui fut rapporté par le diplomate autrichien Pleyer
(Massie, p.680).
[126] Lamberty, xi.162, avec quelques légères modifications. Voir ci-dessus, n.124.

d'imprimés et de manuscrits qui pourraient faire passer ces opinions à la dernière postérité.[127]

695 Je crois qu'il est de mon devoir de dire ici ce qui est parvenu à ma connaissance. Je certifie d'abord que celui qui dit à Lamberti l'étrange anecdote qu'il rapporte, était à la vérité né en Russie, mais non d'une famille du pays, qu'il ne résidait point dans cet empire, au temps de la catastrophe du czarovitz; il en était absent depuis plusieurs années. Je l'ai connu autrefois;[128] il avait vu 700 Lamberti dans la petite ville de Nyon, où cet écrivain était retiré, et où j'ai été souvent. Ce même homme m'a avoué qu'il n'avait parlé à Lamberti que *des bruits qui couraient alors*.

Qu'on voie par cet exemple combien il était plus aisé autrefois à un seul homme d'en flétrir un autre dans la mémoire des nations, 705 lorsque avant l'imprimerie,[129] les histoires manuscrites, conservées dans peu de mains, n'étaient ni exposées au grand jour, ni contredites par les contemporains, ni à la portée de la critique universelle, comme elles sont aujourd'hui. Il suffisait d'une ligne dans Tacite ou dans Suétone, et même dans les auteurs des

695   MS1: Je certifierai d'abord
702-703   MS1, sans alinéa
703   MS1: il est aisé à un historien de se tromper et en même temps combien il était
708   MS1: elles le sont
709-710   MS1: Suétone, pour rendre

[127] La question de l'empoisonnement de Pierre sera évoquée notamment par Fréron (*Année littéraire*, 1763, ii.266-67) et par Mathieu Marais (*Journal et mémoires*, Paris 1863-1868, iii.157).

[128] C'est à la fin des 'Affaires de Moscovie', après avoir reproduit les pièces originales contenues dans Weber, que Lamberty rapporte le témoignage sur la mort d'Alexis dont Voltaire cite la plus grande partie. Au début de cette conclusion, Lamberty précise que des 'ressorts secrets' lui ont été communiqués 'par une personne de la nation russienne fort distinguée, employée dans des cours considérables pour le czar, & qui a été souvent nommée dans les nouvelles publiques' (xi.162).

[129] En 1742, dans les *Remarques sur l'histoire*, Voltaire estimait déjà que l'invention de l'imprimerie avait commencé à rendre l'histoire 'moins incertaine' (*OH*, p.44).

légendes, pour rendre un prince odieux au monde, et pour 710
perpétuer son opprobre de siècle en siècle.

Comment se serait-il pu faire que le czar eût tranché de sa main
la tête de son fils, à qui on donna l'extrême-onction, en présence
de toute la cour? était-il sans tête quand on répandit l'huile sur sa
tête même? [130] en quel temps put-on recoudre cette tête à son 715
corps? Le prince ne fut pas laissé seul un moment, depuis la lecture
de son arrêt jusqu'à sa mort.

Cette anecdote, que son père se servit du fer, détruit celle qu'il
se servit du poison. [131] Il est vrai qu'il est très rare qu'un jeune
homme expire d'une révolution subite causée par la lecture d'un 720
arrêt de mort, [132] et surtout d'un arrêt auquel il s'attendait; mais
enfin les médecins avouent que la chose est possible.

714   MSI: l'huile bénite sur
721-722   MSI: mort; mais on en a quelques exemples.//

[130] 'Trouvez-vous ces raisons solides?', demandait Voltaire à Pétersbourg. On
lui répondit: 'Si la nature avait permis au tsar une action aussi atroce, il ne lui aurait
pas été difficile de la commettre à l'aide de quelques gens affidés' (app. IX, l.133-
136). Il est très vraisemblable, écrit Müller en 1769, que le tsarévitch a reçu l'extrême-
onction. Mais non en présence de toute la cour, car le prince était dans la forteresse
et l'empereur avait l'habitude de ne faire ses visites qu'avec une petite suite. La
question de savoir s'il était sans tête quand on répandit l'huile est tout à fait
superflue, sarcastique et ridicule (*BM*, p.225).
[131] Le MS 3-4 affirme qu'Alexis 'a terminé sa vie par le poison' (f.106r). En
envoyant son manuscrit, Voltaire demandait: 'Puis-je mieux faire que de saisir la
contradiction apparente du fer et du poison?' Les Russes lui répondirent: 'Il est vrai
que cette contradiction ne sert qu'à mettre l'esprit du lecteur en suspens, mais
l'authorité d'un historien de Votre poids le détermine, il abandonne sur-le-champ
l'une et l'autre opinion, et guidé par Vous et la vérité il retrouve dans Pierre le
héros et le père' (app. IX, l.141-145).
[132] Dans le manuscrit, on lisait ensuite: 'mais on en a quelques exemples'. A
l'intention des Russes, Voltaire ajoutait en note: 'J'en cherche'. Ceux-ci lui
répondirent: 'Vous ne sauriés manquer d'en trouver. Je me souviens d'en avoir lu
[...] et rien n'est plus commun que les accès d'apoplexie causés par une frayeur
subite' (app. IX, l.149-154). C'est aussi l'opinion de Bassewitz (voir ci-dessus, n.119).
Dans le MS 3-52 on lit: 'Le Tsarevits, naturellement faible et timide, ne put s'entendre
condamner à mort, sans se livrer à toutes les idées funestes dont l'horreur d'un

Si le czar avait empoisonné son fils, comme tant d'écrivains l'ont débité, il perdait par là le fruit de tout ce qu'il avait fait
725 pendant le cours de ce procès fatal, pour convaincre l'Europe du droit qu'il avait de punir: tous les motifs de la condamnation devenaient suspects, et le czar se condamnait lui-même: s'il eût voulu la mort d'Alexis, il eût fait exécuter l'arrêt, n'en était-il pas le maître absolu? Un homme prudent, un monarque, sur qui la
730 terre a les yeux, se résout-il à faire empoisonner lâchement celui qu'il peut faire périr par le glaive de la justice? Veut-on se noircir dans la postérité par le titre d'empoisonneur et de parricide, [133] quand on peut si aisément ne se donner que celui d'un juge sévère? [134]

---

726 K: de le punir
727 MS1: suspects; le czar

---

pareil sort devait nécessairement l'accabler. Il en eût d'abord une espèce d'apoplexie, dont [on] eut de la peine à le faire revenir, même en lui faisant entendre qu'il pouvait encore tout espérer de la clémence de son Père' (f.233v-234r). Alexis témoigna ensuite en présence du tsar, des ministres et des sénateurs du repentir le plus vif de ses crimes et reçut le pardon de son père. 'Cependant l'impression que l'idée d'une mort tragique avait faite sur lui prévalut sur tous les remèdes, et on ne put le mettre dans un état à faire espérer sa guérison' (f.234r; traduction un peu différente dans le *Mémoire abrégé sur la vie du zarewitsch Alexis*, p.366). Ce texte démarque de près Rousset de Missy, comme s'en plaint Voltaire, qui reproche aux Russes de lui avoir envoyé 'une copie presque mot pour mot' du prétendu Nestesuranoy (D10141); voir en effet Rousset de Missy, iv.149-50. Des crises d'épilepsie, et non d'apoplexie, peuvent être déclenchées par la frayeur. Mais Voltaire n'en trouva pas d'exemples. De toute façon, ce qui lui parut invraisemblable, ce ne fut pas que la peur pût provoquer un accès d'*apoplexie*', mais que la lecture d'une sentence de mort à laquelle Alexis *devait s'attendre* pût déclencher cette attaque. Aussi modifia-t-il la fin de sa phrase.

[133] Le 'parricide' est pris ici dans son sens large, ancien, de meurtrier d'un proche parent. On sait d'ailleurs que l'étymologie du latin *parricida* est incertaine, bien que les Romains aient rattaché le premier élément, obscur, de ce terme, à *pater* et *parens*. Cf. aussi l.608.

[134] 'Cette raison vous paraît-elle assez vraisemblable?', demandait Voltaire. Les Russes répondirent par l'affirmative: le lecteur serait frappé par la justesse et l'excellence du raisonnement 'qui, en disculpant le héros, fait voir en même temps

Il paraît qu'il résulte de tout ce que j'ai rapporté, que Pierre fut   735
plus roi que père, qu'il sacrifia son propre fils aux intérêts d'un
fondateur et d'un législateur, et à ceux de sa nation, qui retombait
dans l'état dont il l'avait tirée, sans cette sévérité malheureuse. Il
est évident qu'il n'immola point son fils à une marâtre, et à l'enfant
mâle qu'il avait d'elle, puisqu'il le menaça souvent de le déshériter,   740
avant que Catherine lui eût donné ce fils, dont l'enfance infirme
était menacée d'une mort prochaine, et qui mourut en effet bientôt
après. Si Pierre avait fait un si grand éclat, uniquement pour
complaire à sa femme, il eût été faible, insensé et lâche, et certes
il ne l'était pas. Il prévoyait ce qui arriverait à ses fondations et à   745
sa nation, si l'on suivait après lui ses vues. Toutes ses entreprises
ont été perfectionnées selon ses prédictions; sa nation est devenue
célèbre et respectée dans l'Europe, dont elle était auparavant
séparée; et si Alexis eût régné, tout aurait été détruit. [135] Enfin quand
on considère cette catastrophe, les cœurs sensibles frémissent, et   750
les sévères approuvent. [136]

Ce grand et terrible événement [137] est encore si frais dans la

---

736 MSI: père, et qu'il
738 MSI: sévérité nécessaire. Il
746 MSI: si on
751 MSI: les sages approuvent.

---

l'élévation des sentiments de l'historien' (app. IX, l.158-163). Bassewitz écrivait
également que s'il s'agissait de se défaire 'sourdement' d'Alexis, à quoi aurait servi
'un procès si régulier'? 'Il est certain que le czar voulut lui faire grâce de la vie, et
seulement le flétrir par la sentence de mort, afin de le rendre inhabile à la succession,
déjà destinée au prince Pierre son second fils' (MS 3-2, f.40v; *Eclaircissements*, p.318).

[135] C'est ce que Voltaire écrivait à Chouvalov le 1er novembre 1761 et qu'il
ressasse dans ce chapitre, mais c'est loin d'être sûr (voir ci-dessus, n.116).

[136] Voltaire ne confond-il pas l'injustice avec la sévérité, demande N. Le Clerc.
Il pense qu'il faudrait changer ainsi sa phrase: 'Quand on considère cette catastrophe,
les cœurs sensibles frémissent, les justes s'indignent, & les barbares seuls approuvent'
(iii.497).

[137] Cf. ce 'terrible événement' (à Chouvalov, D9866), ce sujet 'terrible' (D10141).

mémoire des hommes, on en parle si souvent avec étonnement, qu'il est absolument nécessaire d'examiner ce qu'en ont dit les
755 auteurs contemporains. Un de ces écrivains faméliques, qui prennent hardiment le titre d'historien, parle ainsi dans son livre, dédié au comte de Bruhl, premier ministre du roi de Pologne, [138] dont le nom peut donner du poids à ce qu'il avance: *Toute la Russie est persuadée que le czarovitz ne mourut que du poison préparé*
760 *par la main d'une marâtre*. [139] Cette accusation est détruite par l'aveu que fit le czar au duc de Holstein, que la czarine Catherine lui avait conseillé d'enfermer dans un cloître son fils condamné. [140]

A l'égard du poison donné depuis par cette impératrice même à Pierre son époux, ce conte se détruit lui-même par le seul récit
765 de l'aventure du page et des tablettes. [141] Un homme s'avise-t-il d'écrire sur ses tablettes, *Il faut que je me ressouvienne de faire enfermer ma femme?* Sont-ce là de ces détails qu'on puisse oublier, et dont on soit obligé de tenir registre? Si Catherine avait empoisonné son beau-fils et son mari, elle eût fait d'autres crimes:
770 non seulement on ne lui a jamais reproché aucune cruauté, mais elle ne fut connue que par sa douceur et par son indulgence.

Il est nécessaire à présent de faire voir ce qui fut la première

---

[138] Eléazar de Mauvillon, comme l'a bien vu Müller (*BM*, p.227). Son *Histoire de Pierre Ier, surnommé le Grand* (Amsterdam, Leipzig 1742) est effectivement dédiée au comte de Bruhl. Voltaire ne possédait pas cet ouvrage.

[139] Mauvillon dit tout le contraire: 'On a fait courir plusieurs bruits différens sur la mort du Czarewitz, & communément l'on croit encore qu'on lui avoit donné du poison; mais toutes les circonstances de sa mort convaincront ceux qui voudront y réfléchir que rien n'est plus faux. Mais après tout, supposons que cela fût, n'auroit-ce pas été un acte de clémence de la part du czar d'épargner à ce criminel condamné l'horreur d'une mort violente?' (iii.430-31). Voltaire a-t-il confondu avec un autre auteur?

[140] Voir ci-dessus, n.115. Voltaire a raison à condition de considérer 1) le témoignage de l'ambassadeur comme authentique; 2) l'assertion de Pierre comme vraie.

[141] Pour les bruits défavorables concernant Catherine, le mieux serait de les mépriser comme de grossières calomnies et de ne pas les évoquer, estime Müller en 1769 (*BM*, p.227).

cause de la conduite d'Alexis, de son évasion, de sa mort et de celle des complices [142] qui périrent par la main du bourreau. Ce fut l'abus de la religion, [143] ce furent des prêtres et des moines; et cette source de tant de malheurs est assez indiquée dans quelques aveux d'Alexis, que nous avons rapportés, et surtout dans cette expression de l'empereur Pierre dans une lettre à son fils: *Ces longues barbes pourront vous tourner à leur fantaisie.* 775

Voici presque mot à mot comment les mémoires d'un ambassadeur à Pétersbourg [144] expliquent ces paroles. Plusieurs ecclésiastiques, dit-il, attachés à leur ancienne barbarie, et plus encore à leur autorité qu'ils perdaient à mesure que la nation s'éclairait, languissaient après le règne d'Alexis, qui leur promettait de les replonger dans cette barbarie si chère. De ce nombre était Dozithée, évêque de Rostou. Il supposa une révélation de St Démétrius. [145] 780 785

774   MS1:   celle de mille complices
778   MS1:   Pierre, *ces*
        K: du czar Pierre

[142] Dans son manuscrit, Voltaire avait écrit 'et de celle de mille complices'. Il demandait à Pétersbourg 'quelques anecdotes sur ce fait très certain'. On lui répondit qu'il n'y en avait aucune, et que tout était exposé dans le procès imprimé. Seules, dix ou douze personnes perdirent la vie dans cette affaire; d'autre subirent des peines corporelles, le reste fut exilé (app. ix, l.187-191). Voltaire supprima le mot 'mille'.

[143] 'Nous croyons plus conforme à la vérité', écrit N. Le Clerc, 'de dire que l'abus de la religion, les prêtres & les moines servirent à indisposer le fils contre son père, & rendirent le père homicide de son fils' (iii.497).

[144] Bassewitz (voir note suivante).

[145] Dosithée, évêque de Rostov, l'un des ecclésiastiques les plus célèbres et les plus puissants de Russie, assurait la fonction de trésorier du couvent de Souzdal, où vivait depuis dix-neuf ans l'ex-tsarine Eudoxie, dont il était le confesseur. Sa 'prophétie' est rapportée par Bassewitz (MS 3-2, f.39). Dans la version imprimée, on lit: 'Ce paragraphe et celui qui suit sont l'extrait raccourci d'un manuscrit très rare (peut-être le même dont parle Weber, si ma mémoire ne me trompe, et qu'il a vainement tâché d'avoir), qui contient les protocoles des informations faites à Susdal, avec les copies des lettres de la Czarine et de l'Evêque. Le grand chambellan de Bergholz qui l'avoit apporté de Russie, voulut bien me le confier pendant quelques jours' (*Eclaircissements*, p.317). Le *Journal* de F.-W. Bergholz, ministre

Ce saint lui était apparu, et l'avait assuré de la part de Dieu, que Pierre n'avait pas trois mois à vivre: qu'Eudoxie renfermée dans le couvent de Susdal et religieuse sous le nom d'Hélène, ainsi que
790 la princesse Marie, sœur du czar, [146] devait monter sur le trône, et régner conjointement avec son fils Alexis. Eudoxie et Marie eurent la faiblesse de croire cette imposture; elles en furent si persuadées, qu'Hélène quitta dans son couvent l'habit de religieuse, [147] reprit le nom d'Eudoxie, se fit traiter de Majesté, et fit effacer des prières
795 publiques le nom de sa rivale Catherine; elle ne parut plus que revêtue des anciens habits de cérémonie, que portaient les czarines. La trésorière du couvent se déclara contre cette entreprise. Eudoxie répondit hautement: 'Pierre a puni les strélitz, qui avaient outragé sa mère, mon fils Alexis punira quiconque aura insulté la sienne.'
800 Elle fit renfermer la trésorière dans sa cellule. Un officier nommé Etienne Glebo [148] fut introduit dans le couvent. Eudoxie en fit l'instrument de ses desseins, et l'attacha à elle par ses faveurs. [149] Glebo répand dans la petite ville de Susdal et dans les environs la prédiction de Dozithée. Cependant les trois mois s'écoulèrent.

792-793 MSI: persuadées, que pendant le voyage du czar en Dannemarck, en Allemagne, en Hollande, et en France, Hélène quitta

801 MSI: Etienne Glubaw [*passim*]

802 MSI: à lui par

---

du Holstein à Pétersbourg de 1721 à 1725, ne rapporte pas cette 'prophétie', et ne mentionne pas Bassewitz.

[146] Marie n'a jamais été nonne, écrit Müller en 1769. A son retour de Carlsbad, elle rencontra en Courlande le tsarévitch qui s'enfuyait à Vienne (*BM*, p.228).

[147] Elle l'avait quitté bien avant, assure Müller en 1769. Elle n'avait porté l'habit religieux que six mois, comme l'atteste le manifeste publié à son sujet (*BM*, p.229); voir aussi Massie, p.668.

[148] Gleboff, rectifie Müller (Š, p.460). Glebov était capitaine de la garde d'Eudoxie.

[149] Glebov avait été huit ans auparavant à Souzdal et n'avait depuis lors entretenu qu'une correspondance avec la tsarine, écrit Müller en 1769, en renvoyant au manifeste (*BM*, p.229). Glebov était bien l'amant d'Eudoxie, selon Allainval, *Anecdotes du règne de Pierre Premier*, p.19; cf. Massie, p.668.

Eudoxie reproche à l'évêque que le czar est encore en vie. 'Les   805
péchés de mon père en sont cause, dit Dozithée;[150] il est en
purgatoire, et il m'en a averti.' Aussitôt Eudoxie fait dire *mille
messes des morts*; Dozithée l'assure qu'elles opèrent; il vient au
bout d'un mois lui dire, que son père a déjà la tête hors du
purgatoire; un mois après le défunt n'en a plus que jusqu'à la   810
ceinture; enfin il ne tient plus au purgatoire que par les pieds; et
quand les pieds seront dégagés, ce qui est le plus difficile, le czar
Pierre mourra infailliblement.

La princesse Marie, persuadée par Dozithée, se livra à lui,[151] à
condition que le père du prophète sortirait incessamment du   815
purgatoire, et que la prédiction s'accomplirait; et Glebo continua
son commerce avec l'ancienne czarine.

Ce fut principalement sur la foi de ces prédictions, que le
czarovitz s'évada,[152] et alla attendre la mort de son père, dans les
pays étrangers. Tout cela fut bientôt découvert. Dozithée et Glebo   820
furent arrêtés; les lettres de la princesse Marie à Dozithée, et
d'Hélène à Glebo, furent lues en plein sénat. La princesse Marie
fut enfermée à Shlusselbourg; l'ancienne czarine transférée dans

823   MSI: Slusselbourg   63: Schlüsselbourg   65: Shlüsselbourg

[150] D'après Bassewitz, il s'agit en fait des péchés du père d'Eudoxie, Fedor
Abramovitch Lopoukhine (*Eclaircissements*, p.317).

[151] Dosithée était-il l'amant de la princesse Marie? Selon Bassewitz, on trouva
dans le cabinet de la princesse une lettre 'très indécente' de Dosithée (*Eclaircissements*,
p.317-18). Celle que publia Weber, non datée, ne permet pas de supposer de rapports
intimes (ii.413-19).

[152] Dans ses remarques, Voltaire écrivait: 'Je crois l'aventure de Dozithée et du
purgatoire fort antérieure à la fuite d'Alexis'. Pétersbourg lui répondit qu'en effet
elle l'était de deux ans (app. IX, l.175-177). En 1769, Müller observe que Voltaire
aurait pu laisser tomber les facéties de Dosithée ou ne les évoquer qu'en termes
généraux, le dogme du purgatoire étant d'ailleurs étranger à l'Eglise russe (*BM*,
p.229).

un autre couvent, où elle fut prisonnière.[153] Dozithée et Glebo,
tous les complices de cette vaine et superstitieuse intrigue, furent
appliqués à la question, ainsi que les confidents de l'évasion
d'Alexis. Son confesseur, son gouverneur, son maréchal de cour
moururent tous dans les supplices.[154]

On voit donc à quel prix cher et funeste Pierre le Grand acheta
le bonheur qu'il procura à ses peuples;[155] combien d'obstacles
publics et secrets il eut à surmonter, au milieu d'une guerre longue

825

830

827-828   MS1:   d'Alexis, et ils moururent tous
829   MS2:   prix Pierre le Grand

---

[153] La tsarine a été transférée à Schlüsselbourg, affirme à tort Müller en 1769. Il
ne sait pas si la princesse Marie y a été enfermée, mais il est sûr qu'elle est morte à
Pétersbourg alors qu'elle était libre, le 20 mars 1723 (*BM*, p.230). C'est Voltaire
qui a raison: Marie a bien été emprisonnée trois ans à Schlüsselbourg; libérée en
1721, elle est morte à Pétersbourg en 1729. Quant à Eudoxie, reléguée dans un
couvent près du lac Ladoga, elle y fut surveillée pendant dix ans, jusqu'à l'accession
au trône de son petit-fils Pierre II; revenue à la cour, elle mourut en 1731, sous le
règne d'Anna Ivanovna (Massie, p.670).

[154] Dans le manuscrit, on lisait: 'ainsi que les confidents de l'évasion d'Alexis, et
ils moururent tous dans les supplices'. Müller atténua ce jugement en donnant des
détails sur les condamnations: seuls, Dosithée et quatre autres furent exécutés
publiquement le 15/26 mars 1718. Cependant, 'des lettres interceptées déclaraient
des choses dont les aveux des coupables n'avaient fait aucune mention'; si bien que
le tsar se vit 'dans la triste nécessité de donner de nouveau un tribunal de justice'.
Cinq coupables eurent la tête tranchée en présence d'une foule innombrable le 9/20
décembre 1718: Avraam Lopoukhine, frère d'Eudoxie; Iakov Poristinoï, confesseur
d'Alexis [en fait Ignatiev]; Ivan Afanassiev, son maréchal de cour et favori;
Doubrovski, cavalier de sa cour; Voronov, son gouverneur (Š, p.461-62). Il y eut
donc dix exécutions capitales. Or, Voltaire, passant d'un extrême à l'autre, les réduit
à trois (ou à cinq, s'il sous-entend que Dosithée et Glebov moururent aussi dans
les supplices). En mars, il y eut cinq condamnés à la 'mort cruelle'. Dosithée,
Aleksandr Vassilievitch Kikine et deux autres agonisèrent lentement sur la roue;
quant à Glebov, après trois jours de supplices, il fut empalé. Neuf mois plus tard,
les cinq autres, d'abord condamnés à la roue, virent leur peine commuée et furent
décapités.

[155] Dans les *Anecdotes*, Voltaire constatait déjà que la 'politesse' de la Moscovie
lui avait coûté cher (l.410).

et difficile, des ennemis au dehors, des rebelles au dedans, la moitié de sa famille animée contre lui, la plupart des prêtres obstinément déclarés contre ses entreprises, presque toute la nation irritée longtemps contre sa propre félicité, qui ne lui était pas encore 835 sensible; des préjugés à détruire dans les têtes, le mécontentement à calmer dans les cœurs. Il fallait qu'une génération nouvelle, formée par ses soins, embrassât enfin les idées de bonheur et de gloire, que n'avaient pu supporter leurs pères. [156]

834-835 MS1: nation longtemps irritée contre

[156] Pour le jugement des éditeurs de Kehl, voir ci-dessus, p.283, n.5.

CHAPITRE ONZIÈME

Travaux et établissements vers l'an 1718 et suivants.

Pendant cette horrible catastrophe il parut bien que Pierre n'était que le père de sa patrie, et qu'il considérait sa nation comme sa famille. Les supplices dont il avait été obligé de punir la partie de la nation qui voulait empêcher l'autre d'être heureuse, étaient des
5 sacrifices faits au public par une nécessité douloureuse.

Ce fut dans cette année 1718, époque de l'exhérédation et de la mort de son fils aîné, qu'il procura le plus d'avantages à ses sujets, par la police générale auparavant inconnue, par les manufactures et les fabriques en tout genre, ou établies ou perfectionnées, par
10 les branches nouvelles d'un commerce qui commençait à fleurir, et par ces canaux qui joignent les fleuves, les mers et les peuples que la nature a séparés. Ce ne sont pas là de ces événements frappants qui charment le commun des lecteurs, de ces intrigues de cour qui amusent la malignité, de ces grandes révolutions qui
15 intéressent la curiosité ordinaire des hommes; mais ce sont les ressorts véritables de la félicité publique, que les yeux philosophiques aiment à considérer.

Il y eut donc un lieutenant général de la police de tout l'empire,[1] établi à Pétersbourg à la tête d'un tribunal, qui veillait au maintien
20 de l'ordre d'un bout de la Russie à l'autre. Le luxe dans les habits, et les jeux de hasard, plus dangereux que le luxe, furent sévèrement défendus.[2] On établit des écoles d'arithmétique déjà ordonnées en

---

[1] Voir 'Mémoire abrégé concernant l'établissement d'une Chambre de Police en Russie' (MS 2-14, f.181*v*).

[2] Par une ordonnance du 17 décembre 1719, selon le MS 2-18, f.218*r* (duplicata du MS 2-14, avec des variantes).

1716 dans toutes les villes de l'empire.[3] Les maisons pour les orphelins et pour les enfants trouvés déjà commencées, furent achevées, dotées et remplies.[4]

Nous joindrons ici tous les établissements utiles, auparavant projetés, et finis quelques années après. Toutes les grandes villes furent délivrées de la foule odieuse de ces mendiants,[5] qui ne veulent avoir d'autre métier que celui d'importuner ceux qui en ont, et de traîner, aux dépens des autres hommes, une vie misérable et honteuse; abus trop souffert dans d'autres Etats.

Les riches furent obligés de bâtir à Pétersbourg des maisons régulières, suivant leur fortune.[6] Ce fut une excellente police, de

[3] MS 2-18, f.218r. L'Ecole de mathématiques et de navigation a été créée en 1701 à Moscou. C'est à partir de 1714 que sont établies les 'écoles de chiffre' ou de mathématiques. Il y en aura une quarantaine en 1720-1722, avec environ 2000 élèves. Mais 'elles suscitaient si peu d'enthousiasme que, dès 1716, les nobles obtenaient l'autorisation de se dispenser d'y envoyer leurs enfants' (Portal, p.171).

[4] En 1715, le tsar ordonna de bâtir *une* maison (et non plusieurs) aux frais de la Couronne pour les orphelins et les enfants trouvés (MS 2-18, f.218r). Le manuscrit ne précise pas quand elle fut achevée. Voltaire omet la suite: 'Car il étoit assés ordinaire de voir des femmes de la lie du peuple égorger leurs enfants nés hors du mariage, parce qu'elles en étoient quittes pour subir une peine corporelle, ou seulement une pénitence ecclésiastique [...] C'est pourquoi il [le czar] décerna à l'avenir la peine de mort contre celles qui tueroient leurs enfants'.

[5] MS 2-14, f.183r. Ordonnance sur les mendiants renouvelée en 1722 (MS 2-18, f.218v). Le MS 4-4 contient une diatribe contre les mendiants, 'cette pépinière de voleurs de grand chemin, d'incendiaires [...], de rebelles, et de traîtres' (f.299r). En 1718, un oukase stipulait qu'il ne fallait absolument point tolérer aucun pauvre, mais les arrêter, les punir des batogues, puis envoyer les hommes dans les manufactures et les femmes dans les filatures; quant aux paysans vagabonds, ils devaient être ramenés dans leur pays natal, 'ou la Seigneurie ou le prévost leur fournira de l'ouvrage' (MS 5-29, f.122v).

[6] Au début, 'on s'occupa moins de la symétrie et de la régularité des Batiments que du besoin que l'on en avoit'. Mais 'le nombre des habitants venant à s'accroître, l'irrégularité ne fut que plus visible'. Dès lors, il fut défendu de bâtir des maisons de bois: 'elles devoient toutes être de briques ou de pans de bois' et les nouveaux arrivants reçurent l'ordre de construire 'proportionnellement à leur fortune' (MS 2-14, f.181; MS 2-18, f.215). En 1719, le même ordre s'appliqua aux maisons de l'île Vassilievski (MS 2-14, f.182r; MS 2-18, f.216v).

35 faire venir sans frais tous les matériaux à Pétersbourg, par toutes les barques et chariots qui revenaient à vide des provinces voisines. [7]

Les poids et les mesures furent fixés et rendus uniformes, ainsi que les lois. [8] Cette uniformité tant désirée et si inutilement dans des Etats dès longtemps policés, fut établie en Russie sans difficulté et sans murmure; et nous pensons que parmi nous cet établissement 40 salutaire serait impraticable. Le prix des denrées nécessaires fut réglé; ces fanaux que Louis XIV établit le premier dans Paris, qui ne sont pas même encore connus à Rome, éclairèrent pendant la nuit la ville de Pétersbourg: [9] les pompes pour les incendies, les barrières dans les rues solidement pavées; tout ce qui regarde la 45 sûreté, la propreté et le bon ordre, [10] les facilités pour le commerce intérieur, les privilèges donnés à des étrangers, et les règlements

---

37   K: désirée, mais si

---

[7] Les maîtres des barques qui descendaient du Ladoga devaient apporter une certaine quantité de pierres, ainsi que les paysans de l'Ingrie venant avec des voitures, sous peine d'amendes (MS 2-14, f.181v; MS 2-18, f.215v-216r). 'Défense pour quelques années de ne point bâtir en pierre en d'autres villes de l'Empire que celle de St Peteresbourg [...] Que chaque voiture de la Mer Ladoga Emmenera à St Peteresbourg à proportion de sa grandeur 10, 20 jusqu'a 30 pierres de 10 tt. et les chariots en ammeneront 3 de 5 tt. et les deposeront chez le commissaire architecte, sous peine d'un gryphen par chaque pierre qui manquera à leurs quantités. le 13 decembre [1714]' (MS 5-29, f.113v-114r).

[8] Le MS 2-14 (f.183r) et le MS 2-18 (f.219v) rapportent seulement qu'on recommanda au chef de la police de veiller attentivement sur les poids et les mesures.

[9] En 1721, on plaça des lanternes dans les rues. En 1723, on créa une taxe pour l'entretien des lanternes (MS 2-14, f.182r).

[10] 'Les premières rues à Petersbourg furent pavées par des prisonniers suédois [...] Il fut ordonné encore de placer des barrières, d'avoir soin de la propreté des rues, de l'entretien des berges, de ne point négliger la sureté publique [...] On publia des règlemens à l'occasion des incendies' (MS 2-14, f.181v-182r; MS 2-18, f.216r). Les premières pompes pour les incendies furent créées en 1723 (MS 2-14, f.182v). Weber rapporte aussi que les nouveaux réglements de police ont amélioré la sûreté des rues, et qu'une garde de nuit a été établie sur le modèle de celle de Hambourg (i.420).

qui empêchaient l'abus de ces privilèges;[11] tout fit prendre à Pétersbourg et à Moscou une face nouvelle.[12]

On perfectionna plus que jamais les fabriques des armes, surtout celle que le czar avait formée à dix milles environ de Pétersbourg; il en était le premier intendant; mille ouvriers y travaillaient souvent sous ses yeux.[13] Il allait donner ses ordres lui-même à tous les entrepreneurs des moulins à grains, à poudre, à scie; aux directeurs des fabriques de corderies et de voiles, des briqueteries, des ardoises, des manufactures de toiles;[14] beaucoup d'ouvriers de toute espèce lui arrivèrent de France:[15] c'était le fruit de son voyage.

[11] Vision idyllique. Selon Perry, 'lorsque le Czar veut avoir quelque marchandise des pays étrangers, on publie souvent, lorsqu'elle est arrivée à Archangel, des defenses à tous marchands moscovites d'en acheter, jusqu'à ce que le Czar en soit pourvu de la quantité qu'il lui faut, d'où il est arrivé que les Etrangers ont été souvent contraints de vendre leur marchandise au prix que leur en ont voulu offrir ceux qui l'achetoient pour le Czar'. Perry conclut que 'les étrangers se trouvent frustrez & reçoivent du préjudice' (p.243-44). Cependant, les marchands russes souffraient de la concurrence des marchands étrangers expérimentés et unis, protégés par le pouvoir moscovite corrompu, et des classes qui, en Russie même, faisaient du commerce sans payer d'impôts: nobles, gens d'Eglise, fonctionnaires, soldats et paysans... (Klioutchevski, *Pierre le Grand*, p.141). La législation sur les marchands russes et étrangers demeurera source de conflits: voir Savary Des Brûlons, *Dictionnaire universel de commerce*, v.617.

[12] MS 2-21, f.228r. Voltaire semble avoir assez peu tenu compte des édits du MS 5-29, dont certains concernent l'aménagement de Pétersbourg; cf. ci-dessus, II.ix, n.18.

[13] Il s'agit de la grande fabrique de Systerbäck, à 27 verstes de Pétersbourg, dirigée par Pierre lui-même, et dont parlent les *Considérations* (app. III, VI.314-318). Voir aussi I.xiii, n.8.

[14] Voltaire résume ici Weber, i.292-93. Il a pu s'inspirer également du MS 2-21, f.228. Il n'a pas tenu compte des statistiques du MS 2-11: 'Etat des Fabriques établies en Russie', qui donne le détail de 158 fabriques, avec leur nature et leur répartition géographique (f.147v-149r). Il a négligé également le MS 5-9, qui fait état de 233 manufactures, fabriques et mines dans les provinces de l'empire (f.49r).

[15] Depuis 1718, le tsar a fait venir de France un grand nombre d'ouvriers pour établir une manufacture de soie, écrit Weber; mais ils ont été 'opprimés & chagrinés', surtout par rapport aux provisions qu'on devait leur fournir, et la plupart ont abandonné le pays (i.295-96). 'Dans la même année, plusieurs familles françoises

Il établit un tribunal de commerce dont les membres étaient mi-partie nationaux et étrangers, afin que la faveur fût égale pour tous
60 les fabricants et pour tous les artistes. Un Français forma une manufacture de très belles glaces à Pétersbourg, avec les secours du prince Menzikoff.[16] Un autre fit travailler à des tapisseries de haute-lisse sur le modèle de celles des Gobelins;[17] et cette manufacture est encore aujourd'hui très encouragée. Un troisième
65 fit réussir les fileries d'or et d'argent, et le czar ordonna qu'il ne serait employé par année dans cette manufacture que quatre mille marcs, soit d'argent, soit d'or, afin de n'en point diminuer la masse dans ses Etats.[18]

Il donna trente mille roubles, c'est-à-dire cent cinquante mille
70 livres de France, avec tous les matériaux, et tous les instruments nécessaires à ceux qui entreprirent les manufactures de draperies

---

63   63-w68:   sur celle des

---

composées de toutes sortes d'ouvriers, arrivèrent à Petersbourg mais cette première tentative pour attirer dans le pays des manufacturiers étrangers ne réussit pas. Quelques uns, ne pouvant résister à la rigueur du climat moururent, et les autres manquant d'ouvrage s'en retournèrent bientôt' (MS 2-21, f.229r). Effectivement, les 'ouvriers' (plutôt des 'techniciens') étrangers étaient relativement peu nombreux (cf. Portal, p.161-62). De 1703 à 1705, le médecin Postnikov, envoyé du tsar à Paris, a des difficultés à y recruter des barbiers chirurgiens: ceux-ci hésitent à partir pour un pays qu'ils croient très lointain, à la frontière des Indes (A. Brückner, *Peter der Grosse*, Berlin 1879, p.385, d'après S. M. Soloviev).

[16] Sur la Fontanka (MS 2-21, f.230r). Le manuscrit ne mentionne pas de Français.

[17] En 1719, Pierre 'établit à ses dépens une fabrique de haute et basse lisse sur le modèle de celle des Gobelins'. Pour la créer, il avait fait venir M. Camus, de Paris (MS 2-21, f.230r).

[18] MS 2-21: 'dans toutes les fabriques de fil d'or et d'argent prises ensemble, il ne devoit être employé en tout que 50 pouds ou 2000 livres par an; ce qui fait preuve de la sage prévoyance de ce monarque pour empêcher la diminution de la masse d'argent dans ses Etats' (f.230r). C'est un marchand russe qui 'fit réussir' cette fabrique. Voltaire a confondu avec une fabrique de bas établie par un Français.

et des autres étoffes de laine. [19] Cette libéralité utile le mit en état d'habiller ses troupes de draps faits dans son pays: auparavant on tirait ces draps de Berlin et d'autres pays étrangers.

On fit à Moscou d'aussi belles toiles qu'en Hollande, [20] et à sa mort il y avait déjà à Moscou et à Jaroslau quatorze fabriques de toiles de lin et de chanvre.

On n'aurait certainement pas imaginé autrefois, lorsque la soie était vendue en Europe au poids de l'or, qu'un jour au delà du lac Ladoga, sous un climat glacé, et dans des marais inconnus, il s'élèverait une ville opulente et magnifique, dans laquelle la soie de Perse se manufacturerait aussi bien que dans Ispahan. Pierre l'entreprit et y réussit. Les mines de fer furent exploitées mieux que jamais; on découvrit quelques mines d'or et d'argent; [21] et un Conseil des mines fut établi pour constater si les exploitations donneraient plus de profit qu'elles ne coûteraient de dépense.

Pour faire fleurir tant de manufactures, tant d'arts différents,

75

80

85

[19] Il s'agit d'*une seule* manufacture 'de draperies et autres étoffes de laines', établie en 1720 par une société de négociants (MS 2-21, f.230ν). Les Russes ont tort d'essayer de fabriquer des draps avec une laine de mauvaise qualité, assure Perry, au lieu de la mêler à de la laine importée; ils feraient mieux d'établir des manufactures de toile, avec le lin qui est très abondant en Russie (p.258-59).

[20] Un Hollandais, établi à Moscou, 'exporte tous les ans une grande quantité de toiles qui sont vendues pour la meilleure toile d'Hollande' (MS 2-21, f.231ν). Une manufacture à une lieue de Pétersbourg 'fabrique de la toile du lin de Moscovie qui ne le cede pas en beauté à la meilleure toile d'Hollande' (Weber, i.290-91). Il y eut des ordonnances de Pierre le Grand pour faire fabriquer les toiles en plus grande largeur (MS 2-21, f.229r). Mais, là encore, Perry se montre critique: il reproche aux Russes de s'obstiner à faire des toiles trop étroites, malgré les remarques des marchands étrangers (p.258-59).

[21] Pour les mines de fer, voir I.xiii, n.8. Voltaire avait écrit 'du sable d'or'. Les Russes lui firent remarquer que ce sable d'or ne se trouvait pas dans les rivières de Russie ou de Sibérie, mais en Boukharie et sur les frontières de la Chine, et qu'en revanche il y avait des mines qui fournissaient beaucoup d'or et d'argent (Š, p.462). Voltaire tint compte de l'observation. Il avait trouvé son information dans les *Considérations* de 1737 (app. III, VII.16-17) et dans Weber, selon qui on avait découvert du sable d'or dans des rivières, notamment dans la Dauria, qui se jette dans la Caspienne. Sur les bords de cette mer, il y a des mines d'or (i.248, 295, 320).

tant d'entreprises, ce n'était pas assez de signer des patentes et de nommer des inspecteurs; il fallait dans ces commencements qu'il
90 vît tout par ses yeux, et qu'il travaillât même de ses mains, comme on l'avait vu auparavant construire des vaisseaux, les appareiller et les conduire. Quand il s'agissait de creuser des canaux dans des terres fangeuses et presque impraticables, on le voyait quelquefois se mettre à la tête des travailleurs, fouiller la terre et la transporter
95 lui-même.

Il fit cette année 1718 le plan du canal et des écluses de Ladoga. [22] Il s'agissait de faire communiquer la Néva à une autre rivière navigable, pour amener facilement les marchandises à Pétersbourg, sans faire un grand détour par le lac Ladoga, trop sujet aux
100 tempêtes, et souvent impraticable pour les barques; il nivela lui-même le terrain; on conserve encore les instruments dont il se servit pour ouvrir la terre, et la voiturer; [23] cet exemple fut suivi de toute sa cour, et hâta un ouvrage qu'on regardait comme impossible: il a été achevé après sa mort, car aucune de ses
105 entreprises reconnues possibles n'a été abandonnée.

Le grand canal de Cronstadt, qu'on met aisément à sec, et dans

---

[22] C'est le général Burchard Christoph von Münnich qui fit le plan du canal, rappelait Vockerodt, qui assurait qu'il était construit peu solidement (*Considérations*, app. III, VI.66-80). Le canal fut commencé le 22 mars 1719 et achevé en 1731. Long de 104 verstes, il permit la communication de la Neva avec le Volkhov, sans passer par le lac Ladoga, 'fameux par des rocs et tempêtes' ('Villes, Forteresses, Ports de mer', MS 2-20, f.225). Rappelons que le Volkhov se jette dans le Ladoga et que la Neva en sort.

[23] 'Pierre I a lui-même nivellé le terrain et bêché le premier la terre et rempli trois fois de suite une brouette qu'il a voituré lui même aux alignements marqués pour la digue. Après lui tous ceux qui ont été présents en ont fait du même' (MS 2-20, f.225r). 'Pierre a participé aux travaux. On a conservé la pelle qu'il a utilisée' ('Mémoire sur le Commerce de la Russie', MS 2-9, f.125v; 'Mémoires pour servir à l'histoire du Commerce de Russie', MS 2-10, f.145r).

lequel on carène et on radoube les vaisseaux de guerre, fut aussi commencé dans le temps même des procédures contre son fils. [24]

Il bâtit cette même année la ville neuve de Ladoga. [25] Bientôt après il tira ce canal qui joint la mer Caspienne au golfe de Finlande et à l'Océan; [26] d'abord les eaux de deux rivières qu'il fit communiquer, reçoivent les barques qui ont remonté le Volga: de ces rivières on passe par un autre canal dans le lac d'Ilmen; on entre ensuite dans le canal de Ladoga, d'où les marchandises peuvent être transportées par la grande mer dans toutes les parties du monde.

Occupé de ces travaux qui s'exécutaient sous ses yeux, il portait

[24] Depuis quelques années, on en construit de nouveaux, fit-on remarquer à Pétersbourg (Š, p.463). L'"Extrait de La Description Géographique de La Russie' signale en effet qu'après les trois canaux construits, un quatrième, qui n'est pas achevé, a été entrepris dans la région de Toula et des sources du Don pour établir une communication avec la mer Noire (MS 4-2, f.95r). Il aurait été commencé en 1709 par le frère de John Perry, Bertrand. Dans le récit d'Andreï Platonov, *Les Ecluses d'Epiphane* [*Epifanskie Chliouzy*, 1926], il échoue tragiquement. Deux autres projets de canaux ont été abandonnés (MS 4-2, f.95v).

[25] Novaïa Ladoga, à la jonction du Volkhov et du Ladoga, fut bâtie en réalité en 1703.

[26] Dans son manuscrit, Voltaire parlait d'un 'canal immense'. Pétersbourg précisa qu'il s'agissait du Vychni Volotchok, qui n'a tout au plus que deux verstes de longueur: il a été fait pour joindre les rivières Tvertsa et Tsna afin que les grands vaisseaux de transport puissent arriver jusqu'à Pétersbourg par le lac Ladoga (Š, p.463). Ce 'grand canal', qui a coûté des millions et n'a 'pas son semblable dans le monde', est long de plus de deux verstes, confirme la 'Description de S. Petersbourg et de ses environs'; il a été amené à son point de perfection en 1752 (MS 6-9, f.381r). Voltaire supprima le mot 'immense'. Le MS 4-2 signale brièvement ce canal, qui permet de faire communiquer Pétersbourg à la mer Caspienne (f.95r). Le 'système' de Vychni Volotchok était plus compliqué que ne l'indique Müller. Voltaire est plus près de la vérité. Le petit canal entre la Tvertsa et la Tsna a été commencé en 1703-1708. Mais, à partir de 1720, on entreprit de joindre la Tsna à la Msta, qui se jette dans le lac Ilmen. De là, on pouvait gagner Pétersbourg par le Volkhov et le lac Ladoga. Toutefois, le 'système' ne sera achevé qu'au début des années 1730, quand le canal du Ladoga permettra d'éviter la navigation sur le grand lac.

ses soins jusqu'au Kamshatka à l'extrémité de l'Orient, et il fit bâtir deux forts dans ce pays,[27] si longtemps inconnu au reste du monde. Cependant des ingénieurs de son académie de marine établie en 1715 marchaient déjà dans tout l'empire pour lever des cartes exactes, et pour mettre sous les yeux de tous les hommes cette vaste étendue des contrées qu'il avait policées et enrichies.[28]

120

118   63: Camchatka
120   63, 65: ingénieurs tirés de son

[27] En réalité, cinq: voir ci-dessus, 1.i, n.215.
[28] Voltaire utilise ici presque textuellement la réponse de Pétersbourg à la quatrième question des 'Particularités' (voir app. VI, l.59-61). Mais il donne à sa phrase un tour épique (voir ci-dessus, p.253-54).

CHAPITRE DOUZIÈME

Du commerce.

Le commerce extérieur était presque tombé entièrement avant lui, il le fit renaître. On sait assez que le commerce a changé plusieurs fois son cours dans le monde. La Russie méridionale était avant Tamerlan l'entrepôt de la Grèce, et même des Indes; les Génois étaient les principaux facteurs. Le Tanaïs et le Boristhène étaient chargés des productions de l'Asie. Mais lorsque Tamerlan eut conquis, sur la fin du quatorzième siècle, la Chersonèse Taurique, appelée depuis la Crimée, lorsque les Turcs furent maîtres d'Asoph, cette grande branche du commerce du monde fut anéantie. Pierre avait voulu la faire revivre en se rendant maître d'Asoph. La malheureuse campagne du Pruth lui fit perdre cette ville, et avec elle toutes les vues du commerce par la mer Noire; il restait à s'ouvrir la voie d'un négoce non moins étendu par la mer Caspienne. Déjà dans le seizième siècle et au commencement du dix-septième, les Anglais qui avaient fait naître le commerce à Arcangel,[1] l'avaient tenté sur la mer Caspienne;[2] mais toutes ces épreuves furent inutiles.

Nous avons déjà dit que le père de Pierre le Grand avait fait bâtir un vaisseau par un Hollandais,[3] pour aller trafiquer d'Astracan

16   63-w68:   Archangel

[1] Voir 1.i.169-179.
[2] Anthony Jenkinson est en 1557 en Boukharie et en 1561 en Perse, rapporte le MS 2-9 (f.107r); Ch. Burrough se trouve en 1579 à Bakou (f.107v). Le MS 2-9 fait peut-être allusion à Stephen Burrough, navigateur anglais de la seconde moitié du seizième siècle, qui avait accompagné Richard Chancellor en Russie.
[3] 1.vi.45-51.

876

20   sur les côtes de la Perse: le vaisseau fut brûlé par le rebelle Stenko-
Rasin. Alors toutes les espérances de négocier en droiture avec les
Persans s'évanouirent. Les Arméniens qui sont les facteurs de cette
partie de l'Asie, furent reçus par Pierre le Grand dans Astracan;
on fut obligé de passer par leurs mains, et de leur laisser tout
25   l'avantage du commerce;⁴ c'est ainsi que dans l'Inde on en use
avec les Banians, et que les Turcs, ainsi que beaucoup d'Etats
chrétiens, en usent encore avec les juifs; car ceux qui n'ont qu'une
ressource, se rendent toujours très savants dans l'art qui leur est
nécessaire: les autres peuples deviennent volontairement tributaires
30   d'un savoir-faire qui leur manque.

Pierre avait déjà remédié à cet inconvénient, en faisant un traité
avec l'empereur de Perse,⁵ par lequel toute la soie qui ne serait pas
destinée aux manufactures persanes, serait livrée aux Arméniens
d'Astracan, pour être par eux transportée en Russie.⁶

20-21   63, 65: Stenkorazin   w68: Stenko-Razin

⁴ Les Arméniens d'Astrakhan, ayant leurs comptoirs en Perse et en Russie, et
connaissant le pays et la langue, avaient plusieurs avantages sur les Russes. Pierre
le Grand fit avec eux une convention antérieure à 1711 et imprimée dans le Recueil
des ordonnances. L'article principal concernait les soies de Perse: elles devaient être
importées en Russie sans passer par la Turquie. Le schah accorda même aux
Arméniens un privilège exclusif sur ce commerce (MS 2-9, f.109v).

⁵ Dans son manuscrit, Voltaire avait écrit: 'en faisant un traité vers l'an 1718 avec
l'empereur de Perse'. On lui fit remarquer que le traité datait de plusieurs années
avant 1718 (on le renvoyait au mémoire sur le commerce de Perse, MS 1-6) et que
l'empereur de Perse se nommait le schah (Š, p.463). Voltaire supprima la date de
1718 et accepta le mot 'schah' dans le paragraphe suivant (le terme est attesté en
français dès le milieu du seizième siècle sous diverses graphies, et s'impose sous la
forme schah à partir de 1653).

⁶ Voltaire s'inspire peut-être ici de la réponse de 1757 à sa question sur le commerce
russe, comme le pense Šmurlo (p.116). Cette réponse précise que la convention
avec la Perse est certainement antérieure à 1711, et que les Arméniens ne respectèrent
pas leurs engagements. Ils faisaient passer quantité de soie en Turquie et se livraient
au commerce de détail (et pas seulement en gros, comme il était stipulé), ce qui
entraîna la perte de leurs privilèges en 1719, privilèges qu'ils recouvrèrent toutefois
en grande partie en 1720 (Š, p.208). Il est cependant plus probable que Voltaire a

877

Les troubles de la Perse détruisirent bientôt cet arrangement. 35
Nous verrons comment le sha, ou empereur persan, Hussein,
persécuté par des rebelles, implora l'assistance de Pierre, et
comment Pierre après avoir soutenu des guerres si difficiles contre
les Turcs et contre les Suédois, alla conquérir trois provinces de
Perse;[7] mais il n'est ici question que du commerce. 40

Du commerce avec la Chine.

L'entreprise de négocier avec la Chine semblait devoir être la plus
avantageuse. Deux Etats immenses qui se touchent, et dont l'un
possède réciproquement ce qui manque à l'autre, paraissaient être
tous deux dans l'heureuse nécessité de lier une correspondance
utile, surtout depuis la paix jurée solennellement entre l'empire 45
russe et l'empire chinois, en l'an 1689, selon notre manière de
compter.

Les premiers fondements de ce commerce avaient été jetés
dès l'année 1653.[8] Il se forma dans Tobol des compagnies de

suivi tout simplement les MS 2-9, f.109ν et 2-10, f.133ν, qui reprennent en substance
sur ce point la réponse de 1757.

[7] Voir ci-dessous, II.xvi, sur la Perse.

[8] 'Le commerce de la Russie avec la Chine a commencé en 1653 lorsqu'un certain
Baïkof y fut envoyé de la part du gouverneur de Tobolsk' (MS 2-9, f.113ν; MS 2-10,
f.135ν). En réalité, il ne s'agissait que des premiers contacts: en 1654 la mission de
Fedor Baïkov à Pékin se solda par un échec, l'envoyé russe ayant refusé d'effectuer
le *kowtow* (génuflexion des ambassadeurs reçus en audience par l'empereur); il fut
renvoyé sans avoir remis les présents du tsar Alexis. En 1662, la mission I. Perfiliev,
partie pour la Chine en 1658, revient à Moscou sans avoir obtenu le moindre résultat.
En 1675, Nicolas Spathari échoue lui aussi pour avoir refusé de se soumettre au
kowtow. Les premiers 'fondements' du commerce entre Chinois et Russes se
limitaient alors à peu de chose. Dès 1638, les Mongols avaient accepté de servir
d'intermédiaires caravaniers entre les deux nations: pour la première fois, des
marchands chinois arrivèrent à Tomsk, apportant du thé inconnu des Russes. Mais
ces premières relations commerciales (indirectes) sont précaires, bien qu'il y ait eu
de grandes caravanes russes à Pékin en 1668 et 1674; on sait que la forteresse
d'Albazin, construite par les Russes en 1665 sur un territoire revendiqué par la
Chine, est source de conflits. Ce n'est qu'après le traité de Nertchinsk, en 1689
(évoqué longuement par Voltaire ci-dessus, I.vii), qu'Isbrand Ides, en 1692, pourra

50 Sibériens[9] et de familles de Boukarie établies en·Sibérie. Ces caravanes passèrent par les plaines des Kalmouks, traversèrent ensuite les déserts, jusqu'à la Tartarie chinoise, et firent des profits considérables: mais les troubles survenus dans le pays des Kalmouks, et les querelles des Russes et des Chinois pour les
55 frontières, dérangèrent ces entreprises.

Après la paix de 1689, il était naturel que les deux nations convinssent d'un lieu neutre, où les marchandises seraient portées. Les Sibériens, ainsi que tous les autres peuples, avaient plus besoin des Chinois, que les Chinois n'en avaient d'eux:[10] ainsi on demanda
60 la permission à l'empereur de la Chine[11] d'envoyer des caravanes à Pékin, et on l'obtint aisément au commencement du siècle où nous sommes.

Il est très remarquable que l'empereur Cam-hi avait permis qu'il y eût déjà dans un faubourg de Pékin une église russe,
65 desservie par quelques prêtres de Sibérie, aux dépens mêmes du

---

51 63-w68: Kalmoucks
65 63, 65: dépens même du

---

se rendre à Pékin pour tenter d'y commercer, sans succès d'ailleurs. L'année suivante sera publié l'oukase des tsars Pierre et Ivan sur le commerce avec la Chine. Cette charte restera en vigueur jusqu'au milieu du dix-huitième siècle.

[9] Pétersbourg objecta que le mot 'Sibériens' pouvait faire croire qu'il ne s'agissait pas de Russes établis dans le pays, mais de Tatars ou d'autres peuples. Ces marchands ne s'associaient pas, mais n'allaient en compagnie que pour la sûreté du voyage (Š, p.464).

[10] Les Russes poursuivaient en effet un but strictement commercial, alors que les Chinois se préoccupaient avant tout d'établir leur hégémonie politique en haute Asie en neutralisant les 'Barbares' (Kalmouks et Mongols) qui peuplaient l'immense espace entre la Chine et la Moscovie (voir Bennigsen, *Russes et Chinois avant 1917*, p.57-58).

[11] Voltaire a modifié son manuscrit après que Pétersbourg eut fait remarquer que les Chinois n'avaient rien exigé et que les Russes eux-mêmes avaient demandé la permission d'envoyer des caravanes à Pékin (Š, p.464).

trésor impérial.[12] Cam-hi avait eu l'indulgence de bâtir cette église en faveur de plusieurs familles de la Sibérie orientale, dont les unes avaient été faites prisonnières avant la paix de 1680,[13] et les autres étaient des transfuges. Aucune d'elles après la paix de Niptchou,[14] n'avait voulu retourner dans sa patrie: le climat de Pékin, la douceur des mœurs chinoises, la facilité de se procurer une vie commode par un peu de travail, les avaient toutes fixées à la Chine. Leur petite église grecque n'était point dangereuse au repos de l'empire, comme l'ont été les établissements des jésuites. L'empereur Cam-hi favorisait d'ailleurs la liberté de conscience: cette tolérance fut établie de tout temps dans toute l'Asie,[15] ainsi

70

75

70   63-w68: Nipchou

[12] MS 2-9, f.114r. En 1712, la Chine avait envoyé l'ambassadeur Tu-Li-Chen auprès d'Ayuka, khan des Kalmouks de la Basse-Volga, pour l'inciter à attaquer la Dzoungarie. Après son échec, Tu-Li-Chen avait ramené à Pékin en 1715 quelques religieux russes qui y avaient créé la mission orthodoxe. Mais ce n'est qu'après l'ambassade de Lev Izmaïlov (1719-1721) que fut édifiée l'église russe de Pékin. Le douzième et dernier point des Instructions données à Izmaïlov en mars 1719 stipulait en effet qu'il fallait inciter l'empereur de Chine à 'faire don d'une parcelle de terrain et obtenir son consentement pour la construction d'une église grecque orthodoxe russe à Pékin' (Bennigsen, p.116).

[13] MS 2-9, f.114r. A Pétersbourg, on précisa qu'il s'agissait de familles russes faites prisonnières dans la guerre entre Russes et Chinois avant 1689 (Š, p.464). Voltaire tint compte de l'observation, mais se trompa de date: la paix de Nertchinsk n'eut pas lieu en 1680, mais en 1689, comme il est rappelé à la ligne 46.

[14] Nom chinois de Nertchinsk (voir ci-dessus, I.vii, n.12).

[15] C'est ce qu'affirme encore Voltaire dans le *Traité sur la tolérance* (M.xxv.34-35) et dans l'article 'Catéchisme chinois' du *Dictionnaire philosophique* (V 35, p.461). Mais c'est contestable: voir par exemple au Tibet comment le bouddhisme a été combattu par les sectateurs de la vieille religion Bön-po, et comment le roi Lang-dar-ma, au début du dixième siècle, a persécuté les lamas. Il est vrai que Voltaire pense surtout à la Chine; cf. l'article 'Fanatisme' du *Dictionnaire philosophique*, où il écrit qu''il n'y a eu qu'une seule religion dans le monde qui n'ait pas été souillée par le fanatisme, c'est celle des lettrés de la Chine' (V 36, p.110). Mais Voltaire a-t-il oublié les persécutions des chrétiens sous les règnes de Yong-Tcheng et de Kien-Long? En 1756, A. Deleyre évoquait les 'milliers d'esclaves' que le fanatisme a faits, en Asie comme ailleurs (art. 'Fanatisme', *Encyclopédie*, vi.397a). C'est l'un

qu'elle le fut autrefois dans la terre entière jusqu'au temps de l'empereur romain Théodose premier. Ces familles russes s'étant mêlées depuis aux familles chinoises, ont abandonné leur christia-
80 nisme, mais leur église subsiste encore. [16]

Il fut établi que les caravanes de Sibérie jouiraient toujours de cette église quand elles viendraient apporter des fourrures, et d'autres objets de commerce à Pékin: le voyage, le séjour et le retour se faisaient en trois années. [17] Le prince Gagarin, gouverneur
85 de la Sibérie, fut vingt ans à la tête de ce commerce. [18] Les caravanes étaient quelquefois très nombreuses, et il était difficile de contenir la populace qui composait le plus grand nombre. [19]

On passait sur les terres d'un prêtre lama, espèce de souverain, qui réside sur la rivière d'Orkon, [20] et qu'on appelle le Koutoukas:
90 c'est un vicaire du grand lama, qui s'est rendu indépendant, en changeant quelque chose à la religion du pays, dans laquelle

---

des passages que Voltaire reprendra dans son article 'Fanatisme', publié pour la première fois dans l'édition de Kehl (M.xix.76).

[16] 'Ils sont mariés à des Chinoises ou des Mandchoues, leurs enfans ne savent point le russe qu'on leur apprend dans des écoles. Les dogmes de la religion chrétienne se sont peu à peu éteints chez eux [...] L'Eglise cependant subsiste toujours, mais n'a point de prêtre' (MS 2-9, f.114).

[17] MS 2-9, f.114*v*. En 1715-1716, Laurent Lange et ses compagnons avaient mis quinze mois pour aller de Pétersbourg à Pékin (Weber, ii.125).

[18] MS 2-9, f.114*v*. Le prince Matvei Gagarine (?-1718), gouverneur de la Sibérie depuis 1708, avait tendance à se considérer comme le maître de cet immense territoire. Mais il contribua activement à son développement en encourageant l'industrie et le commerce, et en exploitant ses ressources minières. Il était généreux et les officiers suédois prisonniers en Sibérie louaient sa nature chaleureuse et indulgente (Massie, p.498; cf. aussi Strahlenberg, i.191). Il fut l'un des 124 signataires de la condamnation du tsarévitch Alexis.

[19] 'Les caravanes étant souvent très nombreuses et composées de plusieurs centaines d'hommes parmi lesquels il se trouvoit pour le service de la caravane beaucoup de bas peuple, il étoit presque impossible d'éviter que s'enyvrant, il ne commît quelques fois des excès à Pékin, ainsi que dans la résidence du grand-prêtre Koutouchta située sur la rivière d'Orkon' (MS 2-9, f.115*r*).

[20] L'Orkhon, affluent de la Selenga, est une rivière de Mongolie.

l'ancienne opinion indienne de la métempsycose est l'opinion dominante:[21] on ne peut mieux comparer ce prêtre qu'aux évêques luthériens de Lubeck et d'Osnabruck, qui ont secoué le joug de l'évêque de Rome. Ce prélat tartare[22] fut insulté par les caravanes; les Chinois le furent aussi. Le commerce fut encore dérangé par cette mauvaise conduite; et les Chinois menacèrent de fermer l'entrée de leur empire à ces caravanes, si on n'arrêtait pas ces désordres. Le commerce avec la Chine était alors très avantageux aux Russes; ils rapportaient de l'or, de l'argent, et des pierreries. Le plus gros rubis qu'on connaisse dans le monde,[23] fut apporté de la Chine au prince Gagarin, passa depuis dans les mains de Menzikoff, et est actuellement un des ornements de la couronne impériale.

Les vexations du prince Gagarin[24] nuisirent beaucoup au com-

95

100

105

94   63, 65:   Lubek
      63-w68:   Osnabruk

[21] Voltaire résume ici J.-B. Muller (Weber, ii.216-17) et un passage sur 'le Kutuchta souverain pontife des Calmouks' du MS 4-2 (f.179r-182v). C'est J.-B. Muller qui mentionne la croyance en la métempsycose. Le MS 4-2 n'y fait pas allusion, ni dans le passage sur le 'kutuchta', ni dans le développement sur le 'Dalay lama' (f.177r-179r), négligé par Voltaire. Les *khoutouktous* sont des 'bouddhas vivants' moins importants que le dalaï-lama ou le panchen lama, des incarnations perpétuelles de bouddhas, de boddhisattvas ou de saints indiens. On sait que la 'religion du pays', en Mongolie comme au Tibet, est le lamaïsme, forme du bouddhisme mahâyâna modifié par le tantrisme et le chamanisme.

[22] Ce 'prélat' n'était pas 'tartare', mais mongol.

[23] A partir de 'ils rapportaient de l'or' (l.100), Voltaire reprend le MS 2-9, f.114v-115r. Le manuscrit ne dit pas que le rubis est le 'plus gros' du monde, mais simplement qu'il est 'grand'.

[24] Le MS 2-9 ne fait allusion qu'à des 'indélicatesses' de Gagarine, que le tsar lui aurait pardonnées s'il avait reconnu ses 'crimes', mais qui resta inflexible, ce qui lui attira la peine de mort (f.115r). Dès 1714, un rapport de l'*ober-fiskal* Alekseï Nesterov révélait que Gagarine avait amassé une immense fortune par des pratiques irrégulières. Chargé de surveiller le commerce avec la Chine, il en avait profité pour s'enrichir au moyen de trafics illégaux. Strahlenberg parle de ses 'malversations affreuses' et de son népotisme (i.150 et 189). En 1717, un deuxième rapport, plus sévère, incita Pierre Ier à désigner une commission d'enquête. Gagarine fut condamné

882

merce qui l'avait enrichi: mais enfin elles le perdirent lui-même: il fut accusé devant la chambre de justice établie par le czar, et on lui trancha la tête une année après que le czarovitz fut condamné, [25] et que la plupart de ceux qui avaient eu des liaisons avec ce prince furent exécutés à mort.

En ce temps-là même, l'empereur Cam-hi se sentant affaiblir, et ayant l'expérience que les mathématiciens d'Europe étaient plus savants que les mathématiciens de la Chine, crut que les médecins d'Europe valaient aussi mieux que les siens; il fit prier le czar, par les ambassadeurs qui revenaient de Pékin à Pétersbourg, de lui envoyer un médecin. Il se trouva un chirurgien anglais [26] à Pétersbourg, qui s'offrit à faire ce personnage; il partit avec un nouvel ambassadeur, et avec Laurent Lange, qui a laissé une description de ce voyage. [27] Cette ambassade fut reçue et défrayée avec magnificence. Le chirurgien anglais trouva l'empereur en bonne santé, et passa pour un médecin très habile. La caravane qui suivit cette ambassade, gagna beaucoup; mais de nouveaux excès commis par cette caravane même, [28] indisposèrent tellement les Chinois, qu'on renvoya Lange, alors résident du czar auprès de l'empereur de la Chine, et qu'on renvoya avec lui tous les marchands de Russie. [29]

L'empereur Cam-hi mourut; [30] son fils Yontchin, [31] aussi sage,

---

à mort et exécuté, malgré l'intervention de sept mille prisonniers suédois qui avaient demandé sa grâce.

[25] Il n'eut pas la tête tranchée, mais fut pendu en public à Pétersbourg. L'exécution n'eut pas lieu un an après la condamnation d'Alexis, mais peu de temps après, en septembre 1718 (Welter, *Histoire de Russie*, p.197; Massie, p.738).

[26] Carwin; cf. le *Journal de Laurent Lange*, dans Weber, ii.121-22. Le MS 2-9 le nomme Garvin (f.115*v*).

[27] Sur Laurent Lange et son récit de voyage, voir II.vi, n.14.

[28] MS 2-9, f.116*r*.

[29] En 1722.

[30] Le 20 décembre 1722. Il était âgé de 69 ans passés; cf. le *Journal de Laurent Lange*, dans Weber, ii.143*n*.

[31] Yong-Tcheng (1677-1735) était le quatrième fils de K'ang-hi.

et plus ferme que son père, celui-là même qui chassa les jésuites de son empire, [32] comme le czar les en avait chassés en 1718, conclut avec Pierre un traité, [33] par lequel les caravanes russes [34] ne commerceraient plus que sur les frontières des deux empires. Il n'y a que les facteurs dépêchés au nom du souverain, ou de la souveraine de la Russie, qui aient la permission d'entrer dans Pékin; [35] ils y sont logés dans une vaste maison que l'empereur Cam-hi avait assignée autrefois aux envoyés de la Corée. Il y a longtemps qu'on n'a fait partir ni de caravanes ni de facteurs de la

130

135

[32] En 1724, un rescrit impérial proscrit le christianisme dans tout l'empire chinois. Les missionnaires jésuites ne furent pas tout de suite chassés: ils furent exilés à Canton, sauf ceux de Pékin. C'est en 1732 qu'ils furent relégués à Macao.

[33] Le traité de Kiakhta (1727), après la mort de Pierre le Grand. La délégation russe du comte Sava Vladislavitch Ragoujinski, un Grec de Dalmatie au service de la Russie, partit pour Pékin en 1725. Sa mission consistait à délimiter la frontière russo-chinoise et à asseoir solidement les relations commerciales entre les deux pays. Mais les négociations furent longues. En août 1727 fut signé l'accord de Bura, à cent kilomètres de Selenginsk, et, le 21 octobre, le traité de Kiakhta, qui sera jusqu'en 1858 la base juridique des relations entre les deux empires. Le traité de Kiakhta complétait celui de Nertchinsk: il délimitait la frontière russo-chinoise, sauf à l'est du confluent de l'Amour et de l'Argoun, en laissant à la Russie un territoire supplémentaire sur le haut Irtych et près du lac Baïkal. Une grande caravane russe ne dépassant pas deux cents marchands pouvait se rendre à Pékin tous les trois ans. Les échanges commerciaux ordinaires devaient avoir lieu en deux points de la frontière sur l'Argoun et sur la rivière Kiakhta. La Russie était autorisée à ouvrir une ambassade à Pékin, où six jeunes gens chargés d'apprendre le chinois étaient destinés à devenir des interprètes, afin de se passer des intermédiaires jésuites.

[34] Les marchands tant russes que chinois, précisa-t-on à Pétersbourg (Š, p.464). C'est ce que rapportait le ms 2-9, rappelant que le traité de Kiakhta avait été signé en 1727 (f.116r).

[35] Cet envoi de marchandises n'en porte pas moins le nom de caravane, fit-on justement remarquer à Pétersbourg (voir n.33). Mais les gens qui la composent sont payés et entretenus aux dépens du souverain, et personne n'oserait se joindre à la caravane ou la suivre pour porter ses marchandises à Pékin (Š, p.465).

couronne pour la ville de Pékin. [36] Ce commerce est languissant, mais prêt à se ranimer. [37]

Du commerce de Pétersbourg et des autres ports de l'empire. [38]

On voyait dès lors plus de deux cents vaisseaux étrangers aborder chaque année à la nouvelle ville impériale. [39] Ce commerce s'est

140

[36] Voltaire, moins optimiste qu'à la fin de 1.vii.81, a dû modifier ici son texte: le manuscrit affirmait apparemment que les Russes n'envoyaient plus de caravanes sur les frontières. Pétersbourg répliqua que le commerce sur les frontières continuait et se faisait à Kiakhta, auprès d'un petit fort (Š, p.465). Le MS 2-9 rapporte que l'envoi de caravanes était prévu tous les trois ans, mais qu'il n'y en a eu qu'en 1728, 1732, 1737, 1741, 1746 et 1755 (f.117v). En 1710, Whitworth observait que, s'il était bien conduit, ce commerce avec la Chine pourrait rapporter un profit annuel de deux ou trois cents roubles (*An account of Russia*, p.90). Les *Considérations* le trouvaient désavantageux pour la Russie (app. III, v.132-152).

[37] L'hôtel où logent les facteurs est entouré de gardes chinois, et le commerce en souffre beaucoup, remarque le MS 2-9, f.116v. Il est fort douteux qu'on envoie des caravanes à l'avenir, conclut-il (f.117v). A partir de 1761, en effet, les relations sino-russes se gâtèrent. Des troupes chinoises se rassemblèrent en face de Kiakhta. En 1763, des troupes russes se massèrent à leur tour face à la frontière chinoise. En 1764, il y eut un échange d'insultes entre Pétersbourg et Pékin, la frontière fut fermée et le commerce caravanier interrompu. Mais, en 1767, une ambassade russe arriva à Pékin, la détente s'installa, et, en 1768, la frontière fut réouverte.

[38] Ce paragraphe n'existait probablement pas dans le manuscrit, et a dû être ajouté sur les instances de Pétersbourg. Les Russes écrivaient en effet: 'M. de Voltaire ne dit rien ici du commerce de Pétersbourg; il en est parlé dans un Mémoire qui lui a été envoyé sur ce sujet' (Š, p.465). Voir le MS 2-9, f.119r-124r, et son duplicata, MS 2-10, f.140r-144r.

[39] En 1714, on comptait 16 vaisseaux marchands venus à Pétersbourg; en 1715, il y en eut 53, en 1720, 75, en 1722, 119, et en 1724 jusqu'à 180 (MS 2-9, f.119v). Selon R. Portal, la capitale reçut même 270 navires en 1724, et 450 en 1725-1726 (p.102). Après Pierre le Grand, 'le nombre des vaisseaux marchands qui viennent ordinairement à Petersbourg monte à 400, dans quelques années il y en a eu encor plus', affirme le MS 2-10, f.143v. En 1740, il y eut 240 navires étrangers à Pétersbourg, alors qu'en 1722 on n'en comptait que 116 (Klioutchevski, *Pierre le Grand*, p.155). En 1744, 264 vaisseaux arrivèrent à Pétersbourg, en 1745, seulement 195 ('Mémoire sur le commerce de la Russie', *Journal économique*, février 1751, p.70; BV1751). Chappe d'Auteroche, en 1768, complète ces informations en indiquant, d'après une source inconnue, qu'il y eut 252 vaisseaux en 1750 et 290 en 1751, 'de sorte qu'on

accru de jour en jour, et a valu plus d'une fois cinq millions (argent de France) à la couronne. [40] C'était beaucoup plus que l'intérêt des fonds que cet établissement avait coûté. Ce commerce diminua beaucoup celui d'Arcangel: et c'est ce que voulait le fondateur, [41] parce qu'Arcangel est trop impraticable, trop éloigné de toutes les nations, et que le commerce qui se fait sous les yeux d'un souverain appliqué est toujours plus avantageux. Celui de la Livonie resta toujours sur le même pied. La Russie en général a trafiqué avec succès; mille à douze cents vaisseaux tous les ans sont entrés dans ses ports, [42] et Pierre a su joindre l'utilité à la gloire.

145

150

peut supposer que deux cent cinquante vaisseaux abordent tous les ans à Saint-Pétersbourg' (*Voyage en Sibérie*, p.248).

[40] MS 2-10, f.143v.

[41] En 1717, il fut ordonné à tous les marchands russes de ne porter qu'un tiers de leurs marchandises au port d'Arkhangelsk, et les deux autres tiers à Pétersbourg, rapporte le MS 2-9, qui donne la liste des décisions prises pour favoriser le commerce de Pétersbourg (f.120r). Pour encourager ce commerce, Pierre avait établi des droits plus élevés à Arkhangelsk, comme le rappelaient les *Considérations* (app. III, v.36-40). Le MS 2-9 précise que, dès que la communication de la Volga avec la Neva fut achevée, 'on chargea l'importation à Arkangel d'un quart de droits plus qu'à Petersbourg pour obliger les Etrangers de venir chercher les marchandises de Russie plutôt à Petersbourg qu'à Arkangel' (f.122).

[42] MS 2-9, f.123v. Ce chiffre paraît exagéré, car on a vu que le nombre des vaisseaux entrés chaque année à Pétersbourg tournait autour de deux cents (voir ci-dessus, n.39).

CHAPITRE TREIZIÈME

Des lois.

On sait que les bonnes lois sont rares, mais que leur exécution l'est encore davantage. Plus un Etat est vaste, et composé de nations diverses, plus il est difficile de les réunir par une même jurisprudence.[1] Le père du czar Pierre avait fait rédiger un code sous le titre d'*Oulogénie*; il était même imprimé,[2] mais il s'en fallait beaucoup qu'il pût suffire.

Pierre avait, dans ses voyages, amassé des matériaux pour rebâtir ce grand édifice qui croulait de toutes parts: il tira des instructions du Dannemarck, de la Suède, de l'Angleterre, de l'Allemagne, de la France, et prit de ces différentes nations ce qu'il crut qui convenait à la sienne.

Il y avait une cour de boyards, qui décidait en dernier ressort des affaires contentieuses: le rang et la naissance y donnaient séance, il fallait que la science la donnât: cette cour fut cassée.[3]

---

[1] C'est vrai pour la Russie, observe Le Clerc, mais pas pour le vaste empire de la Chine, gouverné depuis des siècles par le même code national, les mêmes poids et mesures (*Histoire de Russie*, iii.516).

[2] En 1649, après avoir été examiné par le *Zemski Sobor*. C'est le premier code imprimé en Russie. Il comporte vingt-cinq chapitres et près de mille articles. L'Essai sur les Loix de Russie' signale les progrès de ce code, mais aussi les insuffisances auxquelles fait allusion Voltaire: 'Mais il est aussi constant que les matières les plus dignes d'attention y sont disposées et traitées avec trop de légèreté, et que surtout la procédure criminelle sent encore la rudesse des anciennes coutumes, et répugne quelquefois si fort à l'humanité, qu'on pouroit lui donner à juste titre le nom d'une justice affamée du sang de l'innocence' (MS 2-23, f.276*v*). Ce n'est qu'un 'recueil des matières et des cas décidés sans principe', si bien que, dans les cas que l'*Oulogénié* avait laissés indécis, les décisions et arrêts de la cour des boïars ont vite recommencé à tenir lieu de lois (f.277*r*).

[3] MS 2-23, f.278*r*. On sait que la *Douma* des boïars fut remplacée en 1711 par un Sénat de neuf membres révocables, qui, en l'absence du tsar, devaient contrôler toutes les affaires administratives, judiciaires et financières.

Il créa un procureur général, [4] auquel il joignit quatre assesseurs, [5] dans chacun des gouvernements de l'empire: ils furent chargés de veiller à la conduite des juges, dont les sentences ressortirent au sénat qu'il établit: chacun de ces juges fut pourvu d'un exemplaire de l'*Oulogénie*, avec les additions et les changements nécessaires, en attendant qu'on pût rédiger un corps complet de lois.

Il défendit à tous ces juges, sous peine de mort, [6] de recevoir ce que nous appelons *des épices*: elles sont médiocres chez nous, mais il serait bon qu'il n'y en eût point. Les grands frais de notre justice sont les salaires des subalternes, la multiplicité des écritures, et surtout cet usage onéreux dans les procédures de composer les lignes de trois mots, et d'accabler ainsi sous un tas immense de papiers les fortunes des citoyens. Le czar eut soin que les frais fussent médiocres, et la justice prompte. Les juges, les greffiers eurent des appointements du trésor public, et n'achetèrent point leurs charges. [7]

Ce fut principalement dans l'année 1718, pendant qu'il instruisait

15

20

25

30

---

28   63:   fortunes de citoyens.

---

[4] MS 2-23, f.278*v*. Le procureur général, créé en 1722, faisait la liaison entre le tsar et le Sénat. C'était, selon Pierre Ier, 'l'œil' du souverain. Aucune décision du Sénat n'était exécutoire sans sa signature. Le procureur général était le fonctionnaire le plus puissant de l'Etat, une sorte de premier ministre. Le premier nommé fut Pavel Iagoujinski (1683-1736), qui devint ambassadeur en Pologne en 1726.

[5] Confusion de Voltaire: ce ne sont pas les quatre assesseurs, mais les procureurs fiscaux, qui furent placés dans chaque gouvernement et dans chaque ville (MS 2-23, f.278*v*).

[6] 'Sous peine de mort et de confiscation', stipule l'ordonnance du 24 décembre 1714 contre la corruption des juges (MS 2-23, f.279*v*). On notera que cette réforme est faite *avant* le procès d'Alexis. En réalité, la pratique des pots-de-vin, très répandue en Russie, y compris chez les juges, ne cessa pas pour autant.

[7] MS 2-23, f.279*v*.

solennellement le procès de son fils, qu'il fit ces règlements. [8] La plupart des lois qu'il porta, furent tirées de celles de la Suède, et il ne fit point de difficulté d'admettre dans les tribunaux les prisonniers suédois instruits de la jurisprudence de leur pays, et qui ayant appris la langue de l'empire voulurent rester en Russie. [9]

Les causes des particuliers ressortirent au gouverneur de la province, et à ses assesseurs; ensuite on pouvait en appeler au sénat; et si quelqu'un après avoir été condamné par le sénat en appelait au czar même, il était déclaré digne de mort, en cas que son appel fût injuste: mais pour tempérer la rigueur de cette loi, il créa un maître général des requêtes, qui recevait les placets de tous ceux qui avaient au sénat, ou dans les cours inférieures, des affaires sur lesquelles la loi ne s'était pas encore expliquée. [10]

Enfin il acheva en 1722 son nouveau code, [11] et il défendit sous

[8] Le tsar 'voulait mettre l'administration de la justice sur le pied des autres puissances européennes'. L'année 1718 'est celle ou il fit éclater enfin cette grande vûe' (MS 2-23, f.280v). Mais Voltaire gauchit la perspective en présentant ces réformes comme une compensation de la mort d'Alexis (voir ci-dessus, n.6).

[9] Voltaire résume ici le MS 2-23, f.280v-281r. On apprend par une lettre à Izmaïlov, commandant à Moscou, du 18 février 1714, que Pierre faisait traduire des livres suédois en russe (MS 2-7, f.88v). Peut-être s'agissait-il déjà des 'règles et ordonnances' de Stockholm dont il est question dans le MS 2-23.

[10] MS 2-23, f.282.

[11] 'Il ne s'acheva pas', objecta-t-on à Pétersbourg. 'Après cinq années de travail, on trouva qu'il était impossible de suivre l'ordre des matières du vieux Code et qu'il fallait absolument faire un nouveau plan. La commission était prête à recommencer lorsque Pierre Ier mourut' (Š, p.466). Le MS 2-23 précise bien que Pierre fit 'travailler à un nouveau code', et qu'il publia une *ordonnance* en 1722 (f.283r). En 1723, on s'aperçut après cinq ans de travail qu'il était ridicule de suivre l'*Oulogénié*, et qu'il fallait se baser sur un autre code (f.285v). Voltaire maintint sa phrase, pourtant en contradiction avec celle qui termine le chapitre. Une commission d'une cinquantaine de membres avait été nommée en février 1700. Elle avait chargé un secrétariat de rassembler toute la législation postérieure à 1649. Il y eut 128 séances jusqu'à octobre 1701. Le projet de code fut ensuite étudié par la commission, au cours d'une soixantaine de réunions jusqu'en novembre 1703. 'On ignore pourquoi la Commission cessa alors de se réunir, et son projet ne nous est pas parvenu' (Portal, p.239). Vers la fin de 1719, à l'époque de la 'suédomanie', on ordonna au Sénat de composer un code en choisissant les articles du code suédois

peine de mort, à tous les juges de s'en écarter, et de substituer leur opinion particulière à la loi générale. Cette ordonnance terrible fut affichée, et l'est encore dans tous les tribunaux de l'empire.[12]

Il créait tout. Il n'y avait pas jusqu'à la société[13] qui ne fût son ouvrage. Il régla les rangs entre les hommes suivant leurs emplois, depuis l'amiral et le maréchal jusqu'à l'enseigne, sans aucun égard pour la naissance.[14]

Ayant toujours dans l'esprit, et voulant apprendre à sa nation que des services étaient préférables à des aïeux, les rangs furent aussi fixés pour les femmes,[15] et quiconque dans une assemblée prenait une place qui ne lui était pas assignée, payait une amende.

Par un règlement plus utile, tout soldat qui devenait officier devenait gentilhomme,[16] et tout boyard flétri par la justice devenait roturier.

Après la rédaction de ces lois et de ces règlements,[17] il arriva

---

et de l'*Oulogénié* convenables et en en faisant de nouveaux; le travail devait être achevé pour la fin d'octobre 1720, mais n'aboutit pas (Klioutchevski, *Pierre le Grand*, p.230). Toutes les lois fondamentales de Pierre remontent à l'époque d'après Poltava: de 1700 à 1709, on ne compte que cinq cents actes législatifs, alors que de 1709 à 1719 il y en eut 1238, et on en imprima presque autant de 1720 à la mort de Pierre (Klioutchevski, *Pierre le Grand et son œuvre*, p.80).

[12] Ordonnance de 1722 (MS 2-23, f.283r).

[13] Cf. *Anecdotes*, l.216.

[14] 'Les rangs s'i divisaient en seize classes, depuis l'Amiral-général, le Feld-maréchal, le grand-Chancelier, jusqu'à l'Enseigne, et au Commissaire de marine et de Chancellerie' (Bassewitz, MS 3-3, f.72r; *Eclaircissements*, p.139). C'est la fameuse Table des rangs, créée en 1722. Elle instituait quatorze grades (et non seize) dans l'administration et la justice, calqués sur l'armée et la marine. Cette Table conférait au *tchinovnik*, titulaire d'un grade ou *tchin*, la noblesse à titre personnel, et, à partir d'un certain rang, la noblesse à titre héréditaire.

[15] 'Les Demoiselles se plaçaient de quatre classes plus bas que leurs mères; la fille d'un Général de la cavalerie, par exemple, suivait la femme d'un Brigadier, et précédait celle d'un Colonel' (Bassewitz, MS 3-3, f.72; *Eclaircissements*, p.139-40). Il ne s'agissait pas d'une institution comme pour la Table des rangs, mais d'un usage.

[16] Cette réglementation s'appliquait aussi au service civil (cf. ci-dessus, n.14).

[17] 'Pendant qu'on travaillait à rédiger ces lois', suggéra-t-on sans succès à Pétersbourg (Š, p.466).

que l'augmentation du commerce, l'accroissement des villes et des richesses, la population de l'empire, les nouvelles entreprises, la création de nouveaux emplois, amenèrent nécessairement une
65 multitude d'affaires nouvelles, et de cas imprévus, qui tous étaient la suite des succès mêmes de Pierre dans la réforme générale de ses Etats.

L'impératrice Elizabeth acheva le corps des lois[18] que son père avait commencé, et ces lois se sont ressenties de la douceur de son
70 règne.

[18] Les Russes objectèrent en vain que 'des empêchements qu'on ne prévoyait pas au commencement ont retardé cet ouvrage', de sorte qu'Elisabeth n'a pu voir l'achèvement de son Code, 'qui aurait renfermé les preuves les plus évidentes de la douceur de son règne' (Š, p.466). Le MS 2-23 rapporte qu'Elisabeth établit en 1754 une commission pour la compilation d'un nouveau code, mais ne dit pas qu'il fut entièrement terminé: 'On dit que 3 parties de ce code sont achevées et que 2 en sont même approuvées' (f.286v).

CHAPITRE QUATORZIÈME

De la religion.

Dans ce temps-là même, Pierre travaillait plus que jamais à la réforme du clergé. Il avait aboli le patriarcat, et cet acte d'autorité ne lui avait pas gagné le cœur des ecclésiastiques. Il voulait que l'administration impériale fût toute-puissante, et que l'administration ecclésiastique fût respectée et obéissante. Son dessein était d'établir un conseil de religion toujours subsistant, qui dépendît du souverain, et qui ne donnât de lois à l'Eglise, que celles qui seraient approuvées par le maître de tout l'Etat, dont l'Eglise fait partie. Il fut aidé dans cette entreprise par un archevêque de Novogorod, nommé Théophane Procop, ou Procopvitz, c'est-à-dire fils de Procop. [1]

Ce prélat était savant et sage; [2] ses voyages en diverses parties

[1] Son nom de baptême est Théophane, et celui de son père Procope, on l'appelle donc Procopovitch, affirma-t-on à tort à Pétersbourg (Š, p.466). Voltaire, suivant son habitude sur ce point, se rangea à l'avis du critique, tout en conservant la forme préalablement adoptée. En réalité, le nom de Prokopovitch, fils de marchand, a été hérité de son parrain. Lorsque Prokopovitch aidait Pierre Ier à soumettre l'Eglise à l'Etat, il n'était pas encore archevêque de Novgorod (il le deviendra en 1724); il n'était qu'évêque de Pskov depuis 1717.

[2] 'C'était un homme qui joignait à beaucoup d'esprit une grande pénétration' (MS 2-15, f.196v). Strahlenberg insiste sur l'aide que Prokopovitch a apportée à Pierre le Grand dans sa lutte contre les superstitions et cite sept de ses ouvrages (ii.14-15). Sur Prokopovitch, voir ci-dessus, II.x, n.96. Contrairement à Iavorski, c'était un moderne: il alliait les idées de la Renaissance à celles de la première période des Lumières. Il faisait partie de ces prélats qui préféraient 'le bien de l'Etat à leurs propres intérêts' (MS 2-15, f.196r). Il approuvait entièrement Pierre le Grand de vouloir séculariser l'Eglise russe: selon lui, seule l'autocratie pouvait 'brider les mauvaises passions de l'homme'. A la fin de 1718, c'est à lui que le tsar confia la rédaction d'un Règlement ecclésiastique qui fut promulgué par oukase en 1721.

de l'Europe l'avaient instruit des abus qui y règnent:[3] le czar qui
en avait été témoin lui-même, avait dans tous ses établissements
15 ce grand avantage, de pouvoir, sans contradiction, choisir l'utile,
et éviter le dangereux. Il travailla lui-même en 1718 et 1719 avec
cet archevêque. Un synode perpétuel fut établi, composé de douze
membres,[4] soit évêques, soit archimandrites, tous choisis par le
souverain. Ce collège fut augmenté depuis jusqu'à quatorze.
20 Les motifs de cet établissement furent expliqués par le czar dans
un discours préliminaire: le plus remarquable, et le plus grand de
ces motifs, est: 'qu'on n'a point à craindre, sous l'administration
d'un collège de prêtres, les troubles et les soulèvements qui
pourraient arriver sous le gouvernement d'un seul chef ecclésias-
25 tique; que le peuple, toujours enclin à la superstition, pourrait, en
voyant d'un côté un chef de l'Etat, et de l'autre un chef de l'Eglise,
imaginer qu'il y a en effet deux puissances.'[5] Il cite sur ce point
important l'exemple des longues divisions entre l'empire et le
sacerdoce qui ont ensanglanté tant de royaumes.
30 Il pensait et il disait publiquement que l'idée des deux puissances

30-31 63, 65: puissances fondées sur

[3] Le MS 2-15 dit seulement que, par ses voyages en Europe et par une longue
étude, Prokopovitch avait acquis une connaissance parfaite du droit ecclésiastique
et 'de tous les autres genres de politique' (f.196v). Avant de se rendre en Italie, il
avait fréquenté des collèges de jésuites en Pologne. A Rome, où il passa trois ans,
il fut ordonné prêtre catholique et assista au couronnement du pape Clément XI en
1700. Mais son séjour lui inculqua une antipathie durable envers l'Eglise romaine,
sans doute, comme l'écrit Voltaire, en raison 'des abus qui y règnent'. Il se sentit
toujours plus proche du protestantisme.
[4] Constitué le 14/25 janvier 1721, le Saint-Synode fut composé d'abord de dix
membres, puis de douze: d'un président [Stefan Iavorski], de deux vice-présidents
[dont Prokopovitch], de conseillers et d'assesseurs (MS 4-4, f.244v; MS 2-15, f.197v).
En 1722, non seulement on augmenta le nombre des membres jusqu'à quatorze (MS
2-15, f.198v), mais un procureur général fut placé auprès du Saint-Synode; agent
direct du tsar, il personnifiait la subordination de l'Eglise au pouvoir civil (Portal,
p.247).
[5] C'est, selon le *Règlement ecclésiastique*, la 'septième et dernière raison' d'établir

fondée sur l'allégorie de deux épées qui se trouvèrent chez les apôtres, était une idée absurde. [6]

Le czar attribua à ce tribunal le droit ecclésiastique de régler toute la discipline, l'examen des mœurs et de la capacité de ceux qui sont nommés aux évêchés par le souverain, [7] le jugement définitif des causes religieuses dans lesquelles on appelait autrefois au patriarche, la connaissance des revenus des monastères [8] et des distributions des aumônes. 35

Cette assemblée eut le titre de *très saint synode*, titre qu'avaient pris les patriarches. Ainsi le czar rétablit en effet la dignité patriarcale, partagée en quatorze membres, mais tous dépendants du souverain, et tous faisant serment de lui obéir, [9] serment que les patriarches ne faisaient pas. Les membres de ce sacré synode 40

33-34   K: droit de régler toute la discipline ecclésiastique, l'examen

---

le Synode (voir Allainval, *Anecdotes du règne de Pierre Premier*, ii.25; signet de Voltaire, CN, i.20). Ce point n'est pas dans le MS 4-4.

[6] Voltaire ne cesse de répéter que la puissance ecclésiastique doit être soumise au souverain: cf. *La Voix du sage et du peuple* (1750; M.xxiii.467), le *Mandement du révérendissime père en Dieu, Alexis, archevêque de Novogorod-la-Grande* (1765; M.xxv.346-52), *Le Cri des nations* (1769; M.xxvii.574), et art. 'Puissance', *Questions sur l'Encyclopédie* (1771; M.xx.300-305), où Voltaire rend hommage à Catherine II sur ce point. Voir aussi D13918, D15349, D15538.

[7] Traduction en langage noble du MS 2-22: les gens d'Eglise doivent être habillés décemment, ne doivent pas être ivres dans les rues, 'et bien moins dans les Eglises', il leur est défendu de se quereller, d'assister aux combats de poings, d'aller les cheveux épars, de se coucher dans les rues... (f.273r).

[8] En effet, le Saint-Synode administrait les biens de l'Eglise, mais leurs revenus continuèrent d'entrer au Trésor, conformément à la pratique de tutelle inaugurée par le gouvernement en 1701. Ainsi, le *Prikaz* des monastères dépendait plus de l'organisation générale des finances que du Synode (Portal, p.247).

[9] Voir le formulaire de ce serment dans Allainval, *Anecdotes du règne de Pierre Premier*, ii.7-13. Un extrait du serment figure dans le MS 4-4, f.245v-246v (cf. ci-dessus, I.x.124-132).

assemblés avaient le même rang que les sénateurs;[10] mais aussi ils
45   dépendaient du prince, ainsi que le sénat.

Cette nouvelle administration, et le nouveau code ecclésiastique,[11] ne furent en vigueur, et ne reçurent une forme constante,
que quatre ans après, en l'année 1722. Pierre voulut d'abord que
le synode lui présentât ceux qu'il jugerait les plus dignes des
50   prélatures. L'empereur[12] choisissait un évêque, et le synode le
sacrait. Pierre présidait souvent à cette assemblée. Un jour qu'il
s'agissait de présenter un évêque, le synode remarqua qu'il n'avait
encore que des ignorants à présenter au czar; *Eh bien*, dit-il, *il n'y
a qu'à choisir le plus honnête homme, cela vaudra bien un savant.*

55   Il est à remarquer que dans l'Eglise grecque il n'y a point de ce
que nous appelons *abbés séculiers*: le petit collet n'y est connu que
par son ridicule; mais par un autre abus, (puisqu'il faut que tout
soit abus dans le monde) les prélats sont tirés de l'ordre monastique.
Les premiers moines n'étaient que des séculiers, les uns dévots,
60   les autres fanatiques, qui se retiraient dans des déserts:[13] ils furent

---

53   K: Hé bien

---

[10] Il n'y a aucun rang affecté à leur dignité, objectèrent les censeurs de Pétersbourg;
mais ils reconnurent que le Synode *en corps* avait le même rang que le Sénat
(Š, p.467). Le Synode siège au-dessous des sénateurs lorsqu'il se rend au Sénat pour
porter devant le tsar des affaires importantes, précise Strahlenberg (ii.108-109).

[11] On l'appelle *Règlement ecclésiastique*, c'est sous ce nom qu'il est imprimé,
rappelèrent vainement les Russes (Š, p.467).

[12] Voltaire avait écrit 'le czar'. Les Russes estimèrent qu'après la paix de Nystad
il paraissait plus convenable de le nommer toujours empereur (Š, p.467). Voltaire,
là encore, choisit un moyen terme.

[13] Contrairement à la plupart des monastères grecs, qui s'élevaient en plein désert,
tous les monastères russes des débuts furent construits dans des villes ou à proximité;
il y en avait soixante-dix vers 1240, avant l'invasion mongole (Rouët de Journel,
Monachisme et monastères russes, p.22, 24). Ce n'est qu'à partir du quatorzième
siècle que se développe la tendance à l'érémétisme: fuite dans les 'déserts' du nord
de la Russie, formation de nouveaux monastères qui mettent fin à la solitude de
l'ermite, nouvelle fuite plus au nord, etc.

rassemblés enfin par St Basile, reçurent de lui une règle, [14] firent des vœux, et furent comptés pour le dernier ordre de la hiérarchie, par lequel il faut commencer pour monter aux dignités. C'est ce qui remplit de moines la Grèce et l'Asie. La Russie en était inondée; ils étaient riches, puissants; et quoique très ignorants, ils étaient, à l'avènement de Pierre, presque les seuls qui sussent écrire: ils en avaient abusé dans les premiers temps, où ils furent si étonnés, et si scandalisés des innovations que faisait Pierre en tout genre. Il avait été obligé en 1703 de défendre l'encre et les plumes aux moines: il fallait une permission expresse de l'archimandrite, qui répondait de ceux à qui il la donnait. [15]

Pierre voulut que cette ordonnance subsistât. Il avait voulu d'abord qu'on n'entrât dans l'ordre monastique qu'à l'âge de cinquante ans; [16] mais c'était trop tard; la vie de l'homme est trop courte, on n'avait pas le temps de former des évêques; il régla avec son synode, qu'il serait permis de se faire moine à trente ans passés, [17] mais jamais au-dessous: défense aux militaires et aux cultivateurs d'entrer jamais dans un couvent, à moins d'un ordre exprès de l'empereur, ou du synode: jamais un homme marié ne peut être reçu dans un monastère, même après le divorce, à moins que sa femme ne se fasse aussi religieuse de son plein consentement, et qu'ils n'aient point d'enfants. Quiconque est au service de l'Etat ne peut se faire moine, à moins d'une permission expresse. Tout moine doit travailler de ses mains à quelque métier. [18] Les religieuses

65

70

75

80

[14] Les moines russes ne reçurent pas leur règle de saint Basile, évêque de Césarée au quatrième siècle; voir ci-dessus, i.v, n.25.

[15] 'On défend aussi aux moines d'avoir dans leurs cellules de l'encre et du papier, et de rien écrire hors du réfectoire et sans la permission de leurs supérieurs, eu égard aux grands abus que les ecclésiastiques en faisoient alors en s'élevant contre toutes sortes de nouvautés' (ordonnance du 18 novembre 1703, 'Suite de l'Essay sur l'Etat de l'Eglise et du Clergé en Russie', MS 2-22, f.249r).

[16] Voir ci-dessus, *Anecdotes*, n.49 et i.x, n.31.

[17] Addition du Règlement ecclésiastique de la fin d'avril 1722 (MS 4-4, f.320r et f.330r).

[18] Voltaire résume ici le MS 4-4, f.320v-325v.

85 ne doivent jamais sortir de leur monastère; on leur donne la tonsure à l'âge de cinquante ans, comme aux diaconesses de la primitive Eglise; et si avant d'avoir reçu la tonsure, elles veulent se marier, non seulement elles le peuvent, mais on les y exhorte: [19] règlement admirable, dans un pays où la population est beaucoup
90 plus nécessaire que les monastères.

Pierre voulut que ces malheureuses filles, que Dieu a fait naître pour peupler l'Etat, et qui par une dévotion mal entendue ensevelissent dans les cloîtres la race dont elles devaient être mères, fussent du moins de quelque utilité à la société qu'elles trahissent:
95 il ordonna qu'elles fussent toutes employées à des ouvrages de la main, convenables à leur sexe. L'impératrice Catherine se chargea de faire venir des ouvrières du Brabant et de la Hollande; elle les distribua dans les monastères, [20] et on y fit bientôt des ouvrages dont Catherine et les dames de la cour se parèrent.

100 Il n'y a peut-être rien au monde de plus sage que toutes ces institutions; mais ce qui mérite l'attention de tous les siècles, c'est le règlement que Pierre porta lui-même, et qu'il adressa au synode en 1724. Il fut aidé en cela par Théophane Procopvitz. L'ancienne institution ecclésiastique est très savamment expliquée dans cet
105 écrit; [21] l'oisiveté monacale y est combattue avec force; le travail non seulement recommandé, mais ordonné; [22] et la principale

[19] MS 4-4, f.329r-330v. Le manuscrit ne dit pas qu'on 'exhorte' les jeunes religieuses à se marier, mais que si elles le veulent, on 'n'y mettra point d'obstacle'.

[20] MS 2-22, f.253r.

[21] Selon l'Ordonnance du 31 janvier 1724, au début du christianisme, deux raisons ont contribué à faire embrasser l'état monastique: un penchant naturel à la solitude, allié à l'idée qu'il est impossible de faire son salut dans ce monde (mais alors, les apôtres eux-mêmes, qui n'étaient pas moines, auraient été exclus du royaume des cieux); d'autre part, le souci d'éviter la cruauté des tyrans et des persécuteurs de la foi chrétienne. Si les premiers anachorètes vivaient seuls, l'apparition des hérésies les incita, pour mieux lutter contre elles, à se rassembler dans des monastères (MS 2-22, f.255r-257r). Voir la traduction publiée par Chappe d'Auteroche, *Voyage en Sibérie*, p.136-38).

[22] L'Ordonnance déclare que 'nous avons des témoignages sans nombre que les moines ne prétendoient pas vivre aux dépens des autres'. Elle invoque saint Jean

occupation doit être de servir les pauvres; [23] il ordonne, que les soldats invalides soient répartis dans les couvents; [24] qu'il y ait des religieux préposés pour avoir soin d'eux; que les plus robustes cultivent les terres appartenant aux couvents. Il ordonne la même chose dans les monastères des filles; les plus fortes doivent avoir soin des jardins; [25] les autres doivent servir les femmes et les filles malades, qu'on amène du voisinage dans le couvent. Il entre dans les plus petits détails [26] de ces différents services. Il destine quelques monastères de l'un et de l'autre sexe, à recevoir les orphelins, et à les élever. [27]

Il semble en lisant cette ordonnance de Pierre le Grand du 31 janvier 1724, qu'elle soit composée à la fois par un ministre d'Etat, et par un Père de l'Eglise.

Presque tous les usages de cette Eglise sont différents des nôtres. Dès qu'un homme est sous-diacre parmi nous, le mariage lui est interdit; et c'est un sacrilège pour lui de servir à peupler sa patrie. Au contraire, sitôt qu'un homme est ordonné sous-diacre en Russie, on l'oblige de prendre une femme: il devient prêtre, archiprêtre: mais pour devenir évêque, il faut qu'il soit veuf et moine. [28]

Chrysostome, Basile le Grand, qui avait établi l'obligation de travailler pour les moines, Socrate le Scolastique, pour qui 'un moine oisif est un voleur rusé'. Et elle se réfère longuement à l'ouvrage de saint Augustin sur les moines désœuvrés et inutiles (MS 2-22, f.257v-258v; traduction dans Chappe d'Auteroche, p.138-39).

[23] MS 2-22, f.262r (Chappe d'Auteroche, p.142).

[24] Articles I, II et III de l'Ordonnance (MS 2-22, f.262v; Chappe d'Auteroche, p.142).

[25] L'Ordonnance ne dit pas que les religieuses doivent avoir soin des jardins: au lieu de cultiver la terre, elles fileront dans les manufactures (art. III, MS 2-22, f.263r; Chappe d'Auteroche, p.142).

[26] C'est ce que dit le MS 4-4 à propos du serment des ecclésiastiques du Synode (f.247r).

[27] Article XIII de l'Ordonnance (MS 2-22, f.264r; Chappe d'Auteroche, p.143-44).

[28] Voltaire avait écrit: 'il faut qu'il se marie'. Les Russes lui signalèrent cette grossière erreur: les évêques russes ne se marient pas. Avant de devenir évêques, les moines doivent être hiéromoines ou moines-prêtres, puis archimandrites. Quant aux prêtres, ils doivent être mariés ou l'avoir été une fois; d'abord sous-diacres, ils sont obligés de prendre femme, puis deviennent popes ou prêtres, enfin protopopes

Pierre défendit à tous les curés d'employer plus d'un de leurs enfants au service de leur église, [29] de peur qu'une famille trop nombreuse ne tyrannisât la paroisse; et il ne leur fut permis d'employer plus d'un de leurs enfants, que quand la paroisse le demandait elle-même. On voit que dans les plus petits détails de ces ordonnances ecclésiastiques, tout est dirigé au bien de l'Etat, et qu'on prend toutes les mesures possibles pour que les prêtres soient considérés, sans être dangereux, et qu'ils ne soient ni avilis, ni puissants. [30]

Je trouve dans des mémoires curieux composés par un officier fort aimé de Pierre le Grand, qu'un jour on lisait à ce prince le chapitre du *Spectateur Anglais* qui contient un parallèle entre lui et Louis XIV: [31] il dit, après l'avoir écouté: 'Je ne crois pas mériter la préférence qu'on me donne sur ce monarque: mais j'ai été assez heureux pour lui être supérieur dans un point essentiel; j'ai forcé mon clergé à l'obéissance et à la paix, et Louis XIV s'est laissé subjuguer par le sien.' [32]

Un prince qui passait les jours au milieu des fatigues de la

---

ou archiprêtres. Un pope ou protopope ne peut devenir évêque que s'il est veuf et embrasse l'état monastique (Š, p.467-68). Voltaire a résumé ces informations.

[29] A Pétersbourg, on précisa que c'est aux prêtres séculiers qu'il fit cette défense (Š, p.468). Comme on lui avait déjà expliqué que les curés sont des séculiers qui doivent être mariés (voir note précédente), Voltaire jugea cette observation superflue.

[30] Les popes étaient méprisés par le peuple russe, même après les réformes de Pierre le Grand.

[31] Parallèle dû à Richard Steele dans *The Spectator*, n° 139 (9 août 1711), ii.217-19. La traduction française a paru dans *Le Spectateur ou le Socrate moderne* (Amsterdam, Leipzig 1714), ii.1-5. La traduction russe de Trediakovski ne paraîtra qu'en 1731.

[32] L'anecdote est dans le MS 2-2 (voir aussi Bn, F14637, p.7-8). Vers le 1er juin 1740, Voltaire écrivait à John Hervey que Pierre s'était instruit chez les autres peuples, alors que Louis XIV avait 'instruit les nations', aussi parle-t-on du 'Siècle de Louis XIV', et non du siècle du tsar Pierre (D2216). Le parallèle Louis XIV – Pierre le Grand sera un lieu commun dans la Russie du dix-huitième siècle. Karamzine le reprendra dans ses *Lettres d'un voyageur russe* (1790) en opposant un Pierre 1er créateur des Lumières en Russie à un Louis XIV qui n'a fait que développer un héritage culturel.

guerre, et les nuits à rédiger tant de lois, à policer un si vaste   145
empire, à conduire tant d'immenses travaux dans l'espace de deux
mille lieues, avait besoin de délassements. Les plaisirs ne pouvaient
être alors ni aussi nobles, ni aussi délicats qu'ils le sont devenus
depuis. Il ne faut pas s'étonner si Pierre s'amusait à sa fête des
cardinaux, dont nous avons déjà parlé,[33] et à quelques autres   150
divertissements de cette espèce; ils furent quelquefois aux dépens
de l'Eglise romaine, pour laquelle il avait une aversion, très
pardonnable à un prince du rite grec, qui veut être le maître chez
lui. Il donna aussi de pareils spectacles aux dépens des moines de
sa patrie, mais des anciens moines, qu'il voulait rendre ridicules,   155
tandis qu'il réformait les nouveaux.

Nous avons déjà vu qu'avant qu'il promulguât ses lois ecclésiastiques, il avait créé pape un de ses fous,[34] et qu'il avait célébré la
fête du conclave. Ce fou, nommé Sotof, était âgé de quatre-vingt-
quatre ans. Le czar imagina de lui faire épouser une veuve de son   160
âge, et de célébrer solennellement cette noce; il fit faire l'invitation
par quatre bègues; des vieillards décrépits conduisaient la mariée;
quatre des plus gros hommes de Russie servaient de coureurs: la
musique était sur un char conduit par des ours, qu'on piquait avec
des pointes de fer, et qui par leurs mugissements, formaient une   165
basse digne des airs qu'on jouait sur le chariot. Les mariés furent
bénis dans la cathédrale par un prêtre aveugle et sourd, à qui on
avait mis des lunettes.[35] La procession, le mariage, le repas des
noces, le déshabillé des mariés, la cérémonie de les mettre au
lit,[36] tout fut également convenable à la bouffonnerie de ce   170
divertissement.

[33] Voir ci-dessus, II.ix.40-62.
[34] Voir ci-dessus, II.ix.40-62.
[35] Pour cette 'mascarade' des 27-28 janvier 1715, Voltaire reprend presque
textuellement le récit de Weber (i.143-45) ou celui de Rousset de Missy (iii.366-
68), selon qui la veuve a 34 ans.
[36] Le repas des noces et le déshabillé des mariés ne sont pas contés par Weber et
Rousset de Missy. Ils ne sont pas rapportés non plus dans le MS 2-28, qui parle
seulement d'un 'grand festin' et d'une 'beuverie' (f.324v).

Une telle fête nous paraît bien bizarre; mais l'est-elle plus que nos divertissements du carnaval? est-il plus beau de voir cinq cents personnes portant sur le visage des masques hideux, et sur le corps des habits ridicules, sauter toute une nuit dans une salle sans se parler?

Nos anciennes fêtes des fous et de l'âne [37] et de l'abbé des cornards [38] dans nos églises, étaient-elles plus majestueuses? et nos comédies de la *Mère sotte* [39] montraient-elles plus de génie?

175

[37] La fête des fous était une réminiscence des Saturnales païennes, célébrée entre Noël et l'Epiphanie. Lors de cette parodie religieuse, l'évêque ou le pape des fous officiait à l'église de manière bouffonne. Jaucourt a consacré aux désordres et indécences de cette fête un long article dans l'*Encyclopédie* (vi.573-76). Quant à la fête de l'âne, elle avait lieu le 1er janvier. Ces fêtes furent proscrites par l'Eglise, mais il y en eut des survivances jusqu'au dix-septième siècle, et même jusqu'en 1745 à Antibes. Voltaire les évoque aussi dans l'*Essai sur les mœurs*, ch.82 (i.769-72) et dans l'article 'Des délits locaux' du *Dictionnaire philosophique* (V 36, p.11-12).

[38] Comme pour les fêtes des fous et de l'âne, Voltaire a sans doute puisé ses renseignements dans Du Cange, lorsqu'il décrit 'l'abbé des conards' promené dans les villes de Normandie 'sur un char à quatre chevaux, la mitre en tête, la crosse à la main, donnant des bénédictions et des mandements' (*Essai sur les mœurs*, ch.82; i.771).

[39] Personnage des soties. Voltaire l'évoque, ainsi que le *Prince des sots*, dans l'*Essai sur les mœurs*, ch.82 (i.772). Rappelons que certaines soties n'étaient pas sans rapport avec des sociétés joyeuses de jeunes gens, dont la plus célèbre était les Cornards de Rouen, qui brocardaient les pouvoirs pendant les jours gras.

CHAPITRE QUINZIÈME

Des négociations d'Aland. De la mort de
Charles XII, etc. De la paix de Neustadt.

Ces travaux immenses du czar, ce détail de tout l'empire russe, et le malheureux procès du prince Alexis n'étaient pas les seules affaires qui l'occupassent: il fallait se couvrir au dehors, en réglant l'intérieur de ses Etats. La guerre continuait toujours avec la Suède, mais mollement, et ralentie par les espérances d'une paix prochaine. [1]

Il est constant que dans l'année 1717 le cardinal Albéroni, premier ministre de Philippe v roi d'Espagne, et le baron de Gôrtz, devenu maître de l'esprit de Charles XII, avaient voulu changer la face de l'Europe, en réunissant Pierre avec Charles, en détrônant le roi d'Angleterre George premier, en rétablissant Stanislas en Pologne, tandis qu'Albéroni donnerait à Philippe son maître la régence de la France. Gôrtz s'était, comme on a vu, [2] ouvert au czar même. Albéroni avait entamé une négociation avec le prince Kourakin, ambassadeur du czar à la Haye, par l'ambassadeur d'Espagne Baretti Landi, Mantouan, transplanté en Espagne ainsi que le cardinal. [3]

c   63, 65:   Neustad

[1] Le 4/15 novembre 1716, Pierre Lefort écrivait déjà à son père: 'Le bruit court [...] que la paix est fort avancée et que les ambassadeurs pour la conclure sont déjà nomé et ont ordre de se rendre au plus vite à Brunswick' (MS 3-28, f.166v). Le 'Recueil de différentes Anecdotes et particularités' insiste sur les manœuvres des Suédois, qui ne cherchaient qu'à gagner du temps en attendant d'avoir du renfort pour éviter de faire la paix (MS 2-7, 'Du Congrés d'Aland en 1718', f.73r-100v).
[2] Voir ci-dessus, II.viii.84-94 et II.ix.84-90.
[3] Les tractations compliquées entre le marquis de Beretti-Landi et Kourakine sont rapportées en détail dans les 'Anecdotes sur les négociations entre les Cours

C'étaient des étrangers qui voulaient tout bouleverser pour des maîtres dont ils n'étaient pas nés sujets, ou plutôt pour eux-mêmes. Charles XII donna dans tous ces projets, et le czar se contenta de les examiner.[4] Il n'avait fait dès l'année 1716 que de faibles efforts contre la Suède, plutôt pour la forcer à acheter la paix par la cession des provinces qu'il avait conquises, que pour achever de l'accabler.[5]

Déjà l'activité du baron de Gôrtz avait obtenu du czar qu'il envoyât des plénipotentiaires dans l'île d'Aland, pour traiter de cette paix. L'Ecossais Bruce, grand-maître d'artillerie en Russie,[6] et le célèbre Osterman, qui depuis fut à la tête des affaires,[7]

de Russie et d'Espagne'. Elles durèrent d'avril 1718 jusqu'à la mort de Charles XII, en décembre (MS 1-5, f.269r-274r).

[4] Pierre le Grand était en réalité mêlé à cet imbroglio diplomatique, comme l'a observé N. Le Clerc (cf. ci-dessus, p.326), ce qui ne fut pas sans provoquer un refroidissement entre les cours de France et de Russie, au moment où l'Angleterre faisait par ailleurs des efforts pour détruire l'alliance franco-russe. Dubois faisait savoir à Johann Christoph Schleinitz, l'envoyé russe à Paris, qu'il était au courant de ce qui se tramait autour de Pierre le Grand. 'A quoi bon rechercher l'Espagne?', disait-il, 'il n'y a rien à faire avec elle. Que veut le tsar? La domination de la Baltique. Eh bien, ce n'est pas l'Espagne qui peut la lui assurer. La puissance excessive de l'Empereur, son alliance avec l'Angleterre, déplaisent à la France autant qu'à la Russie'. Ce que désirait Dubois, c'était une quintuple alliance: France, Russie, Prusse, Suède, Espagne (Rambaud, *Recueil des instructions*, viii.199-200).

[5] Il est sans doute vrai que, comme l'écrivait Pierre Lefort à son père le 26 juillet/6 août 1716, cette guerre n'était faite que pour contraindre la Suède à faire la paix (MS 3-30, f.169v). Mais Lefort déplorait – comme Pierre le Grand – que les flottes anglaise et hollandaise qui étaient dans le Sund n'aient point voulu consentir à la descente en Scanie (f.169r). Il est contestable que Pierre le Grand n'ait fait en 1716 que de 'faibles efforts contre la Suède'. L'année précédente, il écrivait en tout cas à Pavel Iagoujinski: 'Il vaut donc mieux de faire une descente en Scanie, et de le forcer ainsi [Charles XII] à la paix. *En n'agissant que foiblement*, il est à craindre que quelque médiateur trop puissant ne s'en mêle, et qu'alors nous ne soyons obligé de danser à sa corde' (post-scriptum de la lettre du 12 avril 1715, MS 2-7, f.90r; souligné par nous).

[6] Iakov Vilimovitch Bruce (1670-1735), feld-maréchal russe d'origine écossaise. Nommé grand-maître de l'artillerie en 1711. Il vulgarisa en Russie la théorie de Copernic.

[7] Heinrich Johann Friedrich (Andreï Ivanovitch) Osterman (1687-1747) entra au

arrivèrent au congrès, précisément dans le temps qu'on arrêtait le
czarovitz dans Moscou. Gôrtz et Gyllembourg[8] étaient déjà au   30
congrès[9] de la part de Charles XII; tous deux impatients d'unir ce
prince avec Pierre, et de se venger du roi d'Angleterre. Ce qui
était étrange, c'est qu'il y avait un congrès, et point d'armistice.
La flotte du czar croisait toujours sur les côtes de Suède, et faisait
des prises: il prétendait par ces hostilités accélérer la conclusion   35
d'une paix si nécessaire à la Suède, et qui devait être si glorieuse
à son vainqueur.

Déjà, malgré les petites hostilités qui duraient encore, toutes
les apparences d'une paix prochaine étaient manifestes. Les prélimi-
naires étaient des actions de générosité, qui font plus d'effet que   40
des signatures. Le czar renvoya sans rançon le maréchal Renschild,
que lui-même avait fait prisonnier, et le roi de Suède rendit de

---

41   63, 65:   Erenchild

---

service de la Russie en 1704. Ce Westphalien, qui parlait le hollandais, le français,
l'italien et le latin, remplit d'importantes fonctions diplomatiques sous Pierre le
Grand. Voltaire n'a pas tenu compte des 'Anecdotes sur la Russie', qui contiennent
une biographie et un portrait de ce fils d'un pasteur luthérien: lieutenant sur les
galères russes, Osterman devint ensuite le secrétaire particulier de Pierre le Grand,
puis ministre et chancelier. Tout en faisant l'éloge de l'homme, de ses 'grands
talents' et de son 'assiduité', le manuscrit critique sa maison, 'mal tenue', sa
table, 'mal servie', ses domestiques, 'vétus misérablement', et la propre personne
d'Osterman, 'd'une simplicité dégoûtante' (MS 3-51, f.227). Osterman fut membre
du Haut conseil secret de 1726 à 1730. Vice-chancelier sous Anna Ivanovna, il
dirigea les affaires extérieures. Condamné à mort (avec d'autres Allemands en vue
du temps d'Anna) dès le début du règne d'Elisabeth, il fut grâcié en 1742, mais
termina sa vie en exil en Sibérie. Bruce et Osterman arrivèrent à Åbo le 20 janvier
1718 (MS 2-7, f.73r). Ils partirent pour Åland le 25 avril (f.73v).

[8] Sur Gyllenborg, ancien ambassadeur de Suède en Angleterre, voir ci-dessus,
II.viii, n.13.

[9] Il n'y avait que le comte de Sparre, aide-de-camp général du roi, lorsque les
plénipotentiaires de Russie y arrivèrent, rectifia-t-on à Pétersbourg. Les ministres
de Suède s'y rendirent après (Š, p.468). C'est ce que rapporte le MS 2-7, f.73v, où il
est précisé que les ministres de Suède arrivèrent à Åland le 8 mai.

même les généraux Trubetskoy et Gollovin, prisonniers en Suède depuis la journée de Nerva. [10]

45 Les négociations avançaient; tout allait changer dans le Nord. Gôrtz proposait au czar l'acquisition du Meklembourg. [11] Le duc Charles qui possédait ce duché, avait épousé une fille du czar Ivan, [12] frère aîné de Pierre. La noblesse de son pays était soulevée contre lui. Pierre avait une armée dans le Meklembourg, et prenait 50 le parti du prince qu'il regardait comme son gendre. Le roi d'Angleterre électeur de Hanovre se déclarait pour la noblesse: c'était encore une manière de mortifier le roi d'Angleterre, en assurant le Meklembourg à Pierre, déjà maître de la Livonie, et qui allait devenir plus puissant en Allemagne qu'aucun électeur. 55 On donnait en équivalent au duc de Meklembourg, le duché de Courlande, et une partie de la Prusse, aux dépens de la Pologne, à laquelle on rendait le roi Stanislas. Brême et Verden devaient revenir à la Suède; mais on ne pouvait en dépouiller le roi George premier que par la force des armes. Le projet de Gôrtz était donc, 60 comme on l'a déjà dit, que Pierre et Charles XII, unis non seulement par la paix, mais par une alliance offensive, envoyassent en Ecosse

[10] 'Ce qui fut exécuté le 19 oct. v. st. [1718]' (MS 2-7, f.75r). Le 31 juillet, Rehnskjöld était arrivé de Kazan à Pétersbourg. Il fut conduit à Åbo pour y être échangé contre Golovine et Troubetskoï. Ces derniers revinrent à Pétersbourg en décembre (Weber, i.357, 373). Ivan Iourievitch Troubetskoï, général feld-maréchal, favori de Pierre le Grand, avait commencé par servir dans le régiment Preobrajenski. Il avait été fait prisonnier dès le début de la guerre du Nord. A l'avènement d'Anna Ivanovna, il sera un partisan acharné du rétablissement de l'autocratie et deviendra sénateur, puis, en 1739, gouverneur général de Moscou. Il mourra très âgé en 1750.

[11] Non: le Mecklembourg devait revenir à la Suède, selon la proposition de Görtz (Massie, p.693). En juin 1718, Osterman présenta à Görtz des propositions de paix: l'une de ces propositions consistait à rendre la Finlande, mais à garder la Livonie, l'Estonie, l'Ingrie et une partie de la Carélie, à condition d'aider militairement Charles XII à conquérir la Norvège et à récupérer ses provinces germaniques, auxquelles seraient ajouté le Mecklembourg. L'autre solution proposée était de ne pas aider la Suède, mais de lui rendre la Finlande, la Livonie et l'Estonie (Nordmann, *La Crise du Nord*, p.158).

[12] Sur Catherine (Ekaterina Ivanovna), voir ci-dessus, II.vi, n.11.

une armée. Charles XII, après avoir conquis la Norvège, devait
descendre en personne dans la Grande-Bretagne,[13] et se flattait
d'y faire un nouveau roi, après en avoir fait un en Pologne. Le
cardinal Albéroni promettait des subsides à Pierre[14] et à Charles.   65
Le roi George, en tombant, entraînait probablement dans sa chute
le régent de France son allié, qui demeurant sans support était
livré à l'Espagne triomphante, et à la France soulevée.

Albéroni et Gôrtz se croyaient sur le point de bouleverser
l'Europe d'un bout à l'autre. Une balle de couleuvrine, lancée au   70
hasard des bastions de Frederichshall en Norvège, confondit tous
ces projets; Charles XII fut tué;[15] la flotte d'Espagne fut battue par
les Anglais, la conjuration fomentée en France découverte et
dissipée; Albéroni chassé d'Espagne,[16] Gôrtz décapité à Stockholm;[17] et de toute cette ligue terrible, à peine commencée, il ne   75

71   63-w68: Fredricshal

[13] Beretti-Landi insistait pour que la paix se fît entre la Russie et la Suède, et
promettait le concours de l'Espagne pour un débarquement en Ecosse, où 'on
espérait trouver un parti considérable', afin de détrôner le roi d'Angleterre. Il
proposait tantôt trente mille hommes, tantôt quarante mille, tantôt vingt vaisseaux,
tantôt trente (MS 1-5, f.269v; 271r). Mais il fallait d'abord que Charles XII s'emparât
de la Norvège (f.274r).
[14] En novembre 1718, Kourakine dit à Beretti-Landi que la partie n'était pas
égale, puisqu'il fallait d'abord attaquer le roi George, et ne recevoir les subsides
qu'après l'avoir chassé d'Angleterre (MS 1-5, f.272r).
[15] Le 11/22 décembre 1718. Voir le récit de cette mort dans l'*Histoire de Charles
XII* (V 4, p.539-41).
[16] On sait que la conspiration du duc et de la duchesse Du Maine contre le Régent
dans laquelle était impliqué le duc de Cellamare, échoua en décembre 1718.
Cellamare fut arrêté et expulsé de France, et Dubois déclara la guerre à l'Espagne.
Quant au cardinal Alberoni, après son renvoi d'Espagne en 1719, il se retira à
Rome. En 1735, le pape le désigna comme légat du Saint-Siège en Romagne. Il
mourut en 1752, à l'âge de 88 ans.
[17] Le 2 mars 1719.

resta de puissant que le czar, qui ne s'étant compromis avec personne, [18] donna la loi à tous ses voisins.

Toutes les mesures furent changées en Suède après la mort de Charles XII: il avait été despotique; et on n'élut sa sœur Ulrique reine, qu'à condition qu'elle renoncerait au despotisme. Il avait voulu s'unir avec le czar contre l'Angleterre et ses alliés, et le nouveau gouvernement suédois s'unit à ces alliés contre le czar.

Le congrès d'Aland ne fut pas à la vérité rompu; [19] mais la Suède liguée avec l'Angleterre, espéra que des flottes anglaises envoyées dans la Baltique, lui procureraient une paix plus avantageuse. Les troupes hanovriennes entrèrent dans les Etats du duc de *Février 1719.* Meklembourg; mais les troupes du czar les en chassèrent.

Il entretenait aussi un corps de troupes en Pologne, qui en imposait à la fois aux partisans d'Auguste, et à ceux de Stanislas; et à l'égard de la Suède, il tenait une flotte prête, qui devait ou faire une descente sur les côtes, ou forcer le gouvernement suédois à ne pas faire languir le congrès d'Aland. Cette flotte fut composée de douze grands vaisseaux de ligne, de plusieurs du second rang, de frégates, et de galères: le czar en était le vice-amiral, commandant toujours sous l'amiral Apraxin.

Une escadre de cette flotte se signala d'abord contre une escadre suédoise, et après un combat opiniâtre, prit un vaisseau et deux

---

[18] 'Pierre a toujours traité comme chimérique le projet de faire remonter le Prétendant sur le trône d'Angleterre, n'a jamais voulu y prendre part quoiqu'il avait bien des raisons de se venger du roi George' (MS 2-7, f.98r). Les intrigues continuèrent après la mort de Charles XII et la paix d'Åland: un mémoire du chevalier Stirling de décembre 1721 sollicite du tsar un secours de 8 à 10 000 hommes pour se joindre aux mécontents d'Angleterre et placer sur le trône le 'roi Jacques'. Le Prétendant écrit de Rome au tsar le 18 janvier 1723 pour lui proposer une expédition en Grande-Bretagne (MS 2-7, f.98r et 99).

[19] 'Le 12 juillet [1719] Ostermann partit pour Stockholm [...] A la fin la flotte Russienne [...] entra dans le Golfe Bothnique pour donner plus de poid aux négociations [...] La dessus Lilienstedt partit le premier; les ministres de Russie firent de même et le Congrès finit infructueusement' (MS 2-7, f.78).

frégates.[20] Pierre qui encourageait par tous les moyens possibles la marine qu'il avait créée, donna soixante mille livres de notre monnaie aux officiers de l'escadre, des médailles d'or, et surtout des marques d'honneur.

Dans ce temps-là même, la flotte anglaise, sous le commandement de l'amiral Norris, entra dans la mer Baltique, pour favoriser les Suédois.[21] Pierre eut assez de confiance dans sa nouvelle marine, pour ne se pas laisser imposer par les Anglais; il tint hardiment la mer, et envoya demander à l'amiral anglais, s'il venait simplement comme ami des Suédois, ou comme ennemi de la Russie. L'amiral répondit qu'il n'avait point encore d'ordre positif. Pierre malgré cette réponse équivoque, ne laissa pas de tenir la mer.

Les Anglais en effet n'étaient venus que dans l'intention de se montrer, et d'engager le czar par ces démonstrations, à faire aux Suédois des conditions de paix acceptables. L'amiral Norris alla à Copenhague, et les Russes firent quelques descentes en Suède dans *Juillet.* le voisinage même de Stockholm; ils ruinèrent des forges de cuivre; ils brûlèrent près de quinze mille maisons,[22] et causèrent assez de mal pour faire souhaiter aux Suédois que la paix fût incessamment conclue.

En effet, la nouvelle reine de Suède pressa le renouvellement des négociations; Osterman même fut envoyé à Stockholm;[23] les choses restèrent dans cet état pendant toute l'année 1719.

---

[20] Le 4/15 juin 1719 (Massie, p.706). La flotte russe se trouvait alors à quinze milles de Stockholm.

[21] En 1715, Pierre le Grand avait célébré la visite de Sir John Norris et de son escadre à Revel par trois semaines de réjouissances. Dans les étés de 1715 à 1718, Norris commandait l'escadre britannique de la Baltique qui avait pour mission de ne pas inquiéter les Suédois si ses vaisseaux n'étaient pas attaqués. En 1716, son escadre faisait partie de la flotte alliée qui devait protéger les troupes chargées de débarquer en Scanie (l'invasion, on le sait, n'eut pas lieu). En juillet 1719, les navires de l'amiral Norris jetèrent l'ancre à Stockholm et la reine Ulrique-Eléonore accepta la médiation anglaise dans la guerre russo-suédoise.

[22] Sur les ravages causés en Suède par Apraxine et Piotr Petrovitch Lascy dans l'été 1719, voir Rousset de Missy, iv.195, Waliszewski, p.378, et Massie, p.707.

[23] En juillet 1719 (voir ci-dessus, n.19).

L'année suivante, le prince de Hesse, mari de la reine de Suède, devenu roi de son chef, par la cession de sa femme,[24] commença son règne par l'envoi d'un ministre à Pétersbourg, pour hâter cette paix tant désirée: mais au milieu de ces négociations la guerre 125 durait toujours.

La flotte anglaise se joignit à la suédoise, mais sans commettre encore d'hostilités; il n'y avait point de rupture déclarée entre la Russie et l'Angleterre; l'amiral Norris offrait la médiation de son maître, mais il l'offrait à main armée; et cela même arrêtait les 130 négociations. Telle est la situation des côtes de la Suède, et de celles des nouvelles provinces de Russie sur la mer Baltique, que l'on peut aisément insulter celles de Suède, et que les autres sont d'un abord très difficile. Il y parut bien, lorsque l'amiral Norris ayant levé le masque, fit enfin une descente, conjointement avec 135 les Suédois, dans une petite île de l'Estonie nommée Narguen,[25] *Juin.* appartenante au czar: ils brûlèrent une cabane; mais les Russes dans le même temps descendirent vers Vasa, brûlèrent quarante et un villages et plus de mille maisons, et causèrent dans tout le pays un dommage inexprimable. Le prince Gallitzin prit quatre frégates 140 suédoises à l'abordage;[26] il semblait que l'amiral anglais ne fût venu que pour voir de ses yeux à quel point le czar avait rendu sa marine redoutable. Norris ne fit presque que se montrer à ces mêmes mers sur lesquelles on menait les quatre frégates suédoises en triomphe au port de Cronslot devant Pétersbourg. Il paraît que 145 les Anglais en firent trop s'ils n'étaient que médiateurs, et trop peu s'ils étaient ennemis.[27]

Enfin, le nouveau roi de Suède demanda une suspension *Novembre.* d'armes;[28] et n'ayant pu réussir jusqu'alors par les menaces de

[24] Ulrique-Eléonore abdiqua en faveur de son mari Frédéric de Hesse, qui devint Frédéric Ier de Suède en mars 1720.

[25] Petite île située tout près de Revel, comme on le précisa à Pétersbourg (Š, p.469). Elle est connue actuellement sous son nom estonien de Naïssaar.

[26] Le 27 juillet/7 août 1720.

[27] Tel est à peu près le sentiment de Massie (p.710).

[28] Il convient de rappeler ici le rôle du premier ministre Sir Robert Walpole, qui

l'Angleterre, il employa la médiation du duc d'Orléans, régent de France: ce prince allié de la Russie et de la Suède, eut l'honneur *Février 1721.* de la conciliation: il envoya Campredon plénipotentiaire à Pétersbourg, et de là à Stockholm. [29] Le congrès s'assembla dans Neustadt, [30] petite ville de Finlande; mais le czar ne voulut accorder l'armistice que quand on fut sur le point de conclure, et de signer. Il avait une armée en Finlande, prête à subjuguer le reste de cette province; [31] ses escadres menaçaient continuellement la Suède; [32] il fallait que la paix ne se fît que suivant ses volontés. On souscrivit enfin à tout ce qu'il voulut: on lui céda à perpétuité tout ce qu'il avait conquis, depuis les frontières de la Courlande jusqu'au fond du golfe de Finlande, et par delà encore, le long du pays de Kexholm, et cette lisière de la Finlande même, qui se prolonge des environs de Kexholm au nord: ainsi il resta souverain reconnu de la Livonie, de l'Estonie, de l'Ingrie, de la Carélie, du pays de Vibourg, et des îles voisines, qui lui assuraient encore la domination de la mer, comme les îles d'Oesel, de Dago, de Mône, [33] et beaucoup d'autres. Le tout formait une étendue de trois cents lieues communes, sur des largeurs inégales, et composait un grand royaume, qui était le prix de vingt années de peines.

était partisan d'éviter la guerre, après la crise survenue lors de l'effondrement des actions de la Compagnie des mers du Sud en septembre 1720.

[29] En fait, Campredon était à Stockholm depuis le 5 septembre 1719 (*Mémoire sur les négociations dans le Nord*, Paris 1859, p.39). Il se rendit à Pétersbourg en février 1721 (voir la lettre de Pierre à Iagoujinski du 15 février 1721, MS 2-7, f.83*v*). Mais, selon le tsar, il faisait 'beaucoup de contes' et parlait de médiation sans être muni de pleins pouvoirs, comme l'avait demandé Pierre (f.83*v*-84*r*). Campredon repartit à la fin de mars 1721 pour Stockholm, où il déclara le 27 avril qu'il fallait faire la paix à tout prix et sans délai, vu la détermination du tsar (Nordmann, *La Crise du Nord*, p.237). Sur Campredon, voir ci-dessus, *Anecdotes*, n.114.

[30] La conférence de Nystad s'ouvrit le 28 avril 1721 v. st.

[31] Elle était subjuguée depuis 1714, mais on se préparait à faire une invasion au cœur de la Suède, fit-on remarquer à Pétersbourg (Š, p.469).

[32] Elles ravagèrent même six cents kilomètres de côtes suédoises dans l'été 1721.

[33] Actuellement, les noms estoniens de ces îles sont respectivement Saaremaa, Khiouma et Muhu.

Cette paix de Neustadt fut signée le 10 septembre 1721 n. st. 10 septembre.
170 par son ministre Osterman, et le général Bruce.

Pierre eut d'autant plus de joie, que se voyant délivré de la nécessité d'entretenir de grandes armées vers la Suède, libre d'inquiétude avec l'Angleterre et avec ses voisins, il se voyait en état de se livrer tout entier à la réforme de son empire, déjà si bien
175 commencée, et à faire fleurir en paix les arts et le commerce, introduits par ses soins avec tant de travaux.

Dans les premiers transports de sa joie, il écrivit à ses plénipotentiaires: 'Vous avez dressé le traité comme si nous l'avions rédigé nous-mêmes, et si nous vous l'avions envoyé pour le faire signer
180 aux Suédois; ce glorieux événement sera toujours présent à notre mémoire.'

Des fêtes de toute espèce signalèrent la satisfaction des peuples dans tout l'empire, et surtout à Pétersbourg. Les pompes triomphales que le czar avait étalées pendant la guerre n'approchaient
185 pas des réjouissances paisibles, au-devant desquelles tous les citoyens allaient avec transport: cette paix était le plus beau de ses triomphes; et ce qui plut bien plus encore que toutes ces fêtes éclatantes, ce fut une rémission entière pour tous les coupables détenus dans les prisons, et l'abolition de tout ce qu'on devait
190 d'impôts au trésor du czar dans toute l'étendue de l'empire, jusqu'au jour de la publication de la paix. On brisa les chaînes d'une foule de malheureux: les voleurs publics, les assassins, les criminels de lèse-majesté furent seuls exceptés. [34]

Ce fut alors que le sénat et le synode décernèrent à Pierre les
195 titres de grand, d'empereur, et de père de la patrie. Le chancelier Golofkin porta la parole au nom de tous les ordres de l'Etat dans l'église cathédrale: [35] les sénateurs crièrent ensuite trois fois, Vive

[34] Mesures prises au Sénat le 31 octobre 1721 (Massie, p.714). Rousset de Missy, qui décrit longuement l'"entrée triomphante' du tsar à Moscou, ne rapporte qu'un ordre de mettre en liberté tous les prisonniers suédois, dont la plupart préférèrent rester au service du tsar ou dans les lieux où ils s'étaient établis (iv.387).

[35] Golovkine dit entre autres que le tsar avait fait de rien quelque chose en

notre empereur, et notre père; et ces acclamations furent suivies de celles du peuple. Les ministres de France, d'Allemagne, de Pologne, de Dannemarck, de Hollande, [36] le félicitèrent le même jour, le nommèrent de ces titres qu'on venait de lui donner, et reconnurent empereur celui qu'on avait déjà désigné publiquement par ce titre en Hollande, après la bataille de Pultava. Les noms de *père*, et de *grand*, étaient des noms glorieux, que personne ne pouvait lui disputer dans l'Europe; celui d'*empereur* n'était qu'un titre honorifique, décerné par l'usage à l'empereur d'Allemagne, comme roi titulaire des Romains; et ces appellations demandent du temps pour être formellement usitées dans les chancelleries des cours, où l'étiquette est différente de la gloire. Bientôt après Pierre fut reconnu empereur par toute l'Europe, excepté par la Pologne, que la discorde divisait toujours, et par le pape, [37] dont le suffrage est devenu fort inutile, depuis que la cour romaine a perdu son crédit à mesure que les nations se sont éclairées.

200

205

210

introduisant les Russes dans la société des gens civilisés (Massie, p.714, d'après Soloviev).

[36] Rousset de Missy prétend que le titre d'empereur a été refusé au tsar par le Danemark (iv.396). Seules la Hollande et la Prusse reconnurent immédiatement ce titre, la Suède ne le fit qu'en 1723, l'Autriche et la Grande-Bretagne en 1742, la France et l'Espagne en 1745, la Pologne en 1764 (Riasanovsky, p.249; Massie, p.715).

[37] Voltaire avait écrit: 'Pierre fut reconnu empereur par toute l'Europe, excepté le pape et la Pologne'. On lui fit remarquer à Pétersbourg que le titre impérial n'avait été reconnu par toutes les puissances que sous le règne d'Elisabeth (Š, p.469).

CHAPITRE SEIZIÈME

Des conquêtes en Perse.

La situation de la Russie est telle, qu'elle a nécessairement des intérêts à ménager avec tous les peuples qui habitent vers le cinquantième degré de latitude. [1] Quand elle fut mal gouvernée, elle fut en proie tour à tour aux Tartares, aux Suédois, aux Polonais; [2] et sous un gouvernement ferme et vigoureux, elle fut redoutable à toutes les nations. Pierre avait commencé son règne par un traité avantageux avec la Chine. [3] Il avait à la fois combattu les Suédois et les Turcs: il finit par conduire des armées en Perse.

La Perse commençait à tomber dans cet état déplorable où elle est encore de nos jours. [4] Qu'on se figure la guerre de Trente ans dans l'Allemagne, les temps de la Fronde, les temps de la

---

[1] Voltaire avait écrit: 'avec tous les peuples du monde'. Pétersbourg objecta: 'ce n'est qu'avec ses voisins et les nations avec lesquelles la Russie est en commerce qu'elle a nécessairement des intérêts à ménager' (Š, p.470). Voltaire tint compte de cette observation pertinente.

[2] Voltaire avait compté parmi les oppresseurs de la Russie les Turcs, les Chinois et les Persans. Il les exclut de sa liste après les indications de Pétersbourg (Š, p.470).

[3] Le traité de Nertchinsk (27 août/6 septembre 1689) est antérieur, de peu il est vrai, au 'règne' de Pierre le Grand: on sait que le coup d'Etat de Pierre contre Sophie n'eut lieu qu'en septembre 1689, et que son règne proprement dit ne commença qu'à la mort de sa mère, en 1694. De toute façon, on l'a vu, ce traité, par lequel la Russie cédait à la Chine toute la ligne de l'Amour, fut un 'triomphe chinois' (Bennigsen, *Russes et Chinois avant 1917*, p.59). Quant au traité de Kiakhta, il ne fut signé, on s'en souvient, qu'après la mort de Pierre le Grand; voir ci-dessus, II.xii, n.33. De sorte qu'à la fin de son règne, la route du commerce avec la Chine fut plus rétrécie qu'élargie (Massie, p.792).

[4] Au temps de Voltaire, la Perse connut des périodes extrêmement troublées et des changements de dynasties. Les souverains ou dirigeants, dont la plupart eurent un sort tragique, furent successivement: Husayn Ier (1694-1722); Mir Mahmoud (1722-1725); Achraf (1725-1729); Tahmâsp II (1730-1731); Abbas III (1731-1736), sous la régence de Quli khan; Quli khan (Nadir schah), 1736-1747; Karim khan (1747-1779), régent (wakil). Voir le détail dans les notes de ce chapitre.

St Barthélemi, de Charles VI, et du roi Jean en France,[5] les guerres civiles d'Angleterre,[6] la longue dévastation de la Russie entière par les Tartares, ou ces mêmes Tartares envahissant la Chine; on aura quelque idée des fléaux qui ont désolé la Perse.

Il suffit d'un prince faible et inappliqué, et d'un sujet puissant et entreprenant, pour plonger un royaume entier dans cet abîme de désastres. Le sha, ou shac,[7] ou sophi de Perse Hussein, descendant du grand Sha Abas, était alors sur le trône: il se livrait à la mollesse;[8] son premier ministre commit des injustices et des cruautés que la faiblesse d'Hussein toléra: voilà la source de quarante ans de carnage.

La Perse, de même que la Turquie, a des provinces différemment gouvernées; elle a des sujets immédiats, des vassaux, des princes tributaires, des peuples mêmes à qui la cour payait un tribut sous

12   63-w68: Barthélemi, et de

[5] Lapsus de Voltaire. Il s'agit sans doute du duc de Bourgogne, Jean sans Peur (1371-1419). Il n'était pas roi de France, mais s'était rendu maître de Paris avec la faction des Bourguignons. Dans le chapitre 79 de l'*Essai sur les mœurs*, Voltaire décrit les horreurs que la France connut sous le règne du roi fou Charles VI, alors que le pays était envahi par les Anglais et que s'opposaient les Armagnacs et les Bourguignons. Il associe aux meurtres et aux massacres de ce temps deux 'exemples affreux': celui de Philippe II, qui a fait périr son fils, et celui de Pierre le Grand, qui a fait condamner le sien à la mort (i.742-47).

[6] Voltaire reprend ici à peu près ce qu'il écrivait dans l'*Essai sur les mœurs*, ch.193 (ii.775).

[7] Les Russes conseillèrent vainement, une fois de plus, d'écrire *schah* (Š, p.470). Voltaire écrivait *shak* dans l'*Essai sur les mœurs*, ch.3 (i.232). Il conserva cette orthographe pour le 'shak des Indes' en 1768, dans *La Princesse de Babylone*.

[8] Husayn Ier (v. 1675-1729), schah de Perse de 1694 à 1722. Il descendait effectivement d'Abbas le Grand (1571-1629), dont parle Voltaire dans l'*Essai sur les mœurs*, ch.193 (ii.773-74). Assassiné en 1729, Husayn Ier fut le dernier des Séfévides, même si la dynastie ne prit fin nominalement qu'en 1736. Il était 'abîmé dans la mollesse' (Antoine-Augustin Bruzen de La Martinière, *Introduction à l'histoire de l'Asie, de l'Afrique et de l'Amérique*, Amsterdam 1735, i.468; BV565: 2e éd., 1739). Rousset de Missy, qui le nomme Hussein IV, évoque sa 'paresseuse indolence' (iv.402).

le nom de pension ou de subside; tels étaient, par exemple, les peuples du Daguestan, [9] qui habitent les branches du mont Caucase, à l'occident de la mer Caspienne: ils faisaient autrefois partie de l'ancienne Albanie; [10] car tous les peuples ont changé leurs noms et leurs limites; ces peuples s'appellent aujourd'hui les Lesguis; [11] ce sont des montagnards plutôt sous la protection que sous la domination de la Perse: on leur payait des subsides pour défendre ces frontières.

A l'autre extrémité de l'empire vers les Indes, était le prince de Candahar, [12] qui commandait à la milice des Aguans. Ce prince était un vassal de la Perse, comme les hospodars de Valachie et de Moldavie sont vassaux de l'empire turc: ce vasselage n'est point héréditaire; il ressemble parfaitement aux anciens fiefs établis dans l'Europe par les espèces de Tartares qui bouleversèrent l'empire romain. [13] La milice des Aguans gouvernée par le prince de Candahar, était celle de ces mêmes Albanais des côtes de la mer Caspienne, voisins du Daguestan, mêlés de Circasses et de Géorgiens, pareils aux anciens Mammelucs qui subjuguèrent l'Egypte: on les appela les Aguans par corruption. [14] Timur, que nous nommons Tamerlan, avait mené cette milice dans l'Inde, et

[9] Dans le manuscrit, on lisait 'Dagestan'. Voltaire suivit le conseil de Pétersbourg, qui suggérait d'écrire Daguestan (S, p.470).

[10] L'Albanie du Caucase ou Aghovanie est l'Alania des Grecs. Elle constituait la partie orientale du Caucase et correspondait à peu près au Shirvan, au Lezghistan et au Daguestan actuels.

[11] Le mot est employé avant Voltaire par Hübner (*Lesgiers, Leski*). Il apparaît dès 1688 dans la traduction française parue à Leyde de la *Relation d'un voyage en Moscovie* du baron Augustin de Mayerberg (*Lesgi*). Les Lesghiens peuplent le sud du Daghestan et le nord de l'Azerbaïdjan.

[12] Rustan, prince de Kandahar, est le héros du conte *Le Blanc et le noir* (1764).

[13] Les barbares qui 'bouleversèrent l'empire romain' ne sont évidemment pas des 'Tartares'.

[14] Voltaire veut-il dire que le mot *Afghan* est une corruption d'*Albanais*? C'est ce que pense Rousset de Missy, pour qui 'le nom d'*Aghans* vient d'*Albans*, les Arméniens ayant coutume de changer L en Gh et le B en V' (iv.402). Les deux mots n'ont bien entendu rien de commun.

elle resta établie dans cette province de Candahar, qui tantôt appartint à l'Inde, tantôt à la Perse. C'est par ces Aguans et par ces Lesguis que la révolution commença.

Myr Veitz, ou Mirivitz, intendant de la province, préposé uniquement à la levée des tributs, assassina le prince de Candahar, souleva la milice, et fut maître du Candahar, jusqu'à sa mort arrivée en 1717. [15] Son frère lui succéda paisiblement, en payant un léger tribut à la Porte-Persane. [16] Mais le fils de Mirivitz, né avec la même ambition que son père, assassina son oncle, et voulut devenir un conquérant. Ce jeune homme s'appelait Myr Mahmoud; [17] mais il ne fut connu en Europe que sous le nom de son père qui avait commencé la rébellion. Mahmoud joignit à ses Aguans ce qu'il put ramasser de Guèbres, anciens Perses dispersés autrefois par le calife Omar, toujours attachés à la religion des mages, si florissante autrefois sous Cyrus, et toujours ennemis secrets des nouveaux Persans. [18] Enfin il marcha dans le cœur de la Perse, à la tête de cent mille combattants. [19]

Dans le même temps les Lesguis ou Albanais, à qui le malheur des temps n'avait pas permis qu'on payât leurs subsides, [20] descendirent en armes de leurs montagnes, de sorte que l'incendie s'alluma des deux bouts de l'empire jusqu'à la capitale.

[15] 'Il mourut en 1717' (note du MS 1-4, f.258r; cf. MS 2-9, f.110v). Cf. aussi Bruzen de La Martinière, *Introduction à l'histoire de l'Asie*, i.456. Pour plus de détails, voir l'*Essai sur les mœurs*, ch.193. C'est ce même personnage que Voltaire appelle Miriwits dans son deuxième *Discours en vers sur l'homme* (V 17, p.474). Voir aussi Rousset de Missy, iv.403-404. Mir Uways (1675-1715) s'était rendu indépendant des Séfévides en 1709.

[16] 'On dit porte ottomane, mais je ne crois pas qu'on dise jamais porte persane', fit-on observer à Pétersbourg (Š, p.470).

[17] Voltaire avait écrit 'Myr Makmoud'. Les Russes lui suggérèrent la forme Mir Mahmoud (Š, p.470). Voltaire ne corrigea que le deuxième terme.

[18] Sur les Guèbres, voir l'*Essai sur les mœurs*, ch.6, 143 (i.263; ii.320). Voltaire écrira en 1768 *Les Guèbres ou la tolérance*, une tragédie non représentée.

[19] Quatre-vingt-dix mille, selon Bruzen de La Martinière (i.468).

[20] Le 'malheur des temps': c'est, selon Rousset de Missy, la faute des eunuques, qui avaient détourné les fonds destinés aux Lesghiens (iv.406-407).

Ces Lesguis ravagèrent tout le pays qui s'étend le long du bord occidental de la mer Caspienne jusqu'à Derbent, ou la porte de fer. Dans cette contrée qu'ils dévastèrent, est la ville de Shamachie, [21] à quinze lieues communes de la mer: on prétend que c'est l'ancienne demeure de Cyrus, à laquelle les Grecs donnèrent le nom de Cyropolis; car nous ne connaissons que par les Grecs la position et les noms de ce pays: et de même que les Persans n'eurent jamais de prince qu'ils appelassent Cyrus, ils eurent encore moins de ville qui s'appelât Cyropolis. [22] C'est ainsi que les Juifs, qui se mêlèrent d'écrire quand ils furent établis dans Alexandrie, imaginèrent une ville de Scythopolis, [23] bâtie, disaient-ils, par les Scythes auprès de la Judée; comme si les Scythes et les anciens Juifs avaient pu donner des noms grecs à des villes.

Cette ville de Shamachie était opulente. Les Arméniens voisins de cette partie de la Perse y faisaient un commerce immense, et Pierre venait d'y établir à ses frais une compagnie de marchands russes, qui commençait à être florissante. Les Lesguis surprirent la ville, [24] la saccagèrent, égorgèrent tous les Russes qui trafiquaient

[21] Dans le manuscrit, on lisait 'Scamachie'. C'est l'orthographe adoptée par Bruzen de La Martinière (i.450). Pétersbourg proposa d'écrire Schamakie (Š, p.471). Voltaire ne corrigea qu'à moitié. Il s'agit de l'actuelle Chemakha, en Azerbaïdjan. Le père Avril, en 1692, l'appelait 'Schamaki'.

[22] Le nom vieux-perse de Cyrus est Kourash. Sur les fables relatives à Cyrus, voir *Le Pyrrhonisme de l'histoire* (1768; M.xxvii.236, 237, 246, 247) et l'article 'Cyrus' des *Questions sur l'Encyclopédie* (1774; M.xviii.309-12).

[23] Ville de Palestine dans la vallée du Jourdain, à 20 kilomètres du lac de Tibériade. Des Scythes s'y seraient installés au septième siècle avant J.-C. C'est l'actuelle Bet Shan ou Beisan, en Israël. Elle devint un foyer de l'hellénisme en Terre sainte au temps du Christ (d'où son nom grec). La ville avait porté les noms de Nysa et Bethsan, notent Moreri et l'*Encyclopédie*, art. 'Scythopolis'.

[24] Pétersbourg précisa que la ville avait été surprise par les Lesghiens en 1712 et que, dans le manifeste que Pierre Ier fit publier en entrant en Perse, il était dit que les Russes avaient perdu à Schamakie des effets et marchandises d'une valeur de plusieurs millions de roubles (Š, p.471). La date, négligée à juste titre par Voltaire, est fausse: c'est en 1721 que Chemakha fut prise par les Lesghiens.

sous la protection de Sha Hussein,[25] et pillèrent leurs magasins,   85
dont on fit monter la perte à près de quatre millions de roubles.[26]

Pierre envoya demander satisfaction à l'empereur Hussein, qui
disputait encore sa couronne, et au tyran Mahmoud qui l'usurpait.
Hussein ne put lui rendre justice, et Mahmoud ne le voulut pas.
Pierre résolut de se faire justice lui-même, et de profiter des   90
désordres de la Perse.[27]

Myr Mahmoud poursuivait toujours en Perse le cours de ses
conquêtes. Le sophi apprenant que l'empereur de Russie se
préparait à entrer dans la mer Caspienne, pour venger le meurtre
de ses sujets égorgés dans Shamachie, le pria secrètement, par la   95
voie d'un Arménien, de venir en même temps au secours de la
Perse.[28]

Pierre méditait depuis longtemps le projet de dominer sur la
mer Caspienne par une puissante marine, et de faire passer par ses
Etats le commerce de la Perse et d'une partie de l'Inde. Il avait   100
fait sonder les profondeurs de cette mer, examiner les côtes et
dresser des cartes exactes.[29] Il partit donc pour la Perse le 15 mai
1722.[30] Son épouse l'accompagna dans ce voyage comme dans les

[25] Dans le manuscrit, on lisait 'empereur Hussein'. Les Russes conseillèrent
d'écrire 'Schah Hussein' (Š, p.471). Voltaire se rangea à cet avis, mais en conservant
son orthographe du mot *schah*, et en réemployant le mot 'empereur' au paragraphe
suivant.

[26] MS 1-4, f.258r.

[27] Le MS 1-4 fait état de la 'réponse insultante' de Mir Mahmoud (f.258v). Rousset
de Missy évoque aussi son 'insolente réponse' (iv.409-10).

[28] Le MS 2-9 dit simplement que le schah 'implora le secours de Pierre le Grand'
(f.110v). Selon Rousset de Missy, le schah envoya trois exprès consécutivement à
Pierre pour implorer son secours (iv.417).

[29] MS 1-4, f.258r. Une carte nouvelle de la Caspienne fut établie et publiée en 1720
à Pétersbourg par le navigateur Fedor Ivanovitch Soïmonov. Elle fut envoyée à
l'Académie des sciences de Paris, comme le rappelle Fontenelle (iii.217).

[30] MS 1-4, f.259r. En fait le 24 mai, comme l'écrit Rousset de Missy (iv.414).

autres. On descendit le Volga jusqu'à la ville d'Astracan. [31] De là
il courut faire rétablir les canaux qui devaient joindre la mer
Caspienne, la mer Baltique et la mer Blanche; ouvrage qui a été
achevé en partie sous le règne de son petit-fils. [32]

Pendant qu'il dirigeait ses ouvrages, son infanterie, ses munitions étaient déjà sur la mer Caspienne. Il avait vingt-deux mille
hommes d'infanterie, neuf mille dragons, quinze mille Cosaques:
trois mille matelots [33] manœuvraient et pouvaient servir de soldats
dans les descentes. La cavalerie prit le chemin de terre par des
déserts où l'eau manque souvent; et quand on a passé ces déserts,
il faut franchir les montagnes du Caucase, où trois cents hommes
pourraient arrêter une armée; [34] mais dans l'anarchie où était la
Perse, on pouvait tout tenter.

Le czar vogua environ cent lieues au midi d'Astracan, jusqu'à
la petite ville d'Andréhof. On est étonné de voir le nom d'André
sur le rivage de la mer d'Hircanie; mais quelques Géorgiens,
autrefois espèce de chrétiens, avaient bâti cette ville, et les Persans

---

104   63, 65:   Astrakan

---

[31] Pierre est allé directement de Kolomna (sur l'Oka) à Astrakhan (MS 1-4,
f.279r).

[32] Sous les règnes de Pierre II et d'Anna Ivanovna, au début des années 1730
(voir ci-dessus, II.xi, n.26).

[33] Voltaire reprend les chiffres du MS 1-6 (duplicata du MS 1-4), à un détail près:
'environ 15 000 Cosaques et Calmouques' (f.278v). Les cinq mille Kalmouks avaient
été levés par Ayoub khan, que Pierre avait rencontré à Kazan. Les Cosaques étaient
en réalité vingt mille, et les marins cinq mille; l'armée russe se composait ainsi, non
de 49 000 hommes, mais de 61 000 (Massie, p.797). Toute la cavalerie alla par terre
jusqu'à l'endroit où l'infanterie débarqua dans la baie d'Agrakhan, précisa-t-on à
Pétersbourg (Š, p.471).

[34] 'Il fallait donc absolument s'embarquer', avait ajouté Voltaire dans son
manuscrit. Les Russes précisèrent: 'c'est-à-dire l'infanterie seule' (Š, p.471). Voltaire
supprima sa phrase.

l'avaient fortifiée; elle fut aisément prise. [35] De là on s'avança toujours par terre dans le Daguestan; on répandit des manifestes en persan et en turc: il était nécessaire de ménager la Porte-Ottomane, qui comptait parmi ses sujets, non seulement les Circasses et les Géorgiens voisins de ce pays, mais encore quelques grands vassaux, rangés depuis peu sous la protection de la Turquie.

Entre autres il y en avait un fort puissant nommé Mahmoud d'Utmich, [36] qui prenait le titre de sultan, et qui osa attaquer les troupes de l'empereur russe; il fut défait entièrement, et la relation porte qu'on fit de son pays *un feu de joie*. [37]

14 septembre. Bientôt Pierre arriva à Derbent, [38] que les Persans et les Turcs appellent *Demir-capi*, la porte de fer: elle est ainsi nommée, parce qu'en effet il y avait une porte de fer du côté du midi. [39] C'est une ville longue et étroite, qui se joint par en haut à une branche escarpée du Caucase, et dont les murs sont baignés à l'autre bout par les vagues de la mer qui s'élèvent souvent au-dessus d'eux dans les tempêtes. [40] Ces murs pourraient passer pour une merveille

[35] 'Nous avons donné ordre au Brigadier Veterani de s'avancer vers la ville d'Andreoff, et de l'attaquer, si elle ne se trouvoit pas fortifiée [...] Elle fut aisément prise' (lettre de Pierre le Grand au Sénat, MS 1-6, f.279v-280r). Andreoff est un gros bourg situé entre Terki et Tarku (Rousset de Missy, iv.420, n.*a*). Il s'agit du village d'Andreeva ou Enderi.

[36] Mahmoud d'Utemych. Utemych (le village du Daghestan où il résidait) fut brûlé par les Russes. Rousset de Missy le nomme Mahmut sultan d'Udenich (iv.427), Levesque écrit Outemiche (éd. 1812, v.109).

[37] MS 1-6, f.280.

[38] Le 23 août [1722] ([Extrait du Journal de Pierre Lefort], MS 3-34, f.181r). Date exacte, en v. st., donc le 3 septembre n. st. (et non le 14).

[39] Voltaire a pu trouver la signification de *Demir-capi*, 'Porte de fer', dans Rousset de Missy (iv.426, n.*l*) ou Mauvillon (ii.350). Il y avait aussi des portes de bois revêtues de fer aux 'Portes Caspiennes', à la frontière de l'Ibérie (Procope, I.x.4) et aux 'Portes des Sarmates', site naturel décrit par Pline et qui pourrait convenir à Darial (vi.30).

[40] La ville 'touche d'un côté au pied de la montagne, & de l'autre à la mer, & de si près, que les vagues donnent quelquefois par dessus les murailles' (Olearius, éd. 1727, p.1040); cf. Tacite, *Annales*, vi.39 (33): 'Mais les Hibériens, maîtres du pays, passent par les portes Caspiennes et inondent l'Arménie de leurs Sarmates. Toutefois ceux qui arrivaient aux Parthes étaient facilement repoussés; car l'ennemi avait

de l'antiquité, hauts de quarante pieds et larges de six, flanqués de tours carrées, à cinquante pieds l'une de l'autre: tout cet ouvrage paraît d'une seule pièce; il est bâti de grès et de coquillages broyés qui ont servi de mortier, et le tout forme une masse plus dure que le marbre; [41] on peut y entrer par mer, mais la ville du côté de terre paraît inexpugnable. Il reste encore les débris d'une ancienne muraille, semblable à celle de la Chine, qu'on avait bâtie dans le temps de la plus haute antiquité; elle était prolongée des bords de la mer Caspienne à ceux de la mer Noire, et c'était probablement un rempart élevé par les anciens rois de Perse, contre cette foule de hordes barbares qui habitaient entre ces deux mers.

La tradition persane porte, que la ville de Derbent fut en partie réparée et fortifiée par Alexandre. [42] Arrien, Quinte-Curce disent

---

144-145   63-w68:   dans les temps

fermé les autres passes, et la seule qui restât entre la mer et l'extrémité des monts d'Albanie était rendue impraticable par l'été; en cette saison en effet, les vents étésiens submergent les bas-fonds, et c'est seulement en hiver que l'autan refoule les flots, et fait rentrer la mer dans son lit et met les grèves à nu'. Les 'Portes Caspiennes' désignent ici le défilé de Darial, et 'l'extrémité des monts d'Albanie', le passage de Derbent (V. B. Vinogradov, *Sarmaty Severo-vostotchnogo Kavkaza* [*Les Sarmates du Caucase du Nord-Est*], Tchetcheno-Ingusskiï N.-I. Institut, Trudy, Grozny 1963, vi.149).

[41] Les murailles ont 'pour le moins cinq ou six pieds d'épais', elles sont faites 'de coquilles de moules broyées & de grès battus & fondus, que le tems a tellement endurcies qu'il n'y a point de marbre qui les surpasse en dureté' (Olearius, éd. 1727, p.1040; une superbe gravure représente la ville de Derbent, sur deux pages, entre les p.1040 et 1041). La plupart des pierres de Derbent sont 'bien entaillées à l'antique', aussi les Perses prétendent-ils que la ville date du temps d'Alexandre, écrit De Bruyn (iii.457).

[42] 'Les auteurs persans, & les habitans de la ville même' disent que c'est Alexandre qui en a bâti le château et 'la muraille qui environne la ville du côté du midi' (Olearius, éd. 1727, p.1040). L'*Essai sur les mœurs*, ch.60, fait allusion à la tradition qui attribue à Alexandre la fondation de Derbent (i.609). Elle est 'fort incertaine', écrit l'Extrait des annales russes' (MS 5-18, f.82v). 'C'est Alexandre qui l'a fait bâtir', affirme encore Mathieu Marais en février 1723 (*Journal et mémoires*, ii.408). Rousset de Missy rapporte aussi que c'est 'la tradition du pays' et qu'"effectivement le nom de Schander ou Alexandre est très connu sur les côtes de cette mer où il y a plusieurs

qu'en effet Alexandre fit relever cette ville:[43] ils prétendent à la vérité, que ce fut sur les bords du Tanaïs,[44] mais c'est que de leur temps les Grecs donnaient le nom de Tanaïs au fleuve Cyrus,[45] qui passe auprès de la ville. Il serait contradictoire qu'Alexandre eût bâti la porte Caspienne sur un fleuve dont l'embouchure est dans le Pont-Euxin.

Il y avait autrefois trois ou quatre autres portes caspiennes en différents passages,[46] toutes vraisemblablement construites dans la

155

monumens de ce conquérant' (iv.426n). Quant à La Mottraye, il prétend que Quinte-Curce s'est trompé en plaçant Alexandria sur le Tanaïs; elle aurait dû être bâtie sur la rivière Cyrus, aujourd'hui Kurr; et ce qui prouve que Derbent ne peut être Alexandria, c'est qu'elle n'est située sur aucune rivière (*Voyages en Europe, Asie et Afrique*, ii.91).

[43] Ni Arrien ni Quinte-Curce ne parlent bien entendu de Derbent. D'après Arrien, 'Alexandre conduisit son armée au mont Caucase, où il fonda une ville qu'il appela Alexandrie' (Arrien, *Histoire d'Alexandre*, III, 28, 9, trad. P. Savinel, Paris 1984, p.117). Selon Quinte-Curce, le roi, après avoir franchi le Caucase, bâtit une place au pied de la montagne, et 'laissa pour la peupler sept mille esclaves, & tous les soldats inutiles, qui s'y établirent & la nommèrent aussi Alexandrie' (*De la vie et des actions d'Alexandre le Grand*, trad. Vaugelas, Amsterdam 1696, VII, p.407). En fait, pour H. Bardon, cette ville serait sans doute l'actuelle Tscharikar, en Afghanistan (Quinte-Curce, *Histoires*, trad. H. Bardon, Paris 1948, ii.240).

[44] En fait, Quinte-Curce distingue fort bien l'Alexandrie fondée au Caucase d'une autre Alexandrie bâtie sur le Tanaïs, qui selon lui sépare l'Asie de l'Europe (*De la vie et des actions d'Alexandre le Grand*, VII, p.423-24). Voltaire a peut-être été influencé par La Mottraye: il a mis un signet à la page résumée à la n.42 (CN, v.193). Mais il est vrai que Quinte-Curce n'a pas une vision très précise de la géographie de l'Orient (il présente la région de Kandahar comme donnant sur la mer Noire, *Histoires*, VII.iii.4). Il ne semble pas qu'Alexandre soit passé par Derbent, bien que Procope affirme qu'il a fait fortifier les Portes Caspiennes (I.x.9), et que Ptolémée parle à ce sujet des 'colonnes d'Alexandre' (5, 8, 5). Pour les anciens, le Caucase s'étend de la mer Noire jusqu'à l'Inde: l'Hindu-Kush est donc appelé Caucase chez les historiens d'Alexandre. La traversée du Caucase par Alexandre, que décrivent Quinte-Curce (VII.iii) ou Arrien (III, 28) est en fait celle de l'Hindu-Kush.

[45] C'est l'actuelle Koura.

[46] Les 'Portes Caspiennes' désignent selon les auteurs trois endroits différents: le passage de Derbent, le défilé de Darial (route militaire de Géorgie), et le col qui, à travers l'Elbourz, donne accès à la route du Khorassan et de l'Afghanistan (c'est l'actuel col de Sirdâra). Les 'Portes d'Albanie' dont parle Ptolémée (v.xi.4) semblent

même vue: car tous les peuples qui habitent l'occident, l'orient et
160 le septentrion de cette mer, ont toujours été des barbares, redou-
tables au reste du monde; et c'est de là principalement que sont
partis tous ces essaims de conquérants qui ont subjugué l'Asie et
l'Europe.

Qu'il me soit permis de remarquer ici combien les auteurs se
165 sont plu dans tous les temps à tromper les hommes, et combien ils
ont préféré une vaine éloquence à la vérité. Quinte-Curce met
dans la bouche de je ne sais quels Scythes un discours admirable,
plein de modération et de philosophie,[47] comme si les Tartares[48]
de ces climats eussent été autant de sages, et comme si Alexandre
170 n'avait pas été le général nommé par les Grecs, contre le roi de
Perse, seigneur d'une grande partie de la Scythie méridionale et
des Indes. Les rhéteurs qui ont cru imiter Quinte-Curce, se sont
efforcés de nous faire regarder ces sauvages du Caucase et des
déserts, affamés de rapine et de carnage, comme les hommes du
175 monde les plus justes; et ils ont peint Alexandre vengeur de la
Grèce, et vainqueur de celui qui voulait l'asservir, comme un
brigand qui courait le monde sans raison et sans justice.

On ne songe pas que ces Tartares ne furent jamais que des
destructeurs, et qu'Alexandre bâtit des villes dans leur propre
180 pays; c'est en quoi j'oserais comparer Pierre le Grand à Alexandre;[49]

désigner le défilé de Derbent. Celui-ci est connu sous le nom arménien de *Tsour*
('porte', lieu fortifié contre les nomades des steppes) chez Procope (VIII.iii.4).

[47] Quinte-Curce, *De la vie et des actions d'Alexandre le Grand*, VII, p.430-33. Le
discours sur la paix du plus ancien de la troupe scythe a 'une fort belle vigueur
oratoire', à défaut de réalité historique (Quinte-Curce, *Histoires*, ii.264, n.1).
Voltaire revient sur cette 'harangue philosophique' dans *La Philosophie de l'histoire*
(V 59, p.137-38).

[48] Les Scythes, d'origine iranienne, ne sont pas des 'Tartares'. Voltaire répète
cette erreur dans *La Philosophie de l'histoire*, en insistant sur leurs déprédations
(V 59, p.138).

[49] Prokopovitch avait fait cette comparaison lors de la commémoration des
victoires d'Alexandre Nevski. On la retrouve dans le 'Parallèle de Pierre le Grand
avec Alexandre le Grand et Lycurgue [le] Législateur' (Černy, p.91 ss.), qui vise à
montrer que Pierre est supérieur à Alexandre. Selon les *Considérations*, Pierre le
Grand prenait pour modèles Alexandre et Constantin (app. III, VII.106-107).

aussi actif, aussi ami des arts utiles, plus appliqué à la législation, il voulut changer comme lui le commerce du monde, et bâtit ou répara autant de villes qu'Alexandre.

Le gouverneur de Derbent à l'approche de l'armée russe ne voulut point soutenir de siège, soit qu'il crût ne pouvoir se 185 défendre, soit qu'il préférât la protection de l'empereur Pierre à celle du tyran Mahmoud: il apporta les clefs d'argent de la ville[50] et du château: l'armée entra paisiblement dans Derbent, et alla camper sur le bord de la mer.

L'usurpateur Mahmoud, déjà maître d'une grande partie de la 190 Perse, voulut en vain prévenir le czar et l'empêcher d'entrer dans Derbent. Il excita les Tartares voisins; il accourut lui-même; mais Derbent était déjà rendu.

Pierre ne put alors pousser plus loin ses conquêtes. Les bâtiments qui apportaient de nouvelles provisions, des chevaux, des recrues, 195
5 janvier. avaient péri vers Astracan,[51] et la saison s'avançait; il retourna à Moscou et y entra en triomphe:[52] là selon sa coutume, il rendit solennellement compte de son expédition au vice-czar Romado-

---

195-196 K: provisions, des recrues, des chevaux, avaient
198-199 63, 65: Romadanosky   w68: Romadonosky

---

[50] 'Le 3 [septembre] nous arrivâmes aux jardins de Derbent dont le gouverneur vint à la rencontre de Sa Majesté Impériale à qui il présenta la clef d'argent de la ville' (Extrait du journal de Pierre, imprimé à Moscou, MS 1-6, f.284*r*). Le gouverneur 'présenta les Clefs avec toute la soumission possible à S. M. Mais honora l'imperatrice par un present de pareilles Clefs faites d'argent' ([Extrait du Journal de Pierre Lefort], MS 3-34, f.181*v*).

[51] Les treize bâtiments périrent dans une tempête, mais ils n'étaient chargés que de provisions de bouche, précisa-t-on à Pétersbourg (Š, p.471). C'est ce que rapporte l'extrait d'une lettre de Pierre le Grand au Sénat et au Saint-Synode du 16/27 octobre [1722] (MS 1-6, f.284*v*).

[52] Pierre retourna à Moscou le 26 décembre, et le 29 il y entra en triomphe (MS 1-6, f.285*r*).

noski,[53] continuant jusqu'au bout cette singulière comédie, qui
200 selon ce qui est dit dans son éloge prononcé à Paris à l'Académie
des sciences,[54] aurait dû être jouée devant tous les monarques de
la terre.

La Perse était encore partagée entre Hussein et l'usurpateur
Mahmoud. Le premier cherchait à se faire un appui de l'empereur
205 de Russie; le second craignait en lui un vengeur, qui lui arracherait
le fruit de sa rébellion. Mahmoud fit ce qu'il put pour soulever
la Porte-Ottomane contre Pierre: il envoya une ambassade à
Constantinople; les princes du Daguestan, sous la protection du
Grand-Seigneur, dépouillés par les armes de la Russie, deman-
210 dèrent vengeance. Le divan craignit pour la Georgie que les Turcs
comptaient au nombre de leurs Etats.[55]

Le Grand-Seigneur fut près de déclarer la guerre. La cour de
Vienne et celle de Paris l'en empêchèrent. L'empereur d'Allemagne
notifia, que si les Turcs attaquaient la Russie, il serait obligé de
215 la défendre. Le marquis de Bonac, ambassadeur de France à
Constantinople, appuya habilement par ses représentations les
menaces des Allemands: il fit sentir que c'était même l'intérêt de
la Porte, de ne pas souffrir qu'un rebelle usurpateur de la Perse,
enseignât à détrôner les souverains; que l'empereur russe n'avait
220 fait que ce que le Grand-Seigneur aurait dû faire.[56]

[53] 'La marche s'arrêta devant le palais du vice-tsar Romadanofski, auquel Pierre
le Grand fit, comme à l'ordinaire, son raport de la Campagne, et lui présenta les
clefs de la ville de Derbent' (MS 1-6, f.285).

[54] Fontenelle n'en parle pas.

[55] Voltaire résume dans ce paragraphe le MS 1-6, f.285v-286r. Un prince du
Daghestan fit distribuer un manifeste à tous les ministres étrangers.

[56] Résumé du MS 1-6, f.287. Jean-Louis d'Usson, marquis de Bonac (1672-
1738), après avoir occupé de nombreux postes diplomatiques, fut ambassadeur à
Constantinople de juin 1713 à octobre 1724. Bien accueilli par Ahmet III, il sut faire
accepter la médiation de la France entre la Turquie et la Russie, en se mettant en
rapport avec Campredon: tous deux réussirent à conclure un accommodement pour
l'agrandissement des domaines de la Turquie et de la Russie aux dépens de la Perse.
Le traité fut signé le 8 juillet 1724 (Rambaud, *Recueil des instructions*, viii.255). Le
marquis de Bonac a préparé aussi la première ambassade turque en France. Il a

925

Pendant ces négociations délicates, le rebelle Myr Mahmoud s'était avancé aux portes de Derbent: il ravagea les pays voisins, afin que les Russes n'eussent pas de quoi subsister. La partie de l'ancienne Hircanie, aujourd'hui Guilan, fut saccagée, et ces peuples désespérés se mirent d'eux-mêmes sous la protection des   225
Russes qu'ils regardèrent comme leurs libérateurs. [57]

Ils suivaient en cela l'exemple du sophi même. Ce malheureux monarque avait envoyé un ambassadeur à Pierre le Grand, pour implorer solennellement son secours. [58] A peine cet ambassadeur fut-il en route, que le rebelle Myr Mahmoud se saisit d'Ispahan et   230
de la personne de son maître.

Le fils du sophi détrôné, [59] et prisonnier, nommé Thamaseb, [60] échappa au tyran, rassembla quelques troupes, et combattit l'usur-pateur. Il ne fut pas moins ardent que son père à presser Pierre le Grand de le protéger, et envoya à l'ambassadeur les mêmes   235
instructions que Sha Hussein avait données.

Cet ambassadeur persan, nommé Ismaël-beg, n'était pas encore arrivé, et sa négociation avait déjà réussi. Il sut en abordant à Astracan que le général Matufkin allait partir avec de nouvelles troupes pour renforcer l'armée du Daguestan. On n'avait point   240

---

laissé entre autres un *Mémoire historique sur l'ambassade de France à Constantinople* (Paris 1894).

[57] MS 1-6, f.288r.

[58] MS 1-6, f.288r.

[59] Sophi. 'Titre qu'on donne aux Rois de Perse & qui signifie celui qui abandonne le monde pour s'apliquer aux choses divines. Sage' (P. Richelet, *Dictionnaire français*, 1680). 'C'est un titre ou une qualité qu'on donne au roi de Perse, qui signifie prudent, sage, ou philosophe' (*Encyclopédie*). Contrairement à ce que laisse entendre Richelet, et au rapprochement fait explicitement par l'*Encyclopédie*, le mot n'a aucun rapport avec les religieux musulmans appelés soufis. Il vient du fondateur de la dynastie des Séfévides, Safit-al-Din (1253-1334).

[60] Tahmâsp était le troisième fils de Husayn Ier (Bruzen de La Martinière, *Introduction à l'histoire de l'Asie*, i.480). Il régnera sous le nom de Tahmâsp II (1730-1731).

encore pris la ville de Baku ou Bachu,[61] qui donne à la mer Caspienne le nom de mer de Bachu chez les Persans. Il donna au général russe une lettre pour les habitants, par laquelle il les exhortait au nom de son maître à se soumettre à l'empereur de Russie. L'ambassadeur continua sa route pour Pétersbourg,[62] et le général Matufkin alla mettre le siège devant la ville de Bachu. L'ambassadeur persan arriva à la cour en même temps que la *Août.* nouvelle de la prise de la ville.[63]

Cette ville est près de Shamachie, où les facteurs russes avaient été égorgés; elle n'est pas si peuplée ni si opulente que Shamachie, mais elle est renommée pour le naphte qu'elle fournit à toute la Perse. Jamais traité ne fut plus tôt conclu que celui d'Ismaël-beg. L'empereur Pierre pour venger la mort de ses sujets, et pour *Septembre.* secourir le sophi Thamaseb contre l'usurpateur, promettait de marcher en Perse avec des armées; et le nouveau sophi lui cédait non seulement les villes de Bachu et de Derbent, mais les provinces de Guilan, de Mazanderan, et d'Asterabath.[64]

Le Guilan est, comme nous l'avons déjà dit, l'Hircanie méridio-

245

250

255

---

250   63: peuplée et si

---

[61] Voltaire avait écrit 'Bachu'. Pétersbourg recommanda de lire Bakou (Š, p.471). Voltaire adopta la forme conseillée, sans renoncer à la sienne.

[62] L'ambassadeur persan est arrivé à Pétersbourg en août 1723 (MS 1-6, f. 288*v*).

[63] Bakou fut prise par le général Mikhaïl Afanassievitch Matiouchkine après quatre jours de bombardements, le 28 juillet/8 août 1723 (V. P. Lystsov et V. A. Aleksandrov, 'Persidskiï pokhod' ['La campagne de Perse'], dans *Otcherki istorii SSSR, XVIII v.*, Moscou 1954, p.613). Matiouchkine avait fait délivrer au commandant de Bakou une lettre d'Ismaïl-Beg 'par laquelle il exhortait les habitants de Baku à se mettre sous la protection des Russes'. Mais le commandant fit répondre qu'il ne pouvait admettre aucune troupe russe sans un ordre exprès du schah. D'où le bombardement. Les habitants se défendirent avec beaucoup de courage jusqu'au 7 août, puis capitulèrent le 8 (MS 1-6, f.289).

[64] Il s'agit des deux premiers points du traité conclu le 12 septembre v. st. (MS 1-6, f.291), conformément aux instructions du ministère des Affaires étrangères du 29 août 1723 v. st. (Lystsov et Aleksandrov, p.614). Ces trois provinces bordent le littoral sud de la Caspienne.

nale; le Mazanderan qui la touche, est le pays des Mardes; Asterabath joint le Mazanderan; et c'étaient les trois provinces 260 principales des anciens rois mèdes; de sorte que Pierre se voyait maître, par ses armes et par les traités, du premier royaume de Cyrus.

Il n'est pas inutile de dire que dans les articles de cette convention, on régla le prix des denrées qu'on devait fournir à 265 l'armée. Un chameau ne devait coûter que soixante francs de notre monnaie (douze roubles):[65] la livre de pain ne revenait pas à cinq liards, la livre de bœuf à peu près à six: ce prix était une preuve évidente de l'abondance qu'on voyait en ces pays, des vrais biens qui sont ceux de la terre, et de la disette de l'argent qui n'est qu'un 270 bien de convention.

Tel était le sort misérable de la Perse, que le malheureux sophi Thamaseb, errant dans son royaume, poursuivi par le rebelle Mahmoud assassin de son père et de ses frères, était obligé de conjurer à la fois la Russie et la Turquie, de vouloir bien prendre 275 une partie de ses Etats, pour lui conserver l'autre.

L'empereur Pierre, le sultan Achmet III, et le sophi Thamaseb, convinrent donc que la Russie garderait les trois provinces dont nous venons de parler, et que la Porte-Ottomane aurait Casbin, Tauris, Erivan,[66] outre ce qu'elle prenait alors sur l'usurpateur de 280 la Perse. Ainsi ce beau royaume était à la fois démembré par les Russes, par les Turcs, et par les Persans mêmes.

L'empereur Pierre régna ainsi jusqu'à sa mort du fond de la mer Baltique par delà les bornes méridionales de la mer Caspienne. La Perse continua d'être la proie des révolutions et des ravages. 285 Les Persans auparavant riches et polis furent plongés dans la misère et dans la barbarie, tandis que la Russie parvint de la

---

[65] MS 1-6, f.291v (point III du traité). Voltaire a minimisé les autres prix.
[66] Point VI du traité entre la Russie et la Turquie (MS 1-6, f.294r). Il s'agit des villes actuelles de Kazvin (Qazvin), Tabriz et Erevan.

928

pauvreté et de la grossièreté à l'opulence et à la politesse. [67] Un
seul homme, parce qu'il avait un génie actif et ferme, éleva sa
290 patrie; [68] et un seul homme, parce qu'il était faible et indolent, fit
tomber la sienne.

Nous sommes encore très mal informés du détail de toutes les
calamités qui ont désolé la Perse si longtemps; on a prétendu que
le malheureux Sha Hussein fut assez lâche pour mettre lui-même
295 sa mitre persane, ce que nous appelons la couronne, sur la tête de
l'usurpateur Mahmoud. [69] On dit que ce Mahmoud tomba ensuite
en démence; ainsi un imbécile et un fou décidèrent du sort de tant
de milliers d'hommes. On ajoute que Mahmoud tua de sa main
dans un accès de folie, tous les fils et les neveux du Sha Hussein,
300 au nombre de cent, [70] qu'il se fit réciter l'Evangile de St Jean sur
la tête, pour se purifier et pour se guérir. Ces contes persans ont
été débités par nos moines, et imprimés à Paris.

Ce tyran, qui avait assassiné son oncle, fut enfin assassiné à son
tour par son neveu Eshreff, [71] qui fut aussi cruel et aussi tyran que
305 Mahmoud.

Le sha Thamaseb implora toujours l'assistance de la Russie.

[67] C'est le renversement de l'image d'Olearius, qui, un siècle plus tôt, opposait
le raffinement des Persans à la barbarie des Moscovites.

[68] Obsession voltairienne. Dans *La Philosophie de l'histoire*, Voltaire écrit encore:
'mais qu'un seul homme ait, en vingt années, changé les mœurs, les lois, l'esprit du
plus vaste empire de la terre, que tous les arts soient venus en foule embellir des
déserts, c'est là ce qui est admirable' (V 59, p.138-39).

[69] Bruzen de La Martinière, *Introduction à l'histoire de l'Asie*, i.479.

[70] Plus de cent, le 7 février 1725 après dîner, selon Bruzen de La Martinière
(i.490).

[71] 'Eshreff avoit chassé le jeune schah Tahmaseh. Il fit en 1729 un nouveau traité
avec la Russie, par lequel on laissa la Perse en possession des Provinces d'Astrabat
et Misandron [Mazanderan], à condition qu'elles ne puissent être données à aucune
autre puissance' (MS 1-6, f.294; le texte du traité est reproduit f.294v-300v). Il s'agit
d'Achraf, cousin germain (et non neveu de Mir Mahmoud). Il était le fils du frère
de Mir Uways assassiné par Mir Mahmoud. Shah de 1725 à 1729, il sera tué dans un
combat. Eshreff serait la prononciation anglaise d'Achraf, selon Bruzen de La
Martinière (i.491).

C'est ce même Thamaseb, ou Thamas, secouru depuis, et rétabli par le célèbre Kouli-Kan, et ensuite détrôné par Kouli-Kan même. [72]

Ces révolutions et les guerres que la Russie eut ensuite à soutenir contre les Turcs dont elle fut victorieuse, l'évacuation des trois provinces de Perse, qui coûtaient à la Russie beaucoup plus qu'elles ne rendaient, [73] ne sont pas des événements qui concernent Pierre le Grand; ils n'arrivèrent que plusieurs années après sa mort; il suffit de dire qu'il finit sa carrière militaire par ajouter trois provinces à son empire du côté de la Perse, lorsqu'il venait d'en ajouter trois autres vers les frontières de la Suède. 310 315

[72] 'Tamas-Kouli-Kan détrône le schah Tamaseh et met à sa place son fils enfant de trois mois sous le nom de schah Abbas III' (MS 1-6, f.300v). Tahmâsp II régna de 1730 à 1731. Battu par les Turcs, il fut déposé par le gouverneur Nadir, surnommé Tahmâsp Quli khân ('le serviteur de Tahmâsp'), qui exerça la régence au nom du fils de Tahmâsp II, Abbas III. Quand ce dernier mourut en 1736, à l'âge de cinq ans, Quli khân se fit proclamer roi sous le nom de Nadir Schah. Il régna jusqu'en 1747, date à laquelle il fut assassiné.

[73] Chaque année, quinze mille soldats russes y mouraient de maladie (Massie, p.800). Le général Vassili Iakovlevitch Levachov évacua le Ghilan en août 1732 (MS 1-6, f.300v). Anna Ivanovna rendit à la Perse ces trois provinces où sévit la malaria ('En 1735 on rendit à la Perse le reste des Provinces occupées par Pierre le Grand, jusqu'à la ville d'Andreof qui depuis ce tems-là est la barrière entre les deux Empires', MS 1-6, f.301r).

CHAPITRE DIX-SEPTIÈME

Couronnement et sacre de l'impératrice Catherine première. Mort de Pierre le Grand.

Pierre, au retour de son expédition de Perse, se vit plus que jamais l'arbitre du Nord. Il se déclara le protecteur de la famille de ce même Charles XII dont il avait été dix-huit ans l'ennemi. Il fit venir à la cour le duc de Holstein, neveu de ce monarque; il lui
5 destina sa fille aînée,[1] et se prépara dès lors à soutenir ses droits sur le duché de Holstein-Slesvik; il s'y engagea même dans un *Février.* traité d'alliance qu'il conclut avec la Suède.

Il continuait les travaux commencés dans toute l'étendue de ses Etats, jusqu'au fond du Kamshatka; et pour mieux diriger ces
10 travaux, il établissait à Pétersbourg son Académie des sciences.[2] Les arts florissaient de tous côtés; les manufactures étaient encouragées, la marine augmentée, les armées bien entretenues, les lois observées: il jouissait en paix de sa gloire; il voulut la partager d'une manière nouvelle, avec celle qui en réparant le malheur de

10   63, 65, avec manchette: Février 1724.

[1] Anne (1708-1728) épousa en effet Charles-Frédéric, duc de Holstein-Gottorp, arrivé à Pétersbourg en 1721. Elle fut la mère de Pierre III.
[2] L'Académie des sciences, chargée de guider et de développer l'instruction en Russie, fut créée par un oukase du 28 janvier 1724. Mais Pierre mourut avant qu'elle ait commencé à fonctionner. Elle ne s'ouvrit qu'en décembre 1725, sous le règne de Catherine Ière. Elle se composait alors de dix-sept académiciens étrangers. Le noyau de la bibliothèque de l'Académie fut constitué par la bibliothèque personnelle de Pierre, formée de livres et de manuscrits qu'il avait collectionnés toute sa vie, en particulier pendant ses séjours à l'étranger (1663 titres: 490 ouvrages en russe, 812 en langues étrangères, 293 manuscrits russes, 68 manuscrits étrangers). Voltaire n'a pas tenu compte de l'avis dépréciatif sur l'Académie formulé par les *Considérations* (app. III, VIII.84-99).

la campagne du Pruth, avait, disait-il, contribué à cette gloire   15
même.

18 mai.   Ce fut à Moscou qu'il fit couronner et sacrer sa femme Catherine,
en présence de la duchesse de Courlande[3] fille de son frère aîné,
et du duc de Holstein qu'il allait faire son gendre. La déclaration
qu'il publia mérite attention;[4] on y rappelle l'usage de plusieurs   20
rois chrétiens de faire couronner leurs épouses; on y rappelle les
exemples des empereurs Basilide, Justinien, Héraclius, et Léon le
Philosophe.[5] L'empereur y spécifie les services rendus à l'Etat par
Catherine, et surtout dans la guerre contre les Turcs, lorsque son
armée réduite, dit-il, à vingt-deux mille hommes, en avait plus de   25
deux cent mille à combattre. Il n'était point dit dans cette ordonnance que l'impératrice dût régner après lui; mais il y préparait les
esprits par cette cérémonie inusitée dans ses Etats.

Ce qui pouvait peut-être encore faire regarder Catherine comme
destinée à posséder le trône après son époux, c'est que lui-même   30
marcha devant elle à pied le jour du couronnement, en qualité de
capitaine d'une nouvelle compagnie qu'il créa, sous le nom de
chevaliers de l'impératrice.

Quand on fut arrivé à l'église, Pierre lui posa la couronne sur
la tête; elle voulut lui embrasser les genoux; il l'en empêcha; et au   35
sortir de la cathédrale, il fit porter le sceptre et le globe devant
elle.[6] La fête fut digne en tout d'un empereur. Pierre étalait dans

[3] 'A la réserve des enfans du feu Prince Aléxis, toute la famille et la parenté de
Pierre le Grand l'avait suivi à Moscou, même la Duchesse de Courlande, expressément mandée de Mietau' (Bassewitz, MS 3-3, f.88*v*).

[4] Le 15 novembre 1723. Publiée ci-dessous, dans les 'Pièces originales', d'après
Rousset de Missy, iv.469-71. L'Edit de Pierre Ier ordonnant le couronnement de
son épouse donne une traduction différente (MS 5-28, f.110), dont Voltaire n'a pas
tenu compte.

[5] Voir ci-dessous, 'Pièces originales', Ordonnance de l'empereur Pierre premier,
n.3 à 6.

[6] 'Les larmes coulèrent de ses ïeux, quand Pierre le Grand lui posa la couronne
sur la tête, et récevant le Globe dans la main droite, elle fit de la gauche un
mouvement de passion, pour lui embrasser la jambe, et lui baiser le Génouil. Il eût
toujours le sceptre à la main pendant la cérémonie, mais comme il ne la suivit point

les occasions d'éclat autant de magnificence qu'il mettait de simplicité dans sa vie privée. [7]

40   Ayant couronné sa femme, il se résolut enfin à donner sa fille aînée Anne Petrona au duc de Holstein. Cette princesse avait beaucoup de traits de son père; elle était d'une taille majestueuse et d'une grande beauté. [8] On la fiança au duc de Holstein, mais *24 novembre.* sans grand appareil. Pierre sentait déjà sa santé très altérée, et un

45   chagrin domestique, qui peut-être aigrit encore le mal dont il mourut, rendit ces derniers temps de sa vie peu convenables à la pompe des fêtes.

41   63, 65: Pétrôna

---

dans les deux églises, ou elle devait faire ses dévotions revêtüe des ornemens impériaux, il i fit porter le sceptre avec le globe devant elle' (Bassewitz, MS 3-3, f.89r); voir aussi R. Nisbet Bain, *The Pupils of Peter the Great* (London 1897), p.62.

[7] Voltaire semble s'inspirer de Bassewitz: 'Si Pierre le Grand aimait la somptuosité dans ses fêtes, sa vie privée respirait la plus grande simplicité' (MS 3-3, f.77r; *Eclaircissements*, 3e partie, p.353); cf. ci-dessus, I.x, n.52.

[8] 'Rien de plus majestueux que son port et sa physionomie', écrit Bassewitz, qui vante sa taille, ses grâces, son teint 'd'une blancheur éclatante', loue son 'jugement pénétrant', note sa candeur et la bonté de son caractère, et pense que Pierre le Grand souhaitait qu'elle lui succède après sa mort et celle de son épouse (MS 3-3, f.92v; *Eclaircissements*, p.370-71). A treize ans, selon F.-W. Bergholz, ambassadeur du Holstein, elle était 'une brunette jolie comme un ange avec un teint charmant, des bras et une silhouette qui rappellent beaucoup son père, assez grande pour une jeune fille, même un petit peu mince et moins vive que sa sœur cadette Elisabeth' (Schuyler, *Peter the Great*, ii.438). Trois ans plus tard, le baron Mardefeldt, ministre de Prusse, la décrit ainsi: 'Je ne crois pas qu'il y ait aujourd'hui en Europe une princesse qui pût disputer la palme à cette majestueuse beauté. Elle est plus grande que n'importe quelle dame de la cour, mais sa taille est si fine, si gracieuse, ses traits sont si parfaits que les sculpteurs de l'Antiquité n'y trouveraient rien qui laissât à désirer. Ses manières sont sans affectation, son humeur est égale et sereine. Plus que tous les autres amusements, elle aime la lecture des œuvres d'histoire et de philosophie' (*SRIO*, xv.239-40). Anne parlait l'allemand et le français, et avait des notions d'italien et de suédois.

Catherine avait un jeune chambellan, (*a*) nommé Moens de la Croix, né en Russie, d'une famille flamande: il était d'une figure distinguée; sa sœur, madame de Balc, était dame d'atour de l'impératrice; tous deux gouvernaient sa maison. [9] On les accusa l'un et l'autre auprès de l'empereur: ils furent mis en prison, et on leur fit leur procès pour avoir reçu des présents. Il avait été défendu dès l'an 1714 à tout homme en place d'en recevoir, sous peine d'infamie et de mort; et cette défense avait été plusieurs fois renouvelée.

Le frère et la sœur furent convaincus: tous ceux qui avaient ou acheté, ou récompensé leurs services, furent nommés dans la sentence, excepté le duc de Holstein, et son ministre le comte de Bassevitz: il est vraisemblable même, que des présents faits par ce prince à ceux qui avaient contribué à faire réussir son mariage, ne furent pas regardés comme une chose criminelle.

Moens fut condamné à perdre la tête, [10] et sa sœur, favorite de l'impératrice, à recevoir onze coups de knout. [11] Les deux fils de cette dame, l'un chambellan, et l'autre page, furent dégradés et envoyés en qualité de simples soldats dans l'armée de Perse.

Ces sévérités qui révoltent nos mœurs étaient peut-être nécessaires dans un pays où le maintien des lois semblait exiger une

(*a*) Mémoires du comte de Bassevitz.

n.*a*   63, 65, texte de la note en manchette

[9] Bassewitz, MS 3-3, f.93*v* (*Eclaircissements*, p.371). William Mons (1688-1724), fils d'un joaillier allemand, était le frère cadet d'Anna Mons, l'ancienne maîtresse de Pierre le Grand. Les rumeurs selon lesquelles il aurait eu une liaison avec Catherine sont peut-être sans fondement. Sa sœur Matriona avait épousé le général Théodore Balk, gouverneur de Riga.

[10] Il fut exécuté le 16 novembre 1724 v. st.

[11] Elle n'en reçut que cinq (Bassewitz, p.372), comme Voltaire le rapporte plus loin (l.78). Elle fut ensuite exilée en Sibérie. Son mari fut autorisé à se remarier s'il le désirait.

rigueur effrayante. L'impératrice demanda la grâce de sa dame
70 d'atour, et son mari irrité la refusa. Il cassa dans sa colère une
glace de Venise, et dit à sa femme: 'Tu vois qu'il ne faut qu'un
coup de ma main pour faire rentrer cette glace dans la poussière
dont elle est sortie.' Catherine le regarda avec une douleur
attendrissante, et lui dit: 'Hé bien, vous avez cassé ce qui faisait
75 l'ornement de votre palais, croyez-vous qu'il en devienne plus
beau?' [12] Ces paroles apaisèrent l'empereur; mais toute la grâce
que sa femme put obtenir de lui, fut que sa dame d'atour ne
recevrait que cinq coups de knout au lieu de onze.

Je ne rapporterais pas ce fait s'il n'était attesté par un ministre,
80 témoin oculaire, qui lui-même ayant fait des présents au frère et à
la sœur, fut peut-être une des principales causes de leur malheur.
Ce fut cette aventure qui enhardit ceux qui jugent de tout avec
malignité, à débiter que Catherine hâta les jours d'un mari qui lui
inspirait plus de crainte par sa colère, que de reconnaissance par
85 ses bienfaits.

On se confirma dans ces soupçons cruels par l'empressement
qu'eut Catherine de rappeler sa dame d'atour immédiatement après
la mort de son époux, et de lui donner toute sa faveur. Le devoir
d'un historien est de rapporter ces bruits publics qui ont éclaté
90 dans tous les temps et dans tous les Etats à la mort des princes
enlevés par une mort prématurée, comme si la nature ne suffisait

---

[12] Voltaire cite librement Bassewitz, MS 3-3, f.94r (*Eclaircissements*, p.372). En
remerciant la comtesse de Bassewitz de l'envoi des *Mémoires*, Voltaire lui écrit le
25 décembre 1761: 'l'aventure de la glace cassée, et la réponse de Catherine, sont
des anecdotes bien précieuses. On voit bien tout ce que cela signifie, mais il n'est
pas encore temps de le dire. Les vérités sont des fruits qui ne doivent être cueillis
que bien mûrs' (D10228). Voltaire semble donc avoir cru à l'adultère de Catherine.
Mais il s'est bien gardé de l'évoquer dans l'*Histoire de l'empire de Russie* (si ce n'est
par une allusion au 'chagrin domestique' de Pierre, voir ci-dessus, l.45), afin de
ménager l'honneur du tsar.

pas à nous détruire; mais le même devoir exige qu'on fasse voir combien ces bruits étaient téméraires et injustes. [13]

Il y a une distance immense entre le mécontentement passager que peut causer un mari sévère, et la résolution désespérée d'empoisonner un époux et un maître, auquel on doit tout. Le danger d'une telle entreprise eût été aussi grand que le crime. Il y avait alors un grand parti contre Catherine, en faveur du fils de l'infortuné czarovitz. [14] Cependant, ni cette faction, ni aucun homme de la cour ne soupçonnèrent Catherine, et les bruits vagues qui coururent ne furent que l'opinion de quelques étrangers mal instruits, qui se livrèrent sans aucune raison à ce plaisir malheureux de supposer de grands crimes à ceux qu'on croit intéressés à les commettre. Cet intérêt même était fort douteux dans Catherine; il n'était pas sûr qu'elle dût succéder; elle avait été couronnée, mais seulement en qualité d'épouse du souverain, et non comme devant être souveraine après lui. [15]

La déclaration de Pierre n'avait ordonné cet appareil que comme une cérémonie, et non comme un droit de régner: elle rappelait les exemples des empereurs romains qui avaient fait couronner leurs épouses, et aucune d'elles ne fut maîtresse de l'empire. Enfin, dans le temps même de la maladie de Pierre, plusieurs crurent que la princesse Anne Petrona lui succéderait, [16] conjointement avec le

95

100

105

110

[13] Voltaire s'est toutefois abstenu de rapporter les bruits qui couraient sur la liaison de Catherine.

[14] Le 'grand parti' en faveur du futur Pierre II ne comprenait en fait que des membres de l'ancienne noblesse, les boïars. Mais il avait probablement le soutien des masses populaires, hostiles aux réformes de Pierre le Grand. En revanche, Catherine pouvait compter sur les 'hommes nouveaux', notamment Menchikov, Iagoujinski et Tolstoï. Ce furent, on le sait, les régiments de la Garde qui tranchèrent.

[15] Oui. Cf. Massie, p.811. Il y a tout de même un flottement dans l'esprit de Voltaire (cf. ci-dessus, l.26-28: l'Ordonnance ne dit rien sur la succession, mais Pierre y prépare l'opinion...).

[16] C'est l'opinion émise dans le MS 3-4, f.106r. Bassewitz affirme de son côté que Pierre souhaitait voir passer son sceptre dans les mains d'Anne, après sa mort et celle de son épouse (MS 3-3, f.93r; Eclaircissements, p.371).

duc de Holstein son époux, ou que l'empereur nommerait son
115 petit-fils pour son successeur: ainsi, bien loin que Catherine eût
intérêt à la mort de l'empereur, elle avait besoin de sa conservation.

Il était constant que Pierre était attaqué depuis longtemps d'un
abcès et d'une rétention d'urine, qui lui causait des douleurs aiguës.
Les eaux minérales d'Olonitz, et d'autres qu'il mit en usage, ne
120 furent que d'inutiles secours: on le vit s'affaiblir sensiblement
depuis le commencement de l'année 1724. [17] Ses travaux, dont il
ne se relâcha jamais, augmentèrent son mal, et hâtèrent sa fin: son
état parut bientôt mortel; [18] il ressentit des chaleurs brûlantes qui *Janvier.*
le jetaient dans un délire presque continuel: [19] il voulut écrire dans
125 un moment d'intervalle que lui laissèrent ses douleurs, (*b*) mais sa

(*b*) Mémoires manuscrits du comte de Bassevitz.

n.*b*   63, 65, texte de la note en manchette

[17] 'Il se sentit surtout depuis la fin de l'année 1723 incommodé d'une rétention
d'urine, qui souvent lui faisoit souffrir des douleurs très aigües. Pour se guerir de
ce mal il entreprit en 1724 un second voyage aux eaux martiales d'Olonetz.
Cependant ces eaux n'eurent pas ou assés de force ou assés de vertu pour opérer
une guerison radicale. Il se trouvoit à la verité quelques fois soulagé mais ce n'étoit
que pour peu de tems' ('Recit de la maladie et de la mort de Pierre', MS 1-9, f.321*r*).
'Il alla [...] prendre les eaux minérales d'*Olonitz* qui le soulagèrent mais ne le
guérirent pas entièrement. Attaqué plus vivement au mois d'Août de l'année
suivante il alla prendre celles de Mullens [...] et elles eurent un tel effet qu'il crut
être radicalement guéri [...] Il souffrit néantmoins jusqu'à la mort avec une fermeté
aussi incroyable qu'héroïque' ('Extrait des annales russes', MS 5-18, f.84*r*).

[18] MS 1-9, f.321*v*.

[19] Phrase tirée presque textuellement de Bassewitz (MS 3-3, f.95*r*; *Eclaircissements*,
p.373). Voltaire a même recopié les 'chaleurs brûlantes' de l'original, ce qui semble
un russisme. Fontenelle assurait lui aussi que Pierre était mort d'une rétention
d'urine, causée par un abcès dans le col de la vessie (iii.224). Tout en faisant état
de cette maladie, le rapport de Campredon, du 10 février 1725, indique qu'elle
provenait 'd'un reste de vieux mal vénérien mal guéri'; et, malgré la ponction de
près de quatre litres d'urine, on ne douta pas que la vessie fût attaquée de la
gangrène (*SRIO*, lii.433-37).

main ne forma que des caractères illisibles, dont on ne put déchiffrer que ces mots en russe, *Rendez tout à...* [20]

Il cria qu'on fît venir la princesse Anne Petrona, à laquelle il voulait dicter; mais lorsqu'elle parut devant son lit, il avait déjà perdu la parole, et il tomba dans une agonie qui dura seize heures. L'impératrice Catherine n'avait pas quitté son chevet depuis trois nuits: [21] il mourut enfin entre ses bras le 28 janvier, vers les quatre heures du matin. [22]

On porta son corps dans la grande salle du palais, suivi de toute la famille impériale, du sénat, de toutes les personnes de la première distinction et d'une foule de peuple: il fut exposé sur un lit de parade, et tout le monde eut la liberté de l'approcher et de lui baiser la main, jusqu'au jour de son enterrement qui se fit le 10/21 mars 1725. [23]

On a cru, on a imprimé qu'il avait nommé son épouse Catherine héritière de l'empire par son testament; mais la vérité est qu'il n'avait point fait de testament, [24] ou que du moins il n'en a jamais

131   63, 65, avec manchette: 28 janvier 1725. Mort de Pierre le Grand.

[20] Bassewitz (MS 3-3, f.95r; *Eclaircissements*, p.373).

[21] MS 3-3, f.95v (*Eclaircissements*, p.373). Repris presque textuellement, sauf l'agonie de Pierre, qui, selon Bassewitz, dura trente-six heures. 'Elle [Catherine] resta plusieurs jours et plusieurs nuits de suite attachée auprès du lit de son Auguste Epoux' (MS 1-9, f.322v), 'il lutta encor 15 heures contre la mort' (f.323v).

[22] MS 1-9, f.324r.

[23] Dans ce paragraphe, Voltaire a repris presque textuellement la fin du MS 1-9 (f.324r), en remplaçant 'sur une estrade' par 'sur un lit de parade'. Il n'a pas tenu compte de la 'Description de la sale funèbre' (MS 2-27, f.317r-321v), bien qu'il l'ait sans doute lu, puisqu'une mention de sa main figure au folio 322v.

[24] C'est ce qu'assure le rapport de Campredon. Fontenelle affirme au contraire que Pierre laissa la succession à Catherine (iii.224). Le MS 5-18 va dans le même sens. Pierre le Grand aurait fait jurer à tous les sénateurs et aux membres du Synode de reconnaître Catherine pour leur légitime souveraine (f.84v). Dans ses *Mémoires d'un voyageur qui se repose* (Paris 1806), Louis Dutens (1730-1812) écrit: 'Parlant un jour avec lui [le marquis Solar de Breille] de la mort du même Pierre le Grand, j'alléguai le testament de ce Prince, qu'on avait produit devant le Sénat de Russie, et j'ajoutai que Voltaire en avait nié l'existence dans son histoire de Russie. J'ai de

paru; négligence bien étonnante dans un législateur, et qui prouve qu'il n'avait pas cru sa maladie mortelle.

145 On ne savait point à l'heure de sa mort qui remplirait son trône; il laissait Pierre son petit-fils, né de l'infortuné Alexis; il laissait sa fille aînée la duchesse de Holstein. Il y avait une faction considérable en faveur du jeune Pierre. [25] Le prince Menzikoff lié avec l'impératrice Catherine dans tous les temps, prévint tous les partis et tous
150 les desseins. Pierre était prêt d'expirer, quand Menzikoff fit passer l'impératrice dans une salle où leurs amis étaient déjà assemblés; on fait transporter le trésor à la forteresse, on s'assure des gardes; le prince Menzikoff gagna l'archevêque de Novogorod; Catherine

meilleures autorités à citer, répliqua le Marquis, que Voltaire et son histoire. Lorsque j'étais ambassadeur à Vienne, j'étais fort lié avec l'ambassadeur de Russie, lequel m'a dit plus d'une fois qu'il était seul avec l'impératrice Catherine dans la chambre du Czar lorsqu'il mourut. Avant de déclarer sa mort, elle voulut s'assurer s'il n'avait point fait de testament, et, n'en trouvant point dans le bureau de ce Prince, ils convinrent ensemble d'en faire un, qu'elle dicta à ce même seigneur Russe qui lui était dévoué, et c'est le testament qu'on a imprimé depuis. J'avais promis le secret à l'ambassadeur russe, ajouta le Marquis, et je n'en parle à présent que parce que j'ai appris qu'il est mort depuis plusieurs années' (i.126-27). On sait que Dutens avait été maltraité par Voltaire dans son article 'Système' des *Questions sur l'Encyclopédie* (M.xx.467-71). Toutefois, sa version est-elle à rejeter? Waliszewski écrit de son côté: 'Il semble qu'on ait plus abondamment réfuté l'apocryphe publié dans la première moitié du XIXe siècle qu'on a établi l'absence, généralement admise, de tout testament de Pierre Ier' (*Pierre le Grand*, p.604 ss.; cf. E. Gaspardone, 'Dutens et les Russes', *Revue des études slaves* 30, 1953, p.74-81, n.7). Le fameux *Testament de Pierre le Grand*, auquel fait allusion Waliszewski, est un faux fabriqué à l'étranger pour révéler les visées impérialistes de la Russie. Sur l'histoire de ce document, voir S. Blanc, 'Histoire d'une phobie: le *Testament de Pierre le Grand*', *CMRS* 9/3-4 (juillet-décembre 1968), p.265-93.

[25] Voir ci-dessus, l.98-99. Voltaire suit Bassewitz, selon qui 'une faction se formait sourdement' contre Catherine, pour l'enfermer avec ses filles dans un couvent et 'élever le grand duc Pierre Alexiewitz sur le trône et rétablir les anciens usages' (MS 3-3, f.95v; *Eclaircissements*, p.373). Si cette faction était 'considérable', ce n'était donc pas la 'nation' tout entière qui avait condamné le tsarévitch, contrairement à ce qu'affirmait Voltaire dans le chapitre 10. Mais ici, il a raison: l'immense majorité de la nation considérait Pierre, fils d'Alexis, comme le successeur légitime de Pierre le Grand (voir Massie, p.820).

tint avec eux, et avec un secrétaire de confiance nommé Macarof, [26] un conseil secret, où assista le ministre du duc de Holstein. 155

L'impératrice, au sortir de ce conseil, revint auprès de son époux mourant, qui rendit les derniers soupirs entre ses bras. Aussitôt les sénateurs, les officiers généraux accoururent au palais; l'impératrice les harangua; Menzikoff répondit en leur nom; on délibéra pour la forme hors de la présence de l'impératrice. 160 L'archevêque de Plescou Théophane déclara que l'empereur avait dit la veille du couronnement de Catherine, qu'il ne la couronnait que pour la faire régner après lui; toute l'assemblée signa la proclamation, et Catherine succéda à son époux le jour même de sa mort. 165

Pierre le Grand fut regretté en Russie de tous ceux qu'il avait formés, et la génération qui suivit celle des partisans des anciennes mœurs, le regarda bientôt comme son père. Quand les étrangers ont vu que tous ses établissements étaient durables, ils ont eu pour lui une admiration constante, et ils ont avoué qu'il avait été inspiré 170 plutôt par une sagesse extraordinaire, que par l'envie de faire des choses étonnantes. L'Europe a reconnu qu'il avait aimé la gloire, mais qu'il l'avait mise à faire du bien, [27] que ses défauts n'avaient jamais affaibli ses grandes qualités, qu'en lui l'homme eut ses taches, et que le monarque fut toujours grand; il a forcé la nature 175 en tout, dans ses sujets, dans lui-même, et sur la terre et sur les eaux: mais il l'a forcée pour l'embellir. Les arts qu'il a transplantés de ses mains dans des pays dont plusieurs alors étaient sauvages, ont en fructifiant rendu témoignage à son génie, et éternisé sa mémoire; ils paraissent aujourd'hui originaires des pays mêmes 180 où il les a portés. Lois, police, politique, discipline militaire, marine, commerce, manufactures, sciences, beaux-arts, tout s'est perfectionné selon ses vues; et par une singularité dont il n'est point d'exemple, ce sont quatre femmes montées après lui successivement

[26] Alekseï Vassilievitch Makarov.

[27] 'L'Europe', on le sait, fut loin d'être unanime à reconnaître les mérites de Pierre le Grand: qu'on songe à Frédéric II, à Montesquieu, à J.-J. Rousseau...

185 sur le trône,[28] qui ont maintenu tout ce qu'il acheva, et ont perfectionné tout ce qu'il entreprit.

Le palais a eu des révolutions après sa mort, l'Etat n'en a éprouvé aucune. La splendeur de cet empire s'est augmentée sous Catherine première; il a triomphé des Turcs et des Suédois sous
190 Anne Petrona;[29] il a conquis sous Elizabeth la Prusse, et une partie de la Poméranie; il a joui d'abord de la paix, et il a vu fleurir les arts sous Catherine seconde.

C'est aux historiens nationaux d'entrer dans tous les détails des fondations, des lois, des guerres et des entreprises de Pierre le
195 Grand;[30] ils encourageront leurs compatriotes en célébrant tous ceux qui ont aidé ce monarque dans ses travaux guerriers et politiques. Il suffit à un étranger, amateur désintéressé du mérite, d'avoir essayé de montrer ce que fut le grand homme qui apprit de Charles XII à le vaincre, qui sortit deux fois de ses Etats pour
200 les mieux gouverner, qui travailla de ses mains à presque tous les arts nécessaires pour en donner l'exemple à son peuple, et qui fut le fondateur et le père de son empire.

[28] Catherine 1ère (1725-1727), Anna Ivanovna (1730-1740), Elisabeth (1741-1762) et Catherine II (1762-1796).

[29] Lapsus pour Anna Ivanovna, fille d'Ivan V. Anna Petrovna était morte en 1728 (voir ci-dessus, n.1). Sous le règne d'Anna Ivanovna, les Russes vainquirent effectivement les Turcs en 1739, Lascy prit Azov, Münnich Otchakov, et leurs troupes franchirent le Prut. La Turquie reconnut la possession définitive par les Russes des steppes entre le Dniepr et le Boug, où s'établirent des colons serbes. Mais ce ne fut pas un 'triomphe': la Crimée restait turque (en 1757, Voltaire a cru que les Russes avaient pris la Tauride dix-huit ans auparavant; cf. sa lettre à d'Argental du 19 août, D7349; voir aussi ci-dessus, la 'Préface historique et critique', n.4; et 'Pierre le Grand et Jean-Jacques Rousseau', dans les *Nouveaux mélanges* de 1765, M.xx.221); ainsi, la Russie n'avait toujours pas accès à la mer Noire. Sous Anna, les Russes intervinrent également en Pologne pour soutenir Auguste III contre Stanislas Leszczyński. Mais il n'y eut aucune guerre contre la Suède. Par ailleurs, rappelons qu'Anna rendit à la Perse les provinces caspiennes conquises par Pierre. Et, surtout, le règne d'Anna fut désastreux sur le plan intérieur: persécutions policières, terreur politique, exécution de plusieurs milliers de personnes et déportation en Sibérie de vingt ou trente mille autres.

[30] Voir ci-dessus, p.232.

Les souverains des Etats depuis longtemps policés se diront à eux-mêmes, 'Si dans les climats glacés de l'ancienne Scythie, un homme aidé de son seul génie a fait de si grandes choses, que devons-nous faire dans des royaumes où les travaux accumulés de plusieurs siècles nous ont rendu tout facile?'[31] 205

Fin de l'Histoire de Pierre le Grand.

---

[31] Voltaire rejoint ici sous une autre forme la conclusion des *Anecdotes*.

PIÈCES ORIGINALES[1]
SELON
LES TRADUCTIONS FAITES
ALORS PAR L'ORDRE
DE PIERRE PREMIER

CONDAMNATION D'ALEXIS[2]

Le 24 juin 1718.

En vertu de l'ordonnance expresse émanée de Sa Majesté czarienne, et signée de sa propre main le 13 juin dernier, pour le jugement du czarevitz Alexis Petrovitz, sur ses transgressions, et ses crimes contre son père et son seigneur, les soussignés *ministres, sénateurs,* 5 *états militaire et civil*, après s'être assemblés plusieurs fois dans la chambre de la régence du sénat à Pétersbourg ayant ouï plus d'une fois la lecture qui a été faite des originaux et des extraits des témoignages qui ont été rendus contre lui, comme aussi des lettres d'exhortation de Sa Majesté czarienne au czarevitz, et des réponses 10 qu'il y a faites, écrites de sa propre main, et des autres actes appartenant au procès, de même que des informations criminelles, et des confessions et des déclarations du czarevitz, tant écrites de

---

3   63, 65:   Petrowitz

---

[1] Pour Voltaire, ces Pièces originales ont sans doute une fonction symbolique. En plaçant à leur tête le texte de la condamnation d'Alexis, il produit une pièce à conviction. Veut-il aussi montrer qu'il n'est pas dupe du régime despotique de Pétersbourg, et se dédouaner vis-à-vis de l'opinion européenne? La deuxième pièce, sur Nystad, illustre le triomphe de la Russie sur la scène internationale. Quant à la troisième, sur le couronnement de Catherine, elle symbolise la reconnaissance du mérite personnel, l'un des thèmes récurrents de cette Histoire.
[2] Tiré de Rousset de Missy, iv.140-49. Le texte figure déjà dans Weber (ii.374-85), avec la liste des signataires (ii.385-93).

sa propre main, que faites de bouche à son seigneur et père, et
devant les soussignés établis par l'autorité de Sa Majesté czarienne,
à l'effet du présent jugement: ils ont déclaré et reconnu, que,   15
quoique selon les droits de l'empire russien, il n'ait jamais appartenu
à eux, étant sujets naturels de la domination souveraine de Sa
Majesté czarienne, de prendre connaissance d'une affaire de cette
nature, qui selon son importance, dépend uniquement de la volonté
absolue du souverain, dont le pouvoir ne dépend que de Dieu   20
seul, et n'est point limité par aucune loi: se soumettant pourtant à
ladite ordonnance de Sa Majesté czarienne leur souverain, qui leur
donne cette liberté, et après de mûres réflexions, et en conscience
chrétienne, sans crainte, ni flatterie, et sans avoir égard à la
personne, n'ayant devant les yeux que les lois divines applicables   25
au cas présent, tant de l'Ancien que du Nouveau Testament, les
Saintes Ecritures de l'Evangile et des apôtres, comme aussi les
canons et les règles des conciles, l'autorité des Saints Pères, et des
docteurs de l'Eglise; ³ prenant aussi des lumières des considérations
des archevêques et du clergé assemblés à Pétersbourg par ordre   30
de Sa Majesté czarienne, lesquelles sont transcrites ci-dessus, et se
conformant aux lois de toute la Russie, et en particulier aux
constitutions de cet empire, aux lois militaires, et aux statuts qui
sont conformes aux lois de beaucoup d'autres Etats, surtout à
celles des anciens empereurs romains et grecs, et d'autres princes   35
chrétiens. Les soussignés ayant été aux avis sont convenus unanimement, ⁴ sans contradiction, et ils ont prononcé que le czarevitz
Alexis Petrovitz *est digne de mort* pour ses crimes susdits, et pour

---

³ 'Quel mélange exécrable de blasphèmes & d'impiétés! Quelles conséquences
funestes de l'avis du clergé! Quel abus des citations! Combien cet abus de la religion
seroit peu propre à la faire respecter & à lui procurer des prosélytes! Mais aussi,
combien la conduite de tous ceux qui trempèrent leurs mains dans le sang d'Alexis,
n'est-elle pas opposée à son esprit!' (N. Le Clerc, *Histoire de la Russie*, iii.477-78).
⁴ Cette unanimité des suffrages, selon Le Clerc, prouve ou la barbarie dans
laquelle était encore plongée la Russie à l'époque, ou la force du despotisme de
Pierre, qui portait les juges à trahir leur conscience... (iii.478).

ses transgressions capitales contre son souverain et son père, étant
40 fils et sujet de Sa Majesté czarienne; en sorte que, quoique Sa
Majesté czarienne ait promis au czarevitz, par la lettre qu'il lui a
envoyée par M. Tolstoy conseiller privé, et par le capitaine
Romanzoff, datée de Spaa le 10 juillet 1717, de lui pardonner son
évasion, s'il retournait de son bon gré et volontairement, ainsi que
45 le czarevitz même l'a avoué avec remerciement dans sa réponse à
cette lettre, écrite de Naples le 4 octobre 1717, où il a marqué qu'il
remerciait Sa Majesté czarienne pour le pardon qui lui était donné
seulement pour son évasion volontaire, il s'en est rendu indigne
depuis par ses oppositions aux volontés de son père et par ses
50 autres transgressions qu'il a renouvelées et continuées, comme il
est amplement déduit dans le manifeste, publié par Sa Majesté
czarienne, le 3 février de la présente année, et parce qu'entre autres
choses il n'est pas retourné de son bon gré. [5]

Et quoique Sa Majesté czarienne à l'arrivée du czarevitz à
55 Moscou, avec son écrit de confession de ses crimes, et où il en
demandait pardon, eût pitié de lui, comme il est naturel à un père
d'en avoir de son fils, et qu'à l'audience qu'elle lui donna dans la
salle du château le même jour 3 de février, elle lui promît le pardon
de toutes ses transgressions; Sa Majesté czarienne ne lui fit cette
60 promesse qu'avec cette condition expresse qu'elle exprima en
présence de tout le monde, savoir que lui czarevitz déclarerait sans
aucune restriction ni réserve tout ce qu'il avait commis et tramé
jusqu'à ce jour-là contre Sa Majesté czarienne, et qu'il découvrirait
toutes les personnes qui lui ont donné des conseils, ses complices
65 et généralement tous ceux qui ont su quelques choses de ses

---

65   K: su quelque chose de

---

[5] 'Nous ne voyons pas qu'il ait été question de ce fait dans tout le cours du
procès' [qu'Alexis ne soit pas retourné de son bon gré], observe Le Clerc. L'historien
constate aussi que 'les juges prennent sur eux de lever les scrupules dont le Tzar ne
pouvoit se défendre sur la violation des sermens faits à son fils' (iii.479).

desseins et de ses menées; mais que s'il célait quelqu'un, ou quelque chose, le pardon promis serait nul et demeurerait révoqué; ce que le czarevitz reçut alors et accepta, au moins en apparence, avec des larmes de reconnaissance, et il promit par serment de déclarer tout sans réserve. En confirmation de quoi il baisa la sainte Croix 70 et les Saintes Ecritures dans l'église cathédrale.

Sa Majesté czarienne lui confirma aussi la même chose de sa propre main le lendemain, dans les articles d'interrogatoire insérés ci-dessus, qu'elle lui fit donner, ayant écrit à leur tête ce qui suit.

Comme vous avez reçu hier votre pardon, à condition que vous 75 *déclareriez toutes les circonstances de votre évasion et ce qui y a du rapport; mais que si vous céliez quelques choses, vous seriez privé de la vie; et comme vous avez déjà fait de bouche quelques déclarations, vous devez pour une plus ample satisfaction, et pour votre décharge, les mettre par écrit selon les points marqués ci-dessous.* 80

Et à la conclusion, il était encore écrit de la main de Sa Majesté czarienne dans le septième article.

Déclarez tout ce qui a du rapport à cette affaire, quand même cela ne serait point spécifié ici, et purgez-vous comme dans la sainte confession; mais si vous cachez ou céliez quelque chose qui se découvre 85 *dans la suite, ne m'imputez rien. Car il vous a été déclaré hier devant tout le monde, qu'en ce cas-là le pardon que vous avez reçu serait nul et révoqué.* [6]

Nonobstant cela, le czarevitz a parlé dans ses réponses et dans ses confessions, sans aucune sincérité; il a célé et caché non 90 seulement beaucoup de personnes, mais aussi des affaires capitales,

---

77   K: *céliez quelque chose, vous*

---

[6] On ne doit point être surpris, selon Le Clerc, du soin que mettait Alexis à chercher tout ce qui pouvait le faire paraître coupable, et à mettre même en avant des *faits faux* qui pouvaient lui nuire. Il paraît qu'on lui rappelait à chaque interrogatoire la grâce de son père, qu'on insistait sur la condition à laquelle elle était promise, et qu'on ne regardait jamais ses aveux comme suffisants (iii.480).

et ses transgressions, et en particulier ses desseins de rébellion
contre son père et son seigneur, et ses mauvaises pratiques qu'il a
tramées et entretenues longtemps pour tâcher d'usurper le trône
de son père, même de son vivant, [7] par différentes mauvaises voies,
et sous de méchants prétextes, fondant son espérance et les souhaits
qu'il faisait de la mort de son père et son seigneur, sur la déclaration
dont il se flattait du petit peuple en sa faveur.

Tout cela a été découvert ensuite par les informations criminelles, [8] après qu'il a refusé de le déclarer lui-même, comme il a
paru ci-dessus.

Ainsi il est évident par toutes ces démarches du czarevitz, et
par les déclarations qu'il a données par écrit et de bouche, et en
dernier lieu par celle du 22 juin de la présente année, qu'il n'a
point voulu que la succession à la couronne lui vînt après la mort
de son père de la manière que son père aurait voulu la lui laisser,
selon l'ordre de l'équité et par les voies et les moyens que Dieu a
prescrits: mais qu'il l'a désirée, et qu'il a eu dessein d'y parvenir,
même du vivant de son père et son seigneur, contre la volonté de
Sa Majesté czarienne, et en s'opposant à tout ce que son père
voulait, et non seulement par des soulèvements de rebelles qu'il
espérait, mais encore par l'assistance de l'empereur, [9] et avec une
armée étrangère qu'il s'était flatté d'avoir à sa disposition, au prix
même du renversement de l'Etat, et de l'aliénation de tout ce qu'on
aurait pu lui demander de l'Etat pour cette assistance.

[7] Nous ne voyons aucune trace de ce projet criminel, remarque Le Clerc, ni dans
les inculpations du tsar, ni dans les dépositions des témoins, ni dans les aveux
d'Alexis (iii.481). Alexis confesse pourtant par écrit lors du quatrième interrogatoire,
le 16 mai 1718, qu'il se serait 'apparemment' joint aux rebelles si ceux-ci l'avaient
appelé, même du vivant de son père (II.x.352-354).

[8] 'Ou M. de Voltaire n'a pas rendu compte de toute la procédure, ou ces prétendues
informations postérieures aux déclarations d'Alexis, ne sont que des mensonges
fabriqués', écrit Le Clerc. 'Si Voltaire avoit eu connoissance de ces informations si
propres à justifier la sévérité de Pierre, il n'eût pas manqué d'en parler. Il faut donc
conclure de son silence qu'elles n'ont jamais existé' (iii.481).

[9] Le Clerc compare les juges à des sangsues qui ne quittent pas la peau tant
qu'elles ne sont pas rassasiées de sang (iii.482).

L'exposé qu'on vient de faire, fait donc voir que le czarevitz en cachant tous ses pernicieux desseins, et en célant beaucoup de personnes qui ont été d'intelligence avec lui, comme il a fait jusqu'au dernier examen, et jusqu'à ce qu'il a été pleinement convaincu de toutes ses machinations, a eu en vue de se réserver des moyens pour l'avenir, quand l'occasion se présenterait favorable, de reprendre ses desseins, et de pousser à bout l'exécution de cette horrible entreprise contre son père et son seigneur, et contre tout cet empire. [10]

Il s'est rendu par là indigne de la clémence et du pardon qui lui a été promis par son seigneur et son père; il l'a aussi avoué lui-même, tant devant Sa Majesté czarienne, qu'en présence de tous les états ecclésiastiques et séculiers, et publiquement devant toute l'assemblée: et il a aussi déclaré verbalement et par écrit devant les juges soussignés, établis par Sa Majesté czarienne, que tout ce que dessus était véritable et manifeste par les effets qui en avaient paru.

Ainsi puisque les susdites lois divines et ecclésiastiques, les civiles et militaires, et particulièrement les deux dernières, condamnent à mort sans miséricorde, non seulement ceux dont les attentats contre leur père et seigneur ont été manifestés par des évidences, ou prouvés par des écrits, mais même ceux dont les attentats n'ont été que dans l'intention de se rebeller, ou d'avoir formé de simples desseins de tuer leur souverain ou d'usurper l'empire; Que penser d'un dessein de rébellion, tel qu'on n'a guère ouï parler de semblable dans le monde, joint à celui d'un horrible double parricide [11] contre son souverain, premièrement comme

120

125

130

135

140

[10] On persiste, constate Le Clerc, à vouloir faire du lâche, de l'efféminé, du timide Alexis, tel que l'a dépeint Voltaire, un homme entreprenant et audacieux (iii.482-83).

[11] L'exagération des juges a paru si forte à Voltaire, rappelle Le Clerc, qu'il a pris le terme de 'parricide' pour une erreur de traduction (iii.483-84). Or, il n'y a pas d'erreur: le texte russe parle d'un 'dessein sacrilège, doublement parricide' (cf. ci-dessus, II.x, n.101).

948

son père de la patrie, et encore comme son père selon la nature;
(un père très clément qui a fait élever le czarevitz depuis le berceau
145 avec des soins plus que paternels, avec une tendresse et une bonté
qui ont paru en toutes rencontres, qui a tâché de le former pour le
gouvernement, et de l'instruire avec des peines incroyables et une
application infatigable dans l'art militaire, pour le rendre capable
et digne de la succession d'un si grand empire) à combien plus
150 forte raison un tel dessein a-t-il mérité une punition de mort?

C'est avec un cœur affligé et des yeux pleins de larmes, que
nous, comme serviteurs et sujets, prononçons cette sentence, que
considérant qu'il ne nous appartient point en cette qualité d'entrer
en jugement de si grande importance, et particulièrement de
155 prononcer une sentence contre le fils du très souverain et très
clément czar notre seigneur. Cependant sa volonté étant que nous
jugions, nous déclarons par la présente notre véritable opinion, et
nous prononçons cette condamnation avec une conscience si pure
et si chrétienne, que nous croyons pouvoir la soutenir devant le
160 terrible, le juste et l'impartial jugement du grand Dieu.

Soumettant au reste cette sentence que nous rendons, et cette
condamnation que nous faisons, à la souveraine puissance, à la
volonté, et à la clémente révision de Sa Majesté czarienne notre
très clément monarque.

PAIX DE NEUSTADT[1]

Soit notoire par les présentes, que comme il s'est élevé il y a plusieurs années une guerre sanglante, longue et onéreuse entre Sa Majesté le feu roi Charles XII de glorieuse mémoire, roi de Suède, des Goths et des Vandales, etc. ses successeurs au trône de Suède, madame Ulrique, reine de Suède, des Goths et des Vandales, etc. et le royaume de Suède, d'une part; et entre Sa Majesté czarienne Pierre premier, empereur de toute la Russie, etc. et l'empire de Russie, de l'autre part: les deux parties ont trouvé à propos de travailler aux moyens de mettre fin à ces troubles, et par conséquent à l'effusion de tant de sang innocent; et il a plu à la Providence divine de disposer les esprits des deux parties à faire assembler leurs ministres plénipotentiaires, pour traiter et conclure une paix ferme, sincère et stable, et une amitié éternelle entre les deux Etats, provinces, pays, vassaux, sujets et habitants; savoir, M. Jean Liliensted, conseiller de Sa Majesté le roi de Suède, de son royaume et de sa chancellerie, et M. le baron Otto-Reinhol Stroemfeld, intendant des mines de cuivre et des fiefs des Dalders, de la part de Sa dite Majesté; et de la part de Sa Majesté czarienne, M. le comte Jacob-Daniel Bruce, son aide de camp général, président des collèges des minéraux et des manufactures, et chevalier des ordres de St André et de l'Aigle Blanc, et M. Henri-Jean-Frédéric Osterman, conseiller privé de la chancellerie de Sa Majesté czarienne: lesquels ministres plénipotentiaires s'étant assemblés à Neustadt, ont fait l'échange de leurs pouvoirs; et après

---

[1] Texte emprunté à Rousset de Missy, iv.363-85. On trouve également le texte du traité de Nystad dans le *Corpus universel diplomatique du droit des gens* de Jean Dumont (La Haye 1731), viii.36-39, avec des pièces qui ne figurent pas dans l'ouvrage de Rousset de Missy: un texte signé Frédéric [de Suède] et deux articles séparés.

25 avoir imploré l'assistance divine, ils ont mis la main à cet important
et très salutaire ouvrage, et ont conclu, par la grâce et la bénédiction
de Dieu, la paix suivante, entre la couronne de Suède et Sa Majesté
czarienne.

ART. Ier. Il y aura dès à présent, et jusqu'à perpétuité, une paix
30 inviolable par terre et par mer, de même qu'une sincère union et
une amitié indissoluble, entre Sa Majesté le roi Fréderic premier,
roi de Suède, des Goths et des Vandales, ses successeurs à la
couronne et au royaume de Suède, ses domaines, provinces, pays,
villes, vassaux, sujets et habitants, tant dans l'empire romain, que
35 hors dudit empire, d'une part; et Sa Majesté czarienne Pierre
premier, empereur de toute la Russie, etc. ses successeurs au trône
de Russie, et tous ses pays, villes, vassaux, sujets et habitants,
d'autre part: De sorte qu'à l'avenir, les deux parties pacifiantes ne
commettront ni ne permettront qu'il se commette aucune hostilité,
40 secrètement ou publiquement, directement ou indirectement, soit
par les leurs ou par les autres: elles ne donneront non plus aucun
secours aux ennemis d'une des deux parties pacifiantes, sous
quelque prétexte que ce soit, et ne feront avec eux aucune alliance
qui soit contraire à cette paix: mais elles entretiendront toujours
45 entre elles une amitié sincère, et tâcheront de maintenir l'honneur,
l'avantage et la sûreté mutuelle; comme aussi de détourner, autant
qu'il leur sera possible, les dommages et les troubles dont l'une
des deux parties pourrait être menacée par quelque autre puissance.

II. Il y a de plus, de part et d'autre, une amnistie générale des
50 hostilités commises pendant la guerre, soit par les armes ou par
d'autres voies, de sorte qu'on ne s'en ressouviendra ni s'en vengera
jamais; particulièrement à l'égard de toutes les personnes d'état et
des sujets, de quelque nation que ce soit, qui sont entrés au service
de l'une des deux parties pendant la guerre, et qui par cette
55 démarche se sont rendus ennemis de l'autre partie; excepté les
Cosaques russiens qui ont passé au service du roi de Suède, Sa
Majesté czarienne n'a pas voulu accorder qu'ils fussent compris
dans cette amnistie générale, nonobstant toutes les instances qui
ont été faites de la part du roi de Suède en leur faveur.

951

III. Toutes les hostilités, tant par mer que par terre, cesseront 60
ici et dans le grand-duché de Finlande, dans quinze jours, ou plus
tôt, s'il est possible, après la signature de cette paix; mais dans les
autres endroits, dans trois semaines, ou plus tôt, s'il est possible,
après qu'on aura fait l'échange de part et d'autre: pour cet effet,
on publiera d'abord la conclusion de la paix. Et au cas qu'après 65
l'expiration de ce terme, on vînt à commettre quelque hostilité par
mer ou par terre, de l'un ou de l'autre côté, de quelque nom que
ce soit, par ignorance de la paix conclue, cela ne portera aucun
préjudice à la conclusion de cette paix; mais on sera obligé de
restituer et les hommes et les effets, pris et enlevés après ce temps- 70
là.

IV. Sa Majesté le roi de Suède cède par les présentes, tant pour
soi-même que pour ses successeurs au trône et au royaume de
Suède, à Sa Majesté czarienne et ses successeurs à l'empire de
Russie, en pleine, irrévocable et éternelle possession, les provinces 75
qui ont été conquises et prises par les armes de Sa Majesté czarienne
dans cette guerre, sur la couronne de Suède; savoir, la Livonie,
l'Estonie, l'Ingermanie, et une partie de la Carélie; de même que
le district du fief de Wybourg, spécifié ci-dessous dans l'article du
règlement des limites; les villes et forteresses de Riga, Dunamunde, 80
Pernau, Revel, Dorpt, Nerva, Wybourg, Kexholm, et les autres
villes, forteresses, ports, places, districts, rivages, et côtes appartenant auxdites provinces, comme aussi les îles d'Oesel, Dagoe,
Moen,[2] et toutes les autres îles depuis la frontière de Courlande,
sur les côtes de Livonie, Estonie et Ingermanie, et du côté oriental 85
de Revel, sur la mer qui va à Wybourg, vers le midi et l'orient;
avec tous les habitants qui se trouvent dans ces îles, et dans les
susdites provinces, villes et places; et généralement toutes leurs
appartenances, dépendances, prérogatives, droits et émoluments,
sans aucune expédition, ainsi que la couronne de Suède les a 90
possédés.

[2] Pour les noms actuels de ces îles, voir II.xv, n.33.

Pour cet effet, Sa Majesté le roi de Suède renonce à jamais de la manière la plus solennelle, tant pour soi, que pour ses successeurs et pour tout le royaume de Suède, à toutes les prétentions qu'ils
95 ont eues jusqu'ici, ou peuvent avoir sur lesdites provinces, îles, pays et places, dont tous les habitants seront, en vertu des présentes, déchargés du serment qu'ils ont prêté à la couronne de Suède; de sorte que Sa Majesté et le royaume de Suède ne pourront plus se les attribuer dès à présent, ni les redemander à jamais, sous quelque
100 prétexte que ce soit, mais ils seront et resteront incorporés à perpétuité à l'empire de Russie; et Sa Majesté et le royaume de Suède s'engagent par les présentes, de laisser et maintenir toujours Sa Majesté czarienne et ses successeurs à l'empire de Russie dans la paisible possession desdites provinces, îles, pays et places; et
105 l'on cherchera, et remettra à ceux qui seront autorisés de Sa Majesté czarienne, toutes les archives et papiers qui concernent principalement ces pays, lesquels ont été enlevés et portés en Suède pendant cette guerre.

v. Sa Majesté czarienne s'engage en échange, et promet de
110 restituer et d'évacuer à Sa Majesté et à la couronne de Suède, dans le terme de quatre semaines après l'échange de la ratification de ce traité de paix, ou plus tôt, s'il est possible, le grand-duché de Finlande; excepté la partie qui en a été réservée ci-dessous dans le règlement des limites, laquelle appartiendra à Sa Majesté czarienne;
115 de sorte que Sa Majesté czarienne, et ses successeurs n'auront ni ne feront jamais aucune prétention sur ledit duché, sous quelque prétexte que ce soit. Outre cela, Sa Majesté czarienne s'engage et promet de faire payer promptement, infailliblement, et sans rabais, la somme de deux millions d'écus, aux autorités du roi de Suède,
120 pourvu qu'ils produisent et donnent les quittances valables, dans les termes fixés, et en telles sortes de monnaie, dont on est convenu par un article séparé, lequel est de la même force, comme s'il était inséré ici de mot à mot.

121   K: en telle sorte de

VI. Sa Majesté le roi de Suède s'est aussi réservé à l'égard du commerce, la permission pour toujours, de faire acheter annuellement des grains à Riga, Revel et Arensbourg,[3] pour cinquante mille roubles: lesquels grains sortiront desdites places, sans qu'on en paye aucun droit ou autres impôts, pour être transportés en Suède, moyennant une attestation, par laquelle il paraisse qu'ils ont été achetés pour le compte de Sa Majesté suédoise, ou par des sujets qui sont chargés de cet achat de la part de Sa Majesté le roi de Suède: ce qui ne se doit pas entendre des années, dans lesquelles Sa Majesté czarienne se trouverait obligée par manque de récolte, ou par d'autres raisons importantes, de défendre la sortie des grains généralement à toutes les nations.

VII. Sa Majesté czarienne promet aussi de la manière la plus solennelle, qu'elle ne se mêlera point des affaires domestiques du royaume de Suède, ni de la forme de régence qui a été réglée et établie sous serment, et unanimement par les états dudit royaume: Qu'elle n'assistera personne, en aucune manière, qui que ce puisse être, ni directement ni indirectement; mais qu'elle tâchera d'empêcher et de prévenir tout ce qui y est contraire, pourvu que cela vienne à la connaissance de Sa Majesté czarienne; afin de donner par là des marques évidentes d'une amitié sincère et d'un véritable voisin.

VIII. Et comme on a, de part et d'autre, l'intention de faire une paix ferme, sincère et durable, et qu'ainsi il est très nécessaire de régler tellement les limites, qu'aucune des deux parties ne se puisse donner aucun ombrage, mais que chacune possède paisiblement ce qui lui a été cédé par ce traité de paix, elles ont bien voulu déclarer, que les deux empires auront dès à présent et à jamais les limites suivantes, qui commencent sur la côte septentrionale de

125

130

135

140

145

150

135   K: généralement pour toutes

[3] 'Ville maritime de Suède dans la Livonie, dans l'île d'Osel' (*Encyclopédie*). C'est l'actuelle Kuressaare, dans l'île de Sarema (Saaremaa), en Estonie.

954

Sinus Finicus[4] près de Wickolax: d'où elles s'étendent à une demi-lieue du rivage de la mer jusque vis-à-vis de Willayoki, et de là
155 plus avant dans le pays; en sorte que du côté de la mer et vis-à-vis de Rohel, il y aura une distance de trois quarts de lieue dans une ligne diamétrale jusqu'au chemin qui va de Wybourg à Lapstrand, à la distance de trois lieues de Wybourg, et qui va dans la même distance de trois lieues vers le nord par Wybourg dans une ligne
160 diamétrale jusqu'aux anciennes limites qui ont été ci-devant entre la Russie et la Suède, et même avant la réduction du fief de Kexholm sous la domination du roi de Suède. Ces anciennes limites s'étendent du côté du nord à huit lieues; de là elles vont dans une ligne diamétrale au travers du fief de Kexholm jusqu'à
165 l'endroit où la mer de Porojeroi, qui commence près du village de Kudumagube, touche les anciennes limites qui ont été entre la Russie et la Suède; tellement que Sa Majesté le roi et le royaume de Suède posséderont toujours tout ce qui est situé vers l'ouest et le nord au delà des limites spécifiées, et Sa Majesté czarienne et
170 l'empire de Russie posséderont à jamais ce qui est situé en deçà, du côté d'orient et du sud. Et comme Sa Majesté czarienne cède ainsi à perpétuité à Sa Majesté le roi et au royaume de Suède une partie du fief de Kexholm, qui appartenait ci-devant à l'empire de Russie, elle promet de la manière la plus solennelle, pour soi et
175 ses successeurs au trône de Russie, qu'elle ne redemandera ni ne pourra redemander jamais cette partie du fief de Kexholm, sous quelque prétexte que ce soit; mais ladite partie sera et restera toujours incorporée au royaume de Suède. A l'égard des limites dans les pays des Lapmarques, elles resteront sur le même pied
180 qu'elles étaient avant le commencement de cette guerre entre les deux empires. On est convenu de plus, de nommer des commissaires de part et d'autre, immédiatement après la ratification du traité principal, pour régler les limites de la manière susdite.

IX. Sa Majesté czarienne promet en outre, de maintenir tous les

[4] Le Golfe de Finlande.

habitants des provinces de Livonie, d'Estonie et d'Oesel, nobles   185
et roturiers, les villes, magistrats et les corps de métiers, dans
l'entière jouissance des privilèges, coutumes et prérogatives, dont
ils ont joui sous la domination du roi de Suède.

x. On n'introduira pas non plus la contrainte des consciences,
dans les pays qui ont été cédés; mais on y laissera et maintiendra   190
la religion évangélique, de même que les églises, les écoles et ce
qui en dépend, sur le même pied qu'elles étaient du temps de la
dernière régence du roi de Suède, à condition que l'on y puisse
aussi exercer librement la religion grecque.

xi. Quant à la réduction et liquidation qui se firent du temps de   195
la régence précédente du roi de Suède en Livonie, Estonie et
Oesel, au grand préjudice des sujets et des habitants de ce pays-là
(ce qui a porté, de même que l'équité de l'affaire même, le feu roi
de Suède de glorieuse mémoire à donner l'assurance par une
patente qui fut publiée le 13 avril 1700, *que si quelques-uns de ses*   200
sujets pouvaient prouver loyalement que les biens qui ont été confisqués
étaient les leurs, on leur rendrait justice à cet égard; et alors plusieurs
sujets desdits pays furent remis dans la possession de leurs biens
confisqués); Sa Majesté czarienne s'engage et promet de faire
rendre justice à un chacun, soit qu'il demeure dans le terroir ou   205
hors du terroir, qui a une juste prétention sur des terres en Livonie,
Estonie, ou dans la province d'Oesel, et la peut vérifier dûment;
de sorte qu'ils rentreront alors dans la possession de leurs biens
ou terres.

xii. On restituera aussi incessamment, en conformité de l'amnis-   210
tie qui a été accordée et réglée ci-dessus dans l'article second, à
ceux de Livonie, d'Estonie, et de l'île d'Oesel, qui ont tenu pendant
cette guerre le parti du roi de Suède, les biens, terres et maisons
qui ont été confisqués et donnés à d'autres, tant dans les villes de
ces provinces, que dans celles de Nerva et Wybourg, soit qu'ils   215
leur soient dévolus pendant la guerre par héritage ou par d'autres
voies, sans aucune exception et restriction; soit que les propriétaires
se trouvent à présent en Suède, ou en prison, ou quelque autre
part, après que chacun se sera auparavant légitimé auprès du

220 gouvernement général, en produisant ses documents touchant son droit; mais ces propriétaires ne pourront rien prétendre des revenus qui ont été levés par d'autres pendant cette guerre et après la confiscation, ni aucun dédommagement de ce qu'ils ont souffert par la guerre ou autrement. Ceux qui rentrent de cette manière
225 dans la possession de leurs biens ou terres, seront obligés de rendre hommage à Sa Majesté czarienne, leur souverain d'à présent, et de se comporter au reste comme de fidèles vassaux et sujets: Après qu'ils auront prêté le serment accoutumé, il leur sera permis de sortir du pays, d'aller demeurer ailleurs dans le pays de ceux qui
230 sont alliés et amis de l'empire de Russie, et de s'engager au service des puissances neutres, ou d'y continuer, s'ils s'y sont déjà engagés, suivant qu'ils le jugeront à propos. Mais à l'égard de ceux qui ne veulent pas rendre hommage à Sa Majesté czarienne, on fixe et on leur accorde le terme de trois ans après la publication de la paix,
235 pour vendre dans ce temps-là leurs biens, terres, et ce qui leur appartient, le mieux qu'ils pourront, sans en payer davantage que ce que chacun doit payer en conformité des ordonnances et statuts du pays. En cas qu'il arrivât à l'avenir, qu'un héritage fût dévolu suivant les droits du pays à quelqu'un, et que celui-ci n'eût pas
240 prêté le serment de fidélité à Sa Majesté czarienne, il sera obligé de le faire à l'entrée de son héritage, ou de vendre ces biens dans l'espace d'une année.

De la même manière, ceux qui ont avancé de l'argent sur des terres situées en Livonie, Estonie, et dans l'île d'Oesel, et qui en
245 ont reçu des contrats légitimes, jouiront paisiblement de leurs hypothèques, jusqu'à ce qu'on leur en paye et le capital et l'intérêt; mais ces hypothécaires ne pourront rien prétendre des intérêts qui sont échus pendant la guerre, et qui ne sont pas peut-être levés; mais ceux qui dans l'un ou l'autre cas ont l'administration des
250 biens susdits, seront obligés de rendre hommage à Sa Majesté czarienne. Tout ceci s'entend aussi de ceux qui restent sous la domination de Sa Majesté czarienne, lesquels auront la même liberté de disposer des biens qu'ils ont en Suède et dans les pays qui ont été cédés à la couronne de Suède par cette paix. D'ailleurs,

957

on maintiendra aussi réciproquement les sujets des parties paci- 255
fiantes qui ont de justes prétentions dans les pays des deux
puissances, soit au public, ou à des personnes particulières, et on
leur rendra une prompte justice, afin qu'un chacun soit ainsi mis
et remis dans la possession de ce qui lui appartient de droit.

XIII. Toutes les contributions en argent cesseront dans le grand- 260
duché de Finlande, que Sa Majesté czarienne restitue, suivant
l'article v à Sa Majesté le roi et au royaume de Suède, à compter
depuis la date de la signature de ce traité; mais on y fournira
pourtant gratis les vivres et les fourrages nécessaires aux troupes
de Sa Majesté czarienne, jusqu'à ce que ledit duché soit entièrement 265
évacué, sur le même pied que cela s'est pratiqué jusqu'ici; et l'on
défendra et inhibera sous des peines très rigoureuses, d'enlever à
leur délogement aucuns ministres ni paysans de la nation finlan-
daise, malgré eux, ni de leur faire aucun tort. Outre cela, on
laissera toutes les forteresses et châteaux de Finlande dans le même 270
état où ils sont à présent; mais il sera permis à Sa Majesté czarienne
de faire emporter, en évacuant ledit pays et places, tout le gros et
petit canon, leurs attirails, magasins, et autres munitions de guerre
que Sa Majesté czarienne y a fait transporter, de quelque nom que
ce soit. Pour cette fin et pour le transport du bagage de l'armée, 275
les habitants fourniront gratis les chevaux et les chariots nécessaires
jusqu'aux frontières. Même, si l'on ne pouvait pas exécuter tout
cela dans le terme stipulé, et qu'on fût obligé d'en laisser une
partie en arrière, elle sera bien gardée, et remise ensuite à ceux qui
sont autorisés de Sa Majesté czarienne, dans quelque temps qu'elle 280
le souhaite, et on fera aussi transporter ladite partie jusqu'aux
frontières. En cas que les troupes de Sa Majesté czarienne aient
trouvé et envoyé hors du pays quelques archives et papiers,
touchant le grand-duché de Finlande, elle en fera faire une exacte
recherche, et fera rendre de bonne foi ce qui s'en trouvera, à ceux 285
qui sont autorisés de Sa Majesté le roi de Suède.

XIV. Tous les prisonniers de part et d'autre, de quelque nation,
condition et état qu'ils soient, seront élargis immédiatement après
la ratification de ce traité de paix, sans payer aucune rançon; mais

290 il faut qu'un chacun ait auparavant acquitté les dettes qu'il a contractées, ou qu'il donne caution suffisante pour le payement d'icelles. On leur fournira gratis de part et d'autre, les chevaux et les chariots nécessaires dans le temps fixé pour leur départ, à proportion de la distance des places où ils se trouvent actuellement, 295 jusqu'aux frontières. Touchant les prisonniers qui ont embrassé le parti de l'un ou de l'autre, ou qui ont dessein de rester dans les Etats de l'une ou de l'autre partie, ils auront indifféremment cette permission-là. Ceci s'entend aussi de tous ceux qui ont été enlevés de part et d'autre pendant cette guerre, lesquels pourront aussi ou 300 rester où ils sont, ou retourner chez eux; excepté ceux qui ont de leur propre mouvement embrassé la religion grecque, Sa Majesté czarienne le voulant ainsi; pour laquelle fin les deux parties pacifiantes feront publier et afficher des édits dans leurs Etats.

xv. Sa Majesté le roi et la république de Pologne, comme alliés 305 de Sa Majesté czarienne, sont compris expressément dans cette paix, et on leur réserve l'accès, tout de même, comme si le traité de paix à renouveler entre eux et la couronne de Suède eût été inséré ici de mot à mot. Pour cette fin, cesseront toutes les hostilités de quelque nom qu'elles soient, partout et dans tous les royaumes, 310 pays, et domaines qui appartiennent aux deux parties pacifiantes, et qui sont situés tant dans l'empire romain que hors de l'empire romain, et il y aura une paix stable et durable entre les susdites deux couronnes. Et comme aucun ministre plénipotentiaire de la part de S. M. et la république de Pologne n'a assisté au congrès de 315 paix qui s'est tenu à Neustadt, et qu'ainsi on n'a pu renouveler à la fois la paix entre S. M. le roi de Pologne et la couronne de Suède par un traité solennel, S. M. le roi de Suède s'engage et promet d'envoyer au congrès de paix ses plénipotentiaires, pour entamer les conférences, dès qu'on aura concerté le lieu du congrès, 320 afin de conclure sous la médiation de S. M. czarienne une paix durable entre ces deux rois, à condition que rien n'y soit contenu qui puisse porter du préjudice à ce traité de paix perpétuelle fait avec S. M. czarienne.

xvi. On réglera et on confirmera la liberté du commerce qu'il

y aura par mer et par terre, entre les deux puissances, leurs Etats, 325
sujets et habitants, dès qu'il sera possible, par le moyen d'un traité
à part sur ce sujet, à l'avantage des Etats de part et d'autre: mais
en attendant, il sera permis aux sujets russiens et suédois de
trafiquer librement dans l'empire de Russie et dans le royaume de
Suède, dès qu'on aura ratifié ce traité de paix, en payant les droits 330
ordinaires de toutes sortes de marchandises; de sorte que les
sujets de Russie et de Suède jouiront réciproquement des mêmes
privilèges et prérogatives qu'on accorde aux plus grands amis des
susdits Etats.

XVII. La paix étant conclue, on restituera de part et d'autre aux 335
sujets de Russie et de Suède, non seulement les magasins qu'ils
avaient avant la naissance de la guerre dans certaines villes
marchandes de ces deux puissances, mais on leur permettra aussi
d'établir des magasins dans les villes, ports et autres places qui
sont sous la domination de S. M. czarienne et du roi de Suède. 340

XVIII. En cas que des vaisseaux de guerre ou marchands suédois
viennent à échouer ou périr par tempête ou par d'autres accidents
sur les côtes et rivages de Russie, les sujets de S. M. czarienne
seront obligés de leur donner toute sorte de secours et d'assistance,
de sauver l'équipage et les effets, autant qu'il leur sera possible, et 345
de rendre fidèlement ce qui a été poussé à terre, s'ils le réclament,
moyennant une récompense convenable. Les sujets de S. M. le roi
de Suède en feront autant à l'égard des vaisseaux et des effets
russiens qui ont le malheur d'échouer ou de périr sur les côtes de
Suède. Pour laquelle fin, et pour prévenir toute insolence, vol et 350
pillage, qui se commettent ordinairement à l'occasion de ces
fâcheux accidents, S. M. czarienne et le roi de Suède feront
émaner une très rigoureuse inhibition à cet égard, et feront punir
arbitrairement les infracteurs.

XIX. Et pour prévenir aussi par mer toute occasion qui pourrait 355
faire naître quelque mésintelligence entre les deux parties paci-

349   K: qui auront le

fiantes, autant qu'il est possible, on a conclu et résolu, que si les
vaisseaux de guerre suédois, un ou plusieurs, soit qu'ils soient
petits ou grands, passent dorénavant une des forteresses de S. M.
360 czarienne, ils feront la salve de leur canon, et ils seront d'abord
resalués de celui de la forteresse russienne; et *vice versa*, si les
vaisseaux de guerre russiens, un ou plusieurs, soit qu'ils soient
petits ou grands, passent dorénavant une des forteresses de Sa
Majesté le roi de Suède, ils feront la salve de leur canon, et ils
365 seront d'abord resalués de celui de la forteresse suédoise. En cas
que les vaisseaux suédois et russiens se rencontrent en mer, ou en
quelque port ou autre endroit, ils se salueront les uns les autres de
la salve ordinaire, de la même manière que cela se pratique en
pareil cas entre la Suède et le Dannemarck.

370   xx. On est convenu de part et d'autre, de ne plus défrayer les
ministres des deux puissances comme auparavant; leurs ministres,
plénipotentiaires et envoyés, sans ou avec caractère, devant s'entretenir à l'avenir eux-mêmes et toute leur suite, tant en voyage qu'à
la cour, et dans la place où ils ont ordre d'aller résider; mais si
375 l'une ou l'autre des deux parties reçoit à temps la nouvelle de la
venue d'un envoyé, elles ordonneront à leurs sujets de lui donner
toute l'assistance dont il aura besoin, afin qu'il puisse continuer
sûrement sa route.

    xxi. De la part de Sa Majesté le roi de Suède, on comprend
380 aussi dans ce traité de paix Sa Majesté le roi de la Grande-Bretagne,
à la réserve des griefs qu'il y a entre Sa Majesté czarienne et ledit
roi, dont on traitera directement, et l'on tâchera de les terminer
amiablement. Il sera permis aussi à d'autres puissances, qui seront
nommées par les deux parties pacifiantes dans l'espace de trois
385 mois, d'accéder à ce traité de paix.

    xxii. En cas qu'il survienne à l'avenir quelque différend entre
les Etats et les sujets de Suède et de Russie, cela ne dérogera pas
à ce traité de paix éternelle; mais il aura et tiendra sa force et son
effet, et on nommera incessamment des commissaires de part et
390 d'autre, pour examiner et vider équitablement le différend.

    xxiii. On rendra aussi dès à présent tous ceux qui sont coupables de trahisons, meurtres, vols et autres crimes, et qui passent de la Suède en Russie, et de la Russie en Suède, seuls ou avec femmes et enfants, en cas que la partie lésée du pays d'où ils se sont évadés, les réclame, de quelque nation qu'ils soient, et dans le même état où ils étaient à leur arrivée, avec femmes et enfants, de même qu'avec tout ce qu'ils ont enlevé, volé ou pillé. 395

XXIV. L'échange des ratifications de cet instrument de paix se fera à Neustadt dans l'espace de trois semaines, à compter de la signature, ou plus tôt s'il est possible. En foi de tout ceci, on a 400 dressé deux exemplaires de la même teneur de ce traité de paix, lesquels ont été confirmés par les ministres plénipotentiaires de part et d'autre, en vertu des pouvoirs qu'ils avaient de leurs maîtres, qui les avaient signés de leurs mains propres, et y avaient fait apposer leurs sceaux. *Fait à Neustadt le 30 août 1721. V. St.,* 405 *depuis la naissance de notre Sauveur.*

JEAN LILIENSTED.

OTTO-REINHOLD STROEMFELD.

JACOB-DANIEL BRUCE.

HENRI-JEAN-FRÉDERIC OSTERMAN. 410

ORDONNANCE

DE L'EMPEREUR PIERRE PREMIER,

pour le couronnement de l'impératrice Catherine. [1]

Nous Pierre premier empereur et autocrateur [2] de toute la Russie, etc.: Savoir faisons à tous les ecclésiastiques, officiers civils et militaires, et autres de la nation russienne, nos fidèles sujets. Personne n'ignore l'usage constant et perpétuel établi dans les
5   royaumes de la chrétienté, suivant lequel les potentats font couronner leurs épouses, ainsi que cela se pratique actuellement, et l'a été diverses fois dans les temps reculés par les empereurs de la véritable croyance grecque; savoir l'empereur Basilide, [3] qui a fait couronner son épouse Zénobie; l'empereur Justinien, [4] son épouse Lupicine;
10   l'empereur Héraclius, [5] son épouse Martine; l'empereur Léon le Philosophe, [6] son épouse Marie; et plusieurs autres qui ont

---

[1] Tiré de Rousset de Missy, iv.469-71. Voltaire n'a pas tenu compte de la version un peu différente et moins élégante envoyée de Pétersbourg, signée Petrus et datée du 15 novembre 1723 (MS 5-28, f.110).

[2] Ce terme d'"autocrateur', que n'aimaient pas les Russes, ne figure pas dans le MS 5-28.

[3] Basile Ier le Macédonien (v. 812-886), empereur d'Orient à partir de 867. Mais il eut pour épouse Eudocie, et non Zénobie (E. de Muralt, *Essai de chronographie byzantine*, Paris 1963, i.446).

[4] En fait Justin Ier, oncle de Justinien. Né vers 450, empereur de 518 à 527, il avait pour épouse Lupicia, nommée Euphemia par le peuple lors de son couronnement (Muralt, i.131). A noter que dans le MS 5-28 son nom est Lupisia, et non Lupicine (f.110r).

[5] Héraclius Ier (v. 575-641), empereur d'Orient à partir de 610. D'abord marié à Eudoxie, dont il eut Constantin III, il épousa en 614 sa nièce Martine, qui lui donna Héraclius II.

[6] Il ne s'agit pas de Léon VI le Sage ou le Philosophe (866-912), empereur d'Orient à partir de 886 (aucune de ses quatre épouses successives ne s'appelle Marie), mais de Léon III l'Isaurien, né vers 675, empereur de 716 à 741, dont la veuve, l'impératrice Marie, mourra en 750 (Muralt, i.338 et 353).

pareillement fait mettre la couronne impériale sur la tête de leurs épouses, mais dont nous ne ferons point mention ici, à cause que cela nous mènerait trop loin.

Il est aussi connu jusqu'à quel point nous avons exposé notre propre personne, et affronté les dangers les plus éminents, en faveur de notre patrie, pendant le cours de la dernière guerre de vingt et un ans consécutifs; laquelle nous avons terminée, par le secours de Dieu, d'une manière si honorable et si avantageuse, que la Russie n'a jamais vu de pareille paix, ni acquis la gloire qu'on a remportée par cette guerre: L'impératrice Catherine, notre très chère épouse, nous a été d'un grand secours dans tous ces dangers, non seulement dans ladite guerre, mais encore dans quelques autres expéditions, où elle nous a accompagné volontairement, et nous a servi de conseil autant qu'il a été possible, nonobstant la faiblesse du sexe; particulièrement à la bataille contre les Turcs sur la rivière de Pruth, où notre armée était réduite à vingt-deux mille hommes, et celle des Turcs composée de deux cent soixante et dix mille hommes: Ce fut dans cette circonstance désespérée, qu'elle signala surtout son zèle par un courage supérieur à son sexe, ainsi que cela est connu à toute l'armée et dans tout notre empire. *A ces causes*, et en vertu du pouvoir que Dieu nous a donné, nous avons résolu d'honorer notre épouse de la couronne impériale, en reconnaissance de toutes ses peines; ce qui, s'il plaît à Dieu, sera accompli cet hiver à Moscou; et nous donnons avis de cette résolution à tous nos fidèles sujets, en faveur desquels notre affection impériale est inaltérable.

15

20

25

30

35

27 K: rivière du Pruth

TABLE DES MATIÈRES CONTENUES DANS L'HISTOIRE DE PIERRE LE GRAND

M

N

973

Fin de la Table des matières

TABLE DES CHAPITRES CONTENUS DANS
L'HISTOIRE DE PIERRE LE GRAND

PREMIÈRE PARTIE

979

Pièces originales concernant cette histoire

APPENDICES

APPENDICE I

Au lecteur

Cet avis 'Au lecteur' parut en tête de la seconde partie de l'*Histoire de l'empire de Russie sous Pierre le Grand* publiée en 1763 (sigle: 63). Les lignes 106-184 furent reprises avec quelques variantes, à partir de w68, dans la 'Préface historique et critique', l.381-459, et les lignes 51-101 dans 1.i.672-722.

AU LECTEUR

L'empire de Russie est devenu de notre temps si considérable pour l'Europe, que Pierre son vrai fondateur en est encore plus intéressant. C'est lui qui a donné au Nord une nouvelle face; et après lui, sa nation a été sur le point de changer le sort de l'Allemagne; et son influence s'est étendue sur la France et sur 5 l'Espagne, malgré l'immense distance des lieux. L'établissement de cet empire est peut-être la plus grande époque pour l'Europe, après la découverte du Nouveau Monde. C'est uniquement ce qui engage l'auteur de la première partie de l'Histoire de Pierre le Grand à donner la seconde. 10

Il y a quelques fautes dans plusieurs exemplaires du premier tome, dont on doit avertir le lecteur.

Page 5. après ces mots, *dans la route que les caravanes pourraient prendre*; ajoutez, *en passant par les plaines des Calmoucs, et par le grand désert nommé Kobi.*[1] 15

---

[1] Voir ci-dessus, 1.i.40-41 et n.10.

Page 11. *à la jonction*, mettez, *à l'embouchure*.[2]

Page 26. *Russie rouge*, lisez, *avec une partie de la Russie rouge*.[3] Au reste il est bon d'apprendre aux critiques mal instruits que la Volinie, la Podolie, et quelques contrées voisines, ont été appelées *Russie rouge* par tous les géographes.

Page 59. L'éditeur trompé par le défaut d'un zéro dans le manuscrit, a mis en toutes lettres, *soixante et douze mille serfs de moines*, au lieu de *sept cent vingt mille*.[4]

Page 67. après ces mots, *La religion grecque commença en effet à s'établir en Russie*; ôtez ce qui suit, et mettez, *Le patriarche de Constantinople Chrisoberge envoya un évêque baptiser Volodimer, pour ajouter à son patriarcat cette partie du monde. Volodimer acheva donc l'ouvrage commencé par son aïeul. Un Syrien nommé Michel, fut le premier métropolitain en Russie etc.*[5]

Page 73. *Il regardait les jésuites comme des hommes dangereux*; on peut ajouter, que les jésuites qui s'étaient introduits en Russie en 1685 en furent chassés en 1689 et qu'y étant rentrés, ils en furent encore chassés en 1718.[6]

Page 91. *Fille du secrétaire Nariskin*, lisez, *Fille du secrétaire Apraxin*.[7]

Page 292. mettez *Pennamunde*, au lieu de *Dunamunde*.[8]

On peut laisser au pays d'Orembourg l'épithète de *petit*, parce qu'en effet ce gouvernement est petit en comparaison de la Sibérie à laquelle il touche.[9] On peut substituer une *peau d'ours* à la *peau de mouton* que plusieurs voyageurs prétendent être adorée par les Ostiaks. Si ces bonnes gens rendent un culte à ce qui leur est utile,

[2] Voir 1.i.123 et n.36.
[3] Voir 1.i.349 et n.111.
[4] Voir 1.ii.134 et n.26.
[5] Voir 1.ii.250-254 et n.60 et 62.
[6] Voir 1.ii.343-346 et n.92.
[7] Voir 1.iii.201 et n.57.
[8] Voir 1.xix.181 et n.26.
[9] Voir 1.i.447-448 et n.143.

une fourrure d'ours est encore plus adorable qu'une peau de mouton, et il faut avoir une peau d'âne pour s'appesantir sur ces bagatelles. [10]

Que les barques construites par le czar Pierre Ier aient été appelées ou non *demi-galères*, [11] que Pierre ait logé d'abord dans une maison de bois, ou dans une maison de briques, cela est je crois fort indifférent. [12]

Il y a des choses moins indignes des yeux d'un lecteur sage. Il est dit, par exemple, au premier volume, que les peuples du Kamshatka sont sans religion. [13] Des mémoires récents m'apprennent que ce peuple sauvage a aussi ses théologiens, qui font descendre les habitants de cette presqu'île, d'une espèce d'être supérieur, qu'ils appellent Kouthou. Ces mémoires disent, qu'ils ne lui rendent aucun culte, et qu'ils ne l'aiment, ni ne le craignent.

Ainsi ils ont une mythologie, et ils n'ont point de religion; cela pourrait être vrai, et n'est guère vraisemblable; la crainte est l'attribut naturel des hommes. On prétend que dans leurs absurdités, ils distinguent des choses permises, et des choses défendues: ce qui est permis, c'est de satisfaire toutes ses passions; ce qui est défendu, c'est d'aiguiser un couteau ou une hache quand on est en voyage, et de sauver un homme qui se noie. Si en effet c'est un péché parmi eux de sauver la vie à son prochain, ils sont en cela différents de tous les hommes, qui courent par instinct au secours de leurs semblables, quand l'intérêt ou la passion ne corrompt pas en eux ce penchant naturel. Il semble qu'on ne pourrait parvenir à faire un crime d'une action si commune et si nécessaire, qu'elle n'est pas même une vertu; que par une philosophie également fausse et superstitieuse, qui persuaderait qu'il ne faut pas s'opposer à la Providence, et qu'un homme destiné par le ciel à être noyé,

45

50

55

60

65

70

[10] Voir I.i.594 et n.184-185.
[11] Voir I.xii.77-79 et n.14.
[12] Voir I.xiii.97-99 et n.23.
[13] Voir I.i.663v et n.206.

ne doit pas être secouru par un homme: mais les barbares sont bien loin d'avoir même une fausse philosophie.

Cependant ils célèbrent, dit-on, une grande fête, qu'ils appellent dans leur langage d'un mot qui signifie *purification*; mais de quoi se purifient-ils, si tout leur est permis? et pourquoi se purifient-ils, 75 s'ils ne craignent ni n'aiment leur dieu Kouthou?

Il y a sans doute des contradictions dans leurs idées, comme dans celles de presque tous les peuples; les leurs sont un défaut d'esprit, et les nôtres en sont un abus; nous en avons beaucoup plus qu'eux, parce que nous avons plus raisonné. 80

Comme ils ont une espèce de dieu, ils ont aussi des démons; enfin, il y a parmi eux des sorciers, ainsi qu'il y en a toujours eu chez toutes les nations les plus policées. Ce sont les vieilles qui sont sorcières dans le Kamshatka, comme elles l'étaient parmi nous avant que la saine physique nous éclairât. C'est donc partout 85 l'apanage de l'esprit humain d'avoir des idées absurdes, fondées sur notre curiosité et sur notre faiblesse. Les Kamshatkales ont aussi des prophètes, qui expliquent les songes; et il n'y a pas longtemps que nous n'en avons plus.

Depuis que la cour de Russie a assujetti ces peuples en bâtissant 90 cinq forteresses dans leur pays, on leur a annoncé la religion grecque. Un gentilhomme russe très instruit m'a dit qu'une de leurs grandes objections était que ce culte ne pouvait être fait pour eux, puisque le pain et le vin sont nécessaires à nos mystères, et qu'ils ne peuvent avoir ni pain ni vin dans leur pays. 95

Ce peuple d'ailleurs mérite peu d'observations; je n'en ferai qu'une; c'est, que si on jette les yeux sur les trois quarts de l'Amérique, sur toute la partie méridionale de l'Afrique, sur le Nord, depuis la Laponie jusqu'aux mers du Japon, on trouve que la moitié du genre humain n'est pas au-dessus des peuples du 100 Kamshatka.

Au reste il est bon d'avertir que l'illustre géographe De l'Ile appelle ce pays Kamshat. Nous retranchons d'ordinaire les *ka* et les *koy* qui sont à la fin des noms russes; et c'est ainsi qu'en usent les Italiens. 105

Il y a un article plus important qui peut intéresser la dignité des couronnes. Oléarius qui accompagnait en 1634 des envoyés de Holstein en Russie et en Perse, rapporte au livre troisième de son histoire, que le czar Ivan Basilovitz avait relégué en Sibérie un ambassadeur de l'Empereur: c'est un fait dont aucun autre historien, que je sache, n'a jamais parlé: il n'est pas vraisemblable que l'Empereur eût souffert une violation du droit des gens si extraordinaire et si outrageante. 110

Le même Oléarius dit dans un autre endroit: 'Nous partîmes le 13 février 1634 de compagnie avec un certain ambassadeur de France qui s'appelait Charles de Tallerand, prince de Chalais etc. Louis l'avait envoyé avec Jaques Roussel en ambassade en Turquie et en Moscovie, mais son collègue lui rendit de si mauvais offices auprès du patriarche, que le grand-duc le relégua en Sibérie.' 115

Au livre troisième, il dit que cet ambassadeur, le prince de Chalais, et le nommé Roussel son collègue qui était marchand, étaient envoyés de Henri IV. Il est assez probable que Henri IV mort en 1610 n'envoya point d'ambassade en Moscovie en 1634. Si Louis XIII avait fait partir pour ambassadeur un homme d'une maison aussi illustre que celle de Tallerand, il ne lui eût point donné un marchand pour collègue; l'Europe aurait été informée de cette ambassade, et l'outrage singulier fait au roi de France eût fait encore plus de bruit. 120 125

Ayant contesté ce fait incroyable dans le premier volume, et voyant que la fable d'Oléarius avait pris quelque crédit, je me suis cru obligé de demander des éclaircissements au dépôt des Affaires étrangères en France. Voici ce qui a donné lieu à la méprise d'Oléarius. 130

Il y eut en effet un homme de la maison de Tallerand, qui ayant la passion des voyages, alla jusqu'en Turquie, sans en parler à sa famille, et sans demander de lettres de recommandation. Il rencontra un marchand hollandais nommé Roussel, député d'une compagnie de négoce, et qui n'était pas sans liaisons avec le ministère de France. Le marquis de Tallerand se joignit avec lui pour aller voir la Perse; et s'étant brouillé en chemin avec son 135 140 compagnon de voyage, Roussel le calomnia auprès du patriarche de Moscou; on l'envoya en effet en Sibérie; il trouva le moyen d'avertir sa famille, et au bout de trois ans, le secrétaire d'Etat, M. Des-Noyers, obtint sa liberté de la cour de Moscou.

Voilà le fait mis au jour: il n'est digne d'entrer dans l'histoire, 145 qu'autant qu'il met en garde contre la prodigieuse quantité d'anecdotes de cette espèce, rapportées par les voyageurs.

Il y a des erreurs historiques; il y a des mensonges historiques. Ce que rapporte Oléarius n'est qu'une erreur; mais quand on dit qu'un czar fit clouer le chapeau d'un ambassadeur sur sa tête, c'est 150 un mensonge. Qu'on se trompe sur le nombre et la force des vaisseaux d'une armée navale, qu'on donne à une contrée plus ou moins d'étendue, ce n'est qu'une erreur, et une erreur très pardonnable. Ceux qui répètent les anciennes fables dans lesquelles l'origine de toutes les nations est enveloppée, peuvent être accusés 155 d'une faiblesse commune à tous les auteurs de l'antiquité; ce n'est pas là mentir, ce n'est proprement que transcrire des contes.

L'inadvertance nous rend encore sujets à bien des fautes, qu'on ne peut appeler mensonges. Si dans la nouvelle Géographie d'Hubner on trouve que les bornes de l'Europe sont à l'endroit où 160 le fleuve Oby se jette dans la mer Noire, et que l'Europe a trente millions d'habitants, voilà des inattentions que tout lecteur instruit rectifie. Cette Géographie vous présente souvent des villes grandes, fortifiées, peuplées, qui ne sont plus que des bourgs presque déserts; il est aisé alors de s'apercevoir que le temps a tout changé; 165 l'auteur a consulté des anciens, et ce qui était vrai de leur temps, ne l'est plus aujourd'hui.

On se trompe encore en tirant des inductions. Pierre le Grand abolit le patriarcat. Hubner ajoute qu'il se déclara patriarche lui-même. Des anecdotes prétendues de Russie vont plus loin, et 170 disent qu'il officia pontificalement; ainsi, d'un fait avéré on tire des conclusions erronées, ce qui n'est que trop commun.

Ce que j'ai appelé mensonge historique est plus commun encore; c'est ce que la flatterie, la satire, ou l'amour insensé du merveilleux fait inventer. L'historien qui pour plaire à une famille puissante 175 loue un tyran, est un lâche; celui qui veut flétrir la mémoire d'un bon prince est un monstre; et le romancier qui donne ses imaginations pour la vérité, est méprisé. Tel qui autrefois faisait respecter des fables par des nations entières, ne serait pas lu aujourd'hui des derniers des hommes. 180

Il y a des critiques plus menteurs encore, qui altèrent des passages, ou qui ne les entendent pas, qui inspirés par l'envie, écrivent avec ignorance contre des ouvrages utiles: ce sont les serpents qui rongent la lime, il faut les laisser faire.

APPENDICE II

Inventaire des manuscrits de Saint-Pétersbourg

Nous présentons ici le catalogue des manuscrits envoyés de Russie à Voltaire pour l'aider dans la préparation de l'*Histoire de l'empire de Russie sous Pierre le Grand* et qui sont conservés dans la bibliothèque de Voltaire à Saint-Pétersbourg. Reçus par Voltaire à divers moments, ces manuscrits furent réunis et mis en ordre par Wagnière et reliés sous sa direction en cinq volumes. D'autres manuscrits de la même provenance forment un dossier non relié que nous assimilons à la collection à la fin de l'inventaire.

Trois manuscrits ont quitté Ferney à une date inconnue et se trouvent à la Bibliothèque nationale de France, F12937, p.489-515:

p.489-92: 'Abregé des recherches de l'antiquité des Russies, tiré de l'histoire étendue sur la quelle on travaille.'

p.492-510: 'Abregé des annales Russes avec la Généalogie composé par M. Lomonossoff à St. Petersbourg.'

p.511-15: 'La Généalogie des Souverains Russes et les alliances de mariage avec des princes étrangers.'

Les manuscrits de Saint-Pétersbourg ont été répertoriés par Fernand Caussy, *Inventaire des manuscrits de la bibliothèque de Voltaire conservée à la Bibliothèque impériale publique de Saint-Pétersbourg*, Nouvelles archives des missions scientifiques et littéraires n.s. 7 (Paris 1913). Le présent inventaire a été préparé par Ulla Kölving et Andrew Brown lors d'une mission à Saint-Pétersbourg en 1995 financée par la British Academy.

[Inventaire]

'MEMOIRES RUSSES MSS: / POUR L'HISTOIRE / DE RUSSIE / PAR VOLTAIRE. / TOM: I.' Ex libris de l'Hermitage 'BIBLIOTHEQUE de VOLTAIRE arm 5 N° 242'

[1.1] 'Extrait du Journal de Pierre le Grand'

32 cahiers copiés par des mains différentes; f.1-49, 26 feuilles pliées pour former 7 cahiers de 8, 8, 8, 8, 6, 8 et 6 (manque 4-6) feuillets, 200 x 310 mm; f.50-68, 11 feuilles pliées pour former 3 cahiers de 6, 8 et 8 (manque 6-8) feuillets, 200 x 310 mm; f.69-83, 8 feuilles pliées pour former 2 cahiers de 8 et 8 (manque 8) feuillets, 200 x 310 mm; f.84-111, 14 feuilles pliées pour former 5 cahiers de 3, 8, 8, 8 et 1 feuillets, 200 x 310 mm; f.112-[208A], 49 feuilles pliées pour former 15 cahiers de 4, 8, 8, 6, 4, 4, 4, 8, 8, 8, 8, 8, 8, 8 et 4 feuillets, 200 x 310 mm

f.1r-49v (paginés 1-98) 'Extrait du Journal de Pierre le Grand. / [manchette f.1r '1701. Revuë des troupes à Novgorod après la malheureuse journée de Narva.'] Après l'echec reçû près de Narva les trouppes se retirerent en désordre sur leurs frontiéres [...] [manchette f.49v '1707'] Le 14 Sept. Sa Maj. partit de Tikotin [...] et en cas que l'ennemi s'avanceroit, de l'inquieter par la Cavallerie.'; f.50r-68v (paginés 99-136) [manchette f.50r '1707'] 'Sa Majesté étant revenue le 13 a Wilna reçut [...] [manchette f.68v '1710'] Le 8 juillet on recut la nouvelle de la prise de Riga par le Feldmaréchal Comte Schérémetoff. En voici le détail'; f.69r-83v (paginés 137-166) [manchette f.69r '1710'] 'Prise de la Ville de Riga / Après la célèbre victoire remportée par les troupes Russes [...] [manchette f.83v '1710'] Voici l'Artillerie et les Munitions que l'on trouva dans la ville. [...] et d'autre munition de guerre en quantité.'; f.84r-111r (paginés 167-221) [manchette f.84r '1710'] 'Le 12 Octobre S. M. alla visiter la fortresse de Karela ou Kexholm [...] [manchette f.111r '1714'] mais leur fit entendre que ne sachant que faire en l'absence du Roi on les avoit convoqués pour déliberer sur les mesures à prendre dans l'embarras, ou l'on se trouvoit.'; f.111v bl.; f.112r-208r (paginés 221-412) [manchette f.112r '1714'] 'Le 31 au matin la flotte mit à la voile [...] [manchette f.208r '1721'] Le 10 Decembre L. M. I. prirent la route de Moscou, ou Elles arriverent le 13 du même mois.' (f.116v, fin 1714, note moderne au crayon 'ici finit l'imprimé français. Le reste n'a jamais été traduit qu'en allemand par Backhausen'); f.208*v* 'Observations. / 1. Cet extrait du Journal de Pierre le Grand doit servir principalement à rectifier les faits et les dates mal annoncés dans les Auteurs etrangers qui ont écrit son Histoire. 2. Comme c'est le vieux stile qu'on a suivi dans ce Journal, ainsi que dans les autres Mémoires envoyés à Mr de Voltaire, il faut qu'il le reduise au nouveau stile, s'il aime mieux se servir dans son Ouvrage de ce dernier, qui devance l'autre d'onze jours.'; f.[208A]*r-v* bl.

[1.2] [Mémoire en anglais sur l'empire de Russie] [par George Forbes]

23 feuilles pliées pour former 1 cahier de 46 feuillets, 205 x 316 mm

f.[208B]*r-v* bl.; f.209*r*-244*v* (paginés 1-71) [Mémoire en anglais sur l'empire de Russie] 'The Empire of Russia in Extent of Territory is the Largest that ever fell under the Domminion of any One State or Potentate that we know of, because that those who have computed the superficial Content of the whole Globe in Square Miles [...] The Princess Elizabeth was Born the 18th of December 1709. [...] She speaks several Languages well and readily, and is perhaps the only fair Hair'd Russ in the Country. She is very much beloved by the Nation.'; f.[244A]*r*-[244I]*v* bl.

> Description générale: population; gouvernement; vêtements; maisons; différents gouvernements et districts; villes; rivières; lacs; tables des produits exportés en 1733 avec valeurs; l'état de l'armée russe en 1734; brève histoire des tsars; se termine par une liste des enfants de Pierre, la dernière étant la princesse Elisabeth.

[1.3] 'Auteurs qui ont traité l'Histoire de Pierre le Grand'

2 feuilles pliées pour former 1 cahier de 4 feuillets, 205 x 316 mm; note ancienne f.245*r* en haut à gauche 'N. 2'

f.245*r*-248*r* 'Auteurs qui ont traité l'Histoire de Pierre le Grand'

[1.4] 'Mémoire pour servir à l'histoire de Pierre le Grand'

10 feuilles pliées pour former 3 cahiers de 8, 8 et 4 feuillets, 198 x 312 mm; notes anciennes f.249*r* 'Ce n'est qu'un simple Journal des affaires de Perse, dont il y aura tres peu des [*sic*] choses que l'autheur pourra tirer dans son ouvrage'; en haut de la main de Voltaire 'Perse'; en bas à gauche 'N[ro] 3.'; f.250*r* en haut à gauche 'Duplicata' (voir 1.6).

f.249*r* 'Mémoire pour servir à l'histoire de Pierre le Grand'; f.249*v* bl.;

f.250r-268v 'Affaires de Perse / A peine la paix avoit été conclüe avec la Suede, que les troubles qui s'etoient elevés en Perse engagerent Pierre le Grand de porter ses armes de ce côté là. Il meditoit depuis longtemps le projet d'établir une navigation sur la mer Caspienne [...] Pendant le sejour qu'il fit à Petersbourg, Pierre le Grand le [Ismaïl-Beg] distingua beaucoup et ayant appris qu'il ne vouloit pas s'en retourner en Perse, il lui accorda une pension de 3600 Roubles, dont il jouit jusqu'à sa mort. Le Schah Nadyr demanda plusieurs fois son extradition, mais on la refusa constamment.'

Contenu: 1721, Derbent; Extrait du journal de voyage de Sa Majesté depuis Astrakan jusqu'à Derbent qui a été imprimé a Moscou; traité conclu le 12 septembre v. st.

[1.5]   'Anecdotes sur les negociations entre les Cours de Russie et d'Espagne depuis l'année 1718 jusqu'en 1720'

4 feuilles pliées pour former 1 cahier de 8 feuillets, 200 x 312 mm; notes anciennes f.269r en haut à gauche 'Duplicata'; en bas à gauche 'Nᵒ 1.'

f.269r-276r 'Anecdotes sur les negociations entre les Cours de Russie et d'Espagne depuis l'année 1718 jusqu'en 1720. / Le mecontentement de Pierre I. contre le Roi George d'Angleterre, Electeur d'Hanovre, par raport aux affaires d'Allemagne parut à la Cour de Madrid et surtout au Cardinal Alberoni, qui dans ce tems là se trouvoit à la tête des affaires, une circonstance trop favorable pour ne pas faire un essai d'attirer sa Majesté Czarienne dans les intêrets de l'Espagne, et de l'associer aux autres ennemis qu'elle preparoit au Roi d'Angleterre. [...] Le Prince Kourakin communiqua cette reponse de Sa Majesté Tsarienne à l'Ambassadeur d'Espagne, qui promit d'en informer sa Cour, et de demander des Ordres pour convenir des Articles preliminaires d'un traité de Commerce.'; f.276v bl.

Kourakine, Beretti-Landi.

[1.6]   'Mémoire pour servir à l'histoire de Pierre le Grand'

13 feuilles pliées pour former 4 cahiers de 8, 8, 8 et 2 feuillets, 202 x 317 mm; f.277r de la main de Voltaire 'perse'

f.277r 'Mémoire pour servir à l'histoire de Pierre le Grand'; f.277v bl.; f.278r-301v (f.279-301 foliotés 2-24) 'Affaires de Perse / A peine la paix [...] mais on la refusa constamment.'; f.[301A]r-v bl.

Voir ci-dessus, 1.4.

[1.7] 'Abregé chronologique des évenements les plus remarquables du Regne de Pierre le Grand' [par Lomonossov]

5 feuilles pliées pour former 2 cahiers de 6 et 4 feuillets, 202 x 318 mm; notes anciennes f.302r en haut à gauche 'Quoique Monsieur de Voltaire ait deja une premiere Copie de cet Abrégé, on a crû devoir lui en envoïer une seconde parceque depuis on y a fait plusieurs additions.'; en haut à gauche 'N. 7'; en haut à droite 'N° 6.'

f.302r-311r 'Abregé chronologique des évenements les plus remarquables du Regne de Pierre le Grand. / Naissance de Pierre le Grand 30 Maii 1672. [tableau chronologique année par année] Funerailles de l'Empereur Pierre le Grand et de la Princesse Natalie Sa fille 21 Mars.'; f.311v bl.

[1.8] 'Tables Chronologiques des Faits Mémorables, apparténants à l'histoire de l'Empereur Pierre le Grand'

5 feuilles pliées pour former 2 cahiers de 8 et 2 feuillets, 199 x 312 mm; notes anciennes f.312r en haut à gauche 'N°. 1.', 'N° 8'

f.312r-320v 'Tables Chronologiques des Faits Mémorables, apparténants à l'histoire de l'Empereur Pierre le Grand'; f.[320A]r-v bl.

Première version du mémoire précédent.

[1.9] 'Recit de la maladie et de la mort de Pierre I.'

2 feuilles pliées pour former 1 cahier de 4 feuillets, 204 x 320 mm

f.321r-324v 'Recit de la maladie et de la mort de Pierre I. / Après le Couronnement de l'Imperatrice Catherine Pierre I. s'arréta encor quelque tems à Moscou, et retourna ensuite à Petersbourg. Il y avoit deja quelques années que la santé du Monarque commençoit à s'affoiblir [...] Il y fut exposé sur une estrade, et tout le monde eût la liberté de l'aprocher, et de lui baiser la main jusqu'au jour de son enterrement, qui se fit le 10/21 Mars 1725.'; f.324v bl.

[1.10] 'Demandes de M^r. de Voltaire' [voir appendice IV]

12 feuilles pliées pour former 4 cahiers chacun de 6 feuillets, 208 x 330 mm; notes anciennes f.325r en haut à gauche 'N°. 10.', en haut à droite 'N°. 13.'

f.325r-348r (paginés 1-47) 'Demandes de M^r. de Voltaire' [avec les réponses] '1. On veut savoir de combien une nation s'est accrue, quelle étoit sa population avant l'Epoque dont on parle, et ce qu'elle est depuis cette

Epoque. [...] 2. On veut savoir le nombre des troupes regulieres, qu'on a entretenû, et celui qu'on entretient. [...] 3. Quel a été le Commerce de la Russie avant Pierre 1. et comment il s'est étendû? [...] [fin de la réponse à la 3ᵉ question:] Car c'est elle, qui a reduit presque tous les Persans a la besace, et sur-tout ceux qui habitent les provinces voisines de la mer Caspienne.'; f.[348A]*r-v* bl.

[1.11] 'Objections de Mʳ. de Voltaire' [voir appendice v]

4 feuilles pliées pour former 1 cahier de 8 feuillets, 195 x 312 mm; note ancienne f.349*r* en haut à gauche 'N° 11.'

f.349*r*-356*v* [colonne de gauche] 'Objections de Mʳ. de Voltaire / Le baron de Strahlenberg n'est-il pas en général un homme bien instruit? Il dit en effet, qu'il y avoit seize Gouvernements, mais que de son temps ils furent reduits à quatorze; aparemment depuis lui on a fait un nouveau partage.' [colonne de droite] 'Réponses à ces objections. / Parmi les Auteurs étrangers, qui ont ecrit sur la Russie, Mʳ. de Strahlenberg est sans contredit un des meilleurs [...] Cette exactitude dans l'ortografe ne laissera pas d'ajouter un nouveau degré d'autenticité à l'ouvrage même.'

A comparer avec la lettre de Voltaire à Chouvalov du 1ᵉʳ août [1758] (D7811); trois questions sur la Livonie; une sur Tanaïs; une sur les Lapons; une sur les Sibériens et le titre de czar; une sur le mot Knés; une sur l'agriculture; une sur la permission de sortir du pays; une sur le nom à donner à l'assemblée des boïards; une sur les coutumes ecclésiastiques; puis 'La question la plus importante est de savoir, s'il ne faudra pas glisser legerement sur les evenements qui precedent le Regne de Pierre le Grand, a fin de ne pas epuisser l'attention du lecteur, qui est impatient de voir tout ce que ce grand homme a fait.'; puis 'A l'egard de l'Ortographe on demande la permission de se conformer à l'usage de la langue dans la quelle on ecrit, de ne point ecrire Moskwa mais Mosca, d'ecrire Veronise, Moscou, Alexiovis; on mettra en bas des pages les noms propres tels qu'on les prononce dans la langue Russe.'

[1.12] 'Particularités sur les quelles Mʳ de Voltaire souhaite d'etre instruit' [voir appendice vi]

4 feuilles pliées pour former 2 cahiers chacun de 4 feuillets, 198 x 310 mm; notes anciennes f.357*r* en haut à gauche 'N° 8.', 'N° 12'

f.357*r*-363*v* 'Particularités sur les quelles Mʳ de Voltaire souhaite d'etre

instruit. / 1. Les negociations de Pierre 1. dans les Cours étrangeres. [...]
2. Ses reglemens sur la police générale, religion, finances, Commerce.
L'Essay sur les loix et sur l'Eglise qu'on m'a envoyé n'entre dans aucune
[*sic*] detail. [...] 3. Ses lettres en cas qu'il y en ait quelques unes, qui puissent
faire connoitre son caractere et contribuer à Sa gloire. [...] 4. Les ouvrages
publics, grands chemins, canaux, ports construits par ses ordres. [...] 5.
Tout ce qui pourra rendre son mariage et la nomination de sa femme à
l'Empire plus respectable aux nations. [...] 6. Tout ce qui peut diminuer
l'idée d'une severité excessive dans le procès criminel du Csarevitz. [...] 7.
Quelle part il eut au dessein que Görtz insinua à son maitre Charles XII.
[...] 8. S'il est vrai qu'il y ait eu toujours une famille des anciens Tsars de
Siberie et ce qu'est devenüe cette famille. [...] 9. Quelle etoit la dignité du
Vice-Tsar, dont etoit revetu le Knes Romadanofski et quelles etoient ses
fonctions. [...] 10. S'il est vrai que l'Imperatrice Catherine etant rebatisée
dans le rit de l'Eglise Grec fut obligée de dire, je crache sur mon Pere et
sur ma mére qui m'ont elevée dans une religion fausse. 11. Si ces mots
etoient en effet en usage? [...] 12. Si Pierre 1. a prononcé en effet ce discours,
qu'on lui attribue: Mes Amis qui auroit cru, que nous aurions un jour des
flottes triomphantes. [...] 13. S'il est vrai, que l'Impératrice Catherine
envoya une somme considérable au Grand Vizir et fit la paix du Pruth. [...]
14. S'il est vrai qu'après la journée de Pultava Pierre le Grand donna son
epée à Reinschild et prit la sienne. [...] 15. Le journal de Pierre le Grand
dit que l'Impératrice Catherine fut proclamée Tsarine des le 10 mars 1711.
avant l'afaire du Pruth. Tous les memoires disent le contraire, quand donc
se fit le mariage et comment ne lui donna-t-on d'abord que le titre d'Altesse,
si elle fut declaré Tsarine. [...] 16. S'il apliqua les revenus des Monastéres
au besoin de l'Etat et si le Monastére de la Trinité conserva sous son regne
ses bien[s] immenses.'; f.[363A]*r-v* bl.

[1.13] 'Remarques sur le Ier. Tome de l'Histoire de Pierre le
Grand, dont on prie M^r. de Voltaire de faire usage'

3 feuilles pliées pour former 2 cahiers de 4 et 2 feuillets, 215 x 335 mm; notes
anciennes f.364*r* en haut à gauche 'Dupplicat' et 'N° 13.'

f.364*r*-379*v* 'Remarques sur le Ier. Tome de l'Histoire de Pierre le Grand,
dont on prie M^r. de Voltaire de faire usage. / p.4.l.24 *des Czars*. On prie
Monsieur de Voltaire de [se] servir plûtôt du mot de Prince [...] ib.l.16
l'Esthonie fait un Duché separé.'

[1.14]   'Fautes tipographiques et autres petites corrections'

2 feuilles pliées pour former 1 cahier de 4 feuillets, 198 x 313 mm; notes
anciennes f 370r en haut 'Ce sont de ces petitesses que Monsieur de Voltaire
se fera lire par son secrétaire...'; en haut à gauche 'N° 14', 'Duplicata', 'N°
13.'; en bas à gauche 'Nᵗᵒ 7.'

f.370r-372v 'Fautes tipographiques et autres petites corrections, qu'on prend
la liberté de proposer à Mʳ. de Voltaire pour la seconde édition du premier
Tome de l'Histoire de l'Empire de Russie sous Pierre le Grand. / p.17 lin
21, *Iumalac.* lisés Youmala [...] p.293. lin.21. Stokolhm lisés: Stokholm.';
f.[372A]r-v bl.

[1.15]   'Remarques sur l'histoire de Pierre le Grand par Mʳ. de
Voltaire'

10 feuilles pliées pour former 5 cahiers chacun de 4 feuillets, 208 x 330 mm;
note ancienne f.373r en haut à gauche 'N 15'

f.373r-390r 'Remarques sur l'histoire de Pierre le Grand par Mʳ. de Voltaire. /
on a passé les endroits sur lesquels on avoit déjà fait des remarques / p.3.l.3
deux mille lieux de France. C'est manifestement trop, puisque les degrés
diminuent vers le Nord. [...] p.100. lin.1 *proclamer Souverains...* et dans la
note: *Juin 1682.* La proclamation se fit le 18 Mai, le jour d'après que le
tumulte étoit assoupi. Le couronnement se fit le 25 Juin.'; f.390v-[390B]v bl.

[1.16]   'Remarques sur les autres Chapitres'

3 feuilles pliées pour former 1 cahier de 6 feuillets, 200 x 316 mm; note
ancienne f.391r en haut à gauche 'N° 16'

f.391r-396r 'Remarques sur les autres Chapitres / Travaux et Etablissements
vers l'an 1718. et suivants / p.6.l.13 du *sable d'or.* [...] p.16.l.6 *Bachu* lisés
Bakou'; f.396v bl.

[1.17]   'Remarques sur le Second Volume de l'Histoire de
Pierre Iᵉʳ'

10 feuilles pliées pour former 4 cahiers de 6, 6, 6 et 1 feuillets, 197 x 312 mm;
note ancienne f.397r en haut à gauche 'N° 17.'

f.397r-415r 'Remarques sur le Second Volume de l'Histoire de Pierre Iᵉʳ.
par Mʳ de Voltaire. / Chapitre vingtieme / pag. 1 *De son port d'Asoff.* Asoff
est la fortresse, et le port de vaisseaux étoit à Taganrock [...] p.20. *à Tsaricin*

sur le Tanais. Tzaritzin est sur les bords du Volga. […] Il y a une milice etablie exprès pour garder cette ligne, qui est d'environ 60. verstes de longueur.'; f.415*v* bl.

Ces remarques semblent se référer à un manuscrit.

[1.18]   'Relation de la Campagne du Pruth tirée du Journal de Pierre le Grand'

4 feuilles pliées pour former 2 cahiers de 6 et 1 feuillets, 196 x 313 mm; note ancienne f.416*r* en haut à gauche 'N° 18'

f.416*r*-421*v* 'Relation de la Campagne du Pruth tirée du Journal de Pierre le Grand. / Le 22 May vieux Stile Sa Majesté arriva à Iaroslaff. […] Le Tsar quitta alors son Armée pour se rendre à Carlsbad dans la vüe d'y retablir sa santé. etc.'; f.[421A]*r-v* bl.

[1.19]   'Remarques sur quelques endroits du Chapitre contenant la condamnation du Tsarevitch' [voir appendice VIII]

5 feuilles pliées pour former 2 cahiers de 8 et 2 feuillets, 200 x 315 mm; note ancienne f.416*r* en haut à gauche 'N 19'

f.422*r*-430*v* 'Remarques sur quelques endroits du Chapitre contenant la condamnation du Tsarevitch, avec les réponses aux questions mises en marge.'; f.[430A]*r* collation signée par un bibliothécaire, 27 juillet 1910; f.[430A]*v* 'pr. Tome 4. 3' de la main de Wagnière

'MEMOIRES / POUR L'HISTOIRE / DE RUSSIE / PAR VOLTAIRE. / TOM: II.' Ex libris de l'Hermitage 'BIBLIOTHEQUE de VOLTAIRE arm 5 N° 242'

[2.1]   'Villebois. Anecdote de la cour de Russie'

4 feuilles pliées pour former 1 cahier de 8 feuillets, 226 x 330 mm; note ancienne f.1*r* 'P^r. Tome <5> 2'; note moderne 'cf. le ms de Nancy p.16'

f.1*r* 'Villebois. Anecdote de la cour de Russie sous le Règne du Czar Pierre Ier. et de sa seconde femme Catherine.'; f.1*v* bl.; f.2*r*-6*v* 'Villebois chef d'Escadre dans la marine de Rusie / Anecdote de la Cour de Russie sous le Règne du Czar Pierre Ier. et de [*sic*] seconde femme Catherine. / Le Sr Villebois officier de Marine en Russie étoit fils d'un Gentil-homme Bas-

Breton [...] et l'on peut dire que ce mariage a fait le bonheur et le repos du sieur Villebois, et que sa femme ne s'en est jamais plaint. Fin.'; f.[6A]r-[6B]v bl.

[2.2] 'Anecdotes Touchant la véritable cause de la mort du czar Pierre Ier'

7 feuilles pliées pour former 1 cahier de 14 feuillets, 226 x 330 mm; note moderne 'Chap. 2e des mémoires attribués faussement à Villebois'

f.7r 'Pierre Ier. Anecdotes Touchant la véritable cause de la mort du czar Pierre Ier, et touchant la Célébration de la fête du Conclave établie par ce prince à sa Cour.'; f.7v bl.; f.8r-18v (paginés 1-22) 'Anecdotes touchant la véritable cause de la mort du Czar Pierre Premier, et touchant la Célébration de la Fête du Conclave instituée par ce Prince à sa Cour. / Le Czar Pierre Alexieuvits connû sous le nom de Pierre premier, et sous le surnom de Pierre le Grand est mort à St. Pétersburg la nuit du sept au huit février 1725 d'une rétention d'urine [...] Depuis ce tems-là il n'a plus été question de cette fête à la Cour de Russie.'; f.[18A]r-[18B]v bl.; f.19r-[23C]v voir ci-dessous, 2.4.

[2.3] 'Strélitz révoltés a détruire'

4 feuilles pliées pour former 1 cahier de 8 feuillets, 226 x 330 mm; note moderne f.24r 'Chapitre 1er des mémoires attribués à Villebois que Hallez a publiés, Paris 1853.' et 'ms. de Nancy p.10'

f.24r 'Strélitz révoltés a détruire. Révolte et destruction des Strélitz en Russie sous le Règne du Czar Pierre Premier, depuis surnommé Pierre le Grand.'; f.24v bl.; f.25r-30r (paginés 1-11) 'Révolte et Destruction des Strélitz en Russie sous le Règne du Czar Pierre Alexiewitz, autrement dit Pierre premier, et Pierre le Grand. / Pour donner en peu de mots une juste idée de ce qu'étoient les Strélits en Russie, il suffira de dire qu'ils composoient un Corps d'Infanterie réglée, semblable en tout à celuy des Janissaires en Turquie. [...] On érigea sur tout les grands chemins des Piramides de pierre sur les quelles on grava la relation de leurs crimes, et leur arrêt de mort, afin d'en conserver la mémoire, et la rendre odieuse à la postérité.'; f.30r-31r (paginés 11-13) 'Remarque. / Le Baron huissen qui sous le nom emprunté et imaginaire du Baro Yvan Nestezuranoy a donné au public un Livre intitulé Mémoires pour servir à l'histoire de Pierre le Grand [...] Ainsy la Second Edition de ces Mémoires, quoique plus ample, et écrite en plus élégant françois, ne vaut pas mieux que la premiere, qui ne mérite par elle-même que les gens au fait de l'histoire de Russie en fassent cas.'

[2.4] 'Anecdotes ou abrégé de la vie de Catherine'

19 feuilles pliées pour former 3 cahiers chacun de 10 feuillets et 1 de 8 feuillets, 226 x 330 mm; le dernier cahier (f.19-23C) est relié entre les f.[18B] et 24; note moderne 'Chapitres 4, 5, 6 des mêmes mémoires de Villebois Avec un plus grand nombre de remarques que n'offre l'imprimé' et 'ms. de Nancy p.25'

f.32r 'Anecdotes ou abrégé de la vie de Catherine* Impératrice des Russies et seconde femme du czar Pierre 1. surnommé le Grand. *Elle etoit Mere de la Princesse Elizabeth aujourd'huy Imperatrice des Russies et grand-mere du Duc de Holstein Gottorp connû sous le nom de Grand Duc de Russie.'; f.32v bl.; f.33r-61v, 19r-23v (paginés 1-58) Abrégé anecdotique de la vie de Catherine seconde femme du Czar Pierre 1er. surnommé Pierre le Grand, Empereur de Russie. / Si jamais il y a eu une histoire qui, par la singularité et quantité d'Evénements dont elle a été remplie, ait mérité d'être transmise à la postérité, c'est celle de la Czarine Catherine femme du Czar Pierre 1er. [...] Cet homme, quoy que grand et rare dans son espece, se comporta en vraye Schite, et fit bientôt regretter le Regne de Catherine. Fin.'; f.[23A]r-[23C]v bl.

> Note de Caussy: 'Ces quatre pièces sont le manuscrit de l'ouvrage imprimé au XVIIIe siècle, partie sous le titre *Anecdotes du règne de Pierre Ier* contenant l'histoire d'Endochia Federowna et la disgrâce de Menchikow, partie sous le titre *Anecdotes secrètes de la cour du czar Pierre le Grand et de Catherine son épouse, traduction d'un ms. russe confié à M. de Voltaire peu de temps avant sa mort.* Ce manuscrit, dont une copie se trouve à la Bibliothèque nationale (ms. fr. 14637), a été réimprimé au XIXe siècle: *Mémoires secrets pour servir à l'histoire de la Cour de Russie sous les règnes de Pierre le Grand et de Catherine Iere, rédigés et publiés pour la première fois (sic) d'après les manuscrits originaux du sieur de Villebois*, par le Cte Théophile Hallez, in-8°, 1853, Dentu à Paris. Cf. sur ce dernier ouvrage l'*Athenæum français*, année 1853, article de Louis Paris.'

[2.5] 'Lettres de Pierre Premier au Grand-Amiral Comte Apraxin'

5 feuilles pliées pour former 1 cahier de 10 feuillets, 196 x 317 mm; note de

la main de Chouvalov f.62*r* 'Je n'envoye les copies de ces lettres à Monsieur de Voltaire, que parce qu'elles sont écrites de la propre main de l'Empereur. J'espère dans peu envoyer des autres, de plus grande conséquence pour le second tome de l'ouvrage.'; notes anciennes f.62*r* en haut à gauche 'Nº 6', en bas à gauche 'Nʳᵒ 2.'; f.63*r* en haut à gauche 'Duplicata.'

f.62*r* 'Lettres de Pierre Premier au Grand-Amiral Comte Apraxin et à Shafiroff concernant l'affaire de Prouth et la redddition d'Asof en 1711.'; f.62*v* bl.; f.63*r-v* 'Ordre envoyé à l'Amiral Apraxin touchant la conclusion de la paix avec les Turcs' (12 juillet 1711); f.63*v*-65*r* lettre de Pierre 1ᵉʳ à Apraxin du 15 juillet 1711; f.65*r* 'Dans le duplicat du 17. Juillet on trouve ajouté ce qui suit'; f.65*r*-66*r* lettre de Pierre 1ᵉʳ à Apraxin, sans date; f.66*r*-67*r* lettre de Pierre 1ᵉʳ à Apraxin du 22 septembre 1711; f.67*r* lettre de Pierre 1ᵉʳ à Apraxin du 6 novembre 1711; f.67*v*-68*r* lettre de Pierre 1ᵉʳ à Schafiroff du 6 novembre 1711; f.68*r-v* lettre de Pierre 1ᵉʳ à Apraxin du 27 novembre 1711; f.68*v*-69*v* lettre de Schafiroff à Pierre 1ᵉʳ, sans date; f.69*v* lettre de Pierre 1ᵉʳ à Apraxin du 12 décembre 1711; f.70*r* lettre de Pierre 1ᵉʳ à Apraxin du 31 décembre 1711; f.70*r-v* lettre de Pierre 1ᵉʳ à Apraxin du 19 janvier 1712; f.70*v* lettre de Pierre 1ᵉʳ à Apraxin du 9 février 1712; f.[70A]*r-v* bl.

[2.6] 'Ordonnance touchant l'établissement d'un Senat'

1 feuille pliée pour former 1 cahier de 2 feuillets, 196 x 317 mm; note ancienne f.71*r* en haut à gauche 'Nº 7.'

f.71*r* 'Ordonnance touchant l'établissement d'un Senat en 1711 avant la Campagne du Prouth / Nous Pierre Prémier par la grace de Dieu etc. Faisons savoir [...] les coupables seront severement punis. Pierre à Moscou le 12 Mars 1711.'; f.71*v*-[71A]*v* bl.

[2.7] 'Recueil de différentes Anecdotes et particularités'

15 feuilles pliées pour former 4 cahiers de 8 (manque 8), 8, 6 et 8 feuillets, 196 x 317 mm; note ancienne f.72*r* en haut à gauche 'Nº 8'

f.72*r* 'Recueil de différentes Anecdotes et particularités pour servir à l'Histoire de l'Empire de Russie par Mʳ. de Voltaire.' f.72*v* bl.; f.73*r*-100*v* (paginés 2-29) 'Du Congrés d'Aland en 1718. / Le Comte de Bruce et Mʳ. Ostermann, Plenipotentiaires de la Cour de Russie, arriverent à Abo le 20ᵐᵉ Janvier. [...] mais un accident imprevû arreta leur depart et la mort de Pierre qui suivit bientôt apres, fit entierement echouer ce projet.'

f.76r-78v 'Année 1719'; f.79r-100v 'Lettres de Pierre I. relatives aux négociations de la paix avec la Suède'

[2.8] 'Anecdotes concernant le traitre Mazeppa'

2 feuilles pliées pour former 1 cahier de 4 feuillets, 196 x 317 mm; note ancienne f.101r en haut à gauche 'N° 9.'

f.101r-103v 'Anecdotes concernant le traitre Mazeppa tirées du Mémoire justificatif de son Secretaire Orlik, adressé au Metropolitain de Resan en 1721. / Mazeppa etant en 1705 en Pologne au camp devant Zamoisk, un Emissaire du Roi Stanislas vint le trouver [...] Voyés au reste les memoires de Nestesuranoi, la vie de Charles XII par Nordberg, l'histoire du roi Stanislas, et plusieurs autres memoires apartenans à l'histoire de Pierre de Grand.'; f.103v 'Traduction d'une lettre ecrite en Polonois de la propre main du Roi Stanislas à Mazeppa.' (15 août 1707); f.[103A]r-v bl.

[2.9] 'Mémoire sur le Commerce de la Russie'

13 feuilles pliées pour former 2 cahiers de 8 feuillets, 1 de 4 et 3 de 1, 196 x 317 mm; note ancienne f.104r en haut à gauche 'N° 10.'

f.104r 'Mémoire sur le Commerce de la Russie pour servir à l'histoire de Pierre le Grand.'; f.104v bl.; f.105r-106v 'Commerce de la Russie avec les Grecs et les Turques. / Le commerce le plus ancien de la Russie [...] avec les Tartares de la Crimée.'; f.107r-111v 'Commerce de la Perse. / Le commerce de la Perse n'est pas si ancien [...] les provinces voisines de la Mer Caspienne.'; f.112r 'Les principales Marchandises que la Russie fournit à la Turquie [...] instrumens qui peuvent servir à la construction et à l'equippement des vaisseaux.'; f.112v bl.; f.113r-118r 'Commerce de la Chine. / Le commerce de la Russie avec la Chine a commencé en 1653 [...] ainsi que le voyage de Mr. Gmelin par la Siberie.'; f.118v bl.; f.119r-124r 'Commerce de Petersbourg. / A peine Pierre I. avoit jetté les fondemens de sa nouvelle ville [...] convertis en espece de Russie rapportoient encor un profit très considerable.'; f.124v bl.; f.125r-126v 'Communications des Rivières pour faciliter le transport de marchandises et de toutes sortes de denrées à Petersbourg. / 1) Canal de Wychnei-Wolotchok. [...] et y faire avec le tems les ameliorations les plus solides.'

[2.10] 'Mémoires pour servir à l'histoire du Commerce de Russie'

10 feuilles pliées pour former 3 cahiers de 8, 8 et 4 feuillets, 196 x 317 mm;

notes anciennes f.127r en haut à gauche 'N° <11> 10ᵃ'; f.128r en haut à gauche 'Duplicata.'

f.127r 'Mémoires pour servir à l'histoire du Commerce de Russie.'; f.127v bl.; f.128r-130r 'Commerce de la Russie avec les Grecs et les Turques. / Le commerce le plus ancien de la Russie [...] avec les Tartares de la Crimée.'; f.130r-135r 'Commerce de la Perse. / Le commerce de la Perse n'est pas si ancien [...] les provinces voisines de la Mer Caspienne.'; f.135v-139v 'Commerce de la Chine. / Le commerce de la Russie avec la Chine a commencé en 1653 [...] ainsi que le voyage de Mr. Gmelin par la Siberie.'; f.140r-144r 'Commerce de Petersbourg. / A peine Pierre I. avoit jetté les fondemens de sa nouvelle ville [...] convertis en espece de Russie rapportoient encor un profit très considerable.'; f.144v-146r 'Communications des Rivières pour faciliter le transport de marchandises et de toutes sortes de denrées à Petersbourg. / 1) Canal de Wychnei-Wolotchok. [...] et y faire avec le tems les ameliorations les plus solides.'; f.146v bl.

Voir ci-dessus, 2.9.

[2.11]   'Etat des Fabriques établies en Russie'

2 feuilles pliées pour former 1 cahier de 4 feuillets; note ancienne f.147r en haut à gauche 'N° 11.'

f.147r 'Etat des Fabriques établies en Russie par des particuliers sous le Regne de Pierre le Grand et après lui jusqu'à present.'; f.147v-149r tableau des industries, et le nombre d'établissements par département; f.149v-[149A]v bl.

[2.12]   'Etablissement et accroissement de la flotte Russienne'

12 feuilles pliées pour former 2 cahiers chacun de 12 feuillets; note ancienne f.150r en haut à gauche 'N° 12.'

f.150r-171r 'Etablissement et accroissement de la flotte Russienne sur la mer Baltique jusqu'a la mort de Pierre le Grand. / 1702. Dès la prise de Nottebourg [...] Il projetta et régla lui même tout ce qui regardoit la marine, l'Amirauté et la Douane.'; f.171v-[171A]v bl.

[2.13]   'Lettres etc de Pierre prémier au Grand Amiral Comte Apraxin'

5 feuilles pliées pour former un cahier de 10 feuillets; note ancienne f.172r en haut à gauche 'N° 13.'

f.172r 'Lettres etc de Pierre prémier au Grand Amiral Comte Apraxin concernant l'affaire du Pruth et la Reddition d'Asof en 1711'; f.172v bl.; f.173r 'Ordonnance que Pierre I. fit sur l'etablissement d'un Senat avant que d'entrer en campagne contre les Turcs en 1711' (12 mars 1711); f.173v bl.; f.174r-v 'Copie de l'ordre envoyé à l'Amiral Comte Apraxin touchant la conclusion de la paix avec les Turcs' (12 juillet 1711); f.174v-175v lettre de Pierre Ier à Apraxin du 15 juillet 1711; f.176r 'Dans le Duplicat du 17. Juillet on trouve ajouté ce qui suit'; f.176r-176v lettre de Pierre Ier à Apraxin, sans date; f.176v-177v lettre de Pierre Ier à Apraxin du 22 septembre 1711; f.177v lettre de Pierre Ier à Apraxin du 6 novembre 1711; f.177v-178v lettre de Pierre Ier à Schafiroff du 6 novembre 1711; f.178v lettre de Pierre Ier à Apraxin du 27 novembre 1711; f.179r-v lettre de Schafiroff à Pierre Ier, sans date; f.179v lettre de Pierre Ier à Apraxin du 12 décembre 1711; f.179v-180r lettre de Pierre Ier à Apraxin du 31 décembre 1711; f.180r-v lettre de Pierre Ier à Apraxin du 19 janvier 1712; f.180v lettre de Pierre Ier à Apraxin du 9 février 1712; f.[180A]r bl.; f.[180A]v 'Russie' de la main de Voltaire.

Voir aussi 2.5 et 2.6.

[2.14] 'Mémoire abrégé concernant l'établissement d'une Chambre de Police en Russie'

4 feuilles pliées pour former 1 cahier de 4 feuillets, 198 x 304 mm; note ancienne f.181r en haut à gauche 'No 14.'

f.181r-183r 'Mémoire abrégé concernant l'établissement d'une Chambre de Police en Russie. / Avant l'année 1718 il n'y avoit en Russie point de Tribunal particulier chargé de l'administration de la Police. [...] En 1733. On établit aussi dans toutes les autres villes de l'Empire des Intendants et Officiers de la police.'; f.183v 'Epoques des principaux bâtiments à St Petersbourg. / En 1705 on commença à bâtir le chantier [...] où le Saint-Synode et les principaux tribunaux de l'Empire tiennent leurs seances.' f.[183A]r-v bl.

Voir aussi 2.18.

[2.15] 'Abrégé historique touchant les reglements de Pierre Premier pour la réformation de son clergé'

22 feuillets, pliées pour former 4 cahiers de 6, 6, 6 et 4 feuillets, 198 x 304 mm; note ancienne f.184r en haut à gauche 'No 15.'

f.184r-205r (foliotés 1-17 et 19-23) 'Abrégé historique touchant les reglements de Pierre Premier pour la réformation de son clergé. / Si on examine les sages reglemens de Pierre premier tant pour le culte divin que pour la reformation du clergé de Russie […] qu'ils lui ont êcrits sur d'autres affaires les titres accordés aux Patriarches de Russie.'; f.205v bl.

[2.16]   [Traité d'alliance entre Louis xv et Pierre 1er, 15 août 1717]

2 feuillets, 208 x 315 mm; note ancienne f.206r en haut à gauche 'N 16.'

f.206r-207v [Traité d'alliance entre Louis xv et Pierre 1er, 15 août 1717] 'Comme le serenissime et tres Puissant Prince et Seigneur Pierre 1.er par la grace de Dieu Czaar de toute la Russie […] fait à Amsterdam le 4/15. d'Aoust 1717. […] (L.S.) Prince Boris Kurakin.'

[2.17]   'Explication abrégée du droit que les Courlandois ont de se choisir un Duc'

4 feuilles pliées pour former 1 cahier de 8 feuillets, 204 x 314 mm; note ancienne f.208r en haut à gauche 'N° 17.'

f.208r-215v 'Explication abrégée du droit que les Courlandois ont de se choisir un Duc, et de le présenter au Roy de Pologne. / Toute nation libre peut de droit se choisir un chef, contracter avec lui […] Ce qui demontre qu'il ne prouve pas plus l'incorporation immediate que la Constitution.'

[2.18]   'Memoire abrégé concernant l'établissement d'une Chambre de Police en Russie'

3 feuilles pliées pour former 1 cahier de 6 feuillets, 198 x 313 mm; note ancienne f.216r en haut à gauche 'N 18.'

f.216r 'Memoire abrégé concernant l'établissement d'une Chambre de Police en Russie. / Avant l'année 1718. il n'y avoit point de Tribunal particulier chargé de l'administration de la Police. […] En 1733. on établit aussi dans toutes les autres villes de l'Empire des intendants et officiers de la police.'; f.220v-[220A]v bl.

Voir aussi 2.14.

[2.19]   'Epoques des principaux bâtiments publics à S. Petersbourg'

2 feuilles pliées pour former 1 cahier de 4 feuillets, 198 x 312 mm; notes anciennes f.221r en haut à gauche 'N°. 3' et 'N 19.'

f.221r-222v 'Epoques des principaux bâtiments publics à S. Petersbourg. / On jetta les fondemens de la nouvelle ville de S. Petersbourg en 1703 le 16 Mai […] En 1727 l'Academie fut transportée dans l'Isle de Wassili Ostrow.'; f.[222A]r-[222B]v bl.

[2.20] 'Villes, Fortéresses, Ports de mer'

2 feuilles pliées pour former 1 cahier de 4 feuillets, 198 x 312 mm; notes anciennes f.223r en haut à gauche 'N°. 4' et 'N 20.'

f.223r-225v 'Villes, Fortéresses, Ports de mer, Canaux, grands chemins et autres Ouvrages publics construits par Pierre premier, ou par ses Ordres. / Samara, Ville sur le Dnieper, bâtie en 1688. […] ont été aussi bâties par Pierre le Grand mais je n'en sais pas l'époque.'; f.[225A]r-v bl.

[2.21] 'Des Fabriques et Manufactures établies en Russie'

7 feuilles pliées pour former 1 cahier de 14 feuillets, 198 x 312 mm; notes anciennes f.226r en haut à gauche 'N°. 5' et 'N 21'

f.226r 'Des Fabriques et Manufactures établies en Russie'; f.226v bl.; f.227r-238r 'La Russie est rédevable à Pierre le Grand de presque toutes les fabriques et manufactures […] et la Russie pourroit par conséquent être bientot dans le cas de se passer de toutes les fabriques étrangeres.'; f.[238A]r-[238B]v bl.

[2.22] 'Suite de l'Essay sur l'Etat de l'Eglise et du Clergé en Russie'

18 feuilles pliées pour former 4 cahiers chacun de 8 feuillets et 1 de 4, 200 x 316 mm; note ancienne f.239r en haut à gauche 'N° 22.'

f.239r-274r 'Suite de l'Essay sur l'Etat de l'Eglise et du Clergé en Russie. / §.26 Les mêmes efforts que Pierre le Grand avoit faits pour établir sur le fondement le plus solide le St: Synode à la place des Patriarches […] selon la coûtume qu'ils avoient introduite pour en tirer du profit.'; f.274v bl.

[2.23] 'Essai sur les Loix de Russie'

6 feuilles pliées pour former 1 cahier de 12 feuillets, 198 x 310 mm; note ancienne f.275r en haut à gauche 'N 23'

f.275r 'Essai sur les Loix de Russie. / Parmi les differentes vastes vûes que l'Empereur avoit pour le bien des ses Etâts, celle de donner plus de perfection aux loix de l'Empire [...] et differens ordres de l'Empire, et qui seul suffira pour immortaliser son nom et sa Gloire.'

[2.24] 'Description du Kamtchatka' [extrait de Stepan Kracheninnikov]

11 feuilles pliées pour former 3 cahiers de 8, 8 et 6 feuillets, 194 x 312 mm; note ancienne f.287r en haut à gauche 'N° 24.'

f.287r-307v 'Description du Kamtchatka / L'Europe n'avait que des connaissances tres vagues de ce païs, avant que la Russie l'eut soumis à sa domination. [...] les marchandises qu'on en tire, consistent en pelleterie, savoir Zybelines, castors, renards et loutres.'; f.[307A]r bl.; f.[307A]v de la main de Voltaire 'camshatka grand pays ou ny pain ny vin, comment messe?'

[2.25] 'Explication des N:° de places du Saboy à Moscou'

1 feuille pliée pour former 1 cahier de 2 feuillets, 207 x 300 mm; note ancienne f.308r en haut à gauche 'N° 25'

f.308r-309r 'Explication des N:° de places du Saboy à Moscou / 1. Le Trone de S. M. Cz. sous le Dais [...] 52. Le prie Dieu du Patriarche.'; f.309v bl.

Voir ci-dessous, 5.39.

[2.26] 'Description de la cérémoni du couronnement de Sa Majesté Czarienne Pierre II'

4 feuilles pliées pour former 2 cahiers chacun de 4 feuillets, 207 x 315 mm; note ancienne f.310r en haut à gauche 'N° 26.'

f.310r 'Description de la cérémoni du couronnement de Sa Majesté Czarienne Pierre II. Le 25 février 1728. / Le 19. et 20. de fevrier, v. s. S. M. Cz. Pierre II. fit publier par un herault et 6 trompettes que le couronnement se feroit le 25. de ce mois [...] où il receurent toutes les politesses imaginables et virent le feu d'artifice.'; f.[316A]r-v bl.

[2.27] 'Description de la sale funebre qui a eté faite a l'occasion de la mort de S. M. I. Pierre le Grand'

3 feuilles pliées pour former 1 cahier de 6 feuillets, 190 x 295 mm; note ancienne f.317r en haut à gauche 'N° 27.'

f.317r-321v 'Description de la sale funebre qui a eté faite a l'occasion de la mort de S. M. I. Pierre le Grand [...] soutenu de huit batons d'argent de 13. pieds de hauteur.'; f.322r bl.; f.322v de la main de Voltaire 'pompe funebre / de Pierre 1er'

[2.28] 'Relation De l'election d'un Knés Pape'

1 feuille pliée pour former un cahier de 2 feuillets, 190 x 295 mm; note ancienne f.323r en haut à gauche 'N° 28.'

f.323r-324v 'Relation De l'election d'un Knés Pape. / La place eminente du knés Pape etant venue a vaquer par la mort du defunct Butterlin [...] L'on parle d'une autre Ceremonie, c'est de son couronnement qui doit aussi se faire un jour.'

[2.29] [Ordonnance de Pierre 1er sur ses titres]

1 feuille pliée pour former 1 cahier de 2 feuillets; note ancienne f.325r en haut à gauche 'N° 29.'

f.325r-326v [Ordonnance de Pierre 1er sur ses titres] 'Moscou ce 30. Janv.er 1722. Le très serenissime et très puissant Pierre le Grand Empereur [...] après l'affaire sur la fin et tel College qu'il veuille faire. N. N.'

[2.30] 'Description de l'Entrée de S. M. Czarienne dans la ville de Moscow'

1 feuille pliée pour former 1 cahier de 2 feuillets, 208 x 315 mm; note ancienne f.327r en haut à gauche 'N° 30.'

f.327r-328v 'Description de l'Entrée de S. M. Czarienne dans la ville de Moscow. Ce 4/15. Février 1728. / Elle se fit par la porte de Turcs jusqu'à a [sic] Kremlin [...] l'entrée dans les appartements de la Grande Apoticairie.'

[2.31] [Sur la conspiration de la Régente et du maréchal Munich]

6 feuilles pliées pour former 1 cahier de 12 feuillets, 186 x 310 mm; note ancienne f.329r en dessous du titre à gauche 'N° 31'

f.329r-340v [Sur la conspiration de la Régente et du maréchal Munich] 'a Petersbourg ce 30. Dec: 1741. / En consequence des ordres de l'Imperatrice Elisabeth, la Duchesse Regente partit d'icy avec son Epoux et ses deux Enfants le 11. d. c. à 4. heures du matin sous l'Escorte de 300. hommes [...] Mr de Prinzenstirn mourut icy ces jours passés, regretté de tout le monde à cause de son grand merite.'

[2.32]   'Histoire de la Princesse femme du Czarowitz fils du Czar Pierre le Grand'

2 feuilles pliées pour former 1 cahier de 4 feuillets, 208 x 317 mm; note ancienne f.341r en haut à gauche 'N° 32.'

f.341r-343v 'Histoire de la Princesse femme du Czarowitz fils du Czar Pierre le Grand. / Personne n'ignore que le Czar Pierre le grand eut un fils indigne de luy a qui il fit épouser la princesse d'allemagne la plus accomplie [...] un evenement qui tient du prodige et qui ne peut devenir croyable que lorsqu'il sera reconnu certain.'; f.344r bl.; f.344v de la main de Wagnière 'histoire de la fausse / princesse Russe'; de la main de Voltaire 'fable sur l'epouse / du csarovits qui fut / <le co> condanné / par son pere etc.' et 'Mgr Le duc de choiseuil est supplié / de vouloir bien mettre au bas de cette / petite requete s'il y a le moindre fondement / a la merveilleuse histoire cy jointe'; de la main de Choiseul (?) 'cette histoire court Paris, il est vray qu'il y eu [...] une femme il y a 3. mois qui a été le pretexte de l'histoire, je ne la crois pas, je n'ay pas vû la femme, mais j'ai vû un homme qui luy a parlé et qui s'est echauffé la tete sur cette fable. La femme est partie, l'on ignore ou elle est allée. Le roi a qui j'ay demandé hier ce qu'il scavoit lui en fait, m'a assuré qu'il l'ignorait parfaitement et que meme il n'avait jamais rien lû ni entendû dire qui y eut raport.'

[2.33]   [Liste d'ouvrages relatifs à la Russie]

1 feuille pliée pour former 1 cahier de 2 feuillets, 190 x 297 mm; note ancienne f.345r en haut à gauche 'N° 33.'

f.345r-346v [liste d'ouvrages relatifs à la Russie]; f.346v notes en anglais, au crayon, d'une main inconnue, sur les diplomates britanniques auprès de la Cour de Pierre Ier

[2.34]   [Liste d'ouvrages relatifs à la Russie]

1 feuillet, 190 x 303 mm

f.347r [autre liste d'ouvrages relatifs à la Russie]; f.347v bl.

[2.35]   'Sur les espérances conçües à la Cour de Russie en 1725'

4 feuilles pliées pour former 1 cahier de 8 feuillets, 210 x 316 mm; note ancienne f.348r en haut à gauche 'N° 34.'

f.348r-354v 'Sur les espérances conçües à la Cour de Russie en 1725 que le

Roy pourroit épouser la P^csse Elisabeth 2de. fille du Czar Pierre 1er. / Le Czar Pierre 1er. ayant fini ses jours le 8. fevrier 1725. la czarine Catherine son Epouse [...] qu'il avoit fait faire la demande de la Princesse fille du Roi Stanislas pour son Epouse et Compagne.'; f.[354A]r-v bl.

'MEMOIRES / POUR L'HISTOIRE / DE RUSSIE / PAR VOLTAIRE. / TOM: III.' Ex libris de l'Hermitage 'BIBLIOTHEQUE de VOLTAIRE arm 5 N° 242'

Un papier détaché est inséré avant le premier feuillet du volume. Il porte de la main de Wagnière 'Mémoires pour L'histoire / de Russie, par Voltaire / T. 3.'

[3.1] 'Eclaircissemens sur plusieurs faits [...] tirés des papiers [...] de Bassewitz'

15 feuilles pliées pour former 1 cahier de 30 feuillets, 188 x 238 mm; note ancienne f.[A]r '1'

f.[A]r 'Russie / bassevitz' de la main de Voltaire; f.[A]v bl.; f.1r-29r (paginés 1-57) 'Eclaircissemens sur plusieurs faits arrivés sous le règne de Pierre le Grand, tirés des papiers du Comte Henningue Frèdéric de Bassewitz, Chevalier de St André, Grand Echanson du Duc Fréderic Guillaume de Mecklembourg jusqu'en 1710, Président du Conseil privé du Duc Charles Frédéric de Slesvic-Holstein jusqu'en 1730, et dépuis Conseiller privé de l'Empereur Charles Six; né en Novembre 1780 [sic], et décèdé le prémier jour de l'an 1749 / Le fameux Steinbock, poursuivi des Danois et du grand Czar, ne savait ou sauver son armée affaiblie. Chrétien-Auguste, Evêque de Lübec, et Regent des Duchés de Slesvic et Holstein, pendant la minorité de Charles Frédéric dont il était l'Oncle paternel, fit ouvrir les portes de la forteresse de Tönningue au général malheureux. [...] Charles aimait les idées vastes; il s'i livra. Il païa les propositions, que Frèdéric-Guillaume lui fit faire par le Général Slippenbach, d'une démande hautaine: qu'on restitüat Stettin. Cette démande fût si souvent et si sèchement rèïtérée, qu'elle lassa le Roi de Prusse, et le jetta dans l'alliance du Czar, ainsi que ce monarque éclairé l'avait prévu dépuis longtems.'; f.29v bl.

[3.2] 'Suite des éclaircissemens [...] tirés des papiers [...] de Bassevitz'

19 (?) feuilles pliées pour former plusieurs cahiers d'un total de 39 feuillets, 182 x 227 mm; les feuillets sont numérotés en bas dans le coin droite: f.34r '1' (ce feuillet est mal relié et devrait précéder f.30; il porte de la main de Voltaire 'Suitte des / Mémoires sur la Russie / bassevits / 2'); f.35r '2'; f.40r '3'; f.46r '4'; f.51r '5'; f.57r '6'; f.63r '7'; note ancienne f.30r '2'

f.30r-68r (paginés 58-132) 'Suite des éclaircissemens sur plusieurs faits rélatifs au règne de Pierre le Grand, tirés des papiers du du [sic] feu Comte de Bassevitz / Charles douze ne tarda guères à s'appercevoir de combien les forces de la Prusse augmentaient le poids de la ligue qui l'accablait. Bientôt ce même Roi dont il dédaigna l'amitié, de concert avec celui de Danemarc son ancien ennemi, l'assiègea dans Stralsund. Le siège fut vif, la résistance opiniâtre [...] On sait, que ce fût à l'occasion de cette paix, que le Czar accepta de ses peuples, le titre de Pierre le Grand, père de la patrie, Empéreur de toutes les Russies. Sous prétexte, de la célébrer avec un éclat égal dans l'ancienne capitale de son empire mais en effet pour s'approcher de la Perse, il se transporta vers la fin de l'année 1724 avec toute sa cour à Moscou.'; f.68v bl.

Traces de cire: f.41r (Alexis mort d'un poison préparé par une marâtre), 61v (tsarévitz), 62v (duc de Holstein), 64r (mariages avec protestants), 64v (ces mariages valides grâce à l'intervention du tsar), 65v (Horn; rien de favorable au duc de Holstein); s'agit-il de traces de la lecture de Voltaire?

[3.3] 'Fin des éclaircissemens [...] du feu Comte de Bassevitz'

17 feuilles pliées pour former 6 cahiers d'un total de 34 feuillets, 180 x 232 mm; les feuillets sont numérotés en haut à droite: f.[68A]r '1'; f.74r '2'; f.79r '3'; f.85r '4'; f.91r '5'; f.97r '6'

f.[68A]r '3'; f.[68A]v bl.; f.69r-102v (paginés au crayon 133-200) 'Fin des éclaircissemens sur l'histoire de Pierre le grand, tirés des papiers du feu Comte de Bassevitz. / La Porte n'eut jamais une occasion plus favorable à s'étendre du coté de la Perse, que celle que lui offrait la rébellion de Miriwais [...] Ce qui est hors de doute; c'est que Pierre le Grand fût un de ces mortels justement admirés, nés pour rendre leur siècle rémarquable dans les fastes du monde, et que le ciel, qui couronna sa vie de tant de succès glorieux, s'acquita libéralement envers sa mémoire, en lui suscitant un historien, tel que Monsieur de Voltaire.'

Traces de cire: f.92*v* (Anna Petrowna). Documents acquis par Voltaire de la comtesse de Bassewitz.

[3.4] 'Memoire sur L'imperatrice Catherine'

7 feuilles pliées pour former 1 cahier de 14 feuillets, 182 x 238 mm

f.103*r*-115*v* (paginés 1-26) 'Memoire sur L'imperatrice Catherine fait a Petersbourg en 1727 par M*** / Catherine surnommée dans son batéme Alescowexa, lorsquelle embrassa La Religion Grecque selon Le Rite des Moscovites, est d'une naissance si obscure, que ce n'a eté qu'apres de grandes perquisitions, et depuis deux années seulement qu'on a decouvert qu'elle etoit fille d'une espece de fermier habitué [*sic*] aux environs de Bausk dans La Livonie Polonoise. [...] L'inaplication aux afaires, tout enfin concourt a faire juger qu'il arrivera bientot une revolution en Russie, les libelles Scandaleux qui se debitent souvent dans le public en sont les preludes, et la Czarine s'apercevra trop tard qu'elle se sera livrée a ses plus dangereux enemis. Il est seulement a craindre qu'ils ne se reunissent dans la suite par la direction de la puissance a laquelle ils se sont Livrez, et qu'ils consultent dans les afaires de leur monarchie, et de leurs forces pour s'en servir dans l'ocasion contre les interets de la France qu'ils haissent plus que toute autre nation. Je ne sai si ce poinct ne merite pas de serieuses reflexions.'; f.[115A] bl.

[3.5] 'Copie d'une Lettre de Berlin du 20ᵉ Juillet 1697'

1 feuillet, 172 x 240 mm

f.116*r* 'Copie d'une Lettre de Berlin du 20ᵉ Juillet 1697 / Je vous diray pour toutes nouvelles que Le grand Czar de Moscovie a passé aujourdhuy matin dans cette ville incognitó. Mʳ Lefort Ambassadeur est arrivé a dix heures du matin [...] et Les a fort bien recus.'; f.116*v* bl.

[3.6] 'Copie de la lettre du Czar de Moscovie'

1 feuille pliée pour former 1 cahier de 2 feuillets, 160 x 240 mm

f.117*r* 'Copie de la lettre du Czar de Moscovie à Messʳˢ· les Etats Generaux au sujet de sa Grande Ambassade. / Hauts & Puissans Seigneurs qui composés les Etats Generaux des Loüables Souveraines & Libres Provinces Unies du Païs Bas nos Chers Voisins & Amis. Nous vous écrivons pour vous donner part [...] Königsberg le 16ᵉ de Juillet 97. / La Grande Ambassade de Moscovie est partie de Pillau par un bon vent pour la Hollande. Mais c'est en passant par le Danemarc.'; f.118r-v bl.

[3.7] 'Extrait d'une Lettre escrite par mʳ du Rosel Roula'

1 feuillet, 168 x 227 mm

f.118r-v 'Extrait d'une Lettre escrite par mʳ du Rosel Roula, capᵉ des Cent Suisses de S. A. E. de Brandeburg à mʳ de Budee dattée a Berlin Le 24 Juillet 1697 / Le jour de la naissance de S. A. E. le Czar fit grand [...] de faire du chagrin à mʳ Lefort il le feroit mourir.'; note ancienne f.118v 'Sur le contenu en cet extrait faut voir La Lettre de mon frere Le General du 8 8ᵇʳᵉ 1692. / L'extrait en a esté tiré'

[3.8] 'Copie d'une lettre escrite de Hanover en Juillet 1697'

1 feuille pliée pour former 1 cahier de 2 feuillets, 168 x 238 mm

f.119r-120v 'Copie d'une lettre escrite de Hanover en Juillet 1697 / Puisque vous aimés a scavoir des nouvelles de nos quartiers Je vous diray mʳ que S. M. Czarienne a passé a Copenbourg a 5 Lieüx d'icy où S. A. Electorale la fist traiter. [...] Elles resolurent de s'en retourner à Hernhousen trouver Monseigʳ l'Electeur, qui ne se porta pas trop bien, fort contentes de cette entreveüe mais fort fachées de ce qu'elle n'a pas duré plus Long temps.'; note ancienne f.120v 'L'extrait en a esté tiré'

[3.9] 'Copies des lettres Ecrites à M....'

4 feuilles pliées pour former 1 cahier de 8 feuillets, 169 x 220 mm

f.121r 'Copies des lettres Ecrites à M.... ambassadeur a Copenhague par Mʳ...' [Joseph Nicolas Delisle à Plélo, ambassadeur de France au Danemark]; f.121r-125r [Pétersbourg, 7 juin 1732] 'Monsieur Je me trouve bien honnoré de ce que Votre Excelence veut bien entrer en correspondance avec moy. Je tacheray de m'en rendre digne [...] c'est a elle que je prends la liberté d'addresser la lettre que j'ecris a Mʳ Horrebon avec la coppie des tables de Mʳ Cassini'; f.125r-126v [Pétersbourg, 24 février 1733] 'Monsieur J'ai receu dans son tems les deux lettres de Votre Excelence du 12 aoust et 9 7ᵇʳᵉ dernier et avec cette derniere la lettre de Mʳ Horrebon du 3 7ᵇʳᵉ [...] mais il y a icy dans notre Academie assés de gens qui s'appliquent a l'envie les uns des autres, a mettre en ordre tout ce qu'ils peuvent ramasser de ce pays cy pour le publier.'; f.126v-127v [Pétersbourg, 9 juillet 1733] 'Je profite du départ du Courrier [...] j'espere en etre bien dedomagé lorsque j'auray l'avantage de jouir de M^r. Horrebon meme l'hiver prochain.'; f.[127A] bl.

[3.10] 'Excerpta ex Gaguino'

2 feuilles pliées pour former 1 cahier de 4 feuillets, 168 x 216 mm; note ancienne f.128r 'C B 1'; note moderne 'Ce N° aurait dû être placé dans le cahier N° 32 ci-après à la suite du cahier signé C A 1'

f.128r 'Excerpta ex Gaguino'; f.128r-129v 'In Twerensi regione justa oppidum [...] negaverunt flumine extincti'; f.[129A]r-[129B]v bl.

Des extraits des pages 78, 79, 87, 88, 89, 91, 93, 97, 99.

[3.11] [Election éventuelle de Maurice de Saxe]

1 feuille pliée pour former 1 cahier de 2 feuillets, 187 x 243 mm

f.130r-131r [Election éventuelle de Maurice de Saxe aux duchés de Courlande et Semigallie; document daté du 5 juillet 1726] 'Nous Maurice de Saxe Duc de Courlande et de Semigallie A tous ceux qui ces presentes verront. Salut. Comme il a plû a la Divine Providence de Nous appeller a la succession Eventüelle des Duchés de Courlande et de Semigallie [...] Les Premieres lettres de chaque nom designent les noms de Baptême' [se réfère aux 32 signataires du document]; f.131v bl.

[3.12] [Lettre de Knyphausen]

1 feuille pliée pour former 1 cahier de 2 feuillets, 159 x 202 mm

f.132r-133v [Lettre de Knyphausen à Veselovski, ministre du tsar à Vienne; manuscrit original, s.d.]; 'Monsieur J'ay appris hier de bonne main que la Cour de l'Empereur à alafein agrée un plan de traité si le Conte de Flemming peut obtenir des pleins pouvoirs de la Republique de Poloignica [...] J'ay eu hier mon audience de congé, et si vous restés chez vous j'aurai l'honeur de vous voir.'

[3.13] [Lettre de Knyphausen]

1 feuille pliée pour former 1 cahier de 2 feuillets, 157 x 200 mm

f.134r [Lettre de Knyphausen à Veselovski; manuscrit original, s.d.] 'Monsieur. Je me donne l'honeur de vous demander [...] Je suis en vous souhaitant le bonsoir'; f.134v-135r bl.; f.136v adresse: 'Pour Monsieur le Baron de Wesalofski Ministre de Sa Majesté Czarienne à Vienne'

[3.14] [Lettre du ministre russe à Londres, 28 juin/9 juillet 1717]

3 feuillets, 176 x 228 mm; fragment

f.136r-138v [Lettre du ministre russe à Londres, 28 juin/9 juillet 1717; manuscrit original] 'Voicy donc mon Cher frere le curieux morceau de notre Negociation de Paris. [...] Je ne scaurois vous exprimer Le Divertissement que' (le reste manque)

[3.15] [Fin de la lettre d'Ostermann, 27 juillet 1716]

1 feuillet, 169 x 225 mm; note moderne 'C'est la fin de la lettre qui se trouve placée après le N° 17'

f.139r [fin de la lettre d'Ostermann, Regensburg, 27 juillet 1716 v. st.]; f.139v bl.

Voir ci-dessous, 3.20.

[3.16] [Lettre d'Ostermann, 29 octobre 1715]

1 feuillet, 165 x 205 mm

f.140r-v [Lettre d'Ostermann, Pétersbourg, 29 octobre 1715; manuscrit original] 'Monsieur Monsieur Bestusow vient d'etre expedié d'icy pour vous apporter la triste Nouvelle du decès de S. A. Imp^le Madame la Cronprincesse [...] et de me fournir par la l'occasion de vous temoigner avec combien d'estime, et de consideration je suis'

[3.17] [Lettre de Schulembourg, 28 décembre 1716]

1 feuille pliée pour former 1 cahier de 2 feuillets, 160 x 202 mm

f.141r-142v [Lettre de Schulembourg, Venise, 28 décembre 1716; manuscrit original] 'Monsieur Je ne scaurois en verité Vous assez remercier, Monsieur, de toutes les bontés et honnetetés que Vous voulés bien me temoigner [...] je m'offre en echange de tout ce que je pourrois faire pour votre service, vous priant tres humbl. de me vouloir bien conserver l'honneur de votre souvenir et d'etre persuadé, que je suis avec toute l'estime et reconnoissance imaginable'

Il est question d'argent, de bijoux; même sujet dans les deux lettres qui suivent.

[3.18] [Lettre de Schulembourg, 24 février 1717]

1 feuille pliée pour former 1 cahier de 2 feuillets, 172 x 237 mm

f.143r-144r [Lettre de Schulembourg, Venise, 24 février 1717; manuscrit original] 'Monsieur Je n'ay point voulu m'éloigner d'icy pour retourner au Levant sans me donner l'honneur de vous assurer de mes respects [...] disposez entiérement de moy et de tout ce qui pourroit dependre de mon peu de pouvoir partout ou je serois. Je suis avec toute l'estime et sincerité'; f.144v bl.

[3.19]   [Lettre de Schulembourg, 11 mars 1717]

1 feuille pliée pour former 1 cahier de 2 feuillets, 137 x 200 mm

f.145r-146r [Lettre de Schulembourg, Venise, 11 mars 1717; manuscrit original] 'Monsieur Ce peu de lignes ne sont que pour vous remercier très [...] Je vais partir pour Corfu, ou je conte d'etre vers la fin de ce mois ou du commencement de l'autre voyes si j'y puis faire quelque chose pour votre service etant avec toute l'estime et reconnoissance'; f.146v bl.

[3.20]   [Lettre d'Ostermann, 27 juillet 1716]

1 feuille pliée pour former 1 cahier de 2 feuillets, 169 x 225 mm

f.147r-148v [Lettre d'Ostermann, 27 juillet 1716] 'Monsieur Je ne doute nullement, que Monsieur Votre frere vous n'ait pas informé du sujet de la commission dont j'ai eté chargé'

[3.21]   [Lettre de Dulivizal à Veselovski, 6 août 1719]

1 feuille pliée pour former 1 cahier de 2 feuillets, 158 x 202 mm

f.149r [Lettre de Dulivizal à Veselovski, 6 août 1719; manuscrit original] 'Monsieur Je suis faché de n'avoir pas eu l'honneur de vous embrasser'; f.149v-150r bl.; f.150v adresse 'A monsieur de Wessalowski'

[3.22]   [Lettre du baron de Schleinitz, 9 juin 1719]

2 feuilles pliées pour former 1 cahier de 4 feuillets (dont le dernier est catalogué sous 3.23), 172 x 224 mm

f.[150A]r-v bl.; f.151r-152v [Lettre du baron de Schleinitz, Paris, 9 juin 1719; manuscrit original] 'Monsieur J'ai tres bien receu la lettre que vous m'avez fait l'honneur de m'ecrire de Cassel [...] j'ai plusieurs amis a Cassel je vous prie de faire mes compliments à touts ceux qui me feront l'honneur de se souvenir de moi, mais sur tout a Monsieur le Grand Marechal le Baron de Kettler. je suis avec un parfait attachement et beaucoup de consideration'

Affaires de la cour de Vienne et du tsar.

[3.23]   'Tiré des mémoires manuscrits du General Le Fort'

1 feuillet, 178 x 224 mm, conjoint avec f.[150A]; copie de la main de Wagnière

f.153r-v 'Tiré des mémoires manuscrits du General Le Fort page 60 et 61. / Le jour de la naissance de S: A: E: de Brandebourg étant venu à notice à S: M: Cz: elle voulut le célébrer. elle ordonna que chacun qui était à sa table but un grand verre de vin de la contenance de quatre pots à la santé de S: A: E: comme le grand chancelier ne put le boire il s'excusa sur l'état de sa santé [...] et que le Czar ayant aperçu il fit à ses ambassadeurs et à toute Sa cour de fortes reprimandes et leur dit que si quelqu'un d'eux ou dans ses Etats, quelqu'il fut, était si hardi de faire du Chagrin à son general Lefort, il le ferait mourir'

Résumé d'un épisode raconté par Le Fort celui-ci figurant à la troisième personne?

[3.24]   [Notice sur François Le Fort]

2 feuilles pliées pour former 1 cahier de 4 feuillets, 245 x 188 mm

f.154r-157v [Notice sur François Le Fort] 'François Le Fort. Dès son bas age, il a été d'une taille bien prise, grande et avantageuse, d'une constitution forte et robuste [...] il voyoit qu'étant rentré dans le service, il ne pouvoit en sortir non plus que du Pays, qu'apres le terme de dix ans, ainsi que cela se pratiquoit alors.'

[3.25]   [Lettre de Pierre Le Fort à son père, 29 septembre/10 octobre 1711]

3 feuillets, 180 x 222 mm

f.158r-160v [Lettre de Pierre Le Fort à son père, 29 septembre/10 octobre 1711; manuscrit original] 'Monsieur Lorsque je parti de Mosco pour cette Campagne'

[3.26]   [Lettre de Pierre Le Fort à son père, 18/28 mai 1710]

1 feuille pliée pour former 1 cahier de 2 feuillets, 178 x 225 mm

f.161r-162v [Lettre de Pierre Le Fort à son père, Dantzig, 18/28 mai 1710; manuscrit original] 'Monsieur Le 15 d'avril je me donnay l'honneur mon tres honoré pere de vous Ecrire de Stockholm'

[3.27] [Lettre de Pierre Le Fort à son père, 30 octobre 1709]

1 feuille pliée pour former 1 cahier de 2 feuillets, 176 x 230 mm

f.163r-164v [Lettre de Pierre Le Fort à son père, Stockholm, 30 octobre 1709; manuscrit original] 'Monsieur Je me serois donné l'honneur Mon tres Cher Pere de vous ecrire il ya longtems'

[3.28] [Lettre de Pierre Le Fort à son père, 4/15 novembre 1716]

1 feuille pliée pour former 1 cahier de 2 feuillets, 180 x 228 mm

f.165r-166v [Lettre de Pierre Le Fort à son père, Neu Brandenburg, 4/15 novembre 1716; manuscrit original] 'Monsieur A mon retour de Zelande'

[3.29] [Lettre de Pierre Le Fort à son père, 3/14 mars 1717]

1 feuille pliée pour former 1 cahier de 2 feuillets, 180 x 224 mm

f.167r-168v [Lettre de Pierre Le Fort à son père, Neu Brandenburg, 3/14 mars 1717; manuscrit original] 'Monsieur Dans le mois de Novembre passé'

[3.30] [Lettre de Pierre Le Fort à son père, 26 juillet/6 auguste 1716]

1 feuille pliée pour former 1 cahier de 2 feuillets, 178 x 225 mm

f.169r-170v [Lettre de Pierre Le Fort à son père, du camp près de Rostock, 28 juillet/6 auguste 1716; manuscrit original] 'Monsieur Il y a quelques jours que je receu'

[3.31] [Lettre de Pierre Le Fort à son père, 27 avril 1714]

1 feuille pliée pour former 1 cahier de 2 feuillets, 178 x 230 mm

f.171r-172v [Lettre de Pierre Le Fort à son père, Saint-Pétersbourg, 27 avril 1714; manuscrit original] 'Monsieur Il ya environ deux mois'

[3.32] [Lettre de Pierre Le Fort à son père, 6 décembre 1714]

1 feuille pliée pour former 1 cahier de 2 feuillets, 158 x 210 mm

f.173r-174v [Lettre de Pierre Le Fort à son père, Saint-Pétersbourg, 6 décembre 1714; manuscrit original] 'Monsieur pendant la Campagne que j'ai faite'

[3.33] [Lettre de Pierre Le Fort à son père, 21 février 1715]

1 feuille pliée pour former 1 cahier de 2 feuillets, 170 x 223 mm

f.175r-176v [Lettre de Pierre Le Fort à son père, Saint-Pétersbourg, 21 février 1715; manuscrit original] 'Monsieur 18 du Courant je me donnai l'honneur'

[3.34]   [Extrait du journal de Pierre Le Fort]

6 feuilles pliées pour former 1 cahier de 12 feuillets, 170 x 220 mm

f.177r-188r (paginés 1-23) [Extrait du journal de Pierre Le Fort] 'L'an 1721. le 29/18 May [...] [31 May 1724]; f.188v bl.

[3.35]   [Note sur François Le Fort]

1 feuille pliée pour former 1 cahier de 2 feuillets, 165 x 230 mm

f.189r [Note sur François Le Fort] 'Par sa valeur, et par sa fidelité, Monsieur François Lefort Colonel du Regiment des gardes du Corps de sa Majesté Imperiale le Czar Pierre [...] Tiré au vif et gravé par Pierre Schenk. à Amsterdam avec privilege des Etats de Hollande et de West-Frise L'an 1698.'; f.189v-[189A]v bl.

Ceci est probablement la transcription de la légende d'une gravure.

[3.36]   [Note sur François Le Fort]

1 feuille pliée pour former 1 cahier de 2 feuillets, 162 x 228 mm

f.190r [Note sur François Le Fort; la même que la précédente]; f.190v-[190A]v bl.

[3.37]   [Lettre de La Haye, 12 octobre 1697]

1 feuille pliée pour former 1 cahier de 2 feuillets, 176 x 240 mm

f.191r-v [Lettre de La Haye, 12 octobre 1697] 'La grande Ambass. de Moscovie recoit tous Les Jours des visites des autres ministres [...] Cette Ceremonie fust une des plus magnifiques qu'on ait encores veües et la foule fust extraordinaire'; f.[191A]r-v bl.

[3.38]   'Opregte Leydse Vrydagse Courant, no. 89'

1 feuillet imprimé, 152 x 300 mm

f.192r-v Opregte Leydse Vrydagse Courant, no.89, Levden Jacob Huysduynen, 26 July 1697 [*Gazette* de Leyde, relatant l'arrivée de l'ambassade de François Le Fort]

[3.39] [Nouvelle d'Utrecht, 19 septembre 1697]

1 feuillet, 160 x 165 mm (coupé)

f.193r [Nouvelle d'Utrecht, 19 septembre 1697] 'Il y a huit jours que les Ambassadeurs, et le Czar leur maitre vinrent en cette ville'; f.193v bl.

[3.40] 'Copie de la Gazette de Berne'

1 feuillet, 165 x 242 mm

f.194r-v 'Copie de la Gazette de Berne, à l'article d'Hambourg le 27 May/6 Juin / Le Kzar de Moscovie estoit encore à Konigsberg [...] Copie de la Gazette d'Hollande de Konigsberg du 31 May / Le 31 LL. EE. devoient avoir leur Audiance du Serenissime Electeur de Brandbg & le lendemain le divertissement du Combat des ours & des Taureaux.'

[3.41] *Ausführlicher Bericht*

imprimé, 16 pages, 140 x 195 mm

f.195r-202v Ausführlicher Bericht von allem dem was bein Einholung und Aufnehmung der Moscowitischen Gross-Besandtschafft vorgegangen Welcher Die izt-regierende Zzarische Majestät Peter Alexiewitz an d. Khurfürstl. Durchl. zu Brandenburg, Friedrich den III. abgeschicket. Geschehen zu Königsberg in Preussen Im Jahr 1697.

[3.42] 'Copia eines Schribes de dat, Moscou, 14 8bre 94.'

1 feuille, 215 x 348 mm

f.203r-v 'Copia eines Schribes de dat, Moscou, 14 8bre 94.'

[3.43] *Freitägiger Ordinari-Friedens- und Kriegs Currier*

imprimé, 8 pages, 150 x 178 mm

f.204r-207v Freitägiger Ordinari-Friedens- und Kriegs Currier [de Vienne], no. 5, 29 Mart. (8 April.) 1695

[3.44] *Gazette de France*

imprimé, 4 pages, 165 x 215 mm

f.208r-209v Nouvelles de divers endroits [*Gazette de France*], no. 37, 10-20 mai 1699

Nouvelles de Moscovie; Moscou 18/28 mars, sur les funérailles de Le Fort

[3.45] [*Gazette de La Haye*]

imprimé, 4 pages

f.210r-211v [*Gazette de La Haye*, no. 35, 30 avril 1699, Amsterdam, J. T. Dubreuil]

[3.46] [*Gazette de La Haye*]

imprimé, 4 pages

f.212r-213v [*Gazette de La Haye*, no. 33, 23 avril 1699]

Coupures relatant la mort de Le Fort.

[3.47] [Extraits des nouvelles de Bade]

1 feuillet, 115 x 165 mm

f.214r [Extraits des nouvelles de Bade du 16 août et de Venise du 9 août 1695] 'Bade du 16 Aoust / On marque de Vienne que la paix y est deja fort avancée'; 'De Venize du 9me Aoust / On ecrit qu'on y avoit fait de grands preparatifs'; f.214v bl.

[3.48] 'Extrait de la Gazette de France'

1 feuillet, 158 x 145 mm

f.215r 'Extrait de la Gazette de France n° 19 article de Moscovie du 13 avril 1699 / On escrit de Moscou du 25 du mois dernier que le Czar y estoit venu pour donner ordre aux obseques du General Le Fort qu'il avoit fait faire le 21 avec beaucoup de magnificence'; f.215v bl.

[3.49] 'Copie de l'article de Moscou du 24 juin'

1 feuillet, 160 x 200 mm

f.216r-v 'Copie de l'article de Moscou du 24 juin contenu dans la gazette d'Auguste [1695] / La semaine passée on recût diver avis par plusieurs couriers que environ mille soldats aux gardes s'estoient mutinez'

[3.50] 'Extrait de La Gazette de France'

1 feuille pliée pour former 1 cahier de 2 feuillets, 170 x 238 mm

f.217r 'Extrait de La Gazette de France n° 17 du 25 avril 1699, article de Dantzick du 5 avril 1699.'; f.217r 'De la Gazette de Hollande du jeudy 16 Avril 1699. En fait de La Haye du 14 avril'; f.217v 'Extrait de la Gazette de Holande du Jeudy 23 avril 1699'; f.[217A]r bl.; f.[217A]v note ancienne

'Divers Extraits de Gazettes Publiques concernant Le Czar et Le Fort son general'

[3.51]   'Anecdotes sur la Russie'

5 feuilles pliées pour former 1 cahier de 10 feuillets, 173 x 225 mm; note de Voltaire, en marge de f.218r 'Le duc de courlande et sa femme saisis'

f.218r-227v 'Anecdotes sur la Russie / Ce n'est que depuis le 4e siecle ou environ que l'on sçait ecrire en Russie [...] et enfin il porta dans la plus grande Elevation où un homme de son Etat put prétendre, le mauvais gout et l'espece de misere qu'il tenoit de sa naissance et de sa Condition'. Il s'agit d'Osterman.

[3.52]   'Particularités concernant la vie et la mort du Tsarevits Alexei Petrovits'

4 feuilles pliées pour former 1 cahier de 6 feuillets et 1 de 2 feuillets, 190 x 228 mm; note de Voltaire, en marge de f.228r 'Envoié par Mr. de Shouvallow et recu le 29 octb 1761'

f.228r-234v 'Particularités concernant la vie et la mort du Tsarevits Alexei Petrovits. / Pierre 1er epousa en 1689 Eudoxie Feodorovna de la famille de Lapoukin. [...] avec toutes les ceremonies dont on a coutume d'user dans ces occasions, leurs Majestés Tsariennes accompagnées de toute la Cour ayant assisté au Convoi et à l'inhumation.'; f.[234A]r-v bl.

[3.53]   'Indications... Russie'

7 feuillets, 160 x 218 mm

f.235r 'Indications... Russie.'; f.235v-[235B]v bl.; f.240, 241, 236, 237, 238, 239 (reliés dans le désordre) 'Extrait du 3e Tome de la Motraye / Livonie peu connuë avant JC si ce n'est par les Annales des Suedois et Danois'

Notes et extraits de La Mottraye, des pages 150 ss, 157, 160, 189, 196, 202, 210, 222, 234.

[3.54]   'Excerpta ex Commentes Herberstein'

3 feuilles pliées pour former 1 cahier de 6 feuilles, 160 x 218 mm; note ancienne f.242r 'C A 1'

f.242r-246r 'Excerpta ex Commentes Herberstein'; f.246r-247v 'Ex Pauli Jovii historiis';

[3.55] 'Remarques de L'année 1717'

5 feuilles pliées pour former 1 cahier de 10 feuillets, 182 x 240 mm

f.248r-257r (paginés 1-19) 'Remarques de L'année 1717. / On arrête et accuse Les Comte Gillenbourg et Baron Hörp [Görz] tous deux ministres de la Suede en Angleterre et Hollande [...] On fait paroître quelques points preliminaires a la paix du Païs du Nord.'; f.257v bl.

[3.56] *Panégyrique de Pierre le Grand*

imprimé, 42 pages

f.258r-278v 'PANÉGYRIQUE / de / PIERRE LE GRAND / prononcé dans la Séance publique de l'Académie Im- / périale des Sciences, le 26. Avril 1755. / *Par Mr. LOMONOSOW.* / *Conseiller et Professeur de cette Academie*; / et traduit sur l'Original Russien / *Par Mr. le Baron de TSCHOUDY.* / Imprimé à St. PETERSBOURG.'

'MEMOIRES / POUR L'HISTOIRE / DE RUSSIE / PAR VOLTAIRE. / TOM: IV.'

[4.1] 'Extrait de La Description Geographique de La Russie' [par Fletcher]

45 feuilles pliées pour former des cahiers d'un total de 90 feuillets

f.1r (paginé 1) 'Extrait de La Description Geographique de La Russie. Tome 1er.'; f.1v bl.; f.2r-83v (paginés 3-164) Description De L'ancienne Russie Extraite du Docteur Fletcher. / Si La Russie etoit connûe ici comme Le sont Les autres Etats de L'Europe, il sufiroient de commencer L'histoire du Czar Pierre par un tableau en racourci de L'Etat particulier ou elle etoit Lorsqu'il parvint a La Couronne. [...] C'est meme vraisemblablem̄t une des raisons qui a Le plus contribué jusqu'ici a L'éloignemens des tartares pour La Religion Cretienne.'; f.[83A]r-[83B]v bl.; f.84r-85r 'Table De La Description De L'anciene Russie Extraite du Docteur Fletcher'; f.85v bl.; f.86r-86v 'Table / Des Religions qui Sont Etablies en Russie pag 1 [...] Des moines pag. 197'; f.87r 'Description de l'ancienne Russie' (c'est tout ce qui figure sur cette page); f.87v-[87B]v bl.

> Contenu: description du pays; terrain et climat; production de la terre; fourrures; cire; miel; suif; cuirs; huile de poison; caviar; lin et chanvre;

sel; gaudron; ribazuba; talc; fer; animaux; villes; famille des empereurs; gouvernement; Conseil extraordinaire; noblesse; les quatre departements de la Russie; Conseil de l'empereur; revenus de l'empereur; bas peuple; administration de la justice; troupes; manière de lever les troupes; marche des troupes; conquêtes et colonies; peuples voisins; Permians, Samoyèdes, Lapons; occupations domestiques de l'empereur; officiers de la maison de l'empereur; peuple russe en général.

[4.2] 'Extrait De La Description Geografique de La Russie'

51 feuilles pliées pour former des cahiers d'un total de 101 feuillets

f.88r-126r (paginés 1-192) 'Extrait De La Description Geografique de La Russie / La Russie a eté nommée Scithie parceque Les peuples qui L'Habitoient se servoient de L'arc, et que L'arc en cete Langue La se nomme Tschud, Schud, Scyth [...] Les Kara-Kalpaks qui habitent Les bords septentrionaux de Celac, et Les Turkmans conduisent dans L'été Les eaux de ce Lac par diferens petits Canaux qu'ils creusent exprez dans Les terres sabloneuses du pays D'Arall, et ces eaux venant a s'exhaler par La chaleur du Soleil, ces memes plaines demeurent couvertes d'un sel blanc et cristalisé dans ils font usage suivant Leurs besoins.'; f.126v bl.; f.127r-182v 'Des peuples Tributaires aliez ou Voisins De La Russie / Cosaques. Ces peuples paroissent tirer Leur nom du pays qu'ils habitent. Le pays nommé autrefois *Kipʒak*, ou *Kapʒak* comprenoit les Landes renfermées entre Le Jaik et Le Boristhene, c'est Le meme pays qu'ils occupent aujourdui, et qu'ils ont toujours occupé. Ainsi il est superflu de chercher une autre origine au nom de Cosaques. [...] [Kutuchta] Il [le Dalai-Lama] cherche aussi a se concilier L'amitié des Russes, et Les favorise volontiers dans les diferends qu'ils peuvent avoir sur Les frontieres avec Les Mungales.'; f.183r-186v 'pages a ajouter / Tartares en general. Les Tartares ocupent tout le nord de L'Asie, et sont partagez presentement en trois nations diferentes [...] Aussi dans tout le Nord, a commencer par la Laponie, et en suivant La mer Glaciale, jusques a La mer D'Anadie il n'y a presque point de peuple qui n'ayt Ses devins, ou sorciers, par Le moyen desquels il comptent ou d'aprendre L'avenir, ou d'apaiser Le Diable qui Leur est representé comme tres malfaisant.'; f.[186A]r-[186B]v bl.

Contenu: f.88-126 frontières; situation et climat de la Russie en général; canaux que Pierre le Grand a entrepris ou achevés; ancienne et nouvelle division de la Russie; étendue; Tartarie; fleuves et rivières; lacs; f.127-

182 Cosaques: Saporovi; Donski; Jaick; Tartares: Kalmouques; peuples du Turkestan; Kara-Kalpacks; Calaischi-Horda; Tartares Baschkirs et d'Uffa; Tartares de Krim; Tartares Budziak; Tartares Cubans; Tartares Circasses; Tartares Daguestans; Tartares Nagais; Tartares Usbecks; Usbecks du pays de Chorasme; Des chans et des mursses; Mungales; Kirsises Tartares payens; Sibérie: Woguhitzes; Samoyedes; Ostiakes; Tongules; Jakuti; Jukagei; Buratti; Barabinski; Kamtzchatka et Kamtzchadales; Tartares mahométans de la Sibérie; Dalay lama; le Kutuchta, souverain pontife des Calmoucks.

[4.3] 'Des Religions qui sont Etablies en Russie'

24 feuilles pliées pour former des cahiers d'un total de 47 feuillets

f.187r (paginé 1) 'des Religions qui sont Etablies en Russie'; f.187v bl.; f.188r-217r (paginés 3-92) 'De L'ancienne Eglise De Russie / Les Russes tiennent par tradition que St André apotre a Le premier preché L'Evangile ches eux, que s'etant embarqué sur la mer noire il remonta Le Don jusqu'a Kiow, et que suivant Le meme fleuve il repandit au loin dans La Russie La Lumiere de L'Evangile. [...] Quant aux juifs, Les Russes ont contre eux La meme raison de haine que tous les autres chretiens.'; f.217r 'Propositions faites au czar Lors De son sejour a Paris pour La reunion des Eglises Catholiques et Russes.'; f.217v-233v 'L'Eglise Russe qui doit comme on La vû sa naissance a L'Eglise Greque a herité de toute La haine de celle cy contre L'Eglise de Rome, et cette haine s'est soutenuë constamment, moins par La diference de Doctrine qui n'a jamais eté bien conçuë aux Russes que par Leur attachemt pour des Superstitions qui leur sont particulieres, et pour quelques Ceremonies absolument indiferentes a La Religion [...] Aussi dans le tems meme de son sejour a Paris Lorsqu'il recevoit avec bonté Les propositions des docteurs de Sorbone, et avec une intention aparente d'en faire usage, il faisoit imprimer en Hollande un grand nombre d'exemplaires d'une traduction Russe de La Bible pour Les repandre parmi ses peuples a son retour dans ses Etats. Son veritable dessein etoit d'eclairer ses peuples, et de banir La profonde ignorance de La Religion dans Laquelle ils avoient vecu jusqu'alors persuadé que La vraie conoissance de La Religion seroit egalement utile pour eux, et pour La conservation de sa propre autorité.'; note 'L'on a vû dans Le Reglement spirituel quels sont Les moyens qu'il a pris pour cela. Ainsi il est inutile de s'etendre icy La dessus.'

Contenu: jurisdiction ecclésiastique; élection des évêques; savoir du clergé; prêtres; moines; religieuses; revenus; ermites; liturgie russienne; baptême; eucharistie; mariage; enterrements; eau bénite; signe de la croix; bénédiction; jeûnes et vigiles; images; églises; tolérance. (Dans la marge gauche il y a parfois des remarques opposant ce que dit le docteur Fletcher à ce que dit l'auteur de ce texte.)

[4.4] 'Du Gouvernement Eclesiastique De Russie'

136 feuilles pliées pour former des cahiers d'un total de 135 feuillets

f.234r-368v (paginés 25-294) 'Du Gouvernement Eclesiastique De Russie / Personne n'ignore que L'Eglise Russienne a eu un patriarche, et un clergé qui ne dependoit que de Luy jusqu'a ce que pour des raisons particulieres il a plû a L'Empereur Pierre de suprimer La dignité de patriarche, et de faire quelques changemens dans Le gouvernem^t Eclesiastique. Avant de parler de ces changemens il est a propos d'expliquer quelle a eté la forme Du Gouvernemt Eclesiastique depuis L'introduction du Christianisme en Russie jusqu'a L'Etablissement d'un Patriarche, et depuis cet Etablissement jusqu'a sa suppression. […] Cette courte exposition des dix Commandemens, De La prière Dominicale, et du Credo n'etant destinée qu'a L'instruction des enfans on n'a pas jugé a propos de citer Les passages de L'écriture Sur Lesquels elle est fondée, et c'est ce que L'on se reserve de faire dans un Catechisme plus ample qui sera publié incessament.'

Contenu: déclaration du tsar Pierre du 25 janvier 1721; extrait du serment; hiérarchie, règlement spirituel; procédure de l'excommunication; visite du diocèse; écoles, maîtres et écoliers; séminaires; prédicateurs; laïques; devoirs; noms des évêques signataires de ce règlement approuvé par Pierre Ier le 11 février 1720; 'Doutes proposez a S. M. I. par Le Colege spirituel auxquels il a repondu de sa propre main, et qui ont été publiez avec Les reponses en la forme qui suit'; additions au règlement précédent: des prêtres, diacres et du clergé en général; des moines; des religieuses; des monastères; des supérieurs des monastères; cette addition approuvée par Pierre Ier fut publiée à la fin d'avril 1722; catéchisme russe.

'MEMOIRES / POUR L'HISTOIRE / DE RUSSIE / PAR VOLTAIRE. / TOM: V.' Ex libris de l'Hermitage 'BIBLIOTHEQUE de VOLTAIRE arm 5 N° 242'

[5.1]   'L'an 1695'

3 feuilles pliées pour former 1 cahier de 6 feuillets, 182 x 241 mm; note moderne f.1r en haut 'N° 1.'

f.1r-5r (paginés 1-9) 'L'an 1695 / Sa Majesté Czarienne tient Conseil de guerre avec ses Ministres et Generaux Les plus affidés Le 20 fevrier [...] Il [le sultan Mahomet IV] bat le Corps imperial Sous le General Veterani près de la porte de fer et s'en retourne par la Walachie.'; f.5v-6v bl.

[5.2]   'Manifeste de l'Archeveque De Novogrod'

4 feuilles pliées pour former 1 cahier de 8 feuillets, 181 x 241 mm; note moderne f.7r en haut 'N 2'

f.7r-13v (paginés 1-14) 'Manifeste de l'Archeveque De Novogrod / L'on fait à Sçavoir par Les presentes a tous et un Chacun en particulier, qu'après que S. M. I. defunte et de glorieuse memoire a eu fait mettre par Ecrit tous Les revenus tant Episcopaux que ceux des Couvents pour l'établissement des Etats Ecclesiastiques, elle les a fait distribuer pour l'entretien des dites maisons Episcopales, Couvents, pauvres et Enfin pour L'information de la jeunesse; afin que de la il naisse aux Eglises De Dieu et a L'Empire profit et utilité. [...] [Sa Majesté l'impératrice] n'a point ordonné qu'on en exclue Le dit Theodose n'y qu'on le Conduisit a la mort, mais au Contraire a ordonné de le demettre du gouvernement du Synode et de L'archequé [sic] de Novgorod de meme que du Canonicat du Couvent d'Alexandre Neffsky, et de L'exiler au Couvent Ecarté Nommé Covel qui est Situé au bord du fleuve Dwina, et de le tenir tres resseré, en cette Contrée durant sa vie a quel fin, on a Commandé L'officier des gardes reformé avec un nombre Convenable de Soldats de peur qu'il n'echappe. Imprimé près du Senat dans St Petersbourg le 11e May 1725.'; f.14r-v bl.

[5.3]   'Essai sur les Droits militaires de la Russie'

3 feuilles pliées pour former 1 cahier de 6 feuillets, 181 x 225 mm; note ancienne f.15r en haut à gauche 'N°.1.', note moderne 'N 3'

f.15r-20v 'Essai sur les Droits militaires de la Russie / La Russie doit la regularité de ses armées, ainsi que le Reglement et droit militaire, qui en sont l'ame et le soutien, aux seuls soins de Pierre le Grand. […] Mais la sanglante guerre allumée partout en Allemagne et dans la quelle presque toutes les Puissances de l'Europe sont enveloppées a retardé encore ce nouvel arrangement, d'ailleurs si necessaire à l'Empire Russien, c'est pourquoi il faut attendre du tems et de la Providence ce qu'il y aura a ésperer à cet égard dans la suite.'

[5.4] 'Récit abregé de l'Origine de la Marine en Russie'

5 feuilles pliées pour former 2 cahiers de 6 et 4 feuillets, 185 x 228 mm; note ancienne en haut à gauche 'n°. 10', note moderne 'N° 4'

f.21r-30r 'Récit abregé de l'Origine de la Marine en Russie. / Il Seroit asséz difficile de prouver, que la Russie eût eû dans les tems reculés, sur tout avant et sous le Regne du Grand-Duc Rurick, de grands navires fournis de voiles, soit pour s'en servir en guerre, soit pour commercer. […] En 1724 Pierre le grand ordonna au College de l'Amirauté de faire conduire tous les ans le 30me aout, jour de la fête du S. Alexandre Newsky la petite chaloupe par eau jusqu'au Couvent du dit Saint, ce qui s'est practiqué plusieurs fois avec beaucoup de pompe et de céremonie tant du temps de l'Imperatrice Anne, que depuis le Regne de sa Majesté Impériale.'; f.30v bl.

[5.5] 'Etablissement d'une flotte sur la mer noire'

3 feuilles pliées pour former 1 cahier de 6 feuillets; note ancienne f.31r en haut à gauche 'n°. 11', note moderne 'N° 5'

f.31r-35v 'Etablissement d'une flotte sur la mer noire. / Le Succés de la petite flotte, qui avoit facilité la Reduction d'une place aussi importante, que la Ville d'Asoff, ayant fait connoitre à Pierre prémier les avantages, qu'on pourroit rétirer d'une Armée navale, il declara d'abord après la prise de cette Ville, qu'il étoit resolu d'entretenir une flote de ce còté là, afin de pouvoir se conserver cette place, et ètre en état de pénetrer jusques dans la Mer noire. […] Il envoya Ordre à Woronesch de ne plûs y bâtir de Vaisseaux, et en transporta à Petersburg tous les officiers de la Marine, les Charpentiers et autres Ouvriers.'

[5.6] 'Etat de tous les Revenûs de la Couronne'

2 feuilles pliées pour former 1 cahier de 4 feuillets, 184 x 226 mm; note ancienne f.36r en haut à droite 'n°. 14', note moderne 'N° 6'

f.36r-39r 'Etat de tous les Revenûs de la Couronne, et de leur Emploi de l'année 1725.' / [un tableau dont le total de toutes les sommes est de 8.779.750,85]; f.39v bl.

[5.7]   'Etat des Revenus'

1 feuille pliée pour former 1 cahier de 2 feuillets, 184 x 226 mm

f.40r-41r 'Etat des Revenus, que perçoit la Chambre des finances suivant le Tarif de l'année 1723.' / [tableau dont le total est de 4.373.532,31 3/8]; f.41v bl.

[5.8]   'Etat abregé du Nombre des Males'

4 feuilles pliées pour former 1 cahier de 8 (manque 8) feuillets, 184 x 226 mm; note ancienne f.42r en haut au centre 'n° 15', note moderne 'N° 7'

f.42r 'Etat abregé du Nombre des Males, dans les differents Gouvernements, Provinces et villes de l'Empire de Russie, qui pa÷ent la Capitation, suivant le dernier Denombrement qui en fut fait en 1744-1747.'; f.42v-47r [tableaux sur deux pages]; f.47v 'Specification de ceux qui sont exempts de la Capitation'; f.48r-v bl.

[5.9]   [Statistiques]

1 feuille pliée pour former 1 cahier de 2 feuillets, 184 x 226 mm; note ancienne en haut au centre 'suite de N° 15'

f.49r 'Suivant un Calcul fait d'abord aprés la mort de Pierre le Grand, il y avoit dans tous les Gouvernemens de l'Empire de Russie'; f.49v-50v bl.

Nombre de villes provinciales, villes et forts dépendants des villes provinciales; ostrogs; diocèses; couvents; églises; cours; officiers de l'état civil; secrétaires, etc.

[5.10]   'Etat des Généraux de l'Armée'

1 feuille pliée pour former 1 cahier de 2 feuillets, 184 x 226 mm; note ancienne f.51r en haut au centre 'n°. 18', note moderne 'N° 8'

f.51r-52r 'Etat des Généraux de l'Armée suivant la table imprimée en l'année 1720.' / [tableau]; f.52v bl.

[5.11]   'Table des Vaisseaux'

1 feuille pliée pour former 1 cahier de 2 feuillets, 184 x 226 mm; note moderne f.53r en haut au centre 'N° 9'

f.53r-54r 'Table des Vaisseaux, que Pierre 1., voulant establir aprés la

Prise d'Asoff une flotte sur la Mer noire, avoit ordonné de construire à Woronesch.' / [tableau]; f.54v bl.

[5.12]   'Table Des armées regulieres'

2 feuilles pliées pour former 1 cahier de 4 feuillets, 184 x 243 mm; note moderne f.55r en haut au centre 'N° 10'

f.55r-58v 'Table Des armées regulieres de S: M: Imperiale sur le pied de L'empire aussi bien que les gardes du corps, Regiments de campagne et de garnison, artillerie et corps de fortification, en combien d'hommes ils consistent selon les nouveaux états de guerre approuvés par S: M: Imperiale, tant en temps de guerre qu'en temps de paix.' / [tables]

[5.13]   'Etat de l'artillerie'

1 feuille pliée pour former 1 cahier de 2 feuillets, 185 x 226 mm; note ancienne f.59r en haut au centre 'n° 19.', note moderne 'N° 11'

f.59r-60r 'Etat de l'artillerie de Campagne et de Garnison en l'année 1725.' / [tableaux]; f.60v bl.

[5.14]   'Etat de la Marine'

2 feuilles pliées pour former 1 cahier de 4 feuillets, 185 x 226 mm; note ancienne f.61r en haut au centre 'n°. 20.'

f.61r-62v 'Etat de la Marine de Russie dans l'année 1725.' / [tableaux]

[5.15]   'Livres et Instructions à l'usage de la flotte'

1 feuille pliée pour former 1 cahier de 2 feuillets, 185 x 226 mm

f.63r-v 'Livres et Instructions à l'usage de la flotte imprimées par Ordre de Pierre le Grand.'; f.64r-v bl.

Liste de 10 ouvrages, un grand nombre de cartes et une quantité d'autres livres concernant la marine et la construction navale.

[5.16]   'Denombrement des Dioceses'

1 feuille pliée pour former 1 cahier de 2 feuillets, 185 x 226 mm; note ancienne f.65r en haut au centre 'n° 22', note moderne 'N° 13'

f.65r-66r 'Denombrement des Dioceses selon leur Rang, ainsi que des Couvents, Eglises, villes et Bourgs compris dans chacun des Dioceses.' / [tableau, 1755]; f.66v bl.

[5.17] 'Denombrement des Males apartenants aux Maisons du Saint Synode, des Eveques et Couvents'

1 feuille pliée pour former 1 cahier de 2 feuillets, 185 x 227 mm; note ancienne f.67r en haut à droite 'n°. 23', note moderne 'N°. 14.'

f.67r-68r 'Denombrement des Males apartenants aux Maisons du Saint Synode, des Eveques et Couvents tant dependants qu'independants des Dioceses selon la dernière Revision.' / [tableau]; f.68v bl.

[5.18] 'Extrait des annales russes'

17 feuillets, 190 x 249 mm; note moderne 'N° 15'; manuscrit avec corrections et ratures

f.69r 'Extrait des annales russes'; f.69v bl.; f.70r-85v 'Extrait des Annales de Russie traduit de l'esclavon / On croit en Russie que la Reine *Olga* ou Helene fut la premiere du païs qui embrassa la Religion *Chretienne* jusqu'a Volodimir son petit fils sous le regne du quel le Christianisme parût comme établi. Ce qui n'est pas bien certain. [...] Son corps fut porté dans l'Eglise Cathedrale de Petersbourg avec celuy de son pere. C'etoit, dit-on, un enfant aimable a tous les egards qui promettoit beaucoup & montroit un Jugement infiniment au dessus de son age par ses actions & par ses Discours. Sa perte fut un surcroit de douleur pour l'Imperatrice.'

[5.19] 'Relation'

1 feuille pliée pour former 1 cahier de 2 feuillets, 183 x 240 mm; note moderne f.86r en haut au centre 'No 16'

f.86r-87r 'Relation / Le quatre decembre on a apprit de Derbent sous la datte du 22 Octobre de la presente année 1726 [...] L'original du serment d'hommage Ecrit En Lettres et Langue Turque, a eté signé, et scellé des plus anciens. / Imprimé a L'imprimerie de St Petersbourg Le 6 xbre l'an 1726.'; f.87v bl.

> Le serment d'hommage prêté à Derbent par Chuseïn Alibeck Achmeta, fils de Kubinsk Chams, au prince Dolgorouki en 1726.

[5.20] [Relation de l'arrivée à Mitau de Maurice de Saxe]

4 feuillets, 183 x 241 mm; note moderne f.88r 'N° 17'

f.88r-89r 'Mittau Le 21 Juin 1726. / Le grand baillif de Braikel, Le premier Capitaine Brangelw avec le plenipotentiaire Korf allerent au devant du

Prince Moritz de Saxe [...] par Consequent il a eté publié que Si quelqu'un avoit trouvé Le dit paquet ou en pouvoit donner quelque avis, il n'avoit qu'a se presenter au Capitaine Russien nommé Gollowin et il y recevra sa recompense.'; f.89r-90r 'Grüünhoff Le 1er Juillet / Le staroste Polonnois Nakwasky n'a pas laissé que de remettre une Lettre de protestation a la Regence Contre L'entreprise de La Diette, Cependant La Noblesse et la province n'y ont fait aucune attention, mais ont perseveré dans Leur Deliberation, et ont Elû Le 28 du dit d'une voix unanime Le Prince Moritz Comme Successeur et a L'avenir Leur Duc de Curlande [...] Le Prince Cependant tient tous Les jours tables ouvertes et qu'il Entreprendra afaire un tour pour Peteresbourg.'; f.90v bl.; f.91r-91v 'Mr. Montbel. Mr. Glasnap Colonel des Chevaliers Gardes [...] Au commencement cet Empechement ou Defense Royalle ne laissa pas que de mettre Toute la noblesse en Deroute et Confusion.'

[5.21] 'Resolution donnée à St Peteresbourg le 1er Mars 1712'

1 feuille pliée pour former 1 cahier de 2 feuillets, 180 x 239 mm; note moderne 'N 18'

f.92r-93v 'Resolution donnée à St Peteresbourg le 1er Mars 1712 à la Noblesse et Province du duché de Liefland sur les points qu'ils ont presenté. / Premier point. / La Noblesse et province doivent toujours Suivant la teneur de la Confirmation etre tranquilles et maintenus [sic] dans leurs anciens Privileges et franchises [...] Que cette translation est Conforme et pareille a l'original de Russie, est attesté de mon seing. / Abraham Weseloffsky / Secretaire des depeches Etrangeres'

Contient 13 points.

[5.22] 'Conseil de Guerre & disposition de l'armée des Russes à la Bataille de Pultawa'

3 feuilles pliées pour former 1 cahier de 6 feuillets, 130 x 190 mm; note moderne 'N 19'

f.94r-98r 'Conseil de Guerre & disposition de l'armée des Russes à la Bataille de Pultawa. / Avant la bataille de *Pultawa* les armées de *Charles* XII Roi de Suede avaient toujours eté victorieuses. [...] Les Russes, qui n'etoient pas accoutumés a vaincre, N'oserent les suivre, & les Suedois se retirerent à Vanderoute jusqu'au Boristene ou ils furent tous faits prisonniers.'; f.98v-99v bl.

[5.23] 'Compliment que le Czaar fit à sa Majesté Britannique'

1 feuille pliée pour former 1 cahier de 2 feuillets, 173 x 256 mm

f.100r 'Compliment que le Czaar fit à sa Majesté Britannique a Utrecht le 8bre 1691 / Tres renommé Empereur / Ce n'a point esté le desir de voir les villes fameuses de l'Empire d'Allemagne, ou la plus puissante Republique de l'Univers qui m'a fait laisser mon Trône et mes Armées victorieuses pour venir dans un païs esloigné: ça esté uniquement la vehemente passion de visiter le plus brave et le plus genereux Heros du Siècle [...] et les feray enregistrer dans les plus precieux Regitres [*sic*] de mon empire pour estre un temoignage perpetuel de l'estime que iay pour le plus digne des Rois'; f.101r bl.; f.101v note 'Compliment du Czaar au Roy d'Angleterre 8bre 1697.'

[5.24] [Note sur l'impératrice Catherine 1ère]

1 feuille pliée pour former 1 cahier de 2 feuillets, 184 x 247 mm; note moderne 'N 21'

f.102r-103r [Note sur l'impératrice Catherine 1ère] 'Quant à l'origine de cette Princesse, les opinions des auteurs étrangers là dessus sont aussi fausses que differentes. Il est certain qu'elle est issuë d'une famille noble de Lithuanie. [...] L'Imperatrice Catherine avant la publication de son mariage ne fut appellée autrement, que Hossouderina Catherine Alexewna.'; f.103v bl.

[5.25] 'Extrait d'une Relation de Petersbourg du 20 May 1727'

1 feuille pliée pour former 1 cahier de 2 feuillets, 184 x 242 mm; note moderne 'N 22'

f.104r-105v 'Extrait d'une Relation de Petersbourg du 20 May 1727 / L'Imperatrice s'etant trouvée il y a quelques tems attaqueé d'une espece d'oppression de poitrine, l'on crut le sujet et les suittes de cette Incommodité moins à craindre qu'elles n'étoient en effet [...] L'on doit inviter l'Empereur Romain a la garantie De la tenue des dispositions de Sa ditte majesté.'

Maladie, mort et testament de l'impératrice Catherine.

[5.26] 'Extrait Des 16 points en lesquels Consiste Le Testament de Sa Majesté Czarienne Catherine Alexiewna'

1 feuille pliée pour former 1 cahier de 2 feuillets, 182 x 240 mm; note moderne 'N 23'

f.106r-107v 'Extrait Des 16 points en lesquels Consiste Le Testament de Sa Majesté Czarienne Catherine Alexiewna Soussigné avant son decés Le 17 may 1727 / 1 / Le fils du grand duc Pierre Alexiewitz imperial doit Etre notre Successeur et regner avec le meme pouvoir et Souveraineté, que nous avons regné. [...] On Postulera La Garantie de S. M. L'Empereur romain sur Les points, et testament cy dessus mentionnés.'

[5.27] 'Testament De Sa Majesté Czaarienne Catherine Alexie-wena'

1 feuille pliée pour former 1 cahier de 2 feuillets, 182 x 240 mm; note moderne 'N 24'

f.108r-109v 'Testament De Sa Majesté Czaarienne Catherine Alexiewena Mourante Le 6/17 May 1727 / I^{mo} / Le grand Prince Pierre Alexiewitz doit etre successeur [...] St Peteresbourg / Le 6 may 1727 / Catharina'

Contient 16 points.

[5.28] [Edit de Pierre Ier ordonnant le couronnement de son épouse]

1 feuille pliée pour former 1 cahier de 2 feuillets, 180 x 240 mm; note moderne 'N 25'

f.110r-v [Edit de Pierre Ier ordonnant le couronnement de son épouse] 'Nous Pierre Premier Empereur regnant en personne La Russie, faisons Sçavoir [...] St Peteresbourg Le 15 novembre 1723. Petrus.'; f.111r-v bl.

[5.29] 'Edits de S. M. Czarienne'

6 feuilles pliées pour former 1 cahier de 12 feuillets, 175 x 240 mm; note moderne f.112r 'N 26'

f.112r-115r 'Edits de S. M. Czarienne Publiés a St Peteresbourg. / L'année 1714. / 1 Etablissement d'une Charge de fiscale [...] Les bourgeois des Villes ne porteront plus de grandes barbes et l'on ne fera plus d'habits Russiens, ny bottes, et on n'en vendra n'y portera, sous peine de Galeres. Le 29 xbre.' (23 édits); f.115r-116v 'Edits Czariens Publiés a St. Peteresbourg l'an 1715. / 1 Les gages dont jouissent Les Gouverneurs, vice-gouverneurs, juges De la province [...] Que ceux qui demeurent le long du Rivage de St. Peteresbourg du fleuve Neva aussi bien que ceux du long des Canaux Nouvellement faits, planteront des paux sous peine de perdre leurs Maisons. Le 8 Novembre.' (15 édits); f.117r-117v 'Edits Czariens publiés a St.

Peteresbourg l'an 1716 / 1 Que bruler de l'eau de Vie Seroit, Comme Cy devant permis, Cependant que la Chaudiere [...] et les bourguemaitres des grandes et petites Villes en Choisiront les plus riches, et leurs [sic] feront preter Serment, qu'ils Se rendront a St. Peteresbourg pour y habiter et S'y Establir. le 20 Novembre.' (6 édits); f.118r-119r 'Edits Czariens Publiés a St. Peteresbourg l'an 1717. / 1 Tous les Brocards Etrangers d'or ou d'argent [...] Que ceux qui demeurent le long du Rivage de Saint Peteresbourg du fleuve Neva, aussi bien que Ceux du long des Canaux Nouvellement faits, planteront des paux, sous peine de Perdre leurs Maisons. le 8 Novembre.' (15 édits); f.119r-123r 'Edits Czariens de l'année 1718. / 1 Les Mauvais et opiniatres debiteurs, qui n'ont point a païer au public ou même aux Créanciers particuliers, doivent après Le delai à eux accordé, échû, être Liés et remis ès mains du Créancier [...] De la Construction d'un Nouveau Canal du Wolchou à la Neva, pour Eviter les voïages perilleux par la mer Ladoga. Combien de Monde il sera livré des villages, des Ecclesiastiques et des Seculiers, pour cet ouvrage par année, et Du salaire, qu'on leurs [sic] Donnera.' (29 édits); f.123v bl.

[5.30] 'Genealogie des Grands Ducs' [par Hakluyt]

6 feuilles pliées pour former 1 cahier de 12 feuillets, 160 x 220 mm; note moderne f.124r 'N 27'

f.124r-134r (paginés 1-21) 'Genealogie des Grands Ducs / Ex. Hackluit Colleone / p.221 La maison de Bela pretend tirer son origine d'Auguste. Cet empereur eut plusieurs freres a qui il confia des gouvernemens de provinces, entre autres un nommé *Prussus* qui donna son nom a La Prusse [...] Les privileges acordez par Jvan basilowits a La compagnie angloise sont confirmez par son fils Fodor en 1596.'; f.134v-135v bl.

Extraits des pages 223, 227, 265, 285, 319, 320, 378, 406; 'mœurs et ceremonies Des Russes tirées de la description De Russie'.

[5.31] [Etablissement du christianisme en Russie]

5 feuilles pliées pour former 1 cahier de 10 feuillets, 166 x 218 mm; note moderne f.136r 'N 28'; fragment d'un texte plus long

f.136r-145v (paginés 3-22) [Etablissement du christianisme en Russie] 'Quoiqu'il ne soit pas douteux qu'elle a beaucoup contribué a etablir La Religion cretienne dans cet Empire il est pourtant certain que Le christianisme avoit eté receu auparavant chez Les Esclavons, ou Russes du midi, comme Les

Kioviens, sinon universellement, au moins par plusieurs [...] Ils [les mahométans] ont dans toutes les villes et villages de [sic] Lieux publiqs d'assemblées et des Ecoles, et il Leur est permis d'avoir plusieurs femmes suivant Les principes de Leur Religion, et de se transporter a' (le texte s'arrête ici)

[5.32] 'Extrait de L'Etat de La Russie sous Le Regne d'Alexis Michaelowitz' [par S. Collins]

12 feuilles pliées pour former 2 cahiers chacun de 12 feuillets, 158 x 216 mm; écrit sur 1 colonne avec des notes marginales; note moderne f.146r 'N 29'

f.146r-165r (paginés 1-39) 'Extrait de L'Etat de La Russie sous Le Regne d'Alexis Michaelowitz par un Anonime Anglois imprimé a Londres en 1671 / L'auteur de cet Etat de La Russie n'est point nommé dans La preface. On i voit simplemᵗ que c'est un ouvrage posthume auquel il n'avoit point mis la derniere main, qu'il a vecu neuf ans en Russie au Service D'Alexis, dont il a sceu meriter les bonnes graces [...] Ils [les Hollandais] tournent les Anglois en ridicules [sic] par des libelles, ou des estampes satiriques, en un mot ils n'obmettent rien de tout ce qui peut les acrediter a nos depens / Fin de L'anonime'; f.165v-169v bl.

> Caractère des Russes, avec note: 'L'on omettra ici tout ce qui a eté dit cy-devant.'; mariages; enfants; jeûne; patriarche; carnaval; images; musique et danse; Circasses; Ivan Basilowits; armes de Russie; czarevitz Alexis; l'impératrice; usage étrange; Kremelin; justice; Krimées; Calmouques; vérole; Michel Romanov; Alexis Michaelowitz; Boris Morosov; Elia; Alexis sa personne; manufactures, maisons de travail; Obrasaukski ou Preobrasinski; Bogdan Matweidg; commerce.

[5.33] 'Elevation de Romanow'

6 feuilles pliées pour former 1 cahier de 12 feuillets, 183 x 237 mm; note ancienne f.170r en haut à gauche 'A double', note moderne 'N 30'

f.170r-181v (paginés 1-24) 'Extrait de M. De Strahlemberg page 198 / Elevation de Romanow / L'on a dit ailleurs de quelle maniere Boris Gudnow se fit faire une espece de violence pour accepter la couronne de Russie. Ses refus reiterez eurent pour luy cet avantage que les Etats en luy conferant le pouvoir souverain ne stipulerent aucunes conditions [...] Alors elle se reduisit a les suplier de prendre au moins sous leur curatelle un jeune homme' (le texte s'arrête au milieu)

[5.34] 'Elévation de Romanow'

7 feuilles pliées pour former 1 cahier de 14 feuillets, 185 x 240 mm; note ancienne f.185r en haut à gauche 'A Double', note moderne f.182r 'N° 31'

f.182r 'Extrait de Stralhembert / Elévation de Romanow'; f.182v-184v bl.; f.185r-195r (paginés 1-22) 'Extrait de M. De Strahlemberg page 198 / Elevation de Romanow / L'on a dit ailleurs [...] L'on songea bientot après a donner une Epouse au jeune Czar. La maniere de marier les Princes dans ce pays la, et si peu connue en Europe, qu'on me scaura gré d'en raporter les circonstances. / Tout le monde sçait, que les Monarques de Russie se sont rarement alliés avec les Princes Etrangers.' (copie de la pièce précédente; contrairement à celle-ci elle est complète); f.195v 'Extrait de Strahlemberg / Elevation de Romanow'

Voir ci-dessus, 5.33.

[5.35] 'Revolutions arrivées en Russie apres La mort D'Ivan Basilowitz'

12 feuilles pliées pour former 2 cahiers chacun de 12 feuillets, 185 x 240 mm; note moderne f.196r 'N 32'

f.196r-216r (paginés 1-41) 'Ex collect. P. Purchassi. pag.738 / Revolutions arrivées en Russie apres La mort D'Ivan Basilowitz / Le Regne D'Ivan Basilowitz et Les actions de ce prince ne sont parvenuës jusqu'a nous que par Le ministere de gens interessez et passionez, en sorte que rien n'est plus dificile que de parvenir a une connoissance exacte de La verité. [...] D'autres plus moderez convenoient qu'il etoit né noble, mais que pour echaper a La punition d'un crime qu'il avoit commis, il s'etoit jetté dans un monastere, et que La il avoit apris d'un vieux moine nommé *Grisca* a joüer Le personage de Demetrius.'; f.216v-219v bl.

[5.36] [Annales de la Russie]

8 feuilles pliées pour former 3 cahiers de 6, 6 et 4 feuillets, 185 x 240 mm; note moderne f.220r 'N 35'; fragment d'un texte plus long

f.220r-233r (paginés 13-39) [Annales de la Russie] 'La Russie un avantage Sans Lequel tous les autres ne sont rien. La Lumiere De L'Evangile n'avoit point penetré jusques la ou si elle avoit penetré, il n'en restoit pas de vestiges. Ce glorieux ouvrage etoit destiné a Ocha princesse de Russie comparable dans les premieres années de son Regne a Semiramis [...] Cette observation fait sans doute honeur a cette princesse et aux capitaines qui furent employez par Ivan. Mais elle Laisse a ce prince toute La gloire d'avoir scu suivre de bons conseils, et faire un choix judicieux des depositaires de son autorité. Deux qualitez qui sufisent seules pour La Splendeur et Le bonheur d'une monarchie.'; f.233v-235v bl.

Ocha; Volodomir I; Volodomir II; Wsevolode; domination des Tartares; Moskwa capitale; Daniel; Tamerlan; Basile Dimitrovitz; Ivan.

[5.37]   [Annales de la Russie]

9 feuilles pliées pour former 4 cahiers de 4, 6, 6 et 2 feuillets, 166 x 216 mm; note moderne f.236r 'N 34'; copie de la pièce 36 exécutée quand celle-ci était plus complète; commence plus tôt, s'arrête plus tôt

f.236r-252v (les pages impaires paginées 3-37) 'preparent et assurent ses conquêtes. Les progrés continuent, et le Cercle s'etend jusqu'a ce qu'il se trouve arrêté par les bornes dont nous venons de parler: Ces bornes même sont des obstacles impuissans lorsque les parties qui composent ce nouveau tout, on[t] eu le tems de se lier et de s'affermir [...] De la ce Prince [Ivan] tourna ses armes contre les Livoniens; ces voisins inquiets qui avoient tant de fois harcelé et vaincu'; f.253r-v bl.

Etendue de la Russie; anciennement habité par les Scythes; Ruric; Ocha, etc.

[5.38]   [Annales de la Russie]

2 feuilles pliées pour former 1 cahier de 4 feuillets; une version remaniée des f.231v-233r (5.36); le texte va plus loin que la pièce 37 à son état actuel; cette version a été remaniée avant d'être recopiée; d'autres corrections y sont portées

f.254r-255r (paginés 25-27) 'encore reservé. Les Tartares vaincus et défaits furent obligés une derniere fois de repasser le Wolga et d'abandonner la Russie; hors d'etat pour longtems, d'en troubler la tranquillité et même de lui faire ombrage. [...] Les premiers Successeurs de Ruric avoient fait des conquêtes, mais sans en assurer la durée. Les divisions de leurs descendans ne permirent pas a la Russie de prendre une forme solide de gouvernement'; f.255v-257v bl.

Comparaison des deux textes:

N° 36
'La monarchie des Russes etoit alors en etat de se suffire a elle même. Les plus dangereux et les plus opiniatres de ses voisins etoient reprimez, et confinez dans leurs anciennes Limites. Par la reunion des souverainetez demembrées, elle avoit acquis une plus grande etenduë, de nouvelles villes, un plus grand nombre d'hommes. Mais il manquoit encore a la satisfaction D'Ivan de reunir a'

N° 38
'La Monarchie des Russes se vit alors en situation de se suffire d'elle même. Les plus dangereux de ses voisins etoient reprimés, et confinés dans leurs anciennes limites. Par la reunion de tant de souverainetés, elle avoit aquis de l'etendue, des villes, des hommes, et si ce qu'on dit de la conquete de la Grande Nowograd est vray Iwan avoit amassé des richesses immenses. Mais au milieu de cette prosperité il manquoit encore à la satisfaction de Iwan de retirer de ses autres Voisins tout ce qu'ils avaient arraché'

[5.39]   [Plan du Saboy]

1 feuille, 390 x 295 mm

f.258r [Plan du Saboy à Moscou, avec explication en allemand]; f.258v bl.

Voir ci-dessus, 2.25.

[5.40]   [Mémoire de Vockerodt]

86 feuilles pliées pour former des cahiers d'un total de 86 feuillets; note moderne f.259r 'N 37'

f.259r-344r (f.260r-344r paginés 3-171) [Mémoire de Vockerodt, traduit en français par les soins de Frédéric II et transmis à Voltaire en 1737; en réponse aux questions posées par lui] / 'Les Russes sont-ils aussi grossiers et aussi féroces qu'on le dit. / Les Russes sont extrèmement préoccupés en faveur de leur nation, ils condamnent les coutumes et la façon de vivre des autres Peuples, quelques louables qu'elles soient en effet. [...] Quelque aversion qu'ait le peuple Russe pour le Système de la Cour et le pouvoir excessif que se sont arrogés des Etrangers, cependant personne n'a le courage de resister à la Cour. On ne peut pas juger de ce qui arrivera dans l'avenir, et s'il ne se trouvera pas quelque bon citoyen qui representera au souverain le poids accablant sous lequel le peuple gémit.'; f.344*v* bl.

Questions posées par Voltaire: 'Les Russes sont-ils aussi grossiers et aussi féroces qu'on le dit.' (réponse f.259*r*-260*v*); 'Quels sont les changemens principaux que Pierre I. a fait dans la Religion.' (f.260*v*-271*r*); 'Changemens qu'a fait Pierre I. par raport au Gouvernement de ses Etats.' (f.271*v*-280*v*); 'Changemens utiles de Pierre I. dans le Militaire.' (f.281*r*-297*v*); 'Nouveaux et Utiles reglemens de Pierre I. par raport au Gouvernement du Commerce.' (f.297*v*-316*r*); 'Ouvrages publics, Canaux qui communiquent avec la Mer, Villes nouvelles, Forts, Edifices bâtis, entrepris ou projettés par Pierre I.' (f.316*r*-325*r*); 'Quelles sont les Colonies qui du tems de Pierre I. sont sorties de Russie, et avec quel succès elles ont été établies.' (f.325*r*-332*v*); 'Quels ont été les progrès des Russes dans les Sciences sous Pierre I., quels établissemens ont été faits à cet égard, et quelle est l'utilité qu'on en remarque.' (f.333*r*-335*v*); 'Jusqu'à quel point les Russes ont changés par rapport aux Habillemens, aux Mœurs, Coutumes et Inclinations.' (f.336*r*-240*r*); 'La Russie est-elle plus peuplée qu'Elle ne l'étoit autrefois' (f.340*r*-342*r*); 'Quel est le nombre des Habitans de Russie; Combien il y a d'Ecclésiastiques.' (f.342*r*-342*v*); 'Combien la Russie rapporte t'elle d'argent.' (f.343*r*-344*r*).

[TOME VI]

Un cahier séparé non relié. Une ancienne numérotation suggère qu'à un moment il a été envisagé de l'incorporer au volume 2 de ces manuscrits mais il y a aussi une autre numérotation plus ancienne. Nous le traitons à part tout en adoptant le foliotage moderne qui assimile ce recueil au tome 2.

[6.1] 'Genéalogie du Czar'

1 feuille pliée pour former 1 cahier de 2 feuillets, 238 x 355 mm; notes anciennes f.355*r* en haut à gauche 'No 35.', en haut à droite 'Suite de n°. 9')

f.355*r* 'Genéalogie du Czar' de la main de Wagnière; f.355*v*-356*v* 'Suite de la Table génealogique de la famille Imperiale regnante.'

[6.2] 'à Dechiffrer'

1 feuille pliée pour former 1 cahier de 2 feuillets, 245 x 380 mm; note ancienne f.357*r* en haut à gauche 'N 36.'

f.357r 'à Dechiffrer'; f.357v-358r [table d'équivalents pour déchiffrer des textes codés (par exemple, 1 signifie 'nulles', 2 'icy')]; f.358v bl.

[6.3]   'Etat abregé de l'Armée Russienne dans l'Année 1725'

1 feuille pliée pour former 1 cahier de 2 feuillets, 235 x 375 mm; notes ancienned f.359r en haut à gauche 'n°. 16.' et 'N° 37.'

f.359r 'Etat abregé de l'Armée Russienne dans l'Année 1725.'; f.359v-360r [tableau]; f.360v bl.

[6.4]   'Repartition des Regimens'

2 feuilles pliées pour former 1 cahier de 4 feuillets, 235 x 375 mm; note ancienne f.361r en haut au centre 'n° 17'

f.361r 'Repartition des Regimens dans les Gouvernemens et provinces qui sont obligés de fournir à leur entretien par la Capitation etablie.'; f.361r-363v [tableau]; f.364r [remarques sur ce sujet]; f.364v bl.

[6.5]   'Reglement, pour fixer le nombre des Officiers'

1 feuillet, 235 x 375 mm; note ancienne f.365r en haut au centre 'n° 21'

f.365r 'Reglement, pour fixer le nombre des Officiers et de l'Equippage de chaque vaisseau suivant son Rang.'; f.365v bl.

[6.6]   'Note sur les Mariages avec Etrangers'

1 feuille, 235 x 375 mm; notes anciennes f.366r en haut à gauche '5' et 'N° 38'

f.366r-v 'Note sur les Mariages avec Etrangers. / Princesses etrangeres, qui ont epousé de Grands Ducs et Princes de Russsie / Anne, fille de Basile [...] Marie Niece du Tsar Iwan Wassilieevitsch mariée à Magnus Duc de Holstein en 1574.'

[6.7]   'Description abregée de la Russie'

3 feuilles pliées pour former 1 cahier de 6 feuillets, 235 x 375 mm; notes anciennes f.367r en haut à gauche 'N°. 3' et 'N° 39'

f.367r-372v 'Description abregée de la Russie. / Quelques auteurs l'appellent encore à présent Moscovie par un [sic] erreur [...] Ses Mines lui donnent le droit d'etre une Province particuliere.'

[6.8] 'Memoire abregé sur les Sämojedes et les Lappons' [par Timothée Merzahn von Klingstöd]

3 feuilles pliées pour former 1 cahier de 6 feuillets, 235 x 375 mm; notes anciennes f.373r en haut à gauche 'N°. 4.' et 'N° 40.'

f.373r-[376A]r 'Memoire abregé sur les Sämojedes et les Lappons / Les Sämojedes occupent l'étendue de plus de trente degrés [...] publie un Memoire beaucoup plus ample sur ces deux nations, dont celui-ci n'est qu'un extrait.'; f.[376A]v-[376B]v bl.

[6.9] 'Description de S. Petersbourg et de ses environs'

5 feuillets, 235 x 375 mm; notes anciennes f.377r en haut à gauche 'N°. 5.' et 'N° 41'

f.377r-381r 'Description de S. Petersbourg et de ses environs / S^t. Petersbourg est la nouvelle Capitale de l'Empire de Russie. [...] C'est Pierre le Grand, qui a commencé ce grand ouvrage, et l'Impératrice Elisabeth l'a amenée à son point de perfection en l'année 1752.'; f.381v bl.

[6.10] 'Description de la ville de Moscou'

2 feuillets, respectivement 232 x 375 mm et 232 x 335 mm; notes anciennes f.382r en haut à gauche 'N° 6.' et 'N^ro 42'

f.382r-383r 'Description de la ville de Moscou / Cette Ville qui cidevant étoit la residence des Grands Ducs et Tsars de Russie [...] Independamment de l'Université il y a encor un college dans le Monastère de Spaski.'

[6.11] 'Memoire sur la premiere revolte des Strélitz' [par Lomonossov]

8 feuillets, le premier de 232 x 330 mm, les autres de 232 x 374 mm; notes anciennes f.384r en haut à gauche 'No. 7.' et 'N 43'

f.384r-391v 'Memoire sur la premiere revolte des Strélitz en 1682. / Le chagrin, que causa au Tsar Fedor Alexéewitsch la mort de sa premiere epouse [...] Ces deux Princes furent couronnés par le Patriarche Joakim le 25/6 de Juillet [au-dessus 'juin', d'une autre écriture] 1682.'

[6.12] 'Seconde Revolte des Strélitz' [par Lomonossov]

4 feuillets, 233 x 373 mm; notes anciennes f.392r en haut à gauche 'N° 44.' et 'Ao 1682.'; en haut à droite 'N°. 8.'

f.392r-395v 'Seconde Revolte des Strélitz / Le Knés Chovanskoi étoit secretement de la secte de l'archipretre Abbakum [...] C'est ainsi que finit cette revolte.'

Le récit de la troisième révolte commence f.393v.

[6.13]   'Régence de la princesse Sophie' [par Lomonossov]

5 feuillets, 235 x 375 mm; note ancienne f.396r en haut à gauche 'N^ro 45'

f.396r-400v 'Régence de la princesse Sophie. / Le Tsar Jean Alexéewitsch étoit né infirme. [...] quelques années après leur nom même fut pour ainsi dire éteint. NB. Les memoires concernant ces cinq revoltes des Strélitz, ne contiennent que des faits autentiques. Mais en revanche le stile en est très peu chatié. La brieveté du tems n'a pas permis de faire mieux.'

APPENDICE III

Considérations sur l'état de la Russie sous Pierre Ier

En août 1737, Frédéric de Prusse charge un secrétaire de la cour, Johann Gotthilf Vockerodt, qui a passé dix-huit ans en Russie, de répondre aux douze questions de Voltaire concernant la Russie. Le 13 novembre, Frédéric fait parvenir à Voltaire les réponses de Vockerodt. Pour plus de détails sur Vockerodt qui, selon Klioutchevski, avait réuni une 'documentation solide sur la Russie' (*Pierre le Grand*, p.108), voir P. Brüne, 'Johann Gotthilf Vockerodts Einfluss auf das Russlandbild Voltaires und Friedrichs II.', *Zeitschrift für Slawistik* 39 (1994); et ci-dessus, *Anecdotes*, p.11-12, 18-20, 28-29.

Cette traduction française du mémoire de Vockerodt se trouve parmi les manuscrits de Voltaire, MS 5-40 (voir ci-dessus, app. II). Une copie du manuscrit envoyé à Voltaire est conservée à la Bibliothèque municipale de Reims (MS 2150, p.129-213). Probablement exécutée sur place à Cirey, elle est de la main de Louis-François-Toussaint Du Raget de Champbonin, dit Champbonin fils, qui a copié de nombreux textes de Voltaire à cette époque. Le texte en a paru dans les *Œuvres posthumes du roi de Prusse* (Berlin 1791). L'original, *Erörterungen einiger Fragen, die unter Peters I. Regierung in Russland vorgegangenen Veränderungen betreffend*, a été édité plus tard, par E. Herrmann, dans les *Zeitgenössische Berichte zur Geschichte Russlands* (Leipzig 1872).

Notre texte de base est le manuscrit de Reims. Nous donnons dans l'apparat critique les variantes de la version imprimée (c), ainsi que, pour les questions de Voltaire, celles du MS 5-40 (ici: MS2). Le texte du manuscrit a été modernisé. Nous avons respecté l'orthographe des noms propres de personnes et de lieux, ainsi que celle des titres et mots russes. Nous mettons une majuscule aux noms propres de personnes, de lieux et de peuples là où elle manque.

Considérations sur l'état de la Russie sous Pierre Ier

Question Première.

Les Russes sont-ils aussi grossiers et aussi féroces qu'on le dit?

Réponse.

Les Russes sont extrêmement préoccupés en faveur de leur nation. Ils condamnent les coutumes, et la façon de vivre des autres peuples, quelques louables, qu'elles soient en effet. L'amour aveugle pour leur patrie, est le seul motif, qui détermine leur jugement. Fussent-ils même   5 convaincus de l'utilité d'une découverte, ils la méprisent, dès qu'elle vient des étrangers. Ils ne veulent que ce qui produit un réel avantage, et immédiat. La culture de l'esprit, est un soin, qu'ils traitent de fou et d'extravagant. On peut donc, sans leur faire tort, assurer qu'ils pouvaient passer sur la fin du dernier siècle, pour une nation la plus impolie, qu'il   10 y eût en Europe, même en Asie. Ils ont une politesse, d'un goût assez particulier, qu'on a soin de leur inculquer. Il n'est point, après les Chinois, de peuple aussi complimenteur, que le russe, surtout ceux de

b   c: Pierre le Grand//
2   c: extrêmement prévenus en
4   c: aveugle de leur
5-6   c: Fussent-ils convaincus
7-8   c: un avantage réel et
8-9   c: de folie et d'extravagance. On
10   c: pour la nation
11   c: Europe, et même
12-13   c: après le peuple chinois, de [...] que les Russes, surtout

l'Ukranie. Les Tartares, ou les Hodes, [1] qui anciennement les ont vaincus, ont introduit cette manière de vivre, à laquelle la cour même n'a pu se soustraire. Est-il donc surprenant, que ceux qui vont à Moscou, traitent ce peuple, de barbare et de féroce? L'air méprisant qu'ils affectent avec l'étranger, même avec les ministres des souverains, qu'ils croient fort inférieurs à celui qui les gouverne, cet air, dis-je, n'a pas peu contribué à inspirer pour eux, de l'éloignement.

Le Français qui s'est avisé de dire, que le Moscovite était précisément, l'homme de Platon, animal sans plumes auquel rien ne manquait pour être homme, que la propreté, et le bon sens, a porté sur cette nation, un jugement précipité. [2] On n'a qu'à feuilleter l'histoire de ce pays, pour se convaincre que les Russes, qui ont précédé le règne de Pierre 1er n'étaient pas sans génie. A quel état, toute l'ambition démesurée du gouverneur, n'avait-elle pas réduit tout ce vaste pays? La Pologne y semait la division. Il était entièrement molesté par les ennemis. Il en avait beaucoup à combattre au dehors. Les Polonais s'étaient emparés de Moscou, les Suedois de Novgrod. Les Russes remédient à ces maux, sans employer le secours de personne, sans consulter de ministre étranger. Ils chassent les ennemis qui les désolaient; ils affermissent l'empire qui chancelait, et dans l'espace de cinquante ans, ils reprennent les provinces qu'ils avaient perdues, qui s'étendaient jusqu'à l'Ingremanie, une partie de la Carelie, et ne laissent aux Polonais, que Schemonelicho, Kioio, Cyernicho et la Severie. Ils obligent la Porte ottomane, qui était alors dans toute sa splendeur, à leur abandonner les Cosaques, et toute l'Ukranie. De tels

18-19   c: même à l'égard des ministres qu'ils croient très inférieurs
22   c: animal à deux pieds et sans plumes auquel il ne
26-27   c: état l'ambition démesurée du gouvernement n'avait-elle pas réduit ce
28   c: était molesté par ses ennemis
30-36   c: Russes remédièrent à [...] consulter des ministres étrangers. Ils chassèrent les [...] ils affermirent l'empire [...] cinquante années, ils reprirent les [...] perdues et qui [...] ne laissèrent aux Polonais que Smolensko, Kiow, Tschernigof et la Servie. Ils obligèrent la Porte

[1] Sans doute faut-il lire: les hordes.
[2] Quel Français? Jubé contestait aussi cette opinion (*La Religion, les mœurs et les usages des Moscovites*, p.79).

événements, se sont passés sous des princes qui ne se distinguaient, ni par le courage, ni par les talents de l'esprit, moins encore par l'ancienneté de leur noblesse, puisque Nichel, leur premier czar,[3] eût eu de la peine à fournir les quartiers nécessaires, pour jouir des prérogatives, dont la noblesse, jouit en Allemagne. Des projets tels que sont ceux dont nous parlons, pouvaient-ils être conçus, par des personnes destituées de génie, encore moins exécutés.   40

Que celui qui ne peut se résoudre, à parcourir l'histoire des Russes, considère les actions d'un paysan de ce pays, qui certainement n'a pas été du nombre de ceux que Pierre Ier avait destinés de civiliser, il apercevra facilement, qu'en général, le Russe, à moins qu'il ne soit préoccupé, soit en faveur de sa religion ou de sa patrie, est pénétrant; qu'il comprend facilement ce qu'on lui dit, qu'il parvient adroitement à son but; qu'il a le talent de s'énoncer; qu'il ne perd jamais son intérêt de vue; qu'il l'emporte même à cet égard sur le commun peuple d'Allemagne, et d'autres pays. Pour juger facilement des Russes, il ne faut pas faire attention aux coutumes du pays, mais apprendre leur langue, les fréquenter et commercer avec eux. Ils paraissent simples, même niais, mais ils cachent sous cet extérieur propre à en imposer, beaucoup de pénétration, d'attention à profiter du faible qu'ils entrevoient, dans celui avec lequel ils négocient. C'est pour cette raison, qu'il arrive ordinairement que l'étranger est dupe. Ceux qui se sont engagés au service de la Russie, ont appris à leurs dépens, la vérité de ce que   45 50 55 60

40   c: leur extraction; puisque
41-44   c: prérogatives de la noblesse en Allemagne. Des projets tels que ceux dont nous venons de parler, pouvaient-ils être conçus, encore moins exécutés, par des hommes destitués de génie? //
45-46   c: l'histoire de Russie considère
46-47   c: d'un simple paysan qui certainement n'était pas du
47   c: avait résolu de
48-49   c: soit prévenu, soit
53   c: et des autres
       c: juger sainement des
60   c: de Russie

[3] Michel Romanov est le premier tsar de la dynastie des Romanov. Mais le premier tsar, en Russie, est Ivan IV.

j'avance, et c'est ce que confirment Pufendorff, dans la vie de Charles Gustave,[4] et d'autres écrivains, qui se sont plaints, de la mauvaise foi, et de l'esprit de chicane, de cette nation.

Question 2e.

Quels sont les changements capitaux que Pierre 1er a faits dans la religion?

Réponse.

Il n'a fait aucune innovation dans l'essentiel de la religion des Russes. Il a, au contraire, témoigné toujours y être fortement attaché. Son zèle a été jusqu'à persécuter, et faire brûler certains schismatiques, nommés *roskolsevithes*,[5] qui sous le règne de son père, s'étaient séparés du corps de l'Eglise, et avaient établi des cérémonies différentes, et très peu raisonnables.

On commença à se servir sous Pierre 1er dans l'article de l'eucharistie du mot *presiecsizestolencie*,[6] ou *transsubstantiation* à la place du mot *pretres renie*,[7] *transmutation*, dont on se servait auparavant. On adoucit dans le petit catéchisme qu'il fit imprimer, l'article de l'adoration des images, qu'on n'envisageait que comme une simple action de civilité. Après la mort du czar, les prêtres ont rétabli l'article que l'archevêque de Novogrod avait changé, et le mot de *transmutation*, a obtenu de nouveau

1 MS2: changements principaux que
3 C: innovation essentielle dans la
4 C: témoigné y être toujours fortement
10-11 C: mot *transsubstantiation*, à la place de ceux *prêtre renie transmutation*
13 C: qu'on envisageait comme

[4] Samuel von Pufendorf, *Commentarii de rebus Suecicis, ab expeditione Gustavi-Adolphi usque ad abdicationem Christinae* (Utrecht 1686). La traduction française (*Histoire de Suède*) paraîtra à Amsterdam en 1748.
[5] Les raskolniks (voir glossaire).
[6] *Presouchtchestvlenie*.
[7] *Pretvorenie*.

sa place, par des prêtres russes, qui avaient étudié en Pologne, et qui favorisaient l'Eglise romaine. On conniva à ce changement.

La doctrine de l'Eglise russe, est encore jusqu'à présent conforme à l'Eglise grecque, et on regarde comme un livre symbolique la confession de l'Eglise orientale, dont les articles ont été dressés dans le siècle passé, 20 par une assemblée de quelques ecclésiastiques grecs, et des évêques de Russie, formée à Moscou.

Le czar Pierre Ier a fait un changement capital, par rapport à la hiérarchie, en ce qu'il s'est établi lui seul, premier évêque, et qu'il a supprimé la dignité de patriarche. [8]   25

La Russie n'est parvenue au christianisme, que par le secours des missionnaires de Constantinople, et elle a été soumise au patriarche de cette ville, jusqu'à la fin du seizième siècle. [9] Le métropolitain de Russie, qui siégea d'abord à Kiov, et dans la suite à Moscou, auquel tous les évêques de Russie, étaient soumis, était quelquefois nommé par les czars, 30 et quelquefois par les évêques, mais il fallait toujours que la nomination fût confirmée, par le patriarche de Constantinople, qui recevait tous les appels, en matières ecclésiastiques. Souvent le prince le corrompait, pour abaisser l'orgueil du clergé, ou pour en obtenir ce qu'il souhaitait. L'argent rendait les volontés flexibles. Ce moyen a surtout été efficace, 35 depuis que Constantinople est sous la domination des Turcs.

Si cette manœuvre, était avantageuse au prince de Russie, elle l'était peu au clergé, obligé de respecter un chef, nullement en état, de le protéger, et de le soutenir contre les princes, mal intentionnés. Ces

18-19   c: à celle de l'Eglise
21   c: et d'évêques
33   c: en matière ecclésiastique. Souvent
35-36   ms: été efficacement, depuis [erreur]
38   c: chef, peu en
39   c: contre des souverains mal

[8] Voir *Histoire de Charles XII*, l.527-528 (V 4, p.185) et ci-dessus, *Anecdotes*, l.178-179 et n.47.
[9] Erreur de Vockerodt.

considérations l'obligèrent, à trouver des moyens d'établir un chef, qui   40
eût avec le clergé, les mêmes intérêts. Des tentatives avaient déjà été
faites, sous Ivan Wvasilevich II [10] que les historiens représentent, mal à
propos, comme un tyran. Ce prince pénétra facilement, le but de son
clergé, qui échoua dans son entreprise. Le règne de Feder Ivan Noevicz, [11]
fut pour eux, un temps plus favorable. Ce prince, toujours sur les tours   45
des églises, n'était occupé, qu'à sonner les cloches. Il remit le soin de
gouverner l'Etat, à son premier ministre Boris Godunov. Ce ministre
ambitieux charmé de s'attacher un corps aussi distingué, conniva à leurs
desseins. On fit venir quelques patriarches déposés de l'Orient, qui avec
leur caractère indélébile, se trouvèrent très disposés à soutenir la   50
religieuse intrigue. On assembla une espèce de concile. On établit un
métropolitain de Russie, comme un cinquième patriarche. On secoua le
joug, qu'imposait celui de Constantinople, et on en obtint, par argent,
son consentement.

Godunov qui aspirait à l'empire, prit cependant les précautions   55
nécessaires, pour que la conduite du clergé, ne portât aucun préjudice,
aux successeurs de son maître. Il disposa les choses de manière, qu'à la
première vacance, le clergé ayant le droit de choisir trois candidats, le
prince eût celui d'en nommer un des trois, et de les exclure tous, s'il le
jugeait à propos, en demandant une nouvelle nomination. Après la mort   60
du premier patriarche Job, Godenov fit en sorte, qu'on choisît un certain
Hermogene, homme simple, qui n'avait de mérite, qu'un dévouement
parfait et entier, aux volontés du ministre. Le clergé charmé d'être

---

40   C: trouver les moyens
41   C: intérêts. Ces tentatives
45   C: eux une époque plus
48-49   C: à ses desseins. On fit venir d'Orient quelques patriarches déposés, et qui
50-51   C: trouvèrent prêts à soutenir l'intrigue religieuse. On
53   C: on obtint
59   C: de nommer

---

[10] Ivan IV le Terrible. Le premier Ivan Vassilievitch est son grand-père Ivan III.
[11] Fedor Ivanovitch, fils d'Ivan IV.

parvenu à son but, passa par tout où on voulut, espérant pouvoir, avec le temps, se soustraire de cette contrainte. 65

Le temps semblait, quelques années après, se trouver favorable au dessein projeté. Les troubles occasionnés par le faux Demetrius que les Polonais fomentaient, étant finis, le fils de l'évêque de Rostov, Michel Federovich Romanov, fut élu czar, et l'évêque Filaret, patriarche. L'esprit de domination, l'ambition, ternissaient les qualités éminentes de 70 ce prélat. Il sut tellement profiter de l'autorité, que la nature donne à un père sur son fils, qu'il gouverna despotiquement tout le royaume, et ne laissa à son fils, que la prérogative, du titre de czar. Le fils portait le nom de souverain, le père celui de grand seigneur, qui renferme le même sens, par rapport à l'autorité. Le patriarche avait ses ministres. Il envoyait 75 même en son nom, des ambassadeurs à la république de Pologne, et au patriarche de Constantinople. Il prescrivit un cérémonial au czar, auquel il fallut souscrire. Son autorité n'avait de bornes, que celles que son autorité posait. Il avait le droit de premier suffrage, dans le conseil d'Etat, en sorte que pendant sa vie, soit la paix ou la guerre, ou les 80 affaires civiles, tout dépendait de son consentement. [12]

Cet ambitieux prélat, ne perdit cependant point de vue la qualité dont son fils était revêtu. Il se contenta de conserver pendant sa vie, l'autorité qu'il avait usurpée. Le czar Michel, sentit tout le poids du joug, que cet ecclésiastique lui avait imposé. Il chercha les moyens de le secouer. Le 85 patriarche mort de chagrin, de n'avoir pu réussir dans l'entreprise sur Schosmolaskov, [13] le prince choisit pour successeur, Joseph, [14] abbé d'un

---

64   c: but, en passa par tout ce qu'on
65   c: soustraire à cette
66   c: Le moment sembla, quelques
72   c: despotiquement l'empire, et
75-76 c: patriarche eut ses ministres. Il envoya même
78-79 c: n'eut de bornes, que celles qu'il posa; il
87   c: prince lui choisit

---

[12] Point de vue adopté par Voltaire (I.iii.38).
[13] Smolensk.
[14] Josaphat Ier (1634-1641).

caractère doux, d'un esprit simple, et après la mort de cet abbé, Joseph [15] homme du même caractère, occupa la place, et se donna de garde, de rompre les liens, dans lesquels Godenov, avait tenu le clergé. Ces deux ecclésiastiques n'avaient de volonté, que celle du maître.   90

Le dernier patriarche étant mort, pendant la minorité du czar Alexey Michael Ouvicz, le clergé profita de cette circonstance, pour revêtir de la dignité de patriarche, un certain Nicon. Ce Nicon, travailla à donner à sa dignité, la première splendeur, et à imiter la conduite de Filaret,   95 prétendant les mêmes distinctions. Ce prélat persécuta soigneusement les étrangers, qui n'avaient pas su s'insinuer, dans l'esprit du jeune souverain. S'étant arrogé l'autorité d'un roi, toutes les affaires civiles passaient par ses mains. Aimé et considéré par le peuple, le czar n'osait entreprendre de le déposer, sans avoir recours à l'intrigue. On convoqua   100 un concile à Moscou. On fit venir quelques patriarches de l'Orient, pour contrebalancer le dessein qu'on supposait dans le clergé, pour soutenir son chef. Tout cela se fit à grands frais, de la part du prince. Après la lecture des griefs, qu'on avait contre Nicon, il fut déposé, et enfermé, pour le reste de ses jours, dans un cloître peu éloigné de Moscou. [16]   105

Le czar Alexey, mit à la place du patriarche déposé, un vieillard, [17] d'un esprit extrêmement borné, dont on n'avait rien à craindre, maxime qu'ont exactement observée ses successeurs. On se contentait de leur donner des revenus propres à soutenir l'éclat de la dignité. On leur rendait tous les honneurs, qu'on croyait devoir à leur rang. A peine les   110

88-90   c: abbé, un autre Joseph, du même caractère que le précédent, occupa sa place et s'abstint de rompre
91   c: n'eurent de
94-95   c: à rendre à sa dignité sa première
97   c: pas pu s'insinuer
102   c: supposait au clergé de soutenir
106   c: Alexis remplaça le patriarche déposé par un autre d'un
107-108   c: craindre; maximes qu'ont exactement observées ses
109   c: de leur dignité.
110   c: les hommages qu'on

[15] Iossif (1642-1652).
[16] Voir ci-dessus, I.ii.282-295 et n.76.
[17] Josaphat II (1667-1672).

voit-on paraître dans les différentes révolutions, que Moscou a essuyées. Ils avaient été accoutumés à ne vouloir, que ce que le prince voulait.

Sera-t-on après cela surpris, de voir le dernier patriarche Adrien mort en 1702,[18] de le voir, dis-je, d'un œil tranquille, considérer Pierre Ier qui enferme sa sœur Sophie dans un couvent, exposer sur l'échafaud des ecclésiastiques qui s'étaient mêlés des intrigues d'Etat. Sera-t-on étonné que ce patriarche, souffre paisiblement, qu'on fonde les cloches des églises, pour remettre sur un bon pied, l'artillerie qui avait extrêmement souffert à Narva, qu'il permette à plusieurs personnes, de manger gras, en temps de carême. Il y a plus que tout cela. Le pauvre Adrien, voit sans murmurer, qu'on oblige les hommes, à se priver de l'ornement de la barbe, et à se défigurer, par des habillements, à la française.

Pierre Ier alla plus loin que ses prédécesseurs, dans l'affaiblissement de l'autorité du clergé. Il crut qu'il était plus convenable à ses intérêts, d'abolir entièrement cette dignité et de se faire reconnaître, comme premier et suprême évêque de ses Etats. L'exécution de ce projet, avait ses difficultés. Il fallait trouver le moyen de les lever. Cependant on sollicitait fortement le czar, à remplir cette place. On lui présenta même sous un côté frappant, les malheurs que cette vacance occasionnait. Pierre Ier aperçut bientôt, que tout cela était exagéré, mais comme il fallait du temps, pour exécuter le projet formé, on chercha un homme, qui pût tirer de cet embarras, auquel on pût, en attendant, confier la direction des affaires ecclésiastiques.

115

120

125

130

114   c: 1702, considérer d'un œil tranquille Pierre Ier
115   c: couvent, et envoie à l'échafaud
120   c: en carême. Il y a plus, Adrien
124   c: était convenable
125   c: entièrement la dignité de patriarche, et
127   c: trouver les moyens de
128-129   c: czar de nommer à cette place. On lui représenta même
130   c: Pierre aperçut
131-132   c: le projet, il chercha un homme propre à le tirer d'embarras, et auquel il pût

[18] Erreur: en 1700.

Zalitzkoy,[19] russe, homme du commun, qui avait, peu de temps auparavant, appris l'art de l'imprimerie à Moscou, s'avisa d'établir secrètement, une imprimerie à la campagne, et de publier une brochure, dans laquelle il prouvait, que Pierre le Grand, était l'antéchrist, parce que par l'abolition du droit de porter une longue barbe, il défigurait étrangement, l'image de la divinité, et qu'il permettait qu'on fasse la dissection des cadavres,[20] et que par là, les lois prescrites par l'Eglise, étaient foulées aux pieds.

Zalitzkoy paya chèrement son imprudence. Il fut puni de mort. Etienne Javorsky, moine de Lemberg, venu en Russie pour travailler à son avancement, entreprit la réfutation de la brochure. Quelque mal composé que soit l'ouvrage, qui a été la risée de toute l'Europe, il fut approuvé par Pierre 1er qui le fit réimprimer, et déclara l'auteur, évêque de Resan.[21] L'argument capital, pour prouver, que Pierre 1er n'était point l'antéchrist, c'est que le nombre *666* ne se trouvait point dans son nom.[22] L'évêque avait pour talents, une déclamation outrée, et vraiment jésuitique, un flux de bouche que rien ne pouvait arrêter, mais surtout une soumission aveugle aux ordres de son prince. Ce caractère convenait tellement aux vues du czar, qu'il l'établit exarque.

Ce prince s'aperçut bientôt, combien il s'était trompé dans son jugement, à l'égard de cet homme, peu disposé intérieurement, à favoriser le projet qu'il avait formé. Quoique peu éclairé, le séjour qu'il avait fait

135

140

145

150

155

---

134   C: Grégoire Zalitzkoy, homme
139   C: qu'on fît la
143-144   C: pour son
149   C: avait d'autres talents qu'une
150   C: de paroles que
151   C: ordres du prince

---

[19] Grigori Talitzki. Voir ci-dessus, I.x, n.34.
[20] Voir *Histoire de Charles XII*, 1.546-548 (V 4, p.187).
[21] Voir *Histoire de Charles XII*, 1.551-552 (V 4, p.188).
[22] Voir *Histoire de Charles XII*, 1.548-551 (V 4, p.187-88); et ci-dessus, I.x.156-159 et n.35.

en Pologne, l'avait suffisamment imbu des principes du papisme,[23] sur les droits du clergé, et leur indépendance. Il contrecarra son maître indirectement, mais avec beaucoup de sagacité, sur l'envie qu'il avait de réduire les ecclésiastiques à plus de frugalité, et à diminuer les revenus de l'Eglise. Pierre le Grand, cacha le chagrin, que lui causait la manœuvre de Javorsky. Il ne lui en témoigna aucun ressentiment. Il travailla en attendant avec Procopouvicz, au nouveau système du gouvernement de l'Eglise. 160

Procopouvicz mort l'année dernière 1736 évêque de Nouvogrod, à Petersbourg, était moine du cloître Peczevich à Kiov. Le czar visitant ce cloître, après la bataille de Pultava, eut occasion de le voir. Ce moine, avait dans sa jeunesse, étudié non seulement en Pologne, mais à Rome, d'une manière différente que n'a coutume de le faire la nation russe. Les fraudes pieuses de l'Eglise de Rome, lui étaient tellement connues, qu'il avait conçu de l'horreur pour le papisme. La lecture des livres des protestants, qu'il préférait à ceux des Pères de l'Eglise, y avait aussi contribué. Il se distinguait de ses confrères par beaucoup de modestie, de désintéressement, et d'attachement aux intérêts de sa patrie. Le czar l'ayant entendu discourir, sur le gouvernement de l'Eglise, trouva le système de ce moine conforme au sien. La guerre de Suede, ne permettait pas à ce prince de penser alors au projet. Il se contenta de placer Procopouvitz à Kiov, et de s'entretenir avec lui, par lettres, à ce sujet. 165 170 175

158   c: beaucoup d'adresse, sur
161-162   c: en même temps avec
164-165   c: mort à Pétersbourg en 1736, évêque de Novogorod, était moine du cloître de Petscherski à
166-167   c: moine dans sa jeunesse avait étudié
169-170   c: qu'il en avait
173   c: de la patrie
177-180   c: par lettre à ce sujet. L'entreprise de Poméranie terminée, le voyage en France retardé, la renonciation du czarévitz obtenue, Pierre fit venir Procopovitz à Petersbourg, sous prétexte de régler

[23] Stepan Iavorski (1658-1702) passait pour favorable au catholicisme, alors qu'il abhorrait l'Eglise romaine. Comme l'a bien vu Vockerodt, il combattit ensuite les réformes de Pierre le Grand dans son ouvrage *La Pierre de la foi* (*Kamen' very*), paru à titre posthume en 1728.

L'exécution poméranienne finie, le voyage en France étant reculé, la renonciation du czarévitz obtenue, il le fit venir à Petersbourg, sous prétexte qu'il devait régler le collège du cloître de St Alexandre. Il l'en nomma abbé, et eut ainsi, tout le temps de travailler secrètement, aux nouveaux règlements, qu'il voulait introduire dans le clergé.   180

Procopouvitz pour préparer les esprits aux changements qu'on méditait, fit imprimer un petit traité, sous le titre de *Pontifex*, dans lequel il montrait avec beaucoup d'érudition, et de solidité, que les premiers   185 empereurs chrétiens, étaient revêtus comme les empereurs païens, de la dignité de pontifes, jusqu'au temps, que l'Eglise romaine, trouva le moyen de les en dépouiller et de les priver adroitement, de tous les émoluments, qui étaient attachés à cette dignité. Il insinuait en même temps, que dans un Etat chrétien, il n'y avait que le prince qui eût droit   190 d'inspection, sur les affaires qui concernent l'Eglise.

Pierre 1er déclara enfin, peu de temps après, que dans la suite, la dignité de patriarche, serait entièrement abolie; que les affaires du clergé, seraient examinées par un synode, sous les auspices du prince; que cette assemblée serait composée d'un président, de deux vice-présidents, et   195 quelques conseillers et assesseurs. Il envoya au synode, le règlement qu'il avait formé touchant le gouvernement de l'Eglise. Javorschy qui y présidait, fit plusieurs représentations. Cependant le règlement fut approuvé et imprimé. Cet ecclésiastique mourut, dans le cours de cette année.   200

C'est dans cet écrit, qu'est prouvée la dépendance du clergé à l'égard du prince; que sont abolies toutes les immunités et libertés de l'Eglise. On y trouve des règlements très sages sur les cloîtres. Plusieurs

181   c: ainsi le
184-185   c: traité sur le livre *de Pontifex* dans lequel il démontrait avec
186   c: chrétiens furent revêtus
187-189   c: romaine parvint à les en dépouiller et à les priver adroitement des émoluments attachés
190   c: eût le droit
192   c: Pierre déclara enfin, quelque temps après que la
195-196   c: et de quelques
197   c: avait dressé, pour le
197-198   c: qui présidait
199   c: le courant de

superstitions y sont condamnées. L'obligation du confesseur, à l'égard
du silence, restreinte à de justes bornes. Le confesseur est obligé de   205
découvrir, les desseins pernicieux formés contre l'Etat, qui lui auront
été révélés. Cette pièce peut être considérée, comme un chef-d'œuvre.
Elle mérite d'être entièrement lue. Elle renferme tous les changements
de Pierre 1er dans la discipline ecclésiastique. On l'a traduite et imprimée
en allemand. Je donnerai un échantillon de ce qu'elle renferme touchant   210
les cloîtres.

On recommande fortement aux moines, la décence, et l'attention
convenable au service religieux. On veut qu'il y ait au moins trente
moines dans le cloître. Sans ce nombre, il doit être changé en église
paroissiale ou école, et les moines mis dans des couvents, où le nombre   215
prescrit manque. On y défend expressément aux abbés ou directeurs,
d'y admettre soit gentilhomme soit des gens qui sont au service de la
cour, de la chancellerie. [24] Les personnes qui ne savent ni lire, ni écrire,
en doivent être exclues. On n'y doit point recevoir ni mineurs, ni
bourgeois, ni paysans, sans un ordre exprès du prince. Ce règlement a   220
tellement diminué, le nombre des cloîtres en Russie, qu'à peine en
trouve-t-on dix, dans tout le pays. L'exécution de ce règlement a été très
négligée depuis la mort de Pierre 1er. [25]

Pierre le Grand eut en même temps, le soin de tirer son clergé, de
l'ignorance, dans laquelle il était plongé; ignorance qui surpassait de   225
beaucoup celle des temps, les plus ténébreux, du papisme. On ne savait
avant lui, ce que c'était de prêcher. Un homme qui savait lire et écrire,
qui était au fait des cérémonies usitées dans l'Eglise, avait toutes les

207-208   c: chef-d'œuvre, et mérite
209   c: de Pierre dans
210   c: un précis de
217   c: soit des gentilshommes, soit
218   c: cour ou de
219   c: doit recevoir
223-224   c: de Pierre. ¶Il eut
226   c: temps ténébreux

[24] Voir *Histoire de Charles XII*, 1.553-556 (V 4, p.188).
[25] Voir ci-dessus, *Anecdotes*, l.193-198 et n.50.

qualités requises pour la prêtrise, même pour l'épiscopat. Passait-il pour
un homme d'une vie austère, avait-il une barbe longue, c'était un   230
ecclésiastique d'un mérite distingué.

On trouve dans l'Ukranie, quelques ecclésiastiques, qui ont quelque
légère teinture de savoir, parce que pendant le temps que les Polonais
étaient en possession de cette province, ils avaient eu occasion de
fréquenter les collèges de quelques cloîtres et les académies de Kiov et   235
de Czernichov, où l'on enseignait à la polonaise, la théologie et la
philosophie. J'alléguerai un exemple du savoir et du jugement d'un abbé,
d'un des principaux cloîtres de cette province, qui en ma présence,
prouvait à un prince moscovite, qui censurait les débauches des ecclésiastiques de Russie, que l'usage du tabac à fumer était un péché, et qu'au   240
contraire, celui des liqueurs fortes, devait être permis. Il le fit, en disant:
que Dieu défendait le tabac à fumer puisque la Bible disait, que ce qui
sortait de la bouche de l'homme le souillait, et qu'au contraire, ce qui y
entrait, ne le souillait pas, et c'est ce qui arrivait, à l'égard des boissons
fortes, dont l'usage était autorisé par ces paroles de l'Ecriture. [26]   245

Pierre le Grand se serait exposé au ressentiment de son clergé, s'il eût
employé des ecclésiastiques étrangers, quoiqu'ils fussent de la religion
grecque. Il donna donc le soin, à Etienne Javorschy, en l'établissant
exarque du patriarcat, d'établir des écoles, où l'on enseignait les sciences,
les plus nécessaires. Les écoliers y étaient excités par de petites récom-   250
penses journalières.

Javorschy établit dans le cloître de Spasky à Moscou une académie,
dans laquelle on enseignait la théologie et la philosophie, et il en remit

232   c: l'Ukraine plusieurs ecclésiastiques
233   c: pendant que
238-239   c: qui voulait prouver à
241-245   c: Il alléguait que Dieu défend le tabac à fumer parce que la Bible dit
que ce qui sort de la bouche d'un homme le souille, et [...] le souille pas et que
c'est ce qui arrive à l'égard des boissons dont l'usage est ainsi autorisé
248-249   c: en le nommant exarque

[26] Voir *Histoire de Charles XII*, 1.537-543 (V 4, p.187); et ci-dessus, *Anecdotes*,
n.35.

la direction, à l'abbé du cloître Lapaskinschy, [27] homme qui ne manquait
pas d'habileté, mais papiste dans le cœur. Quelques moines de l'Ukranie,   255
qui n'avaient de connaissances que celles qu'ils avaient acquises, chez
les jésuites en Pologne, en furent les professeurs. Les cours de philosophie,
et de théologie, qu'on dictait aux écoliers, étaient tirés des docteurs de
l'Eglise romaine, et chargés de citations de Vasqués, Suares, Escobar,
Sanchés, et Oviédo. On peut juger par là, de l'état de l'académie. [28]   260

Pierre 1er n'ayant pas la même confiance en Javorschy donna la
direction des écoles, à Procopouvitz qui s'en acquitta beaucoup mieux.
Il envoya de jeunes Russes, qui avaient reçu les premiers principes, dans
des écoles établies dans la maison, dans les académies d'Allemagne, pour
acquérir des connaissances plus solides, que celles qu'on acquiert en   265
Pologne. Au retour de ces jeunes gens, Procopouvitz leur confia la
direction des écoles établies dans son évêché. Il ne se fit même point de
peine, d'y établir des étudiants protestants. La mort de Pierre 1er
interrompit les sages desseins de ce prélat. L'ancien clergé russe, disposé
en faveur du papisme, [29] au moins à l'égard de certains points de doctrine,   270
le traversa, sous le règne de Pierre II. Les jeunes gens, envoyés en
Allemagne, y restèrent la plupart. Quelques-uns revinrent sans la
capacité, qu'on avait lieu d'attendre. L'avantage qu'on tira du projet, en
partie manqué, c'est l'établissement de l'académie des sciences, qui forma
plusieurs sujets du pays, qui ayant renoncé à l'état ecclésiastique, furent   275
revêtus de charges civiles.

On demande si Pierre 1er a agi en bon politique, en travaillant à tirer

259   c: chargés des citations
261   c: n'ayant plus la
264   c: dans sa maison, aux académies
265   c: qu'on se procure en
267-268   c: de scrupule d'y
273   c: qu'on retira du

[27] Feofilakt Lopatinski. Evêque de Tver, il faisait partie des dignitaires ecclésiastiques favorables à l'union des Eglises que prêchait Jubé.
[28] Voir *Histoire de Charles XII*, l.534-537 (V 4, p.187).
[29] Voir aussi ci-dessous, l.351. Cela explique que la propagande de Jubé ait eu un
certain succès en Russie, au moins au début, sous Pierre II (cf. ci-dessus, II.ix, n.10).

le clergé de l'ignorance, et de la barbarie, dans laquelle il était plongé, et quand il aurait parfaitement réussi, si la chose lui aurait été fort avantageuse? Plusieurs personnes prétendent, qu'il n'aurait pas même porté les choses, jusqu'au point où elles sont, s'il avait eu un clergé éclairé, à combattre.   280

Un des changements capitaux de Pierre 1er dans le gouvernement de l'Eglise, est la permission des mariages bigarrés ce qui auparavant, était absolument défendu, sous ces conditions cependant, que l'étranger qui   285 épouserait une femme russe, devait préalablement être né d'esclave sujet du royaume, et s'obliger à servir l'Etat pendant sa vie. 2° Que les enfants de l'un et de l'autre sexe, devaient être baptisés et élevés dans la religion russe. 3° Que l'étranger ne pouvait point obliger sa femme, à quitter sa religion.   290

Il est nécessaire de parler d'une cérémonie plus burlesque que religieuse, que Pierre 1er a régulièrement observée pendant sa vie, et qu'on a toujours observée dans le pays fort religieusement. Les prêtres en Russie, entre Noël et les Trois Rois, vont dans toutes les maisons de leur paroisse, pour y chanter des cantiques sur la naissance de Jesus   295 Christ. On leur donne pour cela, un verre de bière, et de brandevin, avec quelque peu d'argent. Ce temps étant regardé comme une fête de l'Eglise chrétienne les laïcs imitaient cette cérémonie, et allaient chez leurs amis, chanter des hymnes en allégresse de joie. Pierre le Grand, attentif à ne point laisser échapper d'occasion de débauche, célébrait   300 régulièrement avec ses amis, cette cérémonie. Le cortège, dans les commencements était fort petit et il ne consistait qu'en quelques valets de chambre, et quelques favoris. Il augmenta, quelque temps après, le

278   c: dans lesquelles il
279-280   c: si ce changement lui aurait été fort avantageux? Plusieurs
281   c: choses au point où elles en sont
285   c: cependant: 1°. que
286-287   c: né d'esclaves, sujets de l'empire, et
289   c: ne pourrait point
289-290   c: à changer de religion.
294   c: les Rois vont dans les
298   c: cérémonie; ils allaient
299   c: en signe de

nombre de cette compagnie, et avait soin d'y faire entrer, tous ceux qui
avaient quelque chose de grotesque, soit dans la taille, le visage, soit   305
dans les paroles et les actions, afin de donner plus de relief, à cette troupe
joyeuse. Il nomma son vieux précepteur en qualité de patriarche sous le
nom de *knaces papa*, et douze Russes qui se distinguaient par l'ivrognerie,
et la gloutonnerie comme les cardinaux. Il donnait aux autres membres,
des noms de charges d'Eglise, dont il voulut bien être le doyen, fonction   310
qu'il remplissait avec autant de scrupule, qu'on eût pu l'attendre d'une
charge fort importante. Le knés papa était porté dans une chaise à
porteurs découverte, par douze têtes chauves, tenant en sa main un
bâton, au bout duquel était une vessie, avec laquelle il frappait comme
sur une caisse, les têtes des porteurs. Les cardinaux suivaient, montés   315
sur des bœufs, et le reste de la troupe ecclésiastique, dans des traîneaux
tirés par des cochons, des chiens, des ours, et autres animaux. Pierre se
promenait ainsi par la ville. Il allait non seulement chez les grands, mais
même chez les marchands. Celui qui les recevait, était obligé de donner
au moins cent roubles, pour *slauslenie*[30] ou hymne qu'on chantait. On   320
se mettait ensuite à table, quelquefois au nombre de trois cents. Si l'hôte
ne fournissait pas abondamment à boire, ou qu'on eût quelque pique
contre lui, on l'obligeait à boire jusqu'à l'ivresse. Il était même quelquefois, fortement étrillé. Rien de plus détestable que la débauche qu'on

304   c: et eut soin
305   c: taille et le
306-307   c: actions. Afin de donner plus de relief à cette troupe joyeuse, il en
nomma son vieux précepteur patriarche
309   c: gloutonnerie, *cardinaux*.
310-311   c: d'Eglise, et il voulut bien en être [...] qu'il remplit avec
312-313   c: chaise découverte [...] tenant dans sa
314-315   c: frappait la tête des
317   c: et d'autres
319   c: qui le recevait
320   c: roubles [avec note: Un rouble vaut environ cinq livres, monnaie de
France.] pour l'hymne

[30] *Slavlenie*. Strahlenberg, qui décrit moins longuement cette coutume, prétexte
de débauche pour Pierre le Grand, rapporte qu'elle comptait parmi les sujets de
mécontentement des opposants au tsar (i.135-36).

faisait à l'élection du patriarche de cette cérémonie. Le czar avait fait   325
bâtir une maison, qu'il appelait le Vatican, à l'imitation du conclave. On
y avait pratiqué des cellules, dans lesquelles on enfermait les cardinaux
qui étaient obligés de s'assembler régulièrement pour le scrutin. Au lieu
de billets, ils recevaient des testicules de boucs blancs et noirs. On leur
apprêtait des ragoûts, des parties génitales de bœufs, de vaches, de   330
boucs, de brebis, de chiens, et de chats. On leur donnait abondamment
à boire de la bière et de l'eau-de-vie. Ils ne sortaient de l'état d'ivresse,
que quand Pierre Ier le voulait. Ce prince les visitait fréquemment, et
buvait copieusement avec eux. On attribue sa mort à la dernière
cérémonie, à laquelle il assista.   335

Quelles étaient dans cette occasion les vues de Pierre Ier? Les
sentiments des Russes et des étrangers sont là-dessus partagés. Les uns
prétendent que cette cérémonie, représentait d'une manière hiéroglyphi-
que, l'état de la nation dans les siècles précédents, et la différence qu'il
y avait avec l'état présent. Les autres ont cru qu'il se moquait par là, de   340
la hiérarchie de l'Eglise romaine, et indirectement de son clergé. [31] Ceux
qui connaissaient le génie de ce prince, n'y cherchent pas tant de finesse.
Un pareil divertissement était conforme à son goût, mais ses plaisirs
avaient quelque chose de rude et de féroce. S'il remarquait par exemple
que quelqu'un eût de l'aversion pour une chose, il l'obligeait à la souffrir,   345
jusqu'à faire chatouiller les personnes, à qui le chatouillement causait de
la souffrance.

Peut-être qu'il a eu en vue la hiérarchie de l'Eglise de Rome;
l'indépendance du clergé lui avait inspiré de l'éloignement pour cette
communion, et des sentiments favorables pour les protestants. C'est par   350
cette raison que le clergé de Russie est porté pour le papisme, et a
beaucoup d'éloignement pour les protestants.

---

326   C: qu'on appelait
334   C: On attribua sa
342   C: qui connaissent le
343   C: pareil établissement était

[31] C'est l'interprétation retenue par Voltaire (voir ci-dessus, II.ix.56-60).

Question 3e.

Quels sont les changements que Pierre 1er a faits par rapport au gouvernement de ses Etats?

Réponse.

Toute la nation russe, peut être divisée en deux classes, les serfs, et les libres. On peut ranger dans la première, les paysans, les bourgeois, qui, comme eux, sont obligés à payer la capitation, et sont à cet égard *glebae*   5
adscripti, puisqu'un fils, ne peut abandonner le domicile de son père, à moins qu'il n'ait un frère, qui puisse l'habiter et le faire valoir. Les nobles sont regardés comme libres. On met de ce nombre tous ceux qui servent la chancellerie, ceux qui sont du clergé, et le soldat. Leurs enfants sont regardés dès leur naissance, comme recrues et employés en cette qualité,   10
dès qu'ils ont atteint l'âge compétent.

Aucun Russe ne peut se soustraire du pouvoir illimité, qu'a sur lui le souverain: droit, que les czars possèdent depuis un temps immémorial. Comme le pays est sujet à de fréquents partages, la noblesse aurait eu souvent occasion de résister aux princes et de les forcer à de certaines   15
lois. On ne trouve cependant point dans l'histoire ancienne de Russie, la moindre action de révolte. On ne doit envisager le droit, qu'avait la noblesse autrefois, de ne pas accepter le commandement d'un officier

1   MS2:   changements qu'a fait Pierre 1 par
1-2   c: faits dans le gouvernement
5-6   c: égard, attachés à la glèbe; puisqu'un
8-9   c: servent à la
10   c: regardés, à leur naissance, comme reçus et
12   c: soustraire au pouvoir
13-14   c: temps immémorial. Comme
17   c: moindre révolte.
17-19   c: qu'avait autrefois la noblesse de ne pas obéir au commandement d'un officier qui n'était pas

qui ne serait pas d'aussi bonne famille, que comme une grâce qui n'avait lieu, qu'autant que le prince le jugeait à propos.   20

On ne peut exprimer la vénération de la nation russe pour les descendants de leur premier grand-duc Rurichs. Elle allait si loin, que pendant tout le temps que cette famille a eu les rênes du gouvernement, il n'est jamais venu dans l'esprit d'un Russe, que sa patrie pût être gouvernée autrement que par l'autorité absolue d'un monarque. Le   25 fameux Demetrius massacré, un kncés Scheuisky descendant de cette famille, non en ligne droite, fut élu czar. Il voulut promettre par serment, de ne jamais faire mourir de boyard, sans le consentement de tout le corps. Tout le corps des boyards, lui demanda à genoux, la grâce de ne pas se priver de ce droit.   30

Le czar Scheuisky obligé de se soumettre à l'autorité des Polonais, et les Etats de Russie, se voyant après la pacification des troubles, obligés de penser à l'élection d'un autre souverain, plusieurs des principaux, prirent la résolution, d'en choisir un, qui n'eût d'autorité, que celle qu'on voudrait bien lui accorder. Ils y étaient fortement exhortés par ceux qui   35 étaient prisonniers en Pologne, par l'évêque de Rostov qui ensuite fut élu patriarche nommé Filaret qui ne s'attendait point à voir son fils élu. La noblesse forma une espèce de sénat nommé sabor. Les boyards et ceux qui avaient des emplois distingués dans l'Etat, y avaient droit de séance et de suffrage. Ils résolurent tous, de n'élire pour czar, que celui   40 qui s'engagerait par serment à ne jamais violer, les anciens statuts du pays; à ne jamais prononcer sentence de mort, par sa propre autorité, encore moins à charger d'impôts les sujets; à ne forcer personne, soit en temps de guerre ou de paix. Il fut enfin résolu de ne choisir qu'un sujet, dont la famille ne serait pas fort accréditée.   45

C'est dans cette vue, qu'on choisit Michel Romanov, jeune gentil-homme de quinze ans, qui n'avait point de parents, et d'autre mérite, que celui d'avoir un père, qui s'était fortement opposé à la faction de

22   c: descendants du premier
26   c: knes ou prince Chouisky
28-29 c: de tous; le corps des [...] lui demande à
29-30 c: ne point se
42   c: prononcer de sentence
43   c: les riches; à ne violenter personne
46   c: qu'on élut Michel

Pologne, et qui par cette raison, avait été fait prisonnier par les Polonais, et chassé du pays. Il n'avait d'autre alliance, avec la famille des anciens czars, si ce n'est que le czar Ivan Wvalinschy, avait épousé sa grand-tante, Anastasia Romanouvna, [32] fille d'un simple gentilhomme.

Le czar Michael accepta les conditions prescrites, malgré sa mère, qui voyait avec chagrin dans son fils, un pouvoir aussi limité. [33] L'Etat fut gouverné assez longtemps sur ce pied, mais Filaret, sorti de Pologne, et ayant été élu patriarche il sut si bien profiter du crédit, que cette charge lui donnait dans l'esprit d'un peuple superstitieux, et du mécontentement que la petite noblesse ressentait, de l'esprit dominant des boyards, et de la mésintelligence qu'il y avait entre ces deux corps, qu'il s'empara du gouvernement, comme nous l'avons dit. Il eut l'adresse d'éloigner tous ceux dont l'esprit était républicain, et ne laissa au sénat, que le droit d'approuver les règlements qu'il donnait. Il établit le corps des strelitz [34] pour soutenir les projets, qu'il avait formés. Il le distingua par plusieurs prérogatives, et n'en donna le commandement qu'à des gens de fortune, qui s'étaient distingués dans la guerre de Pologne; ce qui engagea la noblesse, à haïr ce corps, et à regarder comme une action basse, celle d'y prendre du service.

Ce corps mit le czar Michel en état d'exercer son pouvoir, d'une manière absolue, après la mort de son père. Alexey son successeur et son fils, eut le même avantage. Le czar Fedor son fils, fit brûler le nobiliaire qu'on gardait à Moscou, pour abolir tout d'un coup, toute distinction prise de l'ancienneté des familles. [35]

50

55

60

65

70

51   C: Ivan-Vasilievitz II avait
54   C: chagrin à son
55-56 C: Pologne, ayant été élu patriarche, sut
61-62 C: ne laissant au sénat que le soin d'approuver les règlements qu'il donnait, il
69-70 C: absolue. Après sa mort, Alexis, son fils et son successeur, eut
70   C: Fédor, fils d'Alexis, fit

[32] Voir ci-dessus, p.518, la Généalogie des Romanov.
[33] On ignore en fait si l'élection de Michel Romanov fut soumise à des conditions. Voltaire dit le contraire (I.iii.70 et n.19).
[34] Le corps des streltsy fut 'établi' par Ivan IV (voir glossaire).
[35] Allusion à l'abolition du *miestnitchestvo* (voir glossaire).

Après la mort de Fedor, les boyards placèrent Pierre Ier sur le trône, âgé de onze ans, au préjudice d'Isvan son frère aîné, afin d'avoir pendant la minorité, occasion de rétablir les privilèges perdus, et de remettre le gouvernement sur l'ancien pied. Sa sœur Sophie, princesse qui avait d'éminentes qualités, sut si bien s'acquérir la bienveillance des strelitz, qu'elle excita en faveur de son propre frère Ivan, une émeute, dans laquelle les boyards, qui l'avaient exclu furent massacrés. Cette princesse ménagea si bien l'intrigue, qu'elle obtint qu'Ivan régnerait conjointement avec Pierre Ier, et qu'elle serait en même temps déclarée régente; que son nom serait placé dans les édits, et sur la monnaie immédiatement après celui des deux czars. [36] Elle régna sur ce pied, pendant six ans, et suivit exactement les maximes de son père, et de son frère.

La noblesse ne pouvant se flatter de réussir dans ses desseins, sous un prince aussi timide qu'Ivan, elle disposa Pierre Ier à concourir à ses vues. Pierre Ier gémissant sous le poids de l'autorité, que sa sœur avait usurpée, conçut une si violente haine contre elle, qu'il trouva un prétexte plausible, pour quitter le palais des czars, et s'aller loger dans un lieu de plaisance, qu'il avait fait bâtir à Preobvasenschy village près de Moscou. Pour se soustraire à l'autorité de sa sœur, il promit à la noblesse de faire ce qu'elle souhaiterait afin de se l'attacher plus fortement. Il le fit en épousant Eudoxia Lapuchin, fille d'une famille les plus distinguées. Le parti de Pierre Ier augmenta considérablement. La princesse Sophie, s'aperçut bientôt du danger, auquel elle était exposée. Elle prit, pour cet effet, la résolution, de le faire enlever, du lieu de sa retraite, par un commandement des strelitz, afin de le mettre dans un couvent. Le capitaine Lefort genevois, ayant eu vent de ce dessein, le découvrit à

73-74   c: placèrent sur le trône Pierre Ier, âgé
81   c: Pierre, et
84   c: frère Fédor. [avec note: Mort en 1682 sans postérité.]
86-87   c: qu'Ivan, disposa Pierre à ses vues. Ce prince, gémissant
92-93   c: souhaiterait; et afin de se l'attacher plus fortement, il épousa Eudouine Lapuchin, fille d'une des familles les
96-97   c: un commandant des

[36] Voir ci-dessous, app. v, l.301-307.

Pierre Ier qui alla se réfugier avec lui dans le cloître de Troisky,[37] pour
lequel la nation, a beaucoup de vénération.   100

Pierre Ier eut le prétexte de faire ouvertement éclater les raisons de sa
haine, contre sa sœur. Plusieurs officiers étrangers qui pendant la guerre,
qu'on avait eue contre les Turcs, avaient pris du service en Russie, se
rangèrent de son parti. Plusieurs de la noblesse en firent de même. De
sorte que Pierre Ier se vit bientôt en état, de résister à la princesse Sophie. 105
Elle eut l'adresse de colorer sa conduite, en disant qu'elle n'avait eu
d'autre dessein, que de tirer son frère, des mains des étrangers, qui lui
inspiraient de l'amour, pour la débauche, de la haine pour la nation,
pour la religion, pour les coutumes du pays. Ce palliatif ne fit aucune
impression, sur l'esprit de la noblesse. Une partie même des strelitz   110
abandonna l'ambitieuse Sophie.

Se voyant ainsi abandonnée, elle prit le sage parti, de souscrire aux
volontés de son frère, qui la fit enfermer dans un couvent, où elle fut
gardée à vue. On disposa Ivan, soit par de bonnes paroles, soit par des
menaces, à renoncer à la couronne, ce qu'il fit, avec une prudente   115
soumission.

Les strelitz et la noblesse, ne manquèrent pas d'attribuer la réussite
du dessein, que Pierre formait depuis longtemps à l'attachement qu'ils
avaient pour lui. Ils s'attendaient à en être récompensés. Mais le czar qui
depuis qu'il avait eu occasion de fréquenter des étrangers, avait de tout   120
autres vues commença par affaiblir la noblesse, et le corps des strelitz,
et de les rendre dépendants.

Connaissant parfaitement l'art de dissimuler, il commença par les
caresser, et confirma les privilèges des strelitz. Mais en même temps,

101   c: Pierre eut
104   c: Plusieurs membres de
105   c: Pierre se
107   c: d'autres desseins que
108   c: débauche et de
109   c: religion et pour
122   c: et par les

[37] Le couvent de la Trinité (Troitsa).

sous prétexte, qu'il fallait garder les frontières, contre les incursions des   125
Turcs, il les plaça dans différentes forteresses, et les éloigna de Moscou.

La difficulté consistait à inspirer à la noblesse, qu'elle pouvait recevoir
le commandement, d'un homme de basse extraction, sans déroger à la
dignité d'une ancienne naissance. Pierre, pour parvenir à son but,
forma une compagnie de cinquante hommes, toute composée de jeunes   130
gentilshommes, pour son propre plaisir, qu'il nomma poteschnie. Il les
fit habiller et exercer à l'allemande, et déclara qu'il ne croyait point
déroger à son rang, en portant le mousquet dans ce corps, en y exerçant
même, la simple fonction de tambour, afin de parvenir par cette voie,
aux plus hauts grades militaires. [38] Le kneés Romandonouvitz homme   135
extrêmement sévère commandait ce corps. Il avança Pierre 1er et les
autres, sans autres motifs que le mérite. Ce prince reçut des mains de ce
chef, le grade de général et d'amiral, qu'il se fit une gloire de porter
pendant la vie de ce kneés, jusqu'à l'année 1718. L'effet que cela produisit,
c'est que la noblesse cacha soigneusement ces idées de supériorité,   140
qu'inspire une ancienne noblesse. Sentiment qu'elle conserve encore
aujourd'hui. Elle n'osait faire paraître ses idées à cet égard, puisque le
souverain semblait y renoncer.

Cet obstacle levé, et les enfants des nobles accoutumés à servir,
comme simples soldats, et à se soumettre à la discipline militaire,   145
renoncèrent à ces idées suggérées par l'orgueil. Pierre 1er abolit alors
tout d'un coup cette distinction, qu'il y avait entre les boyards, et la
petite noblesse, et l'ancienne formule, par laquelle on exprimait dans les
édits, le consentement des boyards, fut rejetée. On aperçut d'abord que
ce prince avait en tête, plusieurs idées de réforme. Il caressait les étrangers   150

125-126   c: incursions de Turcs
126   c: les envoya dans différentes forteresses éloignées de
131   c: nomma par cette raison *Proteschnie*.
140   c: soigneusement cette opinion de
144   c: levé, les enfants
146   c: renoncèrent aux suggestions de l'orgueil
147   c: coup la distinction

[38] Repris par Voltaire. C'est l'un des thèmes récurrents de l'*Histoire de l'empire
de Russie*. Voir aussi *Histoire de Charles XII*, I.573-577 (V 4, p.188).

sans avoir égard ni à leur rang, ni à leur caractère. Il tournait fréquemment
en ridicule, les coutumes de sa nation, et lançait des traits piquants,
contre les orgueilleux boyards, qui s'avisaient de lui faire à cet égard,
des représentations.

Un tel procédé ne pouvait être que très sensible à la nation, surtout   155
au clergé, pour lequel il témoignait beaucoup de mépris, jusqu'à ne
vouloir plus conduire le cheval du patriarche le dimanche des Rameaux. [39]
Personne n'osa cependant lui résister en face. La curiosité qu'il eut
d'aller en Hollande, et en Angleterre donna occasion à un feu de révolte,
caché depuis longtemps sous la cendre, qui éclata avec beaucoup de   160
vivacité à Moscou pendant son absence.

La princesse Sophie, quoique soigneusement gardée, trouva cependant
le moyen d'avoir une secrète correspondance, avec ses anciens partisans.
Elle insinua aux strelitz, que Pierre 1er abolirait à son retour, les coutumes,
et la religion du pays; que tout serait mis sur le pied allemand. Le clergé   165
appuya ces malignes insinuations, qui occasionnèrent une fermentation
dans les esprits, en représentant au peuple, le danger, auquel était exposée
l'Eglise, on ne manqua pas, de faire intervenir des miracles, des
révélations, qui marquaient que le ciel approuvait la conduite du clergé.
Plusieurs de la noblesse, affligés de la perte de leurs privilèges, fournirent   170
sous main, au peuple l'argent nécessaire. Les strelitz, sous prétexte de
délivrer la patrie, des étrangers, sortirent de toutes les garnisons, et
vinrent fondre à Moscou, liés par le serment, qu'ils remettraient Sophie
sur le trône, qu'ils rétabliraient les choses sur l'ancien pied; et qu'ils
chasseraient les étrangers du pays.   175

Le czar apprit à Vienne, la révolte. Il traversa la Pologne et vint à
Moscou. Heureusement que le général Gordon, avait d'abord arrêté les
progrès du feu de la révolte, en l'étouffant. Ce brave général qui avait
pendant l'absence de Pierre 1er le commandement de ses nouveaux

157   c: conduire par la bride le
162   c: gardée à vue, trouva
164   c: Pierre abolirait
165   c: pays, et que
178   c: progrès de la

[39] Voir *Anecdotes*, n.48.

régiments, eut bientôt dispersé les rebelles. Il ne leur donna pas le temps   180
de se rallier, et les remit à sa discrétion.

Le czar trouva les troubles apaisés à son arrivée. Cependant il crut
d'abord devoir profiter de l'occasion, pour abolir le corps rebelle des
strelitz, dont il fit pendre un très grand nombre. Le czar et ses boyards,
se divertirent à trancher la tête de plusieurs coupables. [40]   185

Après cette exécution, qu'on peut à plus juste titre appeler un massacre,
Pierre le Grand a joui, d'une autorité absolue, soit sur les laïcs, soit sur
le clergé. Sans la moindre opposition il a rendu la noblesse, entièrement
dépendante. Il a aboli toute distinction de naissance. Il a fait punir les
princes qui descendaient des anciens czars, et cela ignominieusement,   190
jusqu'à les faire pendre, lorsqu'ils le méritaient. Il a employé leurs
enfants aux fonctions les plus serviles. Il a obligé la noblesse à prendre
le parti des armes, et ne leur accordait de rang, que celui que le service
désignait. Il s'est arrogé le droit de disposer de leur vie, et de leur bien,
avec un despotisme parfait.   195

Malgré les absences de Pierre le Grand, quoique son armée fût
employée dans les pays étrangers; malgré les malheureux commencements de la guerre avec les Suedois, les troubles qu'excitaient les Tartares
de Cazan, les Cosaques du Don, et les habitants d'Astracan; malgré la
mésintelligence qui régnait entre lui et son fils, il n'y a cependant pas eu   200
la moindre apparence de révolte. Le fils n'a jamais osé former de
complots contre le père. Il n'a cherché qu'à éviter le ressentiment de sa
colère, et qu'à passer tranquillement ses jours, avec les prêtres et ses
favoris, dans la plus honteuse débauche.

Pierre Iᵉʳ publia en 1714 un édit par lequel il défendait aux nobles, le   205

188   c: clergé, sans la moindre opposition; il rendit la
189   c: il abolit toute [...] il fit punir même les
190-191   c: et alla jusqu'à les faire pendre ignominieusement lorsqu'ils
191-194   c: il employa leurs [...] il obligea la [...] il s'arrogea le
194-195   c: de leurs biens avec
197-198   c: malheureux événements de
203   c: avec des prêtres
205   c: Pierre publia

[40] Voir *Anecdotes*, n.21.

partage de leurs terres, et voulut qu'il n'y ait que le fils désigné, dans le testament du père, qui en fût le seul héritier. On ne concevait point le but du prince à cet égard, opposé au dessein qu'il avait, d'affaiblir la noblesse, et de l'appauvrir. Le temps l'a découvert. Il voulait exclure son fils de la couronne, et préparer par là, ses sujets à cet événement.   210
Cet édit n'a point eu lieu, sous Pierre II.

Le czar convaincu par l'expérience, qu'une bonne armée bien discipli- née, était le plus assuré soutien d'un gouvernement monarchique, s'appliqua fortement à mettre la sienne, sur un bon pied. [41] Ce qui l'y engageait encore, ce sont les guerres, qu'il eut à soutenir pendant sa vie,   215
et les différents traités avec les puissances étrangères, le portèrent à faire quelque attention aux affaires du dehors. Il se fiait trop, sur ce sujet, aux ministres qui le faisaient pencher du côté de celui qui les payait plus largement. Les premières trente années de son règne, il ne pensa point à régler, ce qui concernait l'administration de la justice, les finances,   220
l'économie, et le commerce. Le soin qui l'occupait était que l'armée et l'amirauté fussent pourvues, d'autant plus que les troupes, trouvèrent dans la suite, le moyen de s'entretenir aux dépens des étrangers.

Obligé par les guerres qu'il avait avec la Suede, à des absences fréquentes, il établit à Moscou, un sénat, qui avait l'inspection sur tous   225
les collèges, ou chambres, et qui lui faisait le rapport. Ces sénateurs n'avaient certainement, ni la capacité ni l'assiduité requises. D'ailleurs il était facile de les corrompre par argent. Les favoris du czar, et surtout Menzihoff, obtenaient tout ce qu'ils voulaient. Ce dernier s'était tellement rendu maître de l'esprit du czar, qu'il le gouvernait absolument. Ce   230
ministre disposait entièrement du sénat et même sa sœur.

Le crédit de Menzihoff étant tombé en quelque manière un certain

206   C: n'y eût que
208-209   C: égard: le temps
210   C: de sa couronne et préparer ses
214-215   C: l'y engagea encore, ce furent les
226   C: rapport des affaires. Les sénateurs
228-229   MS: czar Menzihoff [erreur]
230   C: l'esprit de Pierre, qu'il

[41] Voir *Anecdotes*, l.159-160.

Nastorov [42] osa en 1714 présenter à Pierre Iᵉʳ un état exact des malversations des sénateurs, et de ses favoris. Le czar ordonna à des officiers de
la garde, de faire sur ce sujet d'exactes perquisitions. Les accusations
furent tellement confirmées, que Pierre Iᵉʳ crut agir avec beaucoup de
douceur, en condamnant deux sénateurs, à avoir la langue percée d'un
fer chaud, punition des parjures, et ensuite à l'exil en Siberie. Le vice-
gouverneur de Petersbourg à un knata public, et les intendants de
l'amirauté, à la même punition. Les directeurs des bâtiments furent punis
de même, mais en chambre. Le prince Menzihoff et l'amiral Apraxin,
rendirent gorge.

    Cette découverte mit le czar dans le goût des perquisitions. D'ailleurs,
cela répondait assez au penchant, qu'il avait pour la sévérité. Il s'appliqua
fortement, à l'examen de l'intérieur du royaume, et à régler les choses,
suivant les Etats de l'Europe, comme il avait fait à l'égard de ses troupes.
Comme il regardait les Suedois comme ses maîtres, il crut pouvoir
établir dans son pays, les mêmes règles, soit à l'égard de la police, soit à
l'égard des finances. Il était tellement imbu de ce préjugé, qu'il envoya
en 1716 sans consulter personne, un homme en Suede, avec beaucoup
de frais, pour lui procurer des instructions, et des règlements des
différents collèges de ce pays. Ces pièces lui plurent tellement que sans
examiner, si de pareils règlements, étaient praticables en Russie, il prit
la résolution d'établir dans ses Etats, les mêmes collèges, et fit venir,
pour cet effet, d'Allemagne, plusieurs personnes pour y être employées,

233   c: Nastorof alla en 1714 présenter à Pierre un
234-235 c: de sa garde
236   c: Pierre crut
239   c: un knout [avec note: Châtiment qui s'exécute avec un fouet.] public
240-241 c: furent châtiés de même, mais dans une chambre. Le prince
Menzikof, l'amiral
244-246 c: l'intérieur de l'Empire, et [...] les autres Etats de l'Europe, ainsi
qu'il
251   c: procurer les instructions et les règlements
253   c: pareils arrangements étaient

[42] L'*ober-fiskal* Nesterov. Voir ci-dessus, II.xii, n.24.

comme vice-présidents, conseillers et secrétaires. Ces collèges furent
établis à Petersbourg en 1719. On vit bientôt qu'on s'était précipité, et
qu'il résultait de ces nouveaux règlements, plus de désordre, que d'ordre.
Les chancelleries du pays, dont les affaires devaient être examinées à
Petersbourg, étaient toujours sur l'ancien pied, et quoiqu'on leur eût   260
envoyé des formalités de rapports et de comptes, ceux qui servaient les
chancelleries, ne surent pas s'y conformer; ce qui donna lieu à beaucoup
de confusion. Les conseillers des différents collèges, ne purent d'abord
se former une idée juste de la nouvelle méthode. Les Allemands n'étaient
pas en état de la leur développer, soit parce qu'ils n'entendaient pas la   265
langue du pays, soit enfin, parce qu'il y en avait peu d'entre eux, qui
sussent la manière dont les affaires se gouvernaient en Suede.

Le czar se vit obligé d'introduire un nouveau changement dans
l'administration des affaires, de congédier la plupart des étrangers, et de
remettre à peu près, les choses sur l'ancien pied, en conservant cependant   270
les noms allemands, par lesquels on distinguait les collèges. On augmenta
le nombre des membres, ce qui quelquefois donna lieu à la confusion, et
pour ce qui regarde la recette et la dépense, on prit la méthode des
marchands.

Pierre Ier veilla, pour que dans les provinces, les intendants, et autres,   275
n'accablassent pas le peuple, par des extorsions, et des concussions.
C'était un mal auquel il fallait remédier.

Ses prédécesseurs s'étaient peu mêlés de ce qui s'était passé dans les
provinces. On donnait pour récompense, un gouvernement, à celui qui
le méritait. Le gouverneur était tellement en passe de s'enrichir, qu'on   280
le regardait comme un mauvais économe, s'il n'avait pas amassé, au
moins, la moitié d'une tonne d'or. On peut juger de tout cela, par le
formulaire dont se servaient les czars, en conférant un gouvernement.
'Je te donne à toi N. N. un gouvernement pour te récompenser
des services que tu m'as rendus. Vas-y; vis-y, et rassasie-toi.'[43] Le   285

256-257   c: furent bâtis à
257   c: s'était trop pressé, et
266   c: soit parce qu'il y en avait peu qui
278   c: qui se passait dans

[43] Peut-être une allusion au système du *kormlenie* (du verbe *kormit'*: nourrir): les

gouvernement ne plaisait-il pas, on le vendait avec le consentement du souverain.

Le gouverneur pouvait anciennement s'enrichir, sans le préjudice du paysan, qui payait alors en Russie peu de droits mais les impôts ayant dans la suite augmenté, à cause de la guerre de Suede, et les gouverneurs ne voulant rien diminuer de leurs profits, le peuple était extrêmement foulé. 29(

Pierre le Grand devint tous les jours plus clairvoyant par les fréquentes perquisitions. Il fit attention aux moyens, dont les gouverneurs s'enrichissaient. Il diminua pour obvier à ce mal le nombre des wagodies, [44] ou gouvernements, et les réduisit à treize, savoir celui de Petersbourg, Moscou, Riga, Revel, Smolenskov, Kiov, Nichegorod, Casan, Astracan, celui de Siberie etc. Des provinces qui avaient eu des gouverneurs, furent régies par des conseillers et où il y avait garnison, par des commandants, qui faisaient attention à la police, aussi bien qu'au militaire. Il établit des fiscaux [45] pour examiner leur conduite, et recevoir les plaintes des sujets opprimés, plaintes qu'on envoyait ensuite au fiscal général de Petersbourg. Afin de leur ôter tout prétexte de colorer leurs exactions, ils reçurent des appointements, à la vérité médiocres. On publia des ordres très sévères contre ceux qui se laisseraient corrompre, par argent. Plusieurs ont fini leur vie, sur l'échafaud, pour avoir contrevenu à ces ordres. 29°

30(

30

293-294   C: par ses fréquentes perquisitions, et il
295-296   C: des gouvernements [...] savoir, ceux de
297-298   C: Astracan, Sibérie, etc.
300-301   C: qui veillaient sur la police aussi bien que sur le militaire.
305   C: des lois très

---

administrateurs se nourrissaient sur l'habitant. Mais ce système n'a pas été créé par les tsars. C'est même le premier d'entre eux, Ivan IV, qui l'abolit en 1555.

[44] Les *voiévodies*, circonscriptions sous l'autorité des *voiévodes* (voir glossaire). Vockerodt confond ces provinces avec les gouvernements. Dans chacune de ces cinquante provinces, à partir de 1719, il y avait des voiévodes pour les finances, la police et l'économie. Contrairement à ce que dit plus loin Vockerodt, pour les affaires militaires, les provinces dépendaient du gouverneur.

[45] Les *fiskaly*, sous l'autorité du fiskal général ou *ober-fiskal* (voir glossaire).

Tout cela ne remédia point au mal. Il y eut toujours dans les finances, des malversations, et les sujets furent toujours foulés. On regardait les punitions éclatantes, comme dictées par des ressentiments secrets. Menzihoff et l'amiral Apraxin, pillaient impunément, parce qu'ils savaient rendre gorge à propos.

Il semblait sur la fin des jours de Pierre 1er qu'il voulait parfaitement remédier à ce mal. Il lisait lui-même, les actes qu'on envoyait. Il conférait journellement, avec son fiscal général Makimem, honnête homme, mais sévère. Il avait pris avec lui des mesures, pour abolir entièrement, tout moyen de malversation. Il est à présumer, qu'il y eût eu, une infinité d'exécutions, si Dieu eût accordé au czar, une plus longue vie.

Question 4e.

Quels sont les changements utiles, qu'a faits Pierre 1er dans l'état militaire?

Réponse.

Comme les Russes avaient été en quelque manière civilisés par les Tartares de la Horde d'or, et que c'était d'eux qu'ils avaient appris leurs maximes, soit par rapport au civil, soit par rapport au militaire, leur manière de se gouverner, dans l'état de la guerre était presque conforme, à celle de ces peuples.

Les strelitz étaient l'élite des troupes russes, et on n'en avait point d'autres en temps de paix. Ils avaient pour armes, un fusil, et un sabre. Ils n'avaient point d'uniforme. Chacun s'habillait comme il voulait. Ils étaient divisés en régiments, commandés chacun par un colonel. Ils étaient au nombre de vingt à trente mille. Une partie de ce nombre, était

308   c: remédia pas au
309   c: furent foulés.
313-314   c: voulait entièrement remédier
315   c: fiscal général [avec note: On n'a pu déchiffrer ce nom dans le manuscrit.]
317   c: y aurait eu
318   c: Dieu avait accordé
1-2   c: changements utiles de Pierre 1er dans le militaire.

à Moscou, et servait de garde aux czars; l'autre était dans les garnisons placées aux frontières. Ce corps ressemblait en bien des choses, aux janissaires[46] et il n'attaquait jamais l'ennemi, qu'en forme de colonne. Le soldat ne recevait pour gages, que quatre roubles par an, mais on le dédommageait par plusieurs privilèges, qui étaient fort utiles dans le cours de la vie.[47]

Chaque colonel en temps de guerre, qui n'avait point de régiment, et qui recevait une très médiocre paye, en temps de paix, avait un district assigné d'où il formait son régiment. Chaque village était obligé, de lui fournir un certain nombre d'hommes. Ces enrôlés n'étaient ni disciplinés, ni habillés ni même armés, d'une manière convenable. La plupart n'avaient point d'armes à feu. Les uns n'avaient que des lances, d'autres même, n'avaient que des massues.[48] Les Russes sentant tout le faible de pareilles troupes, n'attaquaient jamais l'ennemi en bataille rangée. Après la campagne, chaque soldat se retirait et si la campagne continuait, on était obligé de former de nouveaux régiments.

La cavalerie des Russes consistait principalement en ceux qu'on appelle diebz boiarskie,[49] ou enfants de boyards. C'étaient tous, des gentilshommes répandus, dans les différentes provinces, et qui possédaient certains fiefs, à titre d'héritages, sous condition, qu'en temps de guerre, ils montaient à cheval, avec un certain nombre de valets, et se trouvaient au rendez-vous général. Ils étaient obligés de s'entretenir, eux-mêmes, à leurs propres dépens, pendant la campagne. Leurs armes,

15

20

25

30

35

13-14 c: garnisons sur les frontières.
21 c: assigné, où il
27 c: la guerre continuait
35 c: leurs dépens

[46] Pour la comparaison des streltsy avec les janissaires, voir *Anecdotes*, n.38.
[47] Voir *Histoire de Charles XII*, 1.569-573 (V 4, p.188).
[48] Voir *Histoire de Charles XII*, 1.582-585 (V 4, p.189).
[49] *Diéti boïarskie*. Catégorie de petits féodaux, vassaux des princes, des boïars ou de l'Eglise, qui recevaient en échange de leurs services des propriétés à titre viager (*pomiestie*). Cette expression désignant une catégorie de petits nobles, apparue au quinzième siècle, disparut avec Pierre le Grand.

consistaient en flèches, arcs, lances, et sabres.[50] De telles troupes
n'ayant à combattre que des Polonais, et des Tartares, troupes fort mal
disciplinées, elles le faisaient souvent avec succès.

Les czars entretenaient aussi, quelques milliers de Tartares qui à la
conquête du royaume de Casan, se soumirent au czar à condition qu'on   40
leur laisserait la liberté de conscience. La Russie a tiré bon parti de ces
troupes, dans les guerres qu'elle a eues avec les Polonais.

Les Calmakes dans le besoin, leur fournissaient autant de monde,
qu'ils en avaient besoin, sans que les Russes s'exposassent à de grands
frais. Ils ne recevaient pour l'entretien d'un cavalier qu'un rouble et une   45
peau de brebis, chaque année. Mais les Cosaques de l'Ukraine, ayant
secoué le joug de la Porte ottomane, et s'étant rangés sous la protection
des czars, ils n'en eurent plus besoin.

Les Russes ont eu de l'artillerie, depuis Jean Wasilewichz mais leurs
canons étaient mauvais. Leur art d'assiéger consistait à se fourrer dans   50
un creux, et à tirer de là, jusqu'à ce qu'ils fussent au niveau de la muraille.
Ce moyen ne réussissait-il pas, on avait recours au blocus.

Le czar Alexey avait déjà formé le dessein de mettre son armée sur
un meilleur pied. Il avait même pendant la guerre de Pologne formé
quelques régiments, dont il avait donné le commandement à des officiers   55
étrangers, et fait imprimer un livre, qui est traduit en allemand, sur l'art
militaire. Les strelitz regardaient ces régiments de mauvais œil. Les
boyards se plaignaient que leurs paysans ne revenaient plus, comme
auparavant, pour labourer la terre. D'ailleurs on craignait les étrangers.
Le clergé voulait purger la cour, des hérétiques, qui y avaient un trop   60

36   c: flèches, lances
37-38   c: Tartares fort mal disciplinés, elles
39-40   c: à l'époque de la conquête du
43-44   c: Calmuques, au besoin [...] monde qu'il leur en fallait, sans
49   c: depuis le czar Jean-Vasileritz
51   c: à en tirer de la terre jusqu'à [...] de muraille
53   ms: Le Alexis [erreur]
56-57   c: imprimer, sur l'art militaire, un livre qui est traduit en allemand. Les

[50] Voir *Histoire de Charles XII*, 1.580-585 (V 4, p.189).

facile accès. Le czar fut traversé dans son dessein, et se vit contraint de l'abandonner.

Les troubles des premières années de Pierre 1er donnèrent occasion à ce prince, par la fréquentation des officiers étrangers de se délivrer de bien des préjugés, dont son père avait été occupé. Ayant aboli le corps des strelitz, et accoutumé la noblesse à recevoir le commandement des officiers étrangers, il ne lui fut pas difficile, d'augmenter la compagnie, qu'il avait formée, pour son plaisir, et d'en faire deux régiments, pour sa garde. Il en forma plusieurs autres sur ce modèle, exercés et habillés comme les troupes de l'Europe.

Il ne manquait à Pierre 1er qu'un corps d'officiers experts. Sa nation ne pouvait les lui fournir. Les étrangers qu'il trouva dans leurs pays, ne l'étaient qu'à l'égard de leurs pères, et connaissaient aussi peu l'art de faire la guerre, que les Russes. La renommée attira plusieurs étrangers dans le pays, qu'on employa indifféremment sans examiner, si leur mérite, était réel. La plupart étaient peu instruits du métier de la guerre, et ceux qui l'étaient, ne connaissaient pas la langue du pays, tous ces gens-là, ne servirent pas beaucoup.

Tandis que Pierre 1er n'eut à combattre que des Tartares, il ne put s'apercevoir, de ce qui manquait à ses troupes. Il s'imaginait même, qu'aucun potentat de l'Europe, n'en avait de meilleures. Mais ayant été obligé de faire la guerre avec les Suédois, il ne fut pas longtemps, sans connaître qu'il s'était trompé; guerre qu'il entreprit, malgré les avis de Lefort, qui de garçon marchand, était devenu général amiral, et un des principaux généraux de son armée.

Il attaqua avec toutes ses troupes qui se montaient à près de quarante mille hommes, la forteresse de Narva, en employant tous les moyens, qu'on lui avait suggérés, pour rendre la levée du siège impossible. Les assiégeants, étaient retranchés jusqu'aux dents, et, pour plus grande

65
70
75
80
85

65   c: été imbu. Ayant
66   c: à obéir à des
69   c: en créa plusieurs
72-74   c: dans son pays savaient, pour la plupart, aussi peu l'art de la
74-75   c: attira en Russie plusieurs étrangers qu'on
83-84   c: malgré l'avis de [...] devenu amiral
86   c: attaqua, en 1700, avec les troupes
87   c: la ville de Narva en employant les

sûreté, le général Scherematov, fut posté à un étroit passage, où les   90
Suedois étaient obligés de passer, avec un corps de huit mille hommes.
Les Suedois qui avaient trouvé un autre chemin, s'étant d'abord présentés
pour l'attaque, quoiqu'ils occupassent un terrain peu avantageux, et
qu'ils n'eussent que les canons, qui appartiennent aux régiments; qu'au
contraire Schemerestov en était bien pourvu, les Suedois l'obligèrent   95
cependant à se retirer, au camp général, en grande confusion. Pierre 1ᵉʳ
trouvant des raisons suffisantes pour ne pas exposer sa personne, se
retira à Novogrod. Il eût volontiers remis le commandement, en son
absence, à son feld-maréchal de Croÿ, mais il ne voulut pas l'accepter,
alléguant qu'il n'avait pas encore eu le temps depuis qu'il avait quitté le   100
service des impériaux, de bien connaître l'armée. Le commandement fut
confié au général Weyda qui avait été garçon apothicaire, et au général
Gallowitz. Ces deux habiles généraux, portèrent l'armée à trois rangs
d'hommes autour de la ligne de circonvallation, avec force canons, mais
sans corps de réserve, et ils attendaient tranquillement, à essuyer le choc   105
de l'ennemi. Les Suedois en arrivant, quoique vers la nuit attaquèrent
en deux colonnes, et n'eurent pas beaucoup de peine, à rompre les rangs
de leurs ennemis. Ils emportèrent sans beaucoup de perte une partie du
camp des Russes, et défirent tout ce qui se trouva entre leurs colonnes.
La nuit arrêta les progrès des Suedois, et laissa aux deux généraux, qui   110
de bonne heure avaient su se tirer du feu, le temps de réunir les régiments
qui étaient aux deux côtés de l'attaque des Suedois, en sorte qu'avant
minuit, chacun d'eux avait formé un corps de huit à dix mille hommes,
de troupes fraîches. Mais au lieu d'attaquer les Suedois, qui étaient
fatigués, ils crurent qu'il valait mieux capituler, et envoyèrent pour cet   115
effet un trompette à Charles XII et se rendirent prisonniers de guerre.

90-92   c: fut porté à un passage étroit qu'on croyait que les Suédois étaient
obligés de traverser au nombre de huit mille hommes. Ils trouvèrent un autre
chemin, et s'étant
   95   c: en fût bien
   99   c: feld-maréchal le duc de
   103-104   c: généraux, postèrent l'armée sur trois rangs autour
   105-106   c: ils attendirent tranquillement le choc des ennemis, qui, en
   112   c: étaient des deux
   113   c: chacun avait
   115   c: capituler; ils envoyèrent

On a disputé sur la manière dont cette capitulation fut faite. Les sentiments ont été partagés là-dessus. Une chose est certaine, c'est que le roi avait une idée si peu avantageuse des Russes, qu'il les laissa tous retourner chez eux dans leur patrie. Il n'envoya à Stoholm que les officiers. Il rendit par là, un service important au czar, en le délivrant de plusieurs sujets peu versés dans l'art militaire, et en l'obligeant de se pourvoir de meilleurs officiers.

Il semblait dans les commencements, que cette défaite avait entièrement découragé Pierre Iᵉʳ. Il donna même des marques, de la douleur la plus vive, en apprenant cette nouvelle à Novogrod. Il se revêtit d'un habit de paysan, se chaussa de souliers faits d'écorce d'arbre, et pleura amèrement. Il caressa extrêmement les officiers, qui l'avaient voulu engager à ne pas entreprendre cette guerre. Personne n'osait lui parler de guerre, et afin de disposer le roi de Suede à la paix, Pierre Iᵉʳ lui proposa des conditions, extrêmement avantageuses.

La conduite que tint Charles XII à ne vouloir point entendre parler de paix, causa un bien infini à la Russie. On a remarqué que le czar ne s'exposait jamais à attaquer un ennemi, qui l'avait vaincu une fois. En effet, on ne put jamais l'obliger après l'action de Pruth, à déclarer la guerre, à la Porte ottomane. Il aima mieux ne penser qu'à garantir ses frontières, des fréquentes incursions des Tartares, en les couvrant par des lignes qui lui coûtaient beaucoup.

Charles XII ne voulant donc point entendre parler de paix, et obligeant par là, Pierre Iᵉʳ à prendre les armes, ce dernier, chercha à ne plus tomber dans les fautes, qu'il avait faites. Personne ne l'y encouragea plus, que le grand-chancelier le comte de Gallovietz, qu'il fit grand-amiral, après la mort de Lefort. On leva de nouveaux régiments. On rétablit ceux qui avaient été en partie défaits. Les églises de Moscou, qui avaient seize cents cloches, furent obligées d'en donner une partie pour l'artillerie. Les ministres dans les cours étrangères, eurent ordre du czar, d'engager

---

120   c: eux; il
121   c: officiers, et rendit
129-130   c: lui en parler; et [...] paix, il lui
132-133   c: Charles XII, en les rejetant, causa
136-137   c: ses fonctions, des
140   c: à reprendre les
141-142   c: l'y engagea plus, que le grand chancelier, comte de Gollovin

des officiers expérimentés dans l'art militaire, autant qu'ils en pourraient trouver. L'infortuné Patkul en envoya une très grande quantité, entre lesquels était le fameux feld-maréchal Ogilby. [51]

C'est ce dernier officier, qui a achevé de discipliner les troupes du czar, et qui a surtout mis l'infanterie sur un bon pied, état où elle a toujours été, jusqu'à la mort de Pierre 1er. $\qquad$ 150

Le czar a fait successivement plusieurs changements, soit à l'égard de la régie d'un régiment, soit à l'égard des gages et des munitions. C'est pour cet effet, qu'en 1712 et en 1720, il publia de nouvelles tables, $\qquad$ 155 suivant lesquelles il paraissait, qu'excepté sept bataillons de gardes, qui aujourd'hui sont augmentés de trois bataillons, l'armée était composée de quatre régiments de campagne infanterie, de trente-cinq de cavalerie, et de cinquante-trois régiments de garnison. Ces derniers servaient à recruter les autres, et étaient payés d'un autre état, que celui de la guerre. $\qquad$ 160

Pierre 1er dans les dernières années de sa vie, avait formé un plan, que la mort a interrompu. C'était d'entretenir en temps de paix, son armée, comme font les Suedois, en leur donnant quelque morceau de terre à cultiver; places, qui dans les villages étaient assignées pour un certain nombre de soldats, et qui en temps de guerre, devaient aussi le fournir. $\qquad$ 165

Il s'agissait de mettre encore sur un bon pied, la cavalerie. Le czar fit venir pour cet effet, quelques centaines de cavaliers de Saxe; mais il s'aperçut d'abord que ces grands chevaux, qu'on n'a d'ailleurs pas en Russie, n'étaient pas propres pour de longues marches, ni pour essuyer

154   c: régie des régiments, soit à celui des appointements et
155   c: et 1720
158   c: de quarante régiments d'infanterie de campagne, de
160   c: payés suivant un
161-162   c: que sa mort
163-165   c: en assignant dans les villages quelques portions de terre pour un certain nombre de soldats à qui, en temps de guerre, elles devaient aussi fournir la subsistance.//
166   c: s'agissait en outre de mettre la cavalerie sur un bon pied. Le
168   c: n'a pas d'ailleurs en

[51] L'Ecossais George Ogilvie servit pendant quarante ans dans l'armée impériale des Habsbourg. Recruté par Patkul, il dirigea les opérations pour la prise de Narva.

de grandes fatigues, lorsqu'il s'agit d'aller attaquer un ennemi éloigné. 170
Il abandonna donc son premier dessein, et se contenta d'avoir dans son
armée une espèce de dragons, qu'on pouvait à plus juste titre, nommer
infanterie à cheval, car quoiqu'ils fassent le même exercice que les autres
dragons, des autres princes, leurs chevaux sont trop faibles, pour soutenir
le choc, d'une cavalerie bien montée. C'est par cette raison, qu'ils ne s'y 175
sont jamais exposés pendant la guerre avec les Suedois, mais on ne les a
employés que dans les expéditions promptes. On est redevable en
Moscovie au général Roeune, qui était un Irlandais, [52] de l'état présent
des dragons, qui sont au nombre de trente-cinq régiments chacun de
mille chevaux. [53]   180

La czarine à la vérité, a résolu, à l'instigation du feld-maréchal le
comte de Munich, de changer les régiments de dragons, en autant de
régiments de cuirassiers. Jusqu'ici, on n'en a eu que trois; et comme on
s'est aperçu dans les derniers troubles de Pologne, et dans la guerre
présente avec les Turcs qu'on en tirait peu d'avantage, à cause de la 185
distance des marches et que l'entretien était fort onéreux à l'état de la
guerre il n'y a pas d'apparence, qu'on exécute le projet.

Pierre 1er abolit entièrement la cavalerie tartare, dans les provinces
qu'il avait en Europe, et ne la conserva qu'en Siberie où elle est pour
tenir en bride les Calmuques. Depuis l'année 1722, il a obligé les Tartares 190
de Cazan, de recruter son armée sous la condition de la liberté de
conscience. Les officiers louent extrêmement le soldat tartare, et assurent
qu'il est exact et vigilant, tandis qu'il fait profession de la religion
mahométane, et qu'il perd toutes ses bonnes qualités, dès qu'il embrasse
la grecque. Quelques-uns croient que la Russie agit contre ses propres 195
intérêts en enseignant à ces gens-là, l'art de la guerre, parce qu'ils

173-174   c: les dragons
181   c: czarine [avec note: Anne.]
181-182   c: feld-maréchal comte
192   c: officiers se louent extrêmement du soldat
195   c: la religion grecque.

[52] Peut-être une confusion avec le général de cavalerie *allemand* Karl Ewald
Rönne (1663-1716).
[53] Cf. *Histoire de Charles XII*, I.593-596 (V 4, p.189).

haïssent cruellement les Russes, et ne demanderaient pas mieux, que d'avoir une occasion favorable, pour se soustraire de la tyrannie qu'on exerce sur eux. [54]

Les Cosaques de l'Ukranie, ne sont certainement plus ce qu'ils étaient   200
autrefois. A peine y en a-t-il trente mille qui peuvent paraître en campagne. Comme plusieurs étaient mêlés dans la révolte de Massapa, Pierre 1er prit le prétexte, de leur ôter tous leurs privilèges, de les obliger à des travaux d'esclaves, quoique suivant les *pacta subjectionis*, ils n'étaient obligés qu'à servir en temps de guerre. Dans les dernières années de sa   205
vie ce prince avait résolu de les traiter, comme ses sujets. Leur chef ayant représenté, que c'était contre l'accord, qu'on avait fait avec eux, il les fit conduire tous enchaînés, à Petersbourg, et on les aurait fort maltraités, sans la mort non attendue du czar. La czarine confirma leurs anciens privilèges, cependant avec quelques restrictions. Tout cela, porta   210
quelques-uns, de ces pauvres opprimés de se réfugier chez les Saporéens, et en Pologne. Les autres ont tellement été abattus par le désastre, qu'ils n'ont plus la valeur qu'on vantait en eux autrefois. On a même remarqué, qu'ils embarrassent plus l'armée russienne, qu'ils ne lui font de bien. Les Tartares de l'Ukraine, les connaissaient si bien, que la campagne dernière,   215
ils attaquèrent d'abord, où étaient postés les Cosaques de l'Ukraine, ce qui causa plusieurs fois de la confusion dans l'armée.

Les Cosaques du Don, peuple formé de toutes les nations voisines, qui, depuis cent ans, se sont établies dans un pays marécageux, situé

198   c: soustraire à la
201   c: qui puissent paraître
203   c: prit ce prétexte pour leur [...] privilèges, et les
204-205   c: les traités de soumission, ils ne fussent obligés
209   c: mort inattendue du czar. La czarine [avec note: Catherine.]
211   c: opprimés à se
212   c: ont été tellement abattus qu'ils
215   c: Tartares les connaissent si
216   c: ils attaquaient de préférence les postes des Cosaques, ce
218-219   c: voisines, et qui

[54] Commentant une anecdote rapportée par Bernardin de Saint-Pierre, Chappe d'Auteroche jugera lui aussi que les Tatars sont 'un peuple qu'il serait dangereux pour la Russie d'instruire dans l'art militaire' (*Voyage en Sibérie*, p.264).

entre le Don et le Donetz, et qui ne servent qu'à arrêter les incursions 220
des Tartares. Les czars qui ont régné autrefois, avaient donné de grands
privilèges à ce peuple, et exempté d'impôts. Pierre Ier a laissé les choses,
à cet égard, sur le même pied, et quoiqu'ils eussent excité quelques
troubles quelque temps avant la bataille de Pultova, en sorte qu'on fut
obligé d'y envoyer des troupes pour les réprimer, il se contenta 225
nonobstant cela, de punir les chefs de la révolte sans témoigner aucun
ressentiment à la nation. Ces gens ont rendu de grands services au czar,
dans le temps des guerres, surtout dans l'invasion des Suedois. Leur
nombre est un mystère, que Pierre Ier n'a jamais pu découvrir. Quand il
questionnait sur ce sujet les chefs, ils se contentaient de dire, que depuis 230
longtemps ils s'étaient fait une loi, de ne le pas révéler; que d'ailleurs, la
chose lui était indifférente; qu'il suffisait qu'ils lui fournissent autant de
monde, qu'il en demandait.

Les Cosaques de Saporov, est un peuple composé de brigands, qui
depuis un temps immémorial, se sont établis dans une plaine, entrecoupée 235
de marais, nommé Seczu, près des cataractes du Dnieper. Ils se distinguent
des autres Cosaques, en ce qu'ils vivent dans le célibat, et ne souffrent
aucune femme parmi eux. Ils se recrutent chez leurs voisins. Ils ont peu
de bétail, cultivent peu la terre, et ne vivent que de rapines. [55] Ils se sont
jusqu'à présent loués indifféremment, soit au service de la Pologne, soit 240
à celui de la Porte. Ils sont restés jusqu'à présent sous la protection
ottomane, sous laquelle ils ont conservé leur indépendance, et le droit
d'élire et de déposer leur chef. Pierre Ier n'a pu ni par menaces, ni par
bonnes paroles, les gagner. Les violences qu'ils avaient exercées contre

220   c: Donetz, ne
222   c: peuple, notamment l'exemption d'impôts. Pierre Ier
224   c: troubles avant la bataille de Pultowa, au point qu'on
225-226   c: contenta de
234   c: Soporof sont un
239-240   c: sont mis indifféremment
241-242   c: Porte, sous la protection de laquelle ils sont restés, en conservant
leur
244   c: violences qu'il avait exercées

[55] Voir ci-dessus, I.i, n.117 et 122.

leurs compatriotes dans l'Ukraine, les en détournèrent. Ils se sont 245
volontairement mis, sous le règne présent, sous la protection de l'empire
des Russes, et ont rendu des services considérables, dans la première
campagne, faite en Crimée. Ils sont entre les soldats qui ne sont pas
disciplinés les plus braves et les plus courageux.

Les liaisons des anciens czars, avec les Calmuques, qui autrefois 250
habitaient le côté oriental de la Volga, ont été soigneusement conservées
par Pierre 1er et leur chef Chunaiuka[56] fort caressé. Il n'a cependant eu
besoin de leur secours pendant tout son règne, que dans le commencement
de la guerre contre les Turcs, et à l'expédition de Derbens. Le gouvernement présent dans la guerre contre les Turcs, a cherché à attirer les 255
Calmuques, en leur donnant une belle contrée à cultiver, entre le Don
et la Volga. On s'est beaucoup servi d'eux contre les Tartares de Cuban.
L'impératrice est obligée d'avoir beaucoup d'égards pour ce peuple, et
de flatter le présent chan Don-Dey-Ombo, quand elle a besoin d'eux.
Les Russes les regardent comme sujets, comme cela paraît par les lettres 260
qu'ils lui adressent. Mais il ne faut pas tout à fait s'en rapporter aux
compliments orientaux. Don-Dey-Ombo, est si éloigné de la regarder
comme souveraine, qu'il la regarde comme son alliée et lui refuse
souvent nettement, ce qu'elle demande.

Quelques Bulgares et Serviens, qui s'étaient retirés de Turquie, du 265
temps de Pierre 1er lui donnèrent occasion de former un corps de
hussards,[57] plus dans le dessein de pouvoir placer les gens du pays, et

245-247   c: ils ont volontairement, sous le règne présent, accepté la protection
des
251   c: oriental du Volga [*passim*]
252   c: chef Chmelnizkifort; il
257   c: Tartares du Cuban
259   c: flatter l'actuel Don-Duc-Ombo [avec note: Leur chef.]
260   c: Russes le regardent comme sujet, ainsi que cela
262-263   c: de regarder la czarine comme souveraine, qu'il la traite en alliée

[56] Il ne peut s'agir de l'hetman Bogdan Khmelnitski (v. 1595-1657), contrairement
à ce qu'indique la version imprimée.
[57] Voir *Histoire de Charles XII*, 1.597 (V 4, p.189).

d'avoir une secrète correspondance avec cette nation, que dans l'espérance de tirer de ces gens-là des services fort considérables.

Le grand maître de l'artillerie, Bruce, écossais, la mit en très bon état,   270
quoiqu'elle eût beaucoup souffert à Narva, et cela en peu de temps. Peu
de Russes jusqu'ici se sont appliqués à se rendre habiles, dans ce qui
concerne cet article, de sorte qu'il a fallu avoir recours aux officiers
étrangers. Le nombre des canons en Russie, se montait en 1714 à treize
mille canons, soit canons de bronze, soit canons de fer.[58] On a depuis   275
ce temps continuellement travaillé à les augmenter, dans cinq fonderies,
établies pour cela à Moscou, pour les canons de fonte, et à Petersbourg,
à Vavoneschy, à Olonetz et à Systeberch, pour ceux de fer.

Dans le dernier arrangement, que Pierre 1er fit en 1720 par rapport à
l'état de la guerre, il ordonna que chaque bataillon eût trente-deux   280
canons de fonte. On fit une répartition de la grosse artillerie, excepté
des canons, qui étaient dans les grosses forteresses. Le magasin général
subsista toujours à Moscou. On en bâtit encore trois, à Peislouck vers
le Don, à Bransk aux frontières de la Pologne, et à Petersbourg. Il fut
ordonné qu'il y aurait, dans chaque magasin, un train d'artillerie, de   285
deux cent quatre canons, soixante-douze mortiers, et tout ce qui y
appartient.

Le général Bruce, écossais, dont nous avons parlé, établit le corps des
ingénieurs, et il établit à Moscou, et à Petersbourg des écoles, pour que
la noblesse, pût y apprendre le génie. Elles ont fourni, à la vérité, une   290
assez grande quantité de constructeurs mais jusqu'ici, on n'a point trouvé
de Russes, qui eussent l'habileté requise, pour entrer comme officiers
dans le corps des ingénieurs.

274-275   c: treize mille, soit canons de bronze, soit de fer.

277-278   c: Petersbourg, à ...., à Olonetz et à .... [avec note: On
n'a pu lire ces noms dans le manuscrit.]

280-281   c: eût deux canons

282   c: les forteresses.

283-284   c: trois à .... le Don, à .... [avec note: Ces noms étaient
illisibles dans l'original.]

288   c: Bruce, dont nous avons parlé, forma le

[58] Voir *Histoire de Charles XII*, 1.592-593 (V 4, p.189).

De tous les établissements qu'a faits Pierre le Grand il n'en est point auquel il ait travaillé de meilleur cœur et où il ait employé plus de soin, qu'à la marine. Dans tous les autres on lui présentait un plan général, et il en laissait le détail, à ceux qui avaient ordre de l'exécuter. Pour ce qui regardait la flotte, rien ne se faisait sans son consentement. Il ne passait jamais de jour, sans aller pour quelques heures à l'amirauté. Les galères se sont rendues maîtresses, vers Gronham, de quatre petites frégates suedoises. Il érigea à cette occasion, un grand trophée en forme de pyramide devant le sénat à Petersbourg; mais aussi, le moindre échec, que les vaisseaux essuyaient, était pour lui, le sujet de la douleur la plus vive. 295

300

Enfin sa passion dominante, était la marine. Il faisait paraître ordinairement, une excessive prudence, et prévoyance qui ressemblait assez à la crainte; mais il hasardait tout lorsque la flotte était en jeu. Lorsque les conférences d'Aland furent rompues, sur la fin de l'année 1719 et que les Anglais avaient fait la paix, avec les Suedois, Pierre 1er craignait que l'escadre anglaise, ne fût en état d'assiéger Cromstadt. Il aurait volontiers acheté la paix, en donnant la Livonie et Wiburg; mais comme les Suedois insistaient sur la reddition de Revel, et qu'il avait dessein de bien établir sa flotte, dans le voisinage de cet endroit, il résolut de continuer la guerre. Les Suedois, au traité de Nidstadt, temps où le czar était encore bien sûr, que la Suede et l'Angleterre ne pouvaient lui faire du mal, insistèrent sur la reddition de Wiburg. Le czar disposé pour la paix se serait oublié jusqu'au point d'abandonner cette importante place, la clef de Petersbourg, sans l'habileté du comte d'Osterman qui para le coup, quoique le comte Jagusingsky fût déjà en chemin, avec l'acte de cette cession. 305

310

315

320

299-300 c: aller quelques heures à l'amirauté. Ses galères se rendirent maîtresses de
301 c: suédoises [avec note: On croit que ce fut en 1714.]
303 c: que ses vaisseaux
306-307 c: et une prévoyance qui ressemblaient assez à la timidité; mais
307 c: lorsque sa flotte
309 c: Anglais eurent fait
310 c: n'assiégeât Cronstat, et il
316 c: disposé à la

Pierre Ier témoigna dans sa jeunesse, qu'il avait une grande aversion pour l'eau, jusqu'à faire fermer son carrosse lorsqu'il passait le moindre pont. Le hasard le guérit de cette faiblesse.[59] Dans le temps qu'il fréquentait les étrangers il trouva à Imaslowa, un esquif à moitié pourri. Un Hollandais avec lequel il s'entretenait quelquefois, le répara, et lui montra sur l'étang, près d'Ismalowa, comment on pouvait avec ce petit bâtiment, aller avec, et contrevent. Pierre Ier fort porté pour la mécanique, en fut frappé. Il avait beaucoup de disposition pour cette science. Il était fort adroit dans l'art de tourner, comme dans celui d'arracher les dents, de pomper des hydropiques, et autres fonctions semblables, qui faisaient ses plus chères délices.[60] Il ordonna d'abord, qu'on devait lui en bâtir de plus grands, dont il se servait, pour se promener, avec des marchands anglais et hollandais, sur le lac de Perezuslowa, près de Moscou. L'envie d'avoir de grands vaisseaux, l'engagea au voyage d'Archangel, et ensuite à celui de Hollande, où on le vit sur les chantiers de Soardam, travailler la hache à la main, et se familiariser, avec tous les ouvriers qui l'appelaient Boas Pieter.

En quittant la Hollande, il engagea un grand nombre d'officiers de mer, de matelots, de charpentiers, et toute sorte d'ouvriers pour la marine. Dès qu'il fut arrivé à Moscou, il fit avec ces gens-là, un voyage vers le Don, et établit une amirauté près de Woronesch. Il obligea tous les gens de son pays, à bâtir à leurs frais, des vaisseaux grands et petits, sur lesquels il mit les matelots étrangers, et fit venir des Russes, des

325

330

335

340

---

321   C: jeunesse une
323-324   C: faiblesse, dans le temps qu'il fréquentait les étrangers; il
326   C: sur un étang
327   C: et contre le vent. Pierre Ier
328   C: de dispositions pour
330   C: pomper les hydropiques et autres opérations semblables
331-332   C: qu'on lui construisît de plus grands bâtiments, dont
334   C: de voir de
335   C: vit, dans les
336-337   C: l'appelaient *Peter-Baas* [avec note: Maître Pierre.]
339   C: et toutes sortes d'ouvriers

[59] Voir *Histoire de Charles XII*, 1.603-606 (V 4, p.189).
[60] Voir *Histoire de Charles XII*, 1.612-615 (V 4, p.190).

provinces maritimes, pour les dresser. Il envoya en Angleterre, en Italie, en Hollande, plusieurs jeunes gens, des premières familles, pour y 345 apprendre la marine.

Comme l'eau est fort basse, à l'embouchure du Don, et qu'elle ne saurait porter un grand vaisseau avec sa charge, il fit bâtir un magnifique port, sur la mer d'Asov, vers Taganorog, qu'il nomma Troitza, dans lequel les vaisseaux, après avoir passé l'embouchure du fleuve Don, sans 350 leur charge, pouvaient être équipés. La guerre avec les Suedois, semblait ralentir un peu, la ferveur de Pierre le Grand. Il ne laissa cependant pas, que de travailler à exécuter ses desseins. Il faisait même tous les hivers un voyage dans cette idée à Woronesch, et on pouvait conjecturer qu'il voulait, après la guerre de Suede, en venir aux mains avec les Turcs, et 355 briller avec sa flotte, sur la mer Noire.

Ce dessein fut entièrement dérangé par l'infortune de Pruth. En vertu du traité de paix, qu'il fut obligé de faire, avec les Turcs, il fut contraint de démolir le port de Troitza, de remettre Casan à la Porte, et de remettre entre les mains des Turcs, ou de brûler les vaisseaux, qui ne 360 purent se retirer à Woronesch. Il différa autant qu'il put, croyant qu'il se présenterait une circonstance, qui lui serait plus favorable, et qui l'en dispenserait. Mais comme les Turcs insistaient fortement là-dessus, et qu'ils menaçaient d'une nouvelle guerre, il résolut enfin de détruire l'établissement formé au Don, et de transporter à Petersbourg, tous les 365 débris qu'on pouvait.

Le czar, lorsqu'il commença à former Petersbourg, en 1704,[61] avait

350   c: du Don
351-352   c: Suédois sembla ralentir
358   c: faire, il
359-360   c: remettre Asof à la Porte, et de livrer aux Turcs
362-364   c: le dispenserait d'exécuter le traité; mais comme les Turcs le menacèrent d'une
363   c: formé sur le Don
366   c: qu'on pourrait.
367   c: à bâtir Pétersbourg

[61] Voir *Anecdotes*, l.245 et n.62.

commencé à y établir une amirauté, et y avait fait bâtir, quelques petits bâtiments armés. Ce projet n'avait été continué, qu'avec beaucoup de lenteur, soit par la crainte qu'on eut, avant la bataille de Pultova, de ne pas conserver Petersbourg, soit parce qu'il y avait une infinité de difficultés qui auraient rebuté tout autre que Pierre Ier. Le courant de la rivière Newa, entre Petersbourg et Cromstadt, n'a pas de profondeur, au-delà de huit pieds, en plusieurs endroits, de sorte qu'il faut par le secours de l'art, transporter à grands frais, la charpente des vaisseaux, tout arrangée, sans le litage jusqu'à Cromstadt sans pouvoir les transporter de nouveau, à Petersbourg. A peine peut-on se servir du port de Cromstadt, six mois de l'année, à cause des glaces. D'ailleurs, il est situé de manière, qu'un vaisseau n'en peut sortir, que par le vent d'amont. L'eau douce de ce port, y corrompt en peu d'années, les vaisseaux. La plus grande difficulté, par rapport à Petersbourg, c'est que le chêne pour la bâtisse des vaisseaux ne se trouve point dans les provinces voisines. Il faut le faire venir d'un endroit situé au-delà de Casan, et le transporter, contre le courant, plus de deux cents milles, et ensuite on est obligé, de lui faire faire le même chemin en radeau. Outre cela, ce bois est si mauvais, que les vaisseaux qui en sont construits, peuvent à peine durer douze ans.

Les choses étant ainsi, il eût été difficile à Pierre Ier d'avancer la marine, à Petersbourg. Les progrès en furent si lents qu'en 1713 toute la flotte consistait en quatre vaisseaux de ligne, et quelques frégates. Il crut qu'il suffirait pour l'année suivante, de faire bâtir à Archangel, quelques vaisseaux de sapin. Les Suedois qui faisaient à l'égard des Russes, le métier de pirates, obligèrent les Archangelois, à rester chez eux. L'escadre anglaise et hollandaise, vint en 1716 pour garantir le commerce dans le Sund, et donnèrent à Pierre Ier la satisfaction, de jouer pendant quelques

370

375

380

385

390

368   c: commencé par y […] y faire construire quelques
372-373   c: la Newa
376-377   c: arrangée, jusqu'à Cromstadt sans pouvoir la ramener à
379   c: vent d'ouest. L'eau
380   c: y pourrit en
381-382   c: la construction des bâtiments, ne
383   c: d'un lieu situé
387-388   c: il était difficile à Pierre Ier de faire prospérer sa marine
389   c: et en quelques
392-393   c: eux. Les escadres anglaise et hollandaise vinrent en

jours, le rôle de grand-amiral, et d'obliger les Suedois, à cesser leurs   395
pirateries. Dans cette occasion, il acheta plusieurs vaisseaux faits, soit en
France, soit en Angleterre qu'il conduisit heureusement à Petersbourg,
avec son escadre d'Archangel. Tout cela mit le czar en état de mettre en
mer en 1718 vingt-deux, et en 1719 vingt-huit vaisseaux de ligne auxquels
les Suedois, dans ce temps-là, n'étaient pas en état de faire tête; en sorte   400
qu'ils se virent contraints de voir paisiblement les Russes, exercer sur
eux, la piraterie, et sur les vaisseaux étrangers, qui leur portaient des
provisions. Tout ce qu'on prenait sur l'ennemi, était transporté à Revel.

Pierre Ier récompensait tous ceux qui arrivaient avec de pareilles
prises, pour inspirer à ses sujets, de l'amour pour la marine. Tout cela   405
n'a point contribué, à guérir les Russes, de l'aversion naturelle, qu'ils
ont pour l'eau. Cependant il poussa la chose si loin, qu'il avait donné,
dans les dernières années de sa vie, une amirauté bien établie, et au-delà
de trente vaisseaux de ligne, avec un nombre considérable de frégates,
et d'autres bâtiments, très bien équipés, et pourvus de pilotes, presque   410
tous russes.

Les progrès de la marine, ont été fort lents, sous l'impératrice
Catherine, et entièrement négligés sous Pierre II, où le gouvernement
était entre les mains des anciens Russes. L'impératrice d'aujourd'hui, a
voulu rétablir la marine. Elle fit même, en allant de Moscou à Petersbourg,   415
assembler pour cela, une commission dans cette dernière ville. La marine
cependant n'a pu être mise sur le pied, où l'avait laissée Pierre Ier car,
devant Dantzic, dans la guerre de Pologne, contre le roi Stanislas, en
1734 la flotte n'excédait pas le nombre de quinze vaisseaux. L'amirauté
de Petersbourg n'en avait pu fournir davantage. D'ailleurs ils étaient si   420

398   c: d'Archangel. Cela permit au czar de
400   c: Suédois, en ce
401   c: qu'ils furent contraints
403   c: prenait à l'ennemi
405   c: prises, afin d'inspirer
407-408   c: avait, dans
410   c: bâtiments bien
413   c: Catherine Ire, et
414   c: d'aujourd'hui [avec note: Anne.]
419   c: pas quinze

mal équipés, que si la France eût eu en mer, seulement neuf ou dix vaisseaux de guerre, ceux des Russes n'auraient osé hasarder un combat.

On forme une question, fort problématique. Savoir si Pierre Ier en augmentant sa flotte dans la mer Baltique, a procuré un grand avantage à ses sujets, et à ses forces?

La Russie est située de manière, qu'elle ne peut être attaquée avec avantage par mer, quand toutes les flottes de l'Europe se combineraient. Tandis que l'armée russe, sera en état, il ne peut se faire avec succès, un transport des troupes ennemies dans les provinces, car quand il réussirait, l'armée ennemie serait à la merci des Russes, parce qu'en hiver, toute communication de mer, cesse. L'armée russienne est-elle en mauvais état, comme elle n'a, à cet égard, que la Suede à craindre, et qu'il est plus profitable à cette dernière d'attaquer les Russes par terre, elle n'a pas besoin de beaucoup s'inquiéter à cet égard.

Aussi la Russie ne peut porter aucun dommage, par sa flotte, à ses voisins. Les côtes de Suede, sont inaccessibles aux grands vaisseaux, à cause des rochers et des bancs de sable de la Prusse. Les Russes pourraient, à la vérité, entreprendre quelques opérations de guerre, entre les îles danoises, mais comme c'est une chose directement opposée, aux intérêts de la Russie, d'entreprendre la guerre contre le Dannemarc, et qu'il est de leur intérêt de le conserver; que d'ailleurs l'Angleterre et la Hollande ne peuvent regarder avec indifférence, la diminution des forces du Dannemarc, ces deux royaumes ne manqueraient pas de paraître avec leur flotte, dans la mer Baltique, et d'obliger la flotte russienne, à se retirer de ses ports.

425

430

435

440

445

422   c: hasarder le combat.

423   c: On fait une

428   c: en bon état

431-432   c: cesse. Si l'armée russe est en mauvais état, comme on n'a que

433-434   c: plus avantageux à [...] terre, il est superflu de

435   c: La Russie ne peut occasionner aucun

437   c: sable. Les

438-442   c: guerre, contre les Danois; mais comme il serait directement opposé aux [...] Dannemarck, qu'elle doit au contraire conserver, et que [...] ne pourraient regarder

443-445   c: deux puissances ne manqueraient pas d'envoyer des flottes dans la mer Baltique, et d'obliger les Russes à se retirer dans leurs ports.

Il y a plusieurs raisons, pour prouver que jamais la Russie ne sera en état, d'équiper une flotte, qui puisse aller de pair avec celles des puissances maritimes, parce que les revenus du pays, ne sont pas suffisants pour cela. Au contraire, de telles entreprises les absorberaient entièrement, parce qu'il leur manque aussi, des gens de mer, qui soient expérimentés, 450 et puisque Pierre Ier n'a pu réussir, à guérir ses sujets, de l'aversion naturelle qu'ils avaient pour l'eau, il n'y a pas apparence que jamais ses successeurs y réussissent.

Ce n'est ni le soutien du commerce, ou de la liberté de la navigation, qui eût pu engager la Russie, à entretenir sa flotte, puisque les Russes 455 ne font aucun commerce, avec leurs propres vaisseaux, ni ne se soucient de le faire, et qu'il peut se faire par le secours des vaisseaux étrangers, dont la conservation n'intéresse point la nation russe, qui laisse le soin à ceux qui les ont envoyés, de les défendre en temps de guerre, contre les armateurs des ennemis. 460

Si donc la flotte russienne est inutile pour la défense du pays, et nullement en état d'attaquer ses voisins; si elle n'est pas propre à soutenir le commerce, et la liberté de la navigation, on peut conclure que Pierre Ier eût agi d'une manière plus conforme à ses intérêts, si au lieu d'employer des sommes immenses pour la marine, il eût cherché à enrichir ses sujets, 465 et à augmenter ses forces sur terre.

Les mariniers les plus experts de Russie, affirment que l'agrandissement de la marine, n'est d'aucune utilité au pays, et que tout ce que la Russie, peut attendre d'avantages d'une flotte, se peut acquérir, quand

446   c: que la Russie ne sera jamais en
448   c: maritimes. Les
449   c: cela, et de
449-450   c: entièrement; il lui manque
450   c: mer expérimentés
451-452   c: de leur aversion naturelle pour
454   c: n'est que le
455   c: qui puisse engager
457   c: et qu'on y emploie des
461   c: flotte est
465   c: immenses à la
468-469   c: que tous les avantages que la Russie peut retirer d'une flotte se peuvent acquérir

elle ne serait composée, que de six vaisseaux de ligne, et de douze   470
frégates, afin de s'en servir dans les occasions imprévues, comme en
1734, devant Dantzic.

Il faut porter un jugement tout différent, touchant les galères, dont
Pierre Ier a entièrement augmenté le nombre. Il établit pour cet effet, un
chantier à Petersbourg, et fit construire un port à part, qui pourrait   475
renfermer deux cents galères, à sec.

Cette espèce de vaisseaux, n'était point connue, avant Pierre Ier dans
la mer Baltique. Quelques Grecs et Dalmatiens qui dans les premières
guerres avec les Turcs, vinrent aborder à Woronesch avec des galères,
lui en donnèrent l'idée. Les Russes ne se sont servis que de galères, pour   480
les excursions de la mer d'Asov, pendant que la marine de Don, subsista.
On s'en servit même, avec tant de succès sur la mer Baltique, à cause
des rochers, que le czar en fit bâtir plus de trois cents à Petersbourg. [62]

Le czar ne trouva point à cet égard, autant de difficulté, qu'il en avait
trouvé dans l'établissement de sa flotte. Comme les galères étaient de   485
sapin, il n'y avait pas beaucoup de peine, à trouver le bois. D'ailleurs
elles se construisaient plus facilement que les vaisseaux. La plus grande
partie des galères, se construisit à Abo, par les soldats, avec leurs haches,
sous la direction de deux ou trois architectes. La manœuvre en est si
facile, qu'à la fin de la guerre de Suede, il n'y avait aucun capitaine des   490
régiments, qui avaient été en Finlande, qui ne sût les commander. Le
soldat russe, trouvait cette monture si commode, parce que ce sont de
bons voiliers, et que toutes les nuits, elles s'arrêtent au rivage, qu'il s'y

473-474   c: différent sur les galères dont Pierre Ier construisit un grand nombre
475-476   c: construire à part un port qui peut renfermer
481   c: les entreprises de [...] marine du Don
484-485   c: Il ne rencontra point [...] de difficultés qu'il en avait trouvées dans
486   c: il n'était pas fort difficile de se procurer le
488   c: se fit à
489   c: trois constructeurs. La
492-493   c: trouvait ces bâtiments si commodes, parce que [...] nuits, ils
s'arrêtent

[62] Voir *Histoire de Charles XII*, 1.608-612 (V 4, p.198-99).

embarquait volontiers, et se faisait un plaisir de ramer, quand le vent était contraire, préférant cela, à marcher, chargé de bagage.   495

Ces galères ont rendu à Pierre 1er de grands services, dans les dernières guerres de Suede, et il leur est redevable de la glorieuse paix de Nydstedt. Car quoique la Suede, eût perdu la Finlande, et l'Ingermanie, cependant quelque forte que fût l'armée, et la flotte russienne, elle ne pouvait causer un chagrin sensible à la Suede qu'en l'obligeant à céder pour toujours,   500 en vertu d'un traité de paix ces deux grandes provinces. Les montagnes, les marais, l'eau dont la Finlande, est partout entrecoupée, lui donnèrent occasion de fortement disputer le terrain aux Russes. D'ailleurs, la chaîne de rochers, qui environnent les côtes de Suede et de la Finlande, depuis Wiburg jusqu'à Calmar, et cela plus d'un mille dans la mer, aurait été   505 regardée comme un boulevard qu'une attaque par mer, n'eût pu vaincre. Ce qui était un obstacle aux vaisseaux ne l'était pas aux galères, qui n'avaient pas besoin de beaucoup d'eau. De sorte que même à la vue de la flotte ennemie, elles pouvaient traverser les différents détroits, et en une campagne se rendre maîtresses de toute la Finlande, faire des   510 descentes fréquentes en Suede, ravager, sans qu'on pût les en empêcher soit par mer, soit par terre. De grands vaisseaux ne pouvaient dans cette occasion, leur servir, car dès que les Russes remarquaient que les Suedois s'assemblaient en un lieu, ils abordaient d'abord dans un autre endroit, avec leurs galères, et ils y portaient le feu et le sang. Les Suedois   515 voulurent aussi avoir des galères, mais ils ne purent jamais réussir. En sorte que les six premières qui parurent en mer, furent prises avec tout l'équipage, par les Russes. Les Suedois se flattaient que l'escadre anglaise, viendrait dans le golfe de Botnie, qui est large de plus de deux milles, et

495   c: préférant cet exercice à marcher chargé de son bagage.
499   c: quelque fortes que fussent l'armée et la flotte russe, elles ne pouvaient causer
502-503   c: lui permettent de disputer longtemps le
504   c: qui environne les [...] de Finlande
509   c: elles peuvent traverser
511   c: Suède, et y ravager sans qu'on puisse les
512-513   c: pouvaient servir dans cette occasion; car
514-515   c: abordaient aussitôt dans un autre avec
515   c: portaient la désolation. Les
516   c: jamais y réussir.

tiendrait en respect les galères russes, qui nécessairement étaient obligées   520
d'y passer; mais les Anglais ne voulurent pas y exposer leur escadre.
Cela encouragea tellement les Russes, qu'ils mirent tout à feu et à sang.
En sorte que les Suedois ayant employé tous les moyens possibles de
défense, se virent contraints de se retirer, et d'acheter la paix, par la
perte de la Finlande; heureux encore de ce que Pierre Ier ne s'avisa pas,   525
sur l'*uti possidetis* qui avait été le fondement de tous les traités de paix
entre la Russie et la Suede.

On a peine à comprendre les raisons de cette modération dans un
prince tel que le czar, surtout ceux qui étaient informés de la situation
dans laquelle étaient les affaires du Nord, et de quelle importance,   530
était l'acquisition d'une telle province. Car ayant résolu de faire de
Petersbourg, sa résidence, et la capitale de ses Etats; que d'ailleurs cette
ville, tire de la Finlande, la plupart de ses provisions, il est surprenant
qu'il n'ait pas insisté, sur la possession. D'ailleurs, il ne risquait rien
d'insister. Il n'avait rien à craindre de l'Angleterre, encore moins de la   535
Suede tellement épuisée alors qu'une nouvelle campagne l'eût réduite, à
acheter la paix à tout prix.

La Suede est encore exposée à cet égard, si jamais un prince hardi et
entreprenant, parvient au trône de Russie, et veut se servir de l'avantage
des galères. Erinschgrid, amiral suedois qui a été quelques années,   540
prisonnier de guerre en Russie,[63] l'a prédit aux Etats de Suede. Dans les
démêlés qu'eurent en 1726 ces deux cours, touchant les affaires de
Holstein, on lui demanda combien il fallait de vaisseaux de guerre, pour

522-523   c: sang; et les Suédois après avoir épuisé tous
525   c: perte d'une partie de
       c: n'insista pas
532-533   c: Etats; et d'ailleurs cette ville tirant de
534   c: sur sa possession entière.
541   c: Russie [avec note: Il fut fait prisonnier en 1714.]
541-543   c: Suede, dans les démêlés qu'eurent, en 1726, ces deux cours,
touchant les affaires de Holstein. On

[63] Il s'agit de Nils Ehrensköld (1694-1728) qui fut en captivité en Russie après la
bataille de Hangö en 1714. Voir ci-dessus, II.v, n.5.

garder les côtes, en cas que les Russes en vinssent à une invasion, avec
leurs galères, il répondit qu'avec mille vaisseaux, il aurait de la peine à   545
les en empêcher.

Question 5e.

Quels sont les nouveaux et utiles règlements, que Pierre 1er a faits
par rapport au commerce?

Réponse.

Le commerce de la Russie est si varié, et si différent de celui de l'Europe,
qu'il est impossible de se former une idée juste, des changements, qu'y
a apportés Pierre 1er si on ne donne pas un détail de chaque branche.   5

On peut en général, diviser ou plutôt ranger, sous deux classes, le
commerce des Russes. Celui qu'ils font dans l'intérieur du royaume, et
celui qu'ils font au dehors.

Nous n'entendons pas seulement par le commerce de l'intérieur du
royaume, celui que les provinces font entre elles, mais l'échange que les   10
Russes font avec les étrangers. La Russie à cet égard, a plus de
commodités, et est mieux située, qu'aucun royaume de l'Europe.

L'étendue du royaume des Russes, qui dans sa longueur, occupe plus
de la moitié de notre hémisphère, et dans sa largeur, s'étend depuis le
46e degré, jusqu'au 70e fournit à peu près, tout ce qui est nécessaire à la   15
vie. Ce qui manque dans une province, se trouve dans l'autre. La
grande quantité de rivières navigables qu'elle renferme, et qui sont si

---

544   C: Russes tentassent une

1   MS2:   Nouveaux et utiles règlements de Pierre I. par rapport au gouvernement
du commerce.

6   C: ranger en deux

7   C: l'intérieur de l'empire, et

9-10   C: l'intérieur, celui

10-11   C: mais les échanges que les Russes font avec l'étranger. La

12   C: qu'aucun Etat de

13-14   C: L'étendue de l'empire qui [...] occupe près de

17-19   C: navigables, heureusement [...] aller depuis Pétersbourg [...] Chine,
traite de

heureusement situées, lui sont d'un si grand avantage, qu'on peut aller de Petersbourg, jusqu'aux frontières de la Chine, trait de plus de douze mille verstes, sans être contraint d'aller sur terre, plus de cinq cents   20
verstes, ce qui facilite, extrêmement, le transport des marchandises. Les charrois, outre cela, se font en Russie, à si bon marché, et à si peu de frais qu'on peut envoyer de Petersbourg à Moscou, distance de cinq cent cinquante-sept verstes, en temps d'hiver, en payant quatre ou cinq gobelesud, c'est-à-dire quarante livres de Russie, tout ce que l'on veut.   25

C'est par cette raison que le commerce intérieur du pays, soit en gros, soit en détail, n'a été conservé, que pour les bourgeois russes, et l'étranger n'a jamais eu la permission de transporter des ports dans le pays, pour la vente des marchandises, ou d'en acheter dans le pays, pour les transporter ensuite dans les ports de mer. Cela va si loin, qu'un étranger   30
ne peut acheter d'un autre étranger, des marchandises du pays, dans les différents ports de mer. Il est obligé de s'adresser aux habitants du pays, qui seuls ont le droit d'en fournir. Les contrats de vente peuvent être conclus à Moscou, mais il faut que les livraisons, se fassent dans les ports de mer.   35

Pierre Ier n'a rien changé à cet égard, dans le commerce, sinon que lorsqu'il transporta, le gros du commerce d'Archangel, à Petersbourg, au lieu qu'on ne payait de droits dans tout le pays pour la douane, que cinq pour cent, le droit à Archangel, fut haussé de deux pour cent, et au contraire diminué à Petersbourg de la même somme. Ce privilège   40

20   c: verstes [avec note: Mesure itinéraire d'environ quatre-vingt-six au degré.], sans être contraint de faire par terre

22-25   c: cela, sont en Russie à si bon marché, qu'on peut envoyer tout ce que l'on veut en hiver de Pétersbourg à Moscou; distance de cinq cent cinquante-sept verstes, en payant quarante livres de Russie.//

29-30   c: de se transporter

29   c: ou d'y en acheter pour

31   c: des productions russes dans

32-33   c: habitants, qui

36   c: égard, sinon

37-39   c: Pétersbourg, on ne payait précédemment dans tout le pays que cinq pour cent de douane, et que le

40   c: somme. Le privilège

exclusif, fut soigneusement conservé aux sujets, et on refusa en 1716
l'alliance la plus avantageuse avec l'Angleterre, parce qu'elle demanda
que les Russes eussent un commerce libre avec Casan, et Astracan. Le
czar avait dans sa jeunesse, conclu dans un voyage qu'il fit à Cognisberg,
un traité de commerce avec le feu roi de Prusse, dans lequel on permettait   45
aux Prussiens, et Brandebourgeois, de négocier librement en Russie. Ce
traité n'a jamais été exécuté. M. de Mardefeld, sondant en 1725, temps
où il établit la livraison des draps de Prusse en Russie, sondant, dis-je,
les conseillers du commerce, ils lui conseillèrent de ne rien mettre à cet
égard, sur le tapis, puisque cela ne se pouvait, sans la ruine totale de   50
tous les marchands russes, et qu'avec toutes ses sollicitations, il ne ferait
autre chose, que de rendre odieux, le commerce de Prusse, qui ne l'était
déjà que trop.

Les Arméniens ont la permission de transporter les marchandises de
Perse, par Astracan, en traversant la Russie, jusqu'à Petersbourg, et de   55
les envoyer par mer, dans d'autres pays dont ils ne paient que deux pour
cent, de péage. On prend à cet égard, de grandes précautions, pour
qu'ils ne débitent pas leurs marchandises en Russie. Leurs ballots sont
tous cachetés, aux douanes qu'il y a dans les ports où ils abordent. Ils
sont obligés de montrer ces cachets, aux ports d'où ils partent. Comme   60
ce commerce rapporte beaucoup de droits de péage, que d'ailleurs il ne
fait aucun tort, au commerce interne du royaume, le czar ne fit, à cet
égard, aucun changement.

Les commerces étrangers, par lesquels des marchandises étrangères

41   c: aux Russes, et on rejeta, en
43-45   c: que ses sujets eussent un commerce libre à Casan et à Astracan. Le
czar, dans sa jeunesse, pendant un voyage qu'il fit à Konigsberg, avait conclu un
45   c: Prusse [avec note: Fréderic Ier.]
46   c: et aux Brandebourgeois
47-48   c: 1725, époque où
49   c: ils l'exhortèrent à ne
51-52   c: et sans rendre
56-57   c: pays, moyennant un péage de deux pour cent seulement. On
58-59   c: sont cachetés aux douanes dans
62-63   c: commerce intérieur de l'empire, le czar n'y a fait aucun

entrent en Russie, et celles de Russie en sortent pour les pays étrangers,　65
doivent être distingués en commerce de terre et celui de mer.

Les principaux commerces de terre en Russie, sont celui de la Chine,
celui avec les Calmuques, celui de la Bucarie, celui de la Perse, celui de
la Tartarie, et de la Turquie, celui de la Pologne et de la Silesie. Enfin
le commerce qui se fait autour de Smolenskov, et pour la Prusse.　70

Le vrai commerce de la Chine, qui se fait par la Siberie, en caravanes,
peut être regardé comme un monopole de la couronne. Lorsqu'une
caravane doit partir, la chancellerie de Siberie, a un kuptschin,[64] ou
commissaire du corps des marchands, qui reçoit l'argent destiné pour ce
commerce, et les pelisses, la seule marchandise, que les Russes puissent　75
porter à la Chine, tirée des magasins de Moscou et de Toboltz, que l'on
troque pour des marchandises de la Chine. Ces marchandises, au retour
de la caravane, sont mises dans le magasin de Moscou, où la cour choisit
ce qui lui plaît, et le reste est exposé ensuite, à une vente publique.

Le retour d'une pareille caravane, est estimé valoir, jusqu'à trois cent,　80
jusqu'à quatre cent mille roubles, et si l'on compare le prix des
marchandises, quand on les a achetées, à celui qu'on leur assigne à la
vente de Moscou, on ne peut que conclure que le profit en doit être très
grand, d'autant plus que les frais du transport, nonobstant l'étendue du
chemin, ne montent pas à cinq pour cent. Mais les dispositions bizarres　85

65-66　c:　sortent, doivent
66　c:　et de
69　c:　Tartarie, de la Turquie, de
70　c:　et par la
73-74　c:　un commissaire
75-77　c:　pelisses ou pelleteries tirées des magasins impériaux de Moscou et de
Tobolsk sont les seules marchandises que les Russes puissent porter aux Chinois,
avec qui ils les troquent contre des
77　c:　Chine qui, au
78　c:　sont déposées dans
79　c:　est vendu ensuite publiquement.//
80-81　c:　jusqu'à trois et quatre
82　c:　achetées, avec celui
85　c:　montent qu'à

[64] Sans doute faut-il lire *kouptchina* ou *kouptchik* (marchand).

de la chancellerie de Siberie, pour la vente et la conservation des marchandises et le peu de fidélité de ceux qui sont employés, font que les profits disparaissent en partie, ou servent à garnir leurs bourses. Car quoique suivant les règlements du pays, aucun particulier ne puisse négocier à la Chine, ni être intéressé dans la caravane à moins d'une permission expresse, que les caravanes soient exactement visitées aux frontières, les commissaires cependant savent, soit dans l'aller, soit dans le retour, en tirer des marchandises soit sur leur propre compte, ou d'autres particuliers, qui ordinairement sont plus belles, que celles qui sont dans la caravane.

Les marchands russes, établis en Siberie, ont outre cela, trouvé depuis quelques années un moyen indirect, de faire un échange de leurs marchandises, avec celles des Chinois. C'est à Urga, place située vers le fleuve Selinga, où le cham des Mongales de l'Occident, réside ordinairement, ou plutôt, où il a formé son camp, et où il est recherché des marchands russes et chinois, et comme, par cette voie, une grande quantité de marchandises de la Chine, et à moins de frais, que cela ne se peut faire par les caravanes, sont portées en Siberie, il faut nécessairement qu'il arrive, que le débit de celles des caravanes, en devienne plus difficile, et en diminue par conséquent le profit.

Comme la Russie a eu occasion de débiter des pelisses, qui lui sont fournies par les peuples païens, établis en Siberie, et qu'elle reçoit dans les péages en paiement, puisqu'ils s'y font tous en nature, et non pas en

90

95

100

105

87   c: fidélité des employés
88   c: garnir leur bourse. Car
89   c: règlements, aucun
91   c: soient visitées
93-94   c: marchandises pour leur propre compte, ou celui d'autres
94-95   c: qui restent dans
98   c: avec les Chinois.
99   c: le kan des Tartares Mongules
100   c: ordinairement, et
102-103   c: à moindre frais, que cela ne peut se faire
103-105   c: nécessairement que [...] caravanes devienne plus difficile, et par conséquent d'un moindre profit.
107-108   c: qu'elle en reçoit dans les péages, où les paiements se font
108   c: non en

argent, comme, dis-je, elle a eu occasion par les caravanes de débiter
cette espèce de marchandise, dont elle ne pouvait pas en avoir, un   110
suffisant débit, soit dans le royaume, soit au dehors. Pierre Ier s'est donné
un grand soin pour le maintien de ces caravanes, et a souvent envoyé
dans ce dessein, des ambassadeurs à la Chine. Il conclut même, en 1720,
un traité de commerce, avec le vieil empereur de la Chine Cham-Hy,
sous les conditions, qu'il y aurait toujours à Peking un agent russe, pour 115
veiller au soutien de ce commerce. Les Russes n'ayant pas observé en
plusieurs choses, les conditions du traité, et protégeant ceux des Chinois,
qui fuyaient chez eux le vieil empereur en 1722 rompit tout d'un coup
tout commerce avec la Russie. Il renvoya l'agent [65] avec la caravane, et
n'a permis à personne, de venir commercer dans ses Etats, pendant sa   120
vie.

Le Cham-Hy son successeur, ayant une violente guerre sur les bras,
avec le contaisch des Calmuques, dont il se tira fort mal, se vit obligé
d'implorer l'assistance de la Russie, et envoya, pour cet effet, deux
ambassadeurs, en promettant de rétablir le commerce, sous des conditions 125
très avantageuses. Les deux ambassadeurs, arrivèrent sous le présent
règne, l'un à Moscou, l'autre à Petersbourg. [66] On ne sait point jusqu'ici,
ce qu'a produit cette ambassade. Une chose est sûre, c'est que le
commerce est ouvert de nouveau, avec la Chine, qu'une nouvelle

---

109-112   c: a occasion par les caravanes de se défaire de cette [...] pouvait
avoir un débit suffisant, soit dans l'empire, soit au [...] donné de grands soins pour
le maintien des caravanes
    114-115   c: empereur Cam-Hi sous la condition qu'il
    117   c: les clauses du
    118-119   c: l'empereur en 1722 rompit brusquement tout
    122   c: Son successeur
    127   c: règne [avec note: Celui d'Anne.]

[65] Laurent Lange. Voir ci-dessus, 1.vii, n.33.
[66] En 1731. L'ambassade chinoise était passée d'abord chez le contaisch ou khan
des Kalmouks, Tseren Donduk, qui s'était reconnu vassal de l'empereur Yun-tchen.
Jubé, qui vit ces Chinois à Moscou, en plein hiver, les décrivit avec humour: gelés
au fond de leurs traîneaux, ils n'en étaient pas moins imbus de leur supériorité par
rapport aux Russes (*La Religion, les mœurs et les usages des Moscovites*, p.167).

caravane y a été envoyée, et que ce qu'elle en a apporté, fut en partie 130
consumé, dans le dernier incendie arrivé à Moscou.

Des gens experts, en ce qui regarde le commerce, prétendent que le
commerce avec la Chine, quelque avantageux qu'il paraisse d'abord, sur
le pied où il est à présent est plus désavantageux au fond, qu'il n'est
profitable à la Russie; car, disent-ils, quoique la couronne débite dans ce 135
commerce, un grand nombre de pelisses, qu'ils ne pourraient pas débiter
ailleurs, à un si haut prix, cependant il faut employer de très grandes
sommes pour soutenir ce commerce, qui sont perdues pour le royaume
puisque excepté une petite quantité d'or, on ne tire de la Chine que des
étoffes de soie, ou de coton, dont ils ne peuvent rien débiter chez leurs 140
voisins, et dont, outre cela, le royaume pourrait fort bien se passer. Si
l'on continue, ce commerce le prix excessif, que conservent les pelisses
par ce moyen, donne occasion, que la balance du commerce est opprimée
au désavantage du pays; que cette marchandise ne peut être débitée hors
du pays, avec quelque avantage; qu'au contraire les Anglais et les 145
Français, qui tirent une grande quantité de ces marchandises, des colonies
qu'ils ont en Amérique, les peuvent débiter, même en Russie, avec profit.

Si le commerce de la Russie avec la Chine, était mis sur le pied, que
la plus grande partie des marchandises apportées de la Chine par les
caravanes, pût être consumée dans d'autres pays, il serait très avantageux 150
et profitable, mais tandis que la cour de Russie s'en mêlera, on n'y
parviendra jamais.

Le commerce avec les Calmuques, se fait par des particuliers. On
porte à ces gens-là, toutes sortes de marchandises, de fer, d'acier, de
cuivre, de la quincaillerie, et ils donnent en revanche, du bétail, des 155

132-133   c: que celui avec
136   c: qu'elle ne pourrait débiter
138-139   c: pour l'empire; puisque
140   c: dont les Russes ne
141   c: cela ils pourraient fort
142-145   c: excessif auquel il soutient les pelisses en rend la balance désavanta-
geuse au pays, hors duquel cette marchandise ne peut être débitée avec quelque
profit; d'autant que les
146-147   c: de pelleteries de leurs colonies d'Amérique [...] avec bénéfice.//
150-151   c: être consommée dans les autres pays, il serait très profitable mais
tant que
155   c: en échange du

denrées, quelquefois même de l'or, et de l'argent, qu'ils ont pillé dans leurs guerres avec les Chinois. La Russie n'a tiré d'autre utilité de ce commerce, si ce n'est qu'elle a eu occasion d'apprendre à connaître ce pays, d'y découvrir des mines de cuivre, que les habitants négligent, et dont les Russes profitent du gré des Calmuques. Pierre Iᵉʳ ne s'est 160 nullement mêlé de ce commerce, si ce n'est qu'il a fortement défendu aux Russes de leur porter des canons, des fusils, des épées, ou des munitions de guerre.

Les Russes ont eu depuis longtemps un libre commerce avec la Tartarie bucharienne, et ont reçu des habitants de Samarcand, en échange 165 pour des marchandises de Russie, ou de l'argent comptant, des peaux de petits agneaux tout frisés, toutes sortes d'étoffes des Indes, des pierres teintes, qu'on y porte là, au marché. Quoique dans ce commerce, les Russes soient exposés, en allant et en retournant, à être pillés par les Tartares, qui sont perpétuellement en course, il faut qu'on en tire 170 beaucoup de profit, puisque dans le temps où il florissait encore, on donnait à Moscou 150, 160, jusqu'à 200 roubles pour cent à Samarcand. La malheureuse entreprise ou expédition du kneés Cierszaschy à la Tartarie chivinskienne et dont nous parlerons tantôt, excita une si grande jalousie, chez les Tartares de Bucharie, qu'ils ne voulurent plus 175 commercer avec les Russes, et mirent tant d'obstacles, que le commerce devait tomber de lui-même. Car quoique Pierre Iᵉʳ n'a point épargné ses soins pour le rétablir, qu'il a même envoyé exprès une ambassade en

157-159   c: n'a retiré d'autre utilité de ce commerce que celle de connaître le pays
160   c: profitent au gré
161-162   c: défendu à ses sujets de
165   c: Bucarienne, où ils reçoivent des
165-166   c: échange des marchandises de Russie, de
166   c: peaux, de
167-168   c: Indes, etc. Quoique
170   c: sont continuellement en
170-171   c: en retire beaucoup
171-172   c: on gagnait à
172   c: cent sur ce qui venait de Samarcande.
173   c: Tzerkaschi dans la
176-177   c: et opposèrent tant d'obstacles, que ce négoce devait
177-178   c: n'eût point [...] qu'il ait même

Bucharie, cependant il n'a pas réussi. L'impératrice aujourd'hui régnante
(1737) y a envoyé le colonel Garber, comme ambassadeur, avec une   180
riche caravane. Ceux de la Bucharie, engagèrent une nation extrêmement
brigande, nommée Kovaschia Horda, [67] qui ayant environné la caravane,
l'a tellement affaiblie par la faim et la fatigue, qu'elle fut obligée de
capituler, et de retourner sur ses pas, après avoir perdu ses marchandises
les plus précieuses.   185

L'impératrice a depuis travaillé, à l'instigation du conseiller d'Etat
Kirilov, [68] d'établir une colonie dans les montagnes voisines de l'Arabie,
qui devait porter le nom d'Horemburg, et par le moyen de laquelle on
se flatte, d'ouvrir le chemin vers les Bugares et autres peuples tartares,
qui sont là autour, et d'affermir le commerce. Le temps apprendra si on   190
parviendra à ce but.

Les Russes ont depuis plus d'un siècle un commerce considérable
d'Astracan en Perse. Ils transportent leurs marchandises sur des barques
plates, jusqu'à Nisowaga, et de là par terre jusqu'à Schamachit, et en
rapportent en échange de la soie crue et des étoffes persiennes de soie.   195
Pierre Ier ayant formé le dessein, d'introduire dans son pays, des fabriques
de soierie, il chercha, à augmenter le commerce, et à l'agrandir, puisqu'il
devait fournir les manufactures, de la soie nécessaire, et comme dans les

179-180   C: régnante y
181   C: Bucarie excitèrent une
182-183   C: caravane, affaiblie par la faim et la fatigue, l'obligea de
187   C: Kirilow, à établir
188   C: nom de d'Orembourg
189-190   C: tartares voisins, et d'affermir ce commerce.
192   C: Russes font depuis
194   C: jusqu'à Niasabath
197   C: augmenter ce commerce
198   C: fournir la soie nécessaire aux manufactures, et

[67] *Kazatchia orda*: la horde des Cosaques.
[68] Ivan Ivanovitch Kirilov (mort en 1737). Ober-sekretar du Sénat, géographe,
auteur d'un atlas de l'empire russe. Il remit au Sénat un projet de relations
commerciales avec les Khans d'Asie centrale et l'Inde. En 1734, il prit la tête d'une
grande expédition dans la région d'Orenbourg. Malgré l'opposition des Bachkirs,
il construisit des forteresses.

derniers troubles de Perse, les Tartares de Leginsky prirent Schalmachie, et pillèrent la caravane russienne, il prit par là occasion d'entreprendre 200 l'expédition de Perse.

Son but principal dans cette entreprise, était de se rendre maître des provinces, qui sont vers la mer Caspienne, où est la meilleure soie, et d'attirer dans son pays, ce grand commerce de soierie, qui va de là, jusqu'à Smyrne. Il fit avec facilité la conquête des deux provinces, 205 Schirwan, et Gilan lesquelles il conserva, non seulement pendant sa vie, mais il en obtint encore trois autres, Monsanderan, Astambat, et Fesabat par un traité qu'il fit avec Schach-Tamas, [69] qui les lui céda, quoiqu'il ne soit jamais entré en possession des trois dernières. Comme partout, où ses troupes passaient, les habitants du lieu en décampaient, et qu'ils 210 aimaient mieux se retirer dans le pays, que de se mettre sous sa domination, il ne parvint point à son but. Il fut au contraire cause que ce commerce si avantageux pour lui, des Arméniens dont nous avons parlé, qui profitaient de son pays, comme un passage, pour leurs marchandises, fut suspendu entièrement, et les endroits où l'on faisait la 215 soie, furent absolument ruinés.

Les Russes conservèrent encore, quelques années après la mort de Pierre Iᵉʳ leurs conquêtes, mais voyant par leur propre expérience, qu'ils n'en tiraient aucun profit, que plusieurs milliers de soldats, qu'ils étaient obligés d'y entretenir y crevaient à cause du mauvais air, ils prirent le 220 parti sage et prudent de remettre leurs provinces conquises, à la Porte,

199   c: Lesquis s'emparèrent de Chamaki
200-201   c: prit de là, occasion de commencer la guerre de
204   c: qui s'étend de
205-206   c: des provinces de Schirvan et de Guilan, qu'il
210   c: habitants en
213   c: lui, les Arméniens
214   c: parlé rendant son pays le passage de leurs
215   c: les lieux où on cultivait la
220   c: entretenir, mouraient à
221-222   c: remettre ces provinces à la Perse, et

[69] Tahmâsp, qui n'était pas encore schah, régnera de 1730 à 1731 sous le nom de Tahmâsp II.

et ils obtinrent la liberté de négocier, sans payer aucuns droits, dans toutes les provinces de la Perse.

Plusieurs doutent que ces conditions soient tenues par la Perse, et que l'avantage qu'on se flatte d'en tirer, soit aussi grand et aussi réel, qu'on se l'imagine. On prétend au contraire, que tandis qu'on n'acquerra, comme on fait à présent, les marchandises de Perse, qu'à beaux deniers comptants, elles seront toutes consumées en Russie. On devrait plutôt chercher à rétrécir ce commerce qu'à l'étendre. On devrait surtout empêcher, qu'il n'entre en Russie, aucune étoffe de soie, mais seulement que la soie crue de Perse, y eût droit d'entrée.   230

Les Tartares de la Crimée, les marchands de l'Ukraine tirent beaucoup de choses, comme vins et fruits de terre. Ils donnent par contre, des grains et des denrées, qui s'envoient ensuite à Constantinople, par les Turcs, qui les y viennent chercher. Pierre Ier n'a pas cru que ce commerce,   235
fût d'assez grande importance, pour qu'il dût y faire quelque attention.

Pierre Ier a laissé un libre cours, au commerce de l'Ukraine à Constantinople, ce qui se fait par la plupart des marchands grecs, afin de mieux débiter les zibelines, et autres fines pelisses, qui ailleurs n'ont presque aucun débit, d'autant plus qu'on en rapporte de l'argent   240
comptant, et peu de marchandises de Turquie.

Le czar a au contraire, cherché à limiter le commerce de Kiov avec Breslaw. Il ne consistait dans les commencements qu'en ce que les plus riches gentilshommes de l'Ukraine, envoyaient leurs bœufs, bétail qui abonde extrêmement en ce pays, à Breslaw pour être vendus, et tiraient   245
de cette ville, avec quelque argent comptant, des épiceries, et des

223   C: de ce royaume.//
224   C: soient observées par
227-228   C: qu'argent comptant, elles seront toutes consommées en
230   C: empêcher d'introduire en
231   C: Perse pût y entrer.//
232   C: de Crimée
233   C: de la terre.
235-236   C: cru ce commerce d'assez [...] pour y faire
237   C: Il a
238   C: Constantinople, qui se fait par des
242   C: czar, au contraire, a cherché
245   C: abonde en

provisions de bouche. Comme il se forma plusieurs fabriques de cuir en l'Ukraine, et que les manufactures étrangères, dans les ports de mer, furent fort chargées d'impôts, comme cela se voit par le tarif de 1724, les marchands qui se mêlèrent de ce commerce, envoyèrent à cette occasion, une grande quantité de cuirs de Russie, en Silesie, et en tirèrent en échange, une grande quantité de toiles, plusieurs marchandises, qui payaient de grands droits, qu'ils débitaient ensuite, dans les provinces méridionales de la Russie. Comme l'Ukraine a des privilèges particuliers, et que les droits y sont plus modiques, que dans les autres provinces de la Russie; que par conséquent, le marchand russe, et ceux de l'Ukraine, ne pouvaient tenir ensemble de foires, l'échange des marchandises se fit à Kiov, au préjudice des péages de mer, et des manufactures du pays. D'un autre côté, les marchands de cuir de Russie, se plaignaient qu'ils ne pouvaient plus vendre leurs marchandises, aussi bien qu'ils l'avaient fait auparavant, puisqu'ils donnaient leurs cuirs à Breslaw, au-dessous du prix de l'achat à Petersbourg.

Ces inconvénients obligèrent Pierre Ier de restreindre le commerce de Kiov en Silesie, et de le borner au seul négoce des bœufs, en en défendant tout autre, sous des peines très rigoureuses. Les choses sont restées sur ce pied, jusqu'au règne de Catherine et de Pierre II, quoique la cour de Vienne ait fait ce qu'elle a pu, pour lever cette défense.

La cour de Vienne, ayant de grandes influences sur les conseils de Russie, elle en a obtenu, malgré le sentiment du ministère, la liberté du commerce de Breslaw. Comme les raisons de cette défense subsistent toujours; que le dommage que cause cette liberté au commerce de mer,

250
255
260
265
270

247-248   c: en Ukraine
249   c: chargées de droits, comme on le voit
250   c: se mêlaient de
252   c: échange beaucoup de toiles et plusieurs
255-256   c: de l'empire; que par conséquent les marchands russes et
264-265   c: bœufs, et à en défendre tout
265   c: choses en sont
266   c: Catherine Ire et
268   c: Ayant aujourd'hui une grande influence sur
269   c: elle a

augmente toujours, il est sûr que la défense aura de nouveau lieu pour peu qu'il y ait de refroidissement entre ces deux cours.

L'augmentation des péages aux ports de mer, a fait naître un commerce secret de Taropetz, et d'autres villes de Smolenskov, avec Conigsberg 275 et Dantzic, la chambre de commerce, n'a pu jusqu'ici le rompre. Cependant on l'a fortement défendu, et ceux qu'on attrape, sont rigoureusement punis, comme cela est déjà arrivé à plusieurs marchands qui ont entièrement été ruinés, pour avoir fait ce commerce.

Les ports de mer en Russie, où le commerce s'exerce, sont au nombre 280 de sept. Riga, Revel, Narva, Wiburg, Archangel, Kola, et Petersbourg.

Le commerce de Riga, ne doit être regardé, que comme un simple commerce de passage, qui consiste principalement en ce que les étrangers achètent auprès d'eux, ou pour eux, les marchandises étrangères qu'y portent les Polonais, et les Courlandais, et les expédient sur les vaisseaux 285 étrangers, et par contre ils donnent au vendeur, les marchandises étrangères; car ce que la Livonie fournit à Riga, ou ce qu'elle tire de cette ville, est de petite conséquence. Dans la dernière guerre de Suede, ce commerce était entièrement tombé, parce que les Suedois, tandis qu'ils furent maîtres de la mer, tinrent le port de Riga fermé et n'y 290 permettaient l'entrée d'aucun vaisseau. Pierre Ier n'étant point assuré, que cette ville lui resterait, ne s'embarrassa pas beaucoup, de ce qui regardait ce commerce; mais dès que par le traité de paix de Nidstedt, elle lui fut cédée, il s'est extrêmement appliqué, à y rétablir le commerce. Pour cet effet, il a confirmé à cette ville, ses anciens privilèges et droits 295 de péage, qui peuvent le favoriser, et a attiré par beaucoup de promesses, les Polonais à Riga, qui s'étaient dispersés et tirés du côté Conigsberg

272   c: augmente journellement, il [...] défense sera renouvelée, pour
273   c: entre les deux
274   c: péages dans les ports
275   c: Toropetz, de Smolensko et d'autres villes avec
279   c: ont été entièrement ruinés
284   c: achètent, pour d'autres ou
285   c: sur des vaisseaux
290-291   c: n'y permirent l'entrée
293   c: traité de Nidstedt
296-297   c: promesses, à Riga, les Polonais qui [...] et retirés du côté de Konigsberg

pour leur commerce, et comme il sut profiter du temps, où les Polonais avaient sujet de se plaindre, des nouveaux arrangements, qu'on avait faits dans Conigsberg, sur le sujet du négoce, il réussit si bien à les   300
attirer, que Riga s'achalanda tellement en peu de temps, qu'elle tira à soi tous les Polonais qui pendant la guerre, avaient tourné leur négoce, du côté de Conigsberg, de sorte qu'elle est à présent plus florissante par son commerce, qu'elle ne l'a peut-être jamais été, du temps des Suedois.

Le commerce de Revel, n'est pas si florissant, quoique Pierre Ier a   305
confirmé tous les privilèges de cette ville, et a mis les péages, sur le pied de ceux de Suede. Car comme elle n'a point de rivières, et que l'abord qu'elle avait autrefois de Russie, est entièrement arrêté, par l'établissement du commerce de Petersbourg, elle ne reçoit de marchandises que quelque peu de lin, et de grains, que lui fournit l'Estonie.   310
Ainsi, ils ne peuvent mettre en vente, que ce que le pauvre gentilhomme estonien peut avoir besoin. De cette manière, le commerce de Revel, ne rapporte que la vingtième partie de celui de Riga.

Le commerce de Narva, du temps des Suedois, n'était pas moindre que celui de Riga, non seulement parce que toutes les marchandises, que   315
fournissaient les provinces voisines de la Russie, y étaient portées, mais aussi parce que le commerce de Perse, et de l'Arménie, était obligé de se servir de ce chemin et les marchands étrangers, établis à Moscou, afin de faire venir en Russie, ce qu'ils apercevaient manquer à Archangel. La guerre et le transport des habitants de Narva en Russie a détruit   320

300   C: faits à Konigsberg sur le négoce
301   C: qu'il tira
302-303   C: tourné leurs vues du
303-304   C: sorte que Riga est actuellement plus florissant par son commerce qu'il ne
305-306   C: Pierre Ier ait confirmé [...] et mis
307-308   C: que les débouchés qu'elle avait autrefois en Russie sont entièrement fermés par
309-310   C: reçoit d'autres marchandises
311-312   C: Ainsi on ne peut mettre en vente à Revel que les objets dont les pauvres gentilshommes estoniens peuvent avoir besoin: ainsi le commerce de cette ville ne
317   C: et d'Arménie
318   C: de cette voie, ainsi que les
319   C: ce qui manquait à

entièrement ce commerce; car quoique Pierre Ier ait dans la suite permis à ces habitants d'y retourner, pour s'y établir, il les a pourtant assujettis au tarif des droits de péage de Russie, afin de ne point préjudicier au commerce de Petersbourg, et a si fort rétréci leurs privilèges que ce commerce a toujours été, pendant la vie de ce prince, dans un état de languerur.   325

L'impératrice d'aujourd'hui a rendu au magistrat de Narva, ses anciens privilèges, ce à quoi Pierre Ier et ses deux successeurs, n'avaient absolument pas pensé. Elle a fait plus encore. On leur a restitué une église, qui avait été consacrée, suivant le rite russe, de sorte que cette   330 ville est à présent fort bien bâtie, et que le commerce y est sur un meilleur pied, qu'il n'avait été autrefois. Tandis que Petersbourg subsistera, et le tarif de Russie, jamais cependant Narva ne parviendra à sa première splendeur.

Tandis que Witburg était sous la domination de Suede, c'était le plus   335 considérable entrepôt de toutes les marchandises, que la Finlande et la Carelie pouvaient fournir aux nations étrangères. Depuis que cet endroit est parvenu aux Russes, les Suedois ont établi un nouveau port aux frontières à Friderischam, et ont accoutumé les Finlandais, à y porter leurs marchandises. Cela leur a été d'autant plus facile, que les Russes   340 mêmes, ont découragé le commerce à Witburg, en y introduisant leur tarif; de sorte que cette ville ne reçoit à présent qu'une petite quantité de bois, de goudron, et de beurre, qui se trouvent dans la Carelie russienne, de sorte que le commerce, n'est dans cette ville, qu'un commerce de paysans.   345

321-322   c: quoique dans la suite Pierre Ier ait permis aux anciens habitants
323   c: ne pas préjudicier
324   c: fort restreint leurs
327   c: L'impératrice Anne, qui règne aujourd'hui, a vendu au
328-329   c: n'avaient pas
331-333   c: et le commerce s'y trouve sur [...] pied, que précédemment; mais tandis que Pétersbourg et le tarif de Russie subsisteront, jamais Narva
335   c: de la Suède
337-338   c: que cette ville est aux
338-339   c: port sur leurs frontières
341   c: commerce de Wibourg
343-345   c: beurre, et qu'il ne s'y fait qu'un négoce de paysan.//

Il n'y a d'autre commerce à Kola, aux côtes de la Laponie que celui qui résulte de la pêche. Le peu de vaisseaux étrangers qui y viennent, y arrivent chargés de sel, pour saler les saumons et les cabillauds et autres, qu'ils achètent à un très vil prix des poissonniers de ce lieu, et qu'ensuite ils transportent dans les différents pays de l'Europe.   350

On prend outre cela, sur les côtes de la Laponie une grande quantité de veaux, et de chiens marins, dont on tire une huile que les marchands de Hambourg estiment beaucoup, et plus que celle de Groenlande. On en commerçait autrefois librement, mais Pierre Ier en fit un monopole, dont il fit présent au baron de Schapiroff. Après sa disgrâce, le revenu   355 de ce négoce rentra en caisse, et l'huile était vendue au plus offrant, dans la chambre de commerce, à Petersbourg. Mais ce ministre ayant terminé le dernier traité de paix avec la Perse, et étant retourné en grâce, l'impératrice d'aujourd'hui lui a de nouveau fait présent, des profits de ce négoce, de sorte qu'il en tire un revenu de 12 à 15 mille roubles,   360 suivant que la prise est bonne ou mauvaise.

Archangel est l'endroit où les Anglais ont les premiers établi un commerce avec la Russie, sous le règne d'Elisabeth. Au commencement du siècle, le négoce y florissait extrêmement, parce que ce port était le seul, où les marchands russes, pouvaient se pourvoir, de marchandises   365 étrangères, et où toutes celles de la Siberie et de la Russie, se portaient. La rivière de Durena, fort grande et partout navigable, qui traverse un terrain de plus de trente mille verstes, et a communication avec toutes

346   c: Kola, sur les côtes de Laponie
347-349   c: viennent, arrivent [...] saumons, les cabillauds et autres poissons qu'ils
349   c: des pêcheurs de
351   c: On pêche outre [...] de Laponie
353   c: beaucoup plus que celle du Groënland.
355   c: baron Schaffirof.
357   c: chambre du commerce
358-360   c: étant rentré en grâce l'impératrice Anne lui donna de nouveau les profits de ce négoce, dont il tire un revenu de douze ou quinze
361   c: la pêche est
362   c: le lieu où
363   c: règne de leur reine Elisabeth.
366   c: étrangères, où
367-368   c: traverse une étendue de pays de plus

les parties septentrionales de Russie, cette rivière, dis-je, ne contribua
pas peu, à faire fleurir le commerce d'Archangel, quoiqu'il ait reçu de   370
temps en temps quelques atteintes, par la défense du transport des grains,
de l'achat de certaines marchandises comme cuirs de Russie, goudron,
et huile de baleine, pour le compte de la cour, et autres semblables
monopoles pernicieux. L'échange était cependant si considérable, qu'on
ne s'apercevait pas facilement du dommage, qui en résultait. L'établisse-   375
ment du commerce de Petersbourg, a tellement fait tomber celui
d'Archangel, qu'excepté quelque peu de bois, de goudron, et d'huile de
baleine, que l'on trouve aux côtes de la mer Blanche, et aux bords de la
Dwine, choses qui à cause de leur pesanteur, ne peuvent être transportées
à Petersbourg, excepté, dis-je, cela, on n'y porte point de marchandises   380
de Russie, et encore moins d'étrangères.

  Si le commerce de Petersbourg fleurit, il en faut attribuer la cause à
l'affection de Pierre 1ᵉʳ pour cet endroit, et à l'attention qu'il a eue,
d'agrandir cette ville, car quoiqu'elle soit située d'une manière plus
profitable pour le commerce, qu'aucun des autres ports de Russie, que   385
les rivières qui y passent, communiquent avec les principales et les plus
fertiles provinces du royaume, cependant les Russes, ont une si grande
aversion pour Petersbourg que si cela dépendait d'eux, ils n'y auraient
jamais établi un commerce considérable, et se seraient contentés, de
rendre toujours florissant, celui d'Archangel. Pierre 1ᵉʳ s'était inutilement 390
donné le soin, pendant quelques années, d'attirer les marchands russes
à Petersbourg. Tous les avantages qu'il leur accordait, ou plutôt qu'il
leur permettait, soit par rapport aux péages, soit en d'autres choses,
n'étaient pas suffisants pour les déterminer, à préférer cette nouvelle
ville, aux anciens ports du royaume. Afin donc de parvenir à son but   395

369-370   c: de la Russie [...] ne contribue pas
377   c: de goudron, de bois et
378-380   c: trouve sur les côtes de la mer Blanche, et sur les bords de la Dwina,
objets qui [...] être transportés à
383-384   c: pour cette ville, et à l'attention qu'il a eue de l'agrandir; car
387   c: provinces de l'empire, cependant
389-390   c: de celui
393   c: leur promettait, soit
395-396   c: ports de Russie; afin donc de parvenir sûrement à son but, il

sûrement, il chargea de tant de difficultés, le négoce de ses sujets avec Archangel, qu'il espérait ainsi faire valoir celui de Petersbourg.

Dès que la possession de Petersbourg lui fut assurée, par le traité de paix de Nydstedt, il découvrit aux sénateurs son dessein, touchant le changement du commerce. Les marchands que tout cela dérangeait, firent des représentations, qui furent toutes appuyées par les sénateurs et les ministres. L'amiral Apranxi osa même dire au czar, que par ce changement, il ruinait tout le corps des marchands, et le mettait à la besace. Il persista cependant dans son dessein, et il ordonna en 1722 qu'on ne devait porter à Archangel, que ce qui croissait dans le gouvernement, et aux bords du fleuve Dvina. Ce qui fit qu'en 1723 on porta à Petersbourg, une très grande quantité de marchandises, de sorte que les négociants, ne purent s'empêcher d'y aller. On adoucit la rigueur de cette défense, l'année suivante et on ne gêna pas tant le transport des marchandises à Archangel, mais on augmenta dans le tarif, les droits de ce qui entrait et sortait de cette ville, de vingt-cinq pour cent de plus qu'à Petersbourg, excepté le goudron, l'huile de baleine, les mâts, et autres bois. Tout cela contribuait à l'avancement du dessein de Pierre Ier.

Il paraissait d'abord dans les commencements, que tout cela serait fort préjudiciable au commerce de Petersbourg. La difficulté du transport des provinces de Russie à Petersbourg et des charrois, rendait les marchandises qu'on y portait si chères, que le Russe y trouvait très mal son compte; d'autant plus que l'étranger obligé de payer des droits au Sund, cherchait à se dédommager, soit sur son achat, soit sur sa vente.

400

405

410

415

420

397 c: qu'il espéra ainsi
398-399 c: traité de Nidstadt
404-405 c: 1722, de ne porter
406-408 c: gouvernement de ce nom, et sur les bords [...] on transporta à Petersbourg une grande quantité de marchandises, et que
409 c: suivante, on
415 c: Il parut d'abord au commencement que
416-417 c: difficulté des transports des provinces de Russie jusqu'à cette ville et
418 c: trouvait fort mal
419-420 c: droits en passant le Sund
420 c: sur ses achats, soit

Plusieurs marchands de Kargopel et de Siberie, qui achetaient des marchandises étrangères, et avaient crédit pendant une année, au bout duquel temps, le paiement se faisait très régulièrement, ces gens-là prirent par là, occasion de s'absenter de la foire, et d'obliger leurs créditeurs, de les aller trouver dans des pays vastes et déserts, ce qui a   425
causé la ruine de plusieurs maisons anglaises et hollandaises.

Le temps accommoda tout. On disposa mieux les chemins pour le transport, soit par mer, soit par terre, et on remarqua bientôt que tout cela ne préjudicierait point, en général, au commerce, soit aux Russes, soit aux étrangers, que ne l'est Archangel.   430

Les Russes apprirent enfin, à mieux connaître les chemins qui conduisent à Petersbourg, et lorsqu'ils eurent accommodé leurs bâtiments, à la profondeur des rivières qui y coulent, ils remarquèrent, qu'ils pouvaient transporter leurs marchandises à Petersbourg, avec autant de sûreté, moins de frais, et plus promptement, qu'à Archangel, et que dans   435
cette nouvelle ville, ils pouvaient mieux prendre des précautions, soit pour le départ des vaisseaux, soit pour le prix des marchandises, qu'ils y envoient.

Les étrangers avaient l'avantage de ne plus être obligés d'avoir des maisons à Moscou pour faire les contrats, et une à Archangel, pour la   440
réception et la livraison des marchandises. Tout cela pouvait se faire dans Petersbourg. Ils ne pouvaient faire qu'un voyage à Archangel, à cause des glaces. Les rivières y sont encore gelées vers la fin de mai, et elles gèlent au commencement d'octobre, au lieu que les vaisseaux pouvaient deux fois l'année, venir à Petersbourg. Le plus grand avantage   445

421-425   c: achetaient auparavant des marchandises étrangères, avec un crédit d'une année, au bout de laquelle le [...] régulièrement, prirent de là occasion [...] et obligèrent ainsi leurs créanciers de les aller chercher dans

427   c: les routes pour

428-430   c: par eau, soit par terre; l'on reconnut bientôt que Petersbourg présentait en général, pour le commerce des Russes et des étrangers, moins d'obstacles que le port d'Archangel.

433   c: rivières, ils sentirent qu'ils

436-437   c: prendre leurs précautions pour le départ des vaisseaux et pour

441-442   c: marchandises, tout cela se faisant à Pétersbourg. Ils

443-444   c: glaces, les rivières y étant encore gelées vers la fin de mai, et gelant au

445   c: l'année aborder à

qu'ils tiraient encore, c'est que Petersbourg étant placée entre d'autres villes de négoce, ils peuvent tirer leur argent, en lettres de change, ou le faire venir en nature, au lieu que l'éloignement d'Archangel, ne procurait pas le même avantage; de sorte que celui qui avait besoin d'argent, était obligé de se soumettre au cours de change, qui n'est point réglé, sur la nature du commerce, ou des espèces, mais suivant l'abondance, ou le manque d'argent comptant, puisqu'il arrive quelquefois, que dans une année, même en peu de mois, il diffère de quinze à vingt pour cent. 450

Tous ces avantages dédommagent des péages du Sund, et de la cherté des marchandises à Petersbourg. De là, il est arrivé qu'après la mort de Pierre Ier quoiqu'on ait mis les droits d'Archangel, sur le tarif de Petersbourg, le négoce de cette dernière s'est conservé, tandis que l'autre languit. 455

Quoiqu'on ait souvent entendu Pierre Ier se plaindre de ce qu'il n'avait pas une idée juste du commerce, et de ce qui y appartient, il est cependant sûr, qu'il savait bien, à cet égard, ce qui était utile, ou nuisible à ses Etats, et que s'il manquait dans l'exécution, c'était par le grand intérêt ou profit présent: passion qu'il a de commun, avec bien des grands. 460

Il avait trois desseins par rapport au commerce. 1°. de diminuer la quantité de marchandises étrangères, qu'on portait en Russie, et d'augmenter celles qui sortaient du pays. 2°. d'arrêter toute fraude des douanes, et de les mettre sur un bon pied. 3°. d'ôter des mains de l'étranger, le commerce de mer, dans son pays, et d'encourager les Russes, à transporter, sur leurs propres vaisseaux, les marchandises du pays, dans les pays étrangers. 465

470

446-447   c: que cette ville étant située à portée d'autres [...] ils pouvaient en tirer
    450   c: cours du change
    452   c: comptant; et il
    453   c: même dans peu de mois, il varie de
    459   c: Pierre se
    463   c: passion qui lui était commune avec bien des gens.
    464   c: trois projets relativement au
    465   c: quantité des marchandises
467-468   c: d'ôter à l'étranger
    468   c: dans ses Etats, et
469-470   c: vaisseaux leurs marchandises dans

Afin de parvenir à son premier but, il a pris le chemin le plus sûr et le plus convenable. C'est celui de faire valoir les mines de son pays, et d'attirer les manufactures des pays étrangers. Il eut dans son premier voyage en Hollande, le soin d'engager à son service, un très grand nombre d'artistes, d'artisans, de toutes sortes de professions, tels que des épingliers,[70] ouvriers en fil de fer, des papetiers, armuriers, drapiers, et autres, et il donna de grands encouragements, à ceux qui venaient s'établir de bon cœur, et de bon gré. Malgré la guerre de Suede, il ne perdit cependant pas son objet de vue. Il engagea toujours du monde à cet effet. Il envoya de ses sujets en Angleterre et en Hollande, afin d'y apprendre et d'y voir les manufactures qui y sont en vogue.

475

480

Pierre Ier avait eu en tout cela, le dessein d'établir des fabriques de lin et de laine dans son pays, et comme il apprit que la laine du pays était trop rude, parce qu'on ne savait pas la manière dont on traitait les brebis, il fit venir de Saxe et des bergers et des brebis.[71] Il fit plus que tout cela. Dans le voyage qu'il fit en France, il prit la résolution d'établir des fabriques d'étoffes riches, telles que celles qu'on fabrique à Lyon, à Orléans et à Tours. Il donna même cette commission à l'amiral Apraxin, au baron Schapiroff, et au comte Tolistoy. Il leur accorda des privilèges très lucratifs, comme celui de pouvoir pendant les premières années de l'établissement, faire entrer en Russie, sans payer de droits, toute sorte

485

490

472-473   c: de ses Etats, et d'attirer chez lui des manufacturiers étrangers.
475   c: d'artistes et d'artisans
476   c: épingliers, des ouvriers [...] des papetiers, des armuriers, des drapiers
477-78   c: qui vinrent s'établir de bon gré.
478   c: guerre contre la Suède
480   c: effet; et il
482   c: Pierre avait
483   c: laine en Russie, et
484-486   c: pas y soigner les troupeaux, il [...] Saxe des bergers et des brebis. Dans le voyage qu'il entreprit en France, il résolut d'établir
487-488   c: celles de Lyon, d'Orléans et de Tours.
489   c: baron de Schaffirof et au comte de Tolstoy.

[70] Voir *Anecdotes*, l.165 et n.43.
[71] Voir I.xii.97.

de marchandises de soie: privilèges, que ces seigneurs vendaient deux mille roubles, à des marchands.

Ce projet fut abandonné, peu d'années après. Il en arriva de même, de la plupart des fabriques, que Pierre 1er avait établies, par le secours des étrangers artisans. Les Russes qu'il avait envoyés en Hollande, et en Angleterre, y restèrent pour la plupart, charmés de la liberté qui règne dans ce pays. Ceux qui revinrent, furent si peu encouragés par leurs compatriotes que par désespoir, ils se livrèrent à la débauche, et crevèrent presque tous.

Nonobstant tout cela, Pierre 1er avait porté les choses dans son pays, jusqu'à ce point, que la Russie pouvait fournir les choses les plus nécessaires, des armes, des épingles, des toiles, surtout des toiles pour les voiles, non seulement pour la flotte russienne, mais même pour les pays étrangers.

Les mines ont été très bien cultivées sous son règne, surtout par les soins d'un certain forgeron, nommé Demidov, dont le fils jouit à présent d'un revenu de cent mille roubles, que le père a gagnés. De sorte qu'au lieu que la Russie tirait autrefois de la Suede, du fer et du cuivre, elle en peut livrer à présent aux autres, en grande quantité, surtout du fer.

Les droits de mer étaient au commencement de ce siècle sur un pied tout à fait inconnu, aux autres nations de l'Europe. Suivant le règlement, toutes les marchandises du pays, ou étrangères, excepté le vin et le grain, qui avaient une taxe particulière, payaient quatre pour cent, de droits de péage. Ce droit devait se payer, suivant les conventions faites avec les

495

500

505

510

515

492   c: de soieries, privilèges
492-493   c: vendaient à
495   c: Pierre avait
496   c: des artisans étrangers. Les
497-498   c: qui y règne; ceux
501-502   c: Nonobstant cela Pierre avait porté les choses à
502   c: pouvait se fournir
503   c: nécessaires: savoir, des armes […] toiles, et surtout
506-507   c: bien exploitées sous le règne de Pierre, particulièrement par les soins d'un forgeron
508-510   c: sorte que la Russie, qui tirait autrefois de la Suède du fer et du cuivre, en peut vendre à présent une grande quantité aux étrangers, surtout
514-515   c: particulière, étaient assujetties à un péage de quatre pour cent. Ce

marchands, en bons écus espèces, dont on compte quatorze pour une livre russe, et que l'écu ne pouvait valoir au-delà de 50 copeysk en sa valeur ancienne, quoique dans la suite, elle soit montée, jusqu'à 80, 90 et même jusqu'à cent, et que la livre du péage soit montée de plus de cinq pour cent, qu'elle ne l'est ordinairement. Cependant on pouvait compter le péage sur le pied de neuf pour cent. Mais en revanche, le marchand, après avoir tiré de la balance, la valeur de ce qui entrait, et de ce qui sortait, n'était obligé de payer le péage, que de la partie dont la valeur surpassait l'autre, et avait le retour libre, ce qui rapportait aux comptoirs des marchands étrangers, un profit annuel et considérable, parce qu'ils mettaient aux marchands le péage à 9 pour cent, également en ligne de compte, tant pour la sortie que pour l'entrée, quoiqu'ils ne le payassent pas. 520

525

Cette méthode touchant le péage, avait été introduite dans les commencements à Archangel, et envisagée par les Russes mêmes à cet égard, comme très avantageuse, parce qu'on croyait animer par là, les étrangers à acheter plus de marchandises de Russie, et d'en expédier plus qu'ils n'avaient eu intention de le faire. Pierre Ier cependant, s'imaginait que les étrangers quand ils auraient besoin des marchandises de Russie, ou qu'ils trouveraient du profit dans l'échange, viendraient en chercher, et qu'ils ne négocieraient pas à leur préjudice, en faveur du profit du péage. Ainsi il regarda cet encouragement, comme étant superflu, d'autant plus que le marchand, qui faisait venir les marchandises de Russie, et qui à juste droit, devait y profiter, y avait le moins de 530

535

517   C: et l'écu
         C: copeicks [avec note: Un copeick de Russie peut être apprécié à un sou de France.]
519   C: cent copeicks, et [...] soit augmentée de
524-525   C: rapportait au comptoir des
526   C: parce qu'ils portaient au négociant le
533   C: eu l'intention
533-534   C: cependant s'imaginant que
537-538   C: péage; regarda [...] comme superflu
538   C: le commerçant, qui faisait venir des marchandises
539   C: y gagner, y

profit. Il était pour les commissionnaires, qui ne négocient pas pour leur   540
compte propre mais pour celui des autres.

Il résolut par cette raison de séparer les péages que payaient les
marchandises, dans l'entrée et dans la sortie, comme cela se fait dans les
autres villes de commerce, et donna ordre à la chambre du commerce,
et à celle des manufactures, de dresser conjointement, un tarif sur ce   545
pied-là, et de le lui envoyer pour être approuvé. Il ajouta un ordre de
faire en sorte que toute malversation dans les droits de douane, soit
arrêtée, par un rigoureux règlement de mer.

Les deux chambres furent occupées à cela, pendant quelques années,
et enfin présentèrent un tarif, dans lequel les marchandises se payaient   550
en général, six et demi pour cent. Les manufactures, soit celles qui
étaient établies, soit celles à l'établissement desquelles, on travaillait,
étaient taxées à 36, 38 et même à 80 pour cent. Les commissaires, avaient
à la vérité représenté que ce tarif n'était que pour Archangel et qu'on
avait diminué les droits d'un quart à Petersbourg, pour l'encouragement   555
du commerce. Tout cela ne plut point à Pierre 1er. Il ordonna que ce
tarif devait avoir lieu à Petersbourg, à Narva, à Witburg, et qu'il devait
être haussé du quart à Kola, et à Archangel.

Cependant le tarif fut publié au mois de mars de l'année 1724 avec un
règlement très rigoureux, contre ceux qui frauderaient la douane. Il fut   560
même exécuté à l'égard des vaisseaux qui s'étaient mis en mer, avant
d'en être informés, pour aller à Petersbourg. Il en résulta soit à l'égard
des marchandises du pays, soit à l'égard des étrangères, beaucoup de
dommage. Les revenus de la caisse des douanes, diminuèrent les années

540   c: profit, et que la plus grosse part était
540-541   c: ne négociaient pas pour leur compte, mais
543   c: marchandises à l'entrée et à la
547-548   c: douane fût arrêtée
549   c: occupées de ces objets pendant
550   c: marchandises payaient
556   c: plut pas à
557-558   c: tarif aurait lieu [...] Narva et à Witburg, et qu'il serait haussé du
quart à Archangel et à Kola.//
559   c: mars 1724
561-562   c: qui, avant d'en être informés, s'étaient mis en mer pour
562-563   c: résulta, à l'égard des marchandises du pays et des

suivantes, soit qu'on ne fît pas venir dans le pays des marchandises, sur   565
lesquelles il y avait de si grands impôts ou qu'on le fît très clandestinement.
On fit force représentations qui furent inutiles. Pierre Ier résista dans sa
résolution, et ne voulut pas entendre parler d'allégement.

Le but principal de Pierre Ier dans le commerce, a toujours été de
rendre ses sujets bons négociants, et de les porter à se passer du secours   570
des autres nations maritimes, et à transporter eux-mêmes, et avec leurs
propres vaisseaux, leurs marchandises pour les débiter dans les pays
étrangers. Il en fit déjà l'essai au commencement de ce siècle. Il envoya
en Hollande, un marchand russe, nommé Solowiev, qui établit un
comptoir russe à Amsterdam. Les commissions de la couronne, lui furent   575
non seulement données, mais il retira encore de grands profits, des
commissions particulières de la nation. Comme il était actif, et honnête
homme, il pressa ce commerce avec beaucoup de succès, et s'attira
l'estime de tout le corps des marchands de Hollande. Mais quelques mal
intentionnés dont Solowiev n'avait pas voulu satisfaire l'avarice, lui   580
rendirent de mauvais services auprès de Pierre Ier dans le dernier voyage
que ce prince fit en Hollande. Il fit enlever ce marchand, et le fit
transporter sur un vaisseau en Russie. Tout le commerce russien tomba
tout d'un coup à Amsterdam, et les marchands se défièrent tellement des
Russes, qu'aucun d'eux, n'y trouva plus de crédit, et ne put y former,   585
un solide établissement.

Tout cela n'effraya point Pierre Ier. Il résolut de faire un essai, s'il ne
pourrait pas par ses sujets, débiter les marchandises dans les pays, qui
jusque là, n'avaient point eu de commerce direct avec la Russie. Il

566-567   c: grands droits, soit qu'elles y entrassent clandestinement. On fit
beaucoup de représentations [...] Pierre persista dans
569   c: Son but principal dans
570   c: négociants, de
571   c: eux-mêmes avec
578   c: il fit ce
582-583   c: marchand qu'on transporta sur [...] Russie. Le commerce russe
tomba
584-585   c: des compatriotes de Solowief, qu'aucun [...] trouva de
585-586   c: former d'établissement solide.//
587-588   c: Cela n'effraya pas Pierre; il résolut d'essayer s'il ne pourrait pas
faire débiter par ses sujets leurs marchandises
589   c: n'avaient pas eu

obligea pour cet effet les marchands, d'amasser une grande quantité de 590
lin, d'agrès, de cire, et autres marchandises du pays, pour en faire un
envoi en France, et en Espagne. Il y fit ajouter lui-même des canons de
fer, des mortiers, des boulets, des bombes, et des ancres, qu'il avait fait
tirer de son amirauté, et envoya cette cargaison, sur ses propres vaisseaux,
à Bordeaux, et à Cadix. Ils furent précédés par les consuls russes. Mais 595
cette entreprise réussit si peu, que les frais en absorbèrent le capital, et
que les intéressés en tirèrent peu ou rien.

Enfin Pierre Ier pour inspirer à ses sujets, un goût pour la marine,
ordonna dans le tarif qui fut publié, qu'au cas qu'un bourgeois russe,
soit sur des vaisseaux bâtis dans le pays, ou achetés, apporte à ses dépens 600
des marchandises étrangères à Petersbourg, ou de celles du pays, dans
les ports étrangers, il serait libéré du quart des droits de péage réglés
par le tarif. Cependant malgré ces avantages, aucun Russe pendant la
vie de ce prince, n'a osé l'entreprendre.

Quoique dans la suite, il y ait eu des Russes, qui sous les successeurs 605
de Pierre Ier aient voulu entreprendre de négocier avec leurs propres
vaisseaux, cependant par une fatalité cachée et inconcevable, presque
tous les vaisseaux qui l'ont voulu entreprendre, sont péris, la plupart à
la vue de Cromstadt. De sorte qu'on peut dire, que le commerce des
Russes sur mer, est le même qu'il a été autrefois avant Pierre Ier. 610

591   c: et d'autres marchandises, pour
593   c: fer, des bombes
595   c: par des consuls
598   c: Pierre, pour [...] sujets du goût
599   c: ordonna, par le
599-601   c: russe portât à ses dépens sur des vaisseaux construits dans l'empire
ou achetés ailleurs, des
606   c: Pierre, aient voulu négocier
608   c: tous ces bâtiments ont péri, la
610   c: Pierre.//

Question 6ᵉ.

Quels sont les ouvrages publics, canaux, qui communiquent à la mer, nouvelles villes, édifices, forteresses, qui ont été bâties, ou projetées, par Pierre 1ᵉʳ?

Réponse.

Pierre 1ᵉʳ ayant dessein d'étendre la marine, jusqu'au bord de la mer Noire, il lui parut que rien ne pouvait mieux avancer son projet, que s'il   5
trouvait une communication, entre le Don et la Volga;[72] qu'ainsi on
pourrait facilement, par le moyen des radeaux transporter à Woronesch,
le bois de chêne qui croît au bord de la Volga, et qui est nécessaire pour
la bâtisse des vaisseaux, et avoir un passage par ce moyen pour le
commerce de la mer Caspienne et de la mer Noire. Ce prince fit donc   10
pour cet effet, examiner la situation du pays, entre ces deux rivières, par
divers ingénieurs, surtout par un capitaine anglais, nommé Perry, qui
en a fait un détail fort exact, dans son livre intitulé, Etat de la Russie.
On travailla sur leurs rapports à cet ouvrage, par deux différents canaux;
celui qui sort de la rivière Ilacola, qui se jette dans le Don, et qui devrait   15
aller vers Kanischnika, petite rivière qui va se jeter dans la Volga; l'autre

1-3   MS2: Ouvrages [...] communiquent avec la mer, villes nouvelles, forts, édifices bâtis, entrepris ou projetés,
2-3   C: forteresses construits ou projetés par
4   C: Ce prince ayant dessein d'étendre sa marine jusqu'aux bords de
8   C: croît aux bords du Volga
9   C: la construction des
10   C: Noire. Il fit
11   C: deux fleuves par
14-15   C: canaux. L'un sortant de
15-17   C: qui devait aller vers la Kamischinka [...] l'autre par la Upa rivière qui, près de Tula [avec note: Ces deux noms étaient si défigurés qu'on n'a pu les déchiffrer. On les a rétablis ici tels qu'on croit qu'il faut les lire.]

[72] Voir *Anecdotes*, l.117-122 et n.31.

entre Hela, fleuve qui près de Tula, se jette dans l'Occa, et un autre petit
fleuve, qui va se jeter dans la mer Iuvan, d'où le Don tire son origine.
On trouva dans l'exécution de ce dessein, plus de difficulté, qu'on ne le
crut d'abord, et la malheureuse issue de l'affaire du Pruth, fit qu'on n'y   20
pensa plus.

Pierre Ier travailla avec d'autant plus d'ardeur, aux moyens de joindre
la Volga qui traverse les provinces les plus fertiles de la Russie, avec les
rivières qui ont leur cours, vers Petersbourg. Son projet fut exécuté à
peu de frais, par le moyen d'un petit canal de 650 brasses, ou 4650   25
d'Angleterre, avec lequel on unissait vers Wischenoyle Olozzok, sur le
chemin qui est entre Petersbourg et Moscou; deux petits fleuves navigables, le Tzen et la Smila, dont l'un se fait un passage par le fleuve
Twueretz dans la Volga; l'autre se jette par la Moda, vers le grand
Novogrod, dans le fleuve Wolchowa, qui a communication avec la mer   30
de l'Adoga et le fleuve Newa, qui passe devant Petersbourg.

Les Russes par ce moyen, eurent la commodité de pouvoir transporter
facilement à Petersbourg, tout ce qui se trouvait de marchandises dans
le cœur de la Russie. Cependant ce transport était sujet à un grand
danger, puisque la mer de l'Adoga, est de toutes les mers de l'Europe   35
(de celles qui sont concentrées dans un pays) la plus grande, par laquelle
les Russes sont nécessairement obligés de passer, engloutit toutes les
années plusieurs vaisseaux, avec la charge. La raison en est que les
vaisseaux étant bâtis plats, pour les fleuves qui ont peu de profondeur,
ils sont facilement livrés à la fureur des vents.   40

Pierre Ier travailla à remédier à ces inconvénients, en faisant construire
à l'Adoga, des bâtiments qui ne pénétraient pas fort avant dans l'eau,

25-26   c: brasses, avec
27-28   c: deux petites rivières navigables, dont l'une se
30-31   c: avec le lac Ladoga et la Néva
32-33   c: de transporter facilement à Pétersbourg ce
34   c: de l'empire; cependant
35   c: puisque le lac Ladoga
35-37   c: l'Europe resserrées dans les terres, la plus grande; et comme les
Russes sont nécessairement obligés de la passer, elle engloutit
38   c: avec leur charge.
38-39   c: les bâtiments étant plats pour naviguer sur les
40   c: sont exposés sur le lac à

1124

mais qui puissent cependant résister au vent. On ordonna de charger ces vaisseaux, des marchandises qui arriveraient, et de les transporter à Petersbourg. Tout cela eut un merveilleux effet. Les accidents furent 45 très rares. Mais les marchandises augmentèrent de prix, à cause de leur pesanteur, ces bâtiments étant fort légers. D'ailleurs, le danger subsistait encore, à l'égard des bois et du foin, surtout du bois de chêne, qui occupait un trop grand espace, sur les vaisseaux; de sorte qu'il fallut transporter ces bois en radeaux, ou sur des bâtiments tout à fait plats. 50

Ces circonstances engagèrent Pierre Ier à examiner, si l'on ne pouvait pas trouver le moyen, d'aller à Petersbourg, sans passer la mer de l'Adoga. Il examina lui-même en personne, le terrain qu'il y a entre l'Adoga et Schuzilbourg, avec des ingénieurs, et ne trouva point de difficulté à faire un canal le long du rivage de la mer de l'Adoga, entre 55 les deux endroits que nous venons de nommer, pour que les vaisseaux, et les barques plates, et les radeaux, pussent aller à Petersbourg. La commission en fut principalement donnée à Mentzicoff, et au général-major Pisarov. Ces deux officiers, ne travaillèrent point de concert; de sorte que l'un et l'autre avaient fait creuser dans la terre pendant un an, 60 avec un million et demi de frais, et la perte de plusieurs milliers de personnes, au nombre desquelles on compte sept mille Cosaques, sans être convenus, s'il serait plus convenable de creuser le canal en terre, ou de le conduire au-dessus du terrain.

Il y avait outre cela, bien d'autres difficultés, qui rebutèrent Pierre Ier 65 et qui l'auraient engagé de renoncer au projet; mais le général-major

43   c: qui pouvaient cependant résister aux vents. On
45   c: Pétersbourg. Cet arrangement eut
47-48   c: pesanteur, les bâtiments étant fort légers, n'en pouvaient transporter beaucoup; d'ailleurs [...] l'égard du bois
51   c: si on
53-54   c: terrain entre Ladoga
55   c: rivage du lac de
56-57   c: vaisseaux, les
58   c: donnée au prince Menzikof
60-61   c: creuser la terre avec
63   c: serait convenable de creuser le canal ou
65-66   c: Pierre, et
66   c: engagé à renoncer
66-67   c: général-major de Munich aujourd'hui feld-maréchal, très

Munich, aujourd'hui feld-maréchal, frison, très habile dans ce qui regarde la structure des canaux, eut ordre d'examiner de nouveau le terrain. Cet officier forma un nouveau plan, que Pierre Ier approuva. Il commença à y travailler en 1723 et quoique son maître n'ait pas vu l'ouvrage entièrement achevé, il eut cependant la consolation, de le voir poussé jusqu'à vingt verstes. 70

Ce canal tiré au niveau, qui n'a pas besoin d'écluses, s'étend à plus de cent verstes, et est à cet égard, préférable à celui de France, excepté qu'il n'est pas bâti, si solidement. Les bords sont garnis de fascines et de bois, 75 hormis une petite distance qui l'est de cailloux, et comme la plus grande partie de ce canal passe sur un fond marécageux, cette bordure en pourrit très facilement, ce qui fait, qu'il faut toutes les années réparer le dommage, de sorte que les frais qu'on est obligé de faire, excèdent les revenus du péage, qu'on y a établi. 80

C'est par cette raison que souvent on a proposé à la cour de garnir tout ce canal de pierres. Elle n'a pu jusqu'à présent se résoudre à en faire les frais, et il n'y a pas d'apparence qu'elle le fasse dans la suite, surtout si suivant les souhaits de la nation, la cour abandonnait Petersbourg, pour venir résider à Moscou, et si la marine diminuait; car les droits que 85 paient les provisions nécessaires, pour l'entretien d'une si grande quantité de monde, que la cour et la flotte attirent à Petersbourg, vont au-delà de la moitié des revenus, que le canal rapporte tous les ans. Si ces revenus venaient à se perdre, la caisse serait obligée d'employer toutes les années, une somme très considérable, pour l'entretien de cet ouvrage, ce que les 90 Russes, n'ont pas coutume de faire.

Pierre Ier avait aussi formé le dessein, de former deux autres canaux, l'un vers Staracus, vers la mer Ismenis, pour abréger le chemin de Petersbourg à Moscou, et l'autre vers Witiger, vers les mers de Bioulovro,

---

68   c: la construction des
69   c: Pierre approuva
73   c: niveau et qui
74   c: de Languedoc en France
75   c: pas construit si
77   c: bordure pourrit
87-88   c: au delà des revenus que ce canal
93   c: l'un du côté de Staraja, vers le lac Imen, pour
94-95   c: vers les lacs de Biclozero et d'Onega

et Onega, qu'on voulait joindre. L'un et l'autre de ces projets, n'a jamais 95
été exécuté.

Pierre Ier avait dessein de faire couper un chemin, qui aille droit de
Petersbourg à Moscou. Si ce dessein eût été entièrement exécuté, on
aurait abrégé de beaucoup le chemin. La route d'aujourd'hui est encore
de 757 verstes, au lieu que suivant le projet, elle n'eût été que de 480. [73] 100
On n'a fini que les 25 premières verstes de Petersbourg. Le reste du
chemin qui ne traverse que des marais, et des bois, et dans lequel on ne
rencontre, ni ville, ni village n'a point été rendu praticable.

Les ports que Pierre Ier a faits, sont Tanagorod, ou Troitza, celui de
Cromstadt, et de Rogerwoyk. 105

On a dit ci-dessus, ce qui a donné occasion au port de Troitza.
Quoique la guerre de Suede, eût dû porter Pierre Ier à d'autres desseins,
il ne laissa pas d'y travailler avec toute l'ardeur possible; de sorte qu'en
peu d'années, ce port devint un des meilleurs de l'Europe. Tout cela
coûta la vie à plus de trois cent mille hommes, qui moururent de maladie, 110
ou de faim, à cause du terrain marécageux, qui est situé en cet endroit,
et qu'il fallut nettoyer. D'ailleurs en Russie, on ne s'embarrasse guère
des travailleurs et de leur entretien. A peine ce port fut-il achevé, qu'on
fut obligé de le démolir, et de le céder aux Turcs, par la paix de Pruth.
On a trouvé sous le règne présent, en assiégeant Asov, que les fondements 115

95-96   c: joindre. Ces projets n'ont jamais été exécutés.//
97   c: Pierre avait [...] qui allât droit
98   c: S'il eût
100   c: de sept cent cinquante verstes
101   c: vingt-cinq premiers verstes en partant de
105   c: Rogerwick en Esthonie [avec note: A quarante-quatre verstes de
Revel.].//
106   c: dit précédemment ce
107   c: Pierre à
109-110   c: l'Europe. Il coûta
111-112   c: marécageux qu'il
114   c: paix du Pruth.

[73] Voir *Histoire de Charles XII*, 1.658-660 (V 4, p.191).

de ce port, s'étaient fort bien conservés, et qu'on pourrait le réparer à peu de frais. Cela dépend de l'issue de la guerre avec les Turcs. [74]

Le port de Cromstadt est situé à 30 verstes, au-dessus de Petersbourg, au milieu de l'embouchure du fleuve Newa, vers une île pleine de rochers, nommée autrefois Restusan. Ce port se divise en deux parties, l'une est pour les vaisseaux de guerre l'autre est pour les bâtiments marchands. Les vaisseaux y sont des deux côtés à l'abri du vent, et l'entrée défendue du côté de la mer, par une batterie de canons de fer, de 24 jusqu'à 36 livres. Il y a au milieu de la mer, une grande tour ronde nommée Cronschiet, fournie au pied de trois batteries. Le port et les batteries ne sont que de poutres, et de caisses remplies de cailloux.

Pierre 1er était à la vérité d'abord, dans le dessein de bâtir de pierres, tous ces différents ouvrages, mais ayant pris la résolution, d'avoir le plus gros de la flotte à Rogerweck, il abandonna ce projet, d'autant plus que Cromstadt, est à couvert par sa situation, de tout accident, qui pourrait arriver sur mer.

Le seul but de Pierre 1er était que le port de Cromstadt, fût pour équiper, et pour réparer les vaisseaux bâtis à Petersbourg. Enfin on fit un canal du port de guerre, d'une très grande largeur et profondeur, qu'on conduisit jusque dans l'île, qu'on garnit des deux côtés, de certaines machines nommées en allemand doczen, et on y fit de si bonnes écluses qu'on pouvait avoir les vaisseaux à sec, quand on voulait les radouber.

119-120   c: de la Néva [...] autrefois Rétusari.
121   c: guerre, et l'autre pour
123   c: l'entrée est défendue
124   c: livres de balles. Il
124-125   c: ronde, dont le pied est garni de
127   c: Pierre avait, à la vérité, l'intention de
129   c: de sa flotte
130-131   c: accident de mer.
132   c: Pierre était
133   c: vaisseaux construits à
133-136   c: Enfin, du port de guerre on conduisit un canal d'une [...] profondeur, jusque [...] garnit de deux côtés de machines appelées chameaux, et
137   c: pouvait mettre les

[74] En 1739, Azov fut reprise aux Turcs par le général Lascy.

On voulait bâtir, sur ce canal, un pont, avec une route, sous laquelle le plus grand vaisseau devait pouvoir passer à voiles déployées. Il devait y avoir sur ce pont, une tour de cent soixante-quinze pieds, et sur la pointe un feu entretenu, pour servir de phare, pour les vaisseaux de Petersbourg. On avait déjà commencé à creuser ce canal, mais la mort de ce prince, suspendit l'ouvrage. On l'a continué sous le règne présent, et on y travaille actuellement sous la direction du général-major Luberus. [75] Tous ces bizarres ornements en seront supprimés.

Il y a de grandes incommodités dans le port de Cronstadt. On ne peut s'en servir que six mois de l'année, à cause des glaces. Le courant de Newa entre Cromstadt et Petersbourg, n'est en certains endroits, profond que de huit pieds, ce qui n'est pas suffisant pour les gros vaisseaux, de sorte qu'ils sont obligés d'avoir de petits bâtiments, qu'ils chargent, pour l'allégement. L'eau de ce port, n'est pas assez salée, pour la conservation des vaisseaux, qui n'en peuvent sortir que par un vent d'amont.

Comme le lit du fleuve est trop large, pour le pouvoir nettoyer, Pierre Ier crut pouvoir remédier au manque de profondeur du courant, en faisant creuser les endroits, qui n'étaient pas profonds et en introduisant un canal de ce côté-là, assez profond et assez large, pour que les vaisseaux de guerre et des marchands, y pussent passer. Suivant la coutume des Russes, on y travailla sans beaucoup de réflexion, mais on trouva bientôt que l'exécution, en était impraticable. On a sous ce règne, mis le même projet, plusieurs fois sur le tapis, surtout l'amiral Galowin, mais on l'a abandonné, effrayé par les difficultés qui s'y rencontrent.

138 c: On projetait de bâtir
142-143 c: de Pierre suspendit
146-147 c: Cronstat, dont on ne peut se servir
147-148 c: Le lit de la Néva
150-151 c: pour obtenir de l'allégement.
152 c: vent d'ouest.//
154-155 c: Pierre crut remédier au manque de profondeur, en
155 c: qui en avaient besoin et
157 c: et marchands

[75] Le baron Ludwig Luberas (mort en 1752), ingénieur et général.

On n'a pu trouver aucuns moyens, pour remédier aux inconvénients, parce qu'ils résultent de la situation du port et de la nature de son climat. Tout cela engagea Pierre Ier de chercher, de chercher sur les côtes de son pays, un autre port où l'eau fût plus salée, l'embouchure plus commode, et où les glaces ne fussent pas si à craindre. Tous ces avantages se trouvèrent sur les côtes de l'Estonie, à quatre milles de Revel, à la rade de Rogerwich, où le rivage forme naturellement un port, qui peut commodément renfermer cent vaisseaux, dont le fond est fort propre pour l'ancre, et auquel il ne manque plus rien si ce n'est d'en rendre l'entrée plus étroite, et la garantir de toute attaque ennemie, et des vents d'occident. Les Suedois avaient déjà eu autrefois le même dessein. Ils l'abandonnèrent, effrayés par les frais, qu'ils seraient obligés de faire, et que d'ailleurs la rade de Carlscron, était par sa situation, fort avantageuse. Pierre Ier dont les sujets sont accoutumés à travailler à peu de frais, crut pouvoir surmonter toutes les difficultés. Il entreprit l'ouvrage dans les dernières années de la guerre contre les Suedois. Il fit venir une grande quantité de poutres, d'Estonie, et de la Livonie, et fit faire de grandes caisses, qu'on remplit de cailloux, et qu'on mit au fond de la mer. Il forma par ce moyen, deux môles, qui en quelques endroits, avaient vingt brasses de profondeur, mais avant qu'on eût fait la moitié de cet ouvrage, un vent d'occident, fort violent, détruisit tout. On voulut réparer le dommage, mais tout cela fut inutile. Le vent a causé plusieurs fois, le même accident. De sorte que ce projet a coûté des sommes immenses, a ruiné les forêts de Livonie, et de l'Estonie, et enfin on s'est vu contraint de l'abandonner entièrement.

Il faut compter dans les bâtiments qui concernent la marine, les

165

170

175

180

185

162-163   c: inconvénients du port de Cronstat, parce qu'ils résultent de sa situation et

163-165   c: climat; cela engagea Pierre à chercher sur ses côtes un

170   c: l'ancrage, et

173-174   c: qu'il fallait faire, parce que la

178   c: de Livonie

179   c: qu'on enfonça dans la

182   c: violent le détruisit. On

183   c: mais inutilement. Le

185   c: et d'Esthonie, et on

chantiers, pour la bâtisse des vaisseaux. Pierre Ier en établit dans les premières guerres contre les Turcs, à Woronesch, et à Troistza. Dans la suite, on en établit à Archangel, à St Petersbourg, et Casan. Comme il avait étudié à fond tout ce qui regarde la construction des vaisseaux, qu'il avait pour ce sujet fait venir les plus habiles maîtres d'Angleterre et de Hollande, rien ne manquait dans son amirauté, de tout ce que les nations maritimes, avaient trouvé d'utile et nécessaire.

Les guerres que Pierre Ier a eues pendant sa vie, l'ont engagé à bâtir les forteresses suivantes: Nowa, Durinka, Nova Ladoga, Cromstadt, Petersbourg et Swatoykrest.

Les Suedois ayant attaqué, au commencement de la dernière guerre, Archangel, avec peu de succès, Pierre Ier prit occasion de bâtir, à l'embouchure de la Dwina, une forteresse régulière. Elle subsiste à la vérité encore, mais elle est de peu d'usage, parce que le courant, s'est fort éloigné des ouvrages.

Les bourgeois du vieux Ladoga, qu'on avait ruinés, furent obligés de bâtir Nova Ladoga, au commencement de la guerre de Suede, à l'embouchure du fleuve Volchowa, qui se jette dans la mer Ladoga, pour s'y retirer avec leurs effets. On bâtit sur la pointe que forme le fleuve, à son embouchure, un fort de terre à cinq côtés, pour défendre cette nouvelle ville, contre la garnison suedoise de Kexholm. Ce fort est ruiné entièrement.

Cromstadt n'a été bâti que pour couvrir le port, et mettre à l'abri d'attaque, les officiers de la marine et les pilotes. Il y a vingt ans, que Pierre Ier résolut d'embellir cet endroit. Il ordonna pour cet effet, qu'on y devait bâtir des palais. A peine cela fut-il exécuté qu'il changea d'idée;

190

195

200

205

210

188   c: pour construire les vaisseaux. Pierre en
190   c: à Pétersbourg et à Casan
194   c: maritimes ont jugé utile
195   c: a soutenues, l'ont
196-197   c: Nowa, Ladoga, Cronstat, Pétersbourg, etc.
199   c: Pierre Ier en prit
200-201   c: subsiste encore
205   c: dans le lac Ladoga
206   c: On éleva sur
212   c: Pierre résolut
212-213   c: effet, d'y bâtir

de sorte que ces édifices n'y sont point habités et tombent en ruine. Le   215
fort de cette ville consiste en un rempart de terre, qui n'est point revêtu
en plusieurs endroits, de sorte qu'il ne pourrait résister à aucune attaque.
Sa situation lui est avantageuse. Un ennemi ne peut facilement aborder
l'île, et on n'a pas à le craindre du côté de terre.

La citadelle de Petersbourg est un ouvrage hexagone garni de quelques
ravelins, tenailles et contregardes, avec un ouvrage couronné; tout cela   220
remplit une île, qu'on nommait autrefois Havenkolm. On n'y voit de
bâtiments que l'église métropolitaine, qui renferme les tombeaux de
Pierre Iᵉʳ, de Catherine, et de quelques princes et princesses du sang, les
magasins et des maisons de bois, pour le commandant, et les officiers de
la garnison. La forteresse dans les commencements n'était que de terre,   225
que les Russes de toutes les provinces qui étaient obligées aux corvées,
portaient, soit dans des petits sacs, soit dans le pan de leurs habits. Les
Russes prétendent que deux cent mille hommes, sont crevés à cela, soit
de faim, soit de maladie. [76] On l'a dans la suite, insensiblement bâtie de
briques. Les bastions et les petits ouvrages, en sont achevés, excepté   230
l'ouvrage couronné, que l'on a dessein de bâtir, avec le temps, tout de
pierres. Tous les ingénieurs conviennent, que cette place est forte par
son assiette, et difficile à assiéger; que d'ailleurs elle est assez inutile
puisqu'elle ne défend ni Petersbourg, ni les environs, et qu'elle ne saurait
même servir de retraite à une armée. Elle ne sert à présent, que de   235
prison, pour les prisonniers d'Etat, et comme cette citadelle est située,
vis-à-vis le palais d'hiver on s'en sert pour les illuminations.

214   C: ne sont
216   C: endroits, et qui ne pourrait résister à une attaque.
217   C: situation est
221   C: une petite île. On
223-224   C: Chaterine sa femme, et […] sang, des magasins
226   C: les habitants de toutes les provinces obligées
227   C: dans de petits
231-232   C: de revêtir en pierre avec le temps. Tous
234-235   C: ne peut même
235-236   C: qu'à renfermer les
237   C: d'hiver, elle figure dans les

[76] Voir *Histoire de Charles XII*, III.351 (V 4, p.283), et ci-dessus, *Anecdotes*, n.63.

Swatoykrest ou la forteresse de Ste Croix, a été bâtie en 1722 lorsque Pierre Ier revint de l'expédition de Derbent, vers le fleuve Tulack, près des anciennes frontières qui séparaient la Russie, de la Perse. Le dessein qu'il eut en la bâtissant, était d'arrêter les différentes nations voisines tartares, qui sont fort inquiètes. Tandis que les Russes ont conservé un pied en Perse, ils ont maintenu.ce poste, mais dès qu'ils eurent renoncé, par le traité de paix, à toute conquête dans la Perse, ils ont rasé la forteresse, et la place a été remise au Nadir Schah.

Outre les forts Pierre Ier a, dans les occasions, fait bâtir de nouvelles fortifications, autour de ses anciennes villes. C'est ce qu'on a fait à l'égard d'Asov, qui autrefois dans les premières guerres des Turcs, n'était qu'une bicoque; mais ayant été obligé de rendre cette ville aux Turcs, elle fut rasée, jusqu'aux fondements. On n'y laissa que les murailles, qui environnaient la ville.

Il en fit de même en 1708 et 1709 à l'égard de plusieurs places de l'Ukraine, lorsque les Suedois y eurent fait irruption. La ville de Moscou fut entourée de rempart de terre et de fossés qui après le danger, périrent entièrement. Il en fut de même des forteresses de l'Ukraine. A peine en trouve-t-on des traces, si on excepte cependant Gluchon, Czernichov, Poltowa, et Peroiaslw qu'on a conservées, pour tenir en respect les Cosaques. La forteresse de Peczerco vers Kiov, qui est comme un rempart contre les Polonais et contre les Turcs, a été surtout conservée. Les ouvrages n'y sont que de terre.

Pour les forteresses que Pierre Ier a prises aux Suedois dans la Livonie, l'Estonie, l'Ingermanie, et la Finlande, elles ont été conservées, dans l'état où il les a reçues, excepté Dorpt, Kobernschantz vers Riga,

---

238   c: La forteresse
239   c: le fleuve Sulack.
246   c: occasions, bâti de
247   c: qu'il a fait
248   c: guerres contre les Turcs
249-250   c: ville au Sultan, elle
250   c: fondements, et on ne laissa subsister que
254-255   c: danger, se ruinèrent entièrement.
258   c: Pétschérsko, près de Kiew
260   c: ne sont

Nienschantz qu'il a fait raser, et Schlusselbourg, qui est une clef de la
mer l'Adoga, qu'il a de nouveau fait fortifier.   265

Si un panégyriste voulait donner de grandes idées de Pierre 1er il ne
doit pas s'arrêter aux bâtiments publics, qu'il a érigés pour sa demeure,
ou pour ses plaisirs. La première maison qu'il a fait bâtir à Prebovazensky
vers Moscou, dans laquelle il a toujours demeuré, lorsqu'il s'est trouvé
dans ces quartiers, est de bois, et à un étage seulement. Les appartements   270
en sont si bas, et la maison est si profondément en terre qu'un homme
un peu grand, qui est sur le seuil de la porte en peut facilement toucher
le toit. Celle qu'il a bâtie à Petersbourg, et pour laquelle il avait une si
grande prédilection qu'il l'a fait enfermer de murailles, comme la Madona
de Lorette ne contient que trois poêles fort bas. Les maisons qu'il a   275
ensuite fait bâtir, lorsqu'il fit de Petersbourg sa résidence que l'on
distingue par les mots de palais d'hiver, et palais d'été sont à la vérité de
briques, mais seulement à deux étages, sans régularité, et sans symétrie.
Le palais d'hiver est à peu près en largeur de 250 pieds, et touche à une
maison de particulier. Il est distingué des autres maisons, par un portail   280
de colonnes faites de briques, et couvertes d'une couronne de vaisseaux.
Les deux ailes n'ont aucun rapport, avec la principale façade. Il se
nomme Schiffscrone. Le palais d'été, consiste en trois pièces, bâties
successivement, et qui n'ont entre elles, aucun rapport. Le plus beau
morceau de ce bâtiment, et le jardin, sont obscurcis, par un bois de   285
chênes. Toutes les allées et les berceaux n'ont pas l'épaisseur convenable,
et les jets d'eau sont ornés d'une quantité de colifichets. Ce qu'il y a de
plus beau, c'est la grotte. Il n'y en a peut-être point en Europe de pareille;
mais les coquillages sont tellement entassés, les uns sur les autres, que
leur beauté particulière, se perd dans cette confusion. Ce Peterhoff si   290
vanté, est magnifique par les jets d'eau. Mais tout cela est défiguré par

---

264-265 c: du lac Ladoga
266   c: Pierre, il
267   c: bâtiments qu'il
270   c: ces cantons, est
271   c: profondément enterrée, qu'un
272   c: porte, peut
276-277 c: résidence, et qu'on distingua par les noms de
277   c: d'hiver, et de palais
286   c: chêne. Les

la maison, qui est si petite, et si irrégulière qu'à peine un bon gentilhomme riche, pourrait-il s'en contenter.

On ferait tort à ce prince, si l'on croyait que c'était par avarice, qu'il bâtissait ainsi. Quelque disposition qu'il eût à épargner, il n'en avait aucune, quand il s'agissait de bâtir. Il engagea à son service, dans le temps qu'il fut à Paris, un certain Le Blond architecte, [77] avec une pension annuelle de quarante mille livres. Il avait l'ambition d'immortaliser son nom, par des bâtiments magnifiques, mais son malheur était qu'il manquait de goût à cet égard. Il aimait de petits appartements et qui n'étaient point exhaussés, et une enfilade de petites chambres. Un appartement spacieux l'embarrassait, et comme il fut obligé de hausser le palais d'hiver, pour qu'il y eût de l'égalité avec les autres maisons, il fit garnir les plafonds des chambres qu'il habitait, d'un double fond, crainte que sa chambre ne fût trop exhaussée. Il préféra à tous les beaux plans, des architectes français et italiens, celui que lui donna un Hollandais, qui l'avait dressé dans le goût de son pays, où l'on ménage extrêmement le terrain. Le Blond risqua d'essuyer un accès violent de colère, de la part du prince, sur ce qu'il s'était avisé de faire agrandir les fenêtres des maisons de plaisance.

Mais s'agissait-il d'un ouvrage qui eût quelque rapport avec son penchant, pour la marine et la mécanique, il faisait apercevoir à cet égard, une adresse merveilleuse. La grande fabrique de fer, qu'il a établie à Systerbeck, à 27 verstes de Petersbourg, sur les côtes de la Carelie, où

295

300

305

310

292   c: un gentilhomme
296-297   c: service, quand il
300-301   c: aimait les petits appartements non exhaussés
303   c: qu'il égalât les
305   c: crainte qu'elles ne fussent trop élevées. Il
314   c: à vingt-sept [avec note: Busching compte trente-six verstes de Pétersbourg à Susterbeck.]
      c: Carélie, et où

[77] Jean-Baptiste-Alexandre Le Blond (1679-1719). Il a rencontré Pierre le Grand à Hanovre (et non à Paris) en 1716. Son projet de nouveau plan général de Pétersbourg ne fut pas suivi. Il entreprit la construction de deux résidences impériales sur les bords du golfe de Finlande: Strelna et Peterhof.

l'on fait des ancres et tout ce qui sert à une flotte, en est une preuve. On   315
y travaille à tout ce qui est nécessaire pour une armée, comme fusils,
pistolets et épées. Il a eu lui-même la direction de tout cela. Les étrangers
qui voient cet ouvrage, en sont surpris. Ses successeurs ont fort
négligé cette fabrique. Les habiles maîtres qui y étaient, sont dispersés.
L'impératrice d'aujourd'hui a à la vérité donné commission au lieutenant   320
général Henksin[78] de la rétablir, mais jusqu'ici, on n'a pu encore en
venir à bout.

Question 7e.

Quelles sont les colonies, qui du temps de Pierre Ier sont sorties
de Russie et avec quel succès ont-elles été établies?

Réponse.

On a des preuves différentes de l'envie que Pierre Ier avait d'étendre la
marine, pour envoyer des peuplades, dans les autres parties du monde.
Tous les aventuriers, qui venaient donner à ce prince, quelque projet
sur ce sujet, étaient très favorablement traités et écoutés, comme les
pirates de Madagascar, et un ministre zélandais, qui lui proposa, d'établir
une colonie dans les provinces qui sont sous Batavia, du côté du sud. Il
n'a cependant rien été de tous ces projets, soit par la crainte des puissances

---

317   C: pistolets, épées.
320   C: d'aujourd'hui (Anne) a
2   MS2:   succès elles ont été
3   C: a diverses preuves de l'envie que Pierre avait
5-6   C: prince, quelques projets sur
7   C: ministre irlandais qui
8   C: du Sund. Il

---

[78] Georg Wilhelm de Hennin (1676-1750), ingénieur et lieutenant général
d'origine hollandaise. Arrivé en Russie en 1698, il devint directeur des usines de la
région d'Olonetz (1713-1722), puis des mines de l'Oural. Il a laissé une *Description
des usines de l'Oural et de Sibérie en 1735*, avec de belles aquarelles (Musée historique
de Moscou).

maritimes, soit parce que la Russie, elle-même n'est pas trop peuplée, et   10
qu'elle a dans son sein, des pays entièrement déserts.

Pierre Ier a eu cependant grande envie d'étendre les limites de son
pays, du côté des Calmuques, et d'autres peuples de la Tartarie en Asie,
et d'y envoyer des colonies de Russes. Un certain knés Gagarin,
gouverneur en Siberie, lui rapporta, qu'il y avait un fleuve dans la   15
Tartarie chivienne nommé Doria, qui charriait abondamment du sable
d'or, mais que des peuples de ce pays, en avaient bouché l'embouchure,
qui se jetait dans la mer Caspienne, par jalousie, à l'égard de plusieurs
autres peuples, et l'avaient détourné, vers une mer concentrée dans le
pays. Pierre Ier charmé de cette découverte y envoya d'abord pour   20
connaître le pays, Alexandre Besevich prince de Czerhievy, à Chiva,
comme ambassadeur, comme s'il venait pour établir un commerce, entre
Chiva et la Russie. Ayant à son retour, confirmé le fait, le czar l'y envoya
avec un corps de cinq ou six mille hommes, en partie prisonniers suedois,
qui par nécessité, avaient pris service en Russie, avec ordre de former   25
un établissement sur les côtes de Chiva, et on envoya aussi d'Astracan,
quelques galères et autres bâtiments armés, pour les soutenir. Ce prince
y parvint heureusement, malgré les difficultés qu'il eut à essuyer dans la
marche, et bâtit de petits forts, en divers endroits du rivage. Les habitants
de Chevinie cachèrent leur mécontentement. Ils caressèrent au contraire   30
beaucoup le chef de la troupe, et le disposèrent à disperser ses troupes,
en différents quartiers. Ayant une fois obtenu cela, toute la nation se

12   C: Pierre a
17   C: que les peuples [...] avaient fermé l'embouchure
20   C: pays [avec note: Ce doit être le lac Arall.]
21-23   C: pays, le prince Alexandre Czerkaski, à Chiva, en qualité d'ambassadeur [...] pour y établir un commerce avec la
23-24   C: l'y renvoya avec
26   C: de Chivie, et
29-31   C: Les Chiviens cachèrent [...] caressèrent beaucoup
31-33   C: ses soldats en différents quartiers; l'ayant obtenu, toute la nation se
souleva; on écorcha vif le chef et on fit main

souleva. Ils écorchèrent vif le chef, et firent main basse sur toute la troupe, dont il n'échappa que deux ou trois personnes qui vinrent annoncer cette triste nouvelle à Pierre Ier qui en fut fort affligé. 35

Knées Gagarin avait presque en même temps donné ordre à un colonel nommé Bouchholtz, et à [des] troupes réglées qui se trouvaient en Siberie, et à toute l'artillerie, d'aller bâtir un fort, sur le territoire des Calmuques vers Jamischowa, pour se rendre maîtres de la mer qui dans cet endroit fournit abondamment du sel, à tous les peuples voisins, afin 40 de pouvoir aussi, dompter plutôt tous les peuples. Les Russes bâtirent leur fort, sans la moindre opposition mais avant qu'ils l'eussent fourni du nécessaire, le contaisch y vint avec toutes ses troupes, bloqua le fort, et obligea les assiégés à capituler. Ils eurent, suivant l'accord, la permission de s'en retourner, avec leurs canons et toutes leurs machines 45 de guerre, mais le contaisch déclara au colonel, que comme le czar avait peut-être ignoré, que ce terrain lui appartenait il le lui déclarait à présent, et que si les Russes s'avisaient encore de penser à de pareilles entreprises, il les pendrait tous, aux premiers arbres. Les Russes ont voulu cependant profiter des troubles, qu'il y eut chez les Calmuques, après la mort du 50 contaisch, pour s'établir de nouveau à Jamischowa, et Chan-Calmuque nommé Caldanscherin, [79] leur a cédé le fort, mais il s'est réservé le droit de faire le sel.

Un simple particulier, nommé Demidov, [80] a eu l'adresse de si bien gagner l'affection des Calmuques, qu'ils lui ont permis de travailler aux 55

34	c:	trois hommes, qui
36	c:	Le knes Gagarin
37	c:	Boucholt, à
39	c:	Calmouques Jaikchowa, pour
41	c:	aussi les dompter plutôt. Les
43	c:	le contaïch ou chef y
47-48	c:	terrain ne lui appartenait pas, il l'en prévenait, et
49	c:	les ferait pendre à des arbres.

[79] Galdan Tsereng, qui régna de 1727 à 1745. Il était le fils de Tsevang Rabdan, le contaisch dont il est question plus haut.

[80] Nikita Demidovitch Demidov (1656-1725) avait d'abord travaillé comme ouvrier dans les fonderies de Toula. Il fut le fondateur d'une célèbre famille de maîtres de forges de l'Oural.

mines, dans le cœur du pays, et promis de le garantir des incursions, de plusieurs partis, qui battent toujours la campagne. Ils ont tellement favorisé ce particulier qu'il en a tiré de grandes richesses. Le conseiller d'Etat Talischev[81] fut envoyé il y a deux ans, pour prendre possession de ces mines au nom de l'Etat. On a débité que les Calmuques, ne voulaient rien avoir à faire, avec la couronne, qu'ils refusaient les secours qu'ils avaient accordés à Demidov, et que les ouvrages étaient en partie ruinés.

Les Russes ont tâché au commencement de ce siècle, d'étendre leurs limites du côté de la Chine. Ils bâtirent même vers le fleuve Amur, une ville de six cents maisons, et la nommèrent Albasinkoy, quoique suivant le traité fait avec la Chine, les Russes s'étaient engagés, de ne jamais former d'établissement vers ce fleuve, même de n'y pas venir avec des bâtiments. Les Chinois ne voulant pas rompre avec la Russie, engagèrent ceux de Mongale, à les venger. Ceux-ci assiégèrent la ville, la prirent, et massacrèrent tous les habitants. Les Chinois n'ont point voulu confirmer leur alliance avec la Russie, que préalablement elle ne s'engage, à renoncer à tout établissement, vers le fleuve Amur.

Les Russes ont formé sous Pierre Ier plusieurs établissements au nord de la Siberie, à Mongovea, Schigan, Anadir, Ochotskoy, Kamtschatzka, et autres. Ces établissements consistent en quelques maisons de bois, environnées de palissades, habitées par des chasseurs ou soldats, qui poursuivent les zibelines dans les bois, et reçoivent les tributs, que les nations voisines païennes, sont obligées de payer en pelleteries. D'ailleurs, ils n'y cultivent point la terre, à cause du froid excessif. Ainsi ces établissements sont appelés colonies, très improprement.

60

65

70

75

80

66-67   c: quoiqu'ils se fussent engagés, suivant le traité fait avec la Chine, de
68   c: d'établissements vers ce fleuve, et même
69-70   c: engagèrent les Tartares Mongules à
72   c: ne s'engageât à
75-76   c: Sibérie, comme Anadirskoi et dans Kamschatka. Ces
79   c: nations païennes voisines sont

[81] Vassili Nikititch Tatichtchev (1686-1750), célèbre administrateur et historien. Il est l'auteur de la première histoire scientifique de la Russie, parue à partir de 1768.

On pourrait à plus juste titre, appeler colonies, les établissements de Pierre 1er dans l'Ingermanie, et ceux de Petersbourg et de Cromstadt; soins auxquels il s'est livré avec beaucoup d'ardeur, aussi bien qu'à la marine, les quinze dernières années de sa vie. L'Ingermanie avait été rendue déserte, par la guerre et par la peste. Pierre 1er y envoya des colonies, tirées des provinces de l'Europe, qui lui appartenaient. Les bourgeois de Petersbourg, n'y ont pas été seulement contraints, mais même la noblesse.

L'année 1723 fut celle, où le grand-amiral, et grand-chancelier Gallowin, après le siège de la forteresse de Nienschantz proposa l'établissement de St Petersbourg, non dans la vue d'en faire la capitale du royaume, mais pour rompre toute communication de la Finlande avec la Livonie, et d'en former une place d'armes, dans laquelle on pourrait assembler, tout ce qui est nécessaire à la guerre, qu'on tirerait de l'intérieur du royaume, et qu'enfin on serait en état de résister aux Suédois, des deux côtés. C'est dans cette vue que tout y fut bâti d'abord fort légèrement. Les bâtiments étaient formés de planches ou de poutres. Les fortifications, n'étaient que des levées de terre. Enfin on bâtit de façon, qu'au cas qu'on fût obligé d'abandonner l'endroit, on n'en eût aucun regret.

St Petersbourg resta dans cet état, jusqu'après la victoire de Pultowa, et la conquête de la Livonie, qu'on se flatta de conserver cette ville, pour en faire la capitale du royaume, et d'y transporter toute la régence. Les motifs qui ont déterminé Pierre 1er sont, à ce qu'on dit, sa grande passion pour la marine, qu'il ne pouvait satisfaire à Moscou, et l'envie de bâtir, et d'immortaliser son nom. Il prenait Alexandre et Constantin le Grand pour ses modèles. La haine qu'il avait pour Moscou, depuis ce qui lui

85

90

95

100

105

88   c: bourgeois n'ont pas été seulement contraints de s'établir à Pétersbourg, mais
     90   c: L'année 1703 fut [Cette date est bonne; le manuscrit est fautif.]
     92-93   c: capitale de l'empire, mais
     93-94   c: communication entre la Finlande et la Livonie et en former
     95-96   c: guerre après l'avoir tiré de l'intérieur de l'empire; et
     100   c: d'abandonner la place, on
     104   c: capitale de l'empire et y transporter la
     105   c: Pierre sont
     106-107   c: l'envie d'immortaliser

était arrivé, dans sa jeunesse: haine qui allait si loin, qu'il aurait fait raser
cette ville, s'il avait osé. Il défendit cependant, qu'on y bâtit, même   110
qu'on y réparât les maisons. On prétend aussi que c'était pour mortifier
la nation, puisqu'il obligea même de vieux boyards, à quitter le séjour
de Moscou, pour venir à St Petersbourg, quoiqu'ils eussent permis que
leurs enfants, vinssent demeurer dans la nouvelle ville. Une chose est
certaine, c'est que les soupirs de ses sujets, lui étaient indifférents. Il   115
considérait les hommes, comme n'étant faits que pour son propre et
unique plaisir. Ses ministres, ses officiers étaient-ils malades; il les
obligeait à se masquer, et à se promener ainsi à la pluie, sur une voiture
découverte. Il forçait les dames de tout âge, à se saouler, et les maltraitait,
en leur donnant même, dans cet état, des soufflets.   120

Quoi qu'il en soit, il est certain que l'époque précédente est le véritable
temps, où la résolution fut prise, de faire de Petersbourg, la capitale du
royaume. Après la conquête de la Livonie en 1710 on fit de pierres la
citadelle, et les remparts de l'amirauté. On bâtit des maisons solides, et
spacieuses. L'expédition de Pruth et de Pomeranie, interrompirent un   125
peu le projet, mais d'abord après le traité de Stettin, il poussa son dessein,
avec une nouvelle ardeur, et y transporta en 1714 le sénat de Moscou.
On y bâtit la même année une rangée de maisons, pour les différentes
chambres et la chancellerie. Son entreprise en 1716 sur l'île de Schone,
qui l'engagea au voyage de Copenhague, et l'embarras que lui causa son   130
fils, interrompirent son dessein, pour la seconde fois, mais tiré de ces
deux affaires il y travailla avec un nouveau zèle: il transporta toutes les

115   c: les plaintes de ses sujets lui étaient indifférentes: il
118   c: et se
119-120   c: âge de s'enivrer, et leur donnait des soufflets dans cet état.//
121   c: L'époque fixée précédemment est
122-123   c: capitale de l'empire. Après
123   c: on bâtit de
124   c: on construisit des
125   c: spacieuses. Les expéditions du Pruth
126   c: peu ce projet [...] Stettin, Pierre poussa
127   c: et transporta à Petersbourg en
128   c: On bâtit
129-130   c: chambres de la chancellerie. Ses entreprises en 1716, qui l'enga-
geaient au
132   c: transporta les

chambres en 1718 à Petersbourg, obligea les familles les plus distinguées à s'y établir, et assigna à la noblesse des places, pour y bâtir, suivant leurs revenus.

Cela étant ainsi, il eût été facile de faire de Petersbourg, la ville la plus régulière de l'Europe, si l'on eût seulement observé une maxime générale, qui est de dresser un plan, avant de bâtir, mais de telles précautions sont inconnues en Russie. Les maisons furent bâties par-ci par-là. Ensuite on forma les rues. Il est facile de s'imaginer, qu'elles ne doivent pas être fort régulières. On ne détermina proprement, qu'en 1721 la place où Petersbourg devait être bâtie. La profondeur de la rivière Newa, où l'amirauté est à présent, avait déterminé Pierre 1er à y établir les chantiers et tout ce qui est nécessaire à la marine, et sa propre demeure. Cette place était fort mal choisie, parce qu'elle est exposée par son terrain bas, aux inondations. La noblesse et la bourgeoisie, devaient habiter l'île, qu'on nomme encore aujourd'hui, l'île de St Petersbourg, qui n'est séparée de la citadelle, que par un petit fossé. Pour cet effet, on bâtit, entre les années 1713 et 1720 dans cette île, des églises, une Bourse, des magasins, des collèges, et autres publics et particuliers édifices. Peu de temps après, Pierre 1er s'imaginant que le négoce fleurirait mieux à Cromstadt, il ordonna d'abord, sans plus ample considération, à divers gouvernements, de bâtir dans cette ville, de grands bâtiments de pierre, pour l'habitation des marchands, au cas qu'il y transportât le commerce. A peine cela fut-il exécuté, qu'il conçut le dessein d'avancer Petersbourg du côté de la rivière, où le rivage serait plus élevé, pour le garantir de l'inondation. D'abord, on érigea plusieurs bâtiments publics et particuliers de ce côté-là. Il prit enfin la résolution de transporter toute

134   c: des emplacements pour
136   c: Il eût
137   c: si on
142-143   c: la Newa, dans le lieu où
145   c: demeure. Cet emplacement est fort mal choisi, parce qu'il est exposé par
150-151   c: autres édifices publics et particuliers. Peu [...] Pierre s'imaginant
153-154   c: de grandes maisons de
154   c: qu'ils y transportassent le
155   c: conçut d'avancer
156-157   c: où l'élévation du rivage garantissait de

1142

la ville à Wasilyostrow, île dont il avait fait présent à Mentzicov; d'y couper des canaux à la façon de la Hollande, et de la fortifier par un rempart, à peu près comme Homan de Nuremberg, l'a représentée dans le plan qu'il a donné de Petersbourg. L'emplacement est aussi mal choisi, qu'il le puisse être. L'île est marécageuse et exposée par son terrain, aux inondations. Elle ne peut avoir aucune communication avec le plat pays, et les autres îles, pendant le printemps, et l'automne, à cause des glaces. Toutes les représentations qu'on fit à ce sujet à Pierre 1er ne le détournèrent pas de son dessein. Toute la noblesse russienne, quoiqu'elle eût déjà élevé des bâtiments très considérables sur l'autre île, fut cependant obligée d'en bâtir de nouveaux à Wasilyostrow, de pierre, au bord de l'eau. La largeur fut déterminée à proportion du revenu de leurs terres. Après la mort du czar Pierre 1er tous ces bâtiments furent abandonnés ce qui donna occasion à un général de dire, que dans les autres pays, le temps faisait les ruines, mais qu'en Russie, on les bâtissait. Sous le règne paisible de Catherine, on ne voulut point obliger les Russes, à cette désagréable dépense et après sa mort, la plupart se retirèrent à Moscou, sans le regret d'abandonner leurs maisons.

On ne peut blâmer l'amour que les Russes ont pour Moscou. La manière dont un gentilhomme russe, gouverne sa maison, étant connue, on comprendra alors facilement, que le séjour de Petersbourg, ne peut lui être que très désavantageux. Sa dépense ne consiste point dans les habits ou les meubles, dans la délicatesse de sa table, dans les vins étrangers, mais dans la quantité de viandes, et de boisson du pays, dans

160

165

170

175

180

159   c: présent au prince Menzikof, d'y
160   c: de Hollande
161   c: Homan, géographe de
163   c: qu'il puisse l'être.
        c: exposée aux
165   c: Pierre ne
167   c: dessein. La
168   c: bâtiments considérables
169   c: Wasilyostrow, en pierre
170-171   c: déterminée en proportion du revenu des terres des nobles. Après la mort du czar, tous
174   c: Catherine 1re, on ne voulut pas obliger
176   c: sans regret
182   c: de boissons du

le grand nombre de domestiques des deux sexes, et dans le grand nombre de chevaux. Il a tout cela pour rien, à Moscou, au moins à un prix très médiocre. Ses domestiques sont ses sujets. Il n'est obligé que de les 185 nourrir. Il tire de ses terres abondamment, ce qui est nécessaire à sa table, et le fourrage pour l'écurie. Les paysans de ses terres peu éloignées lui font les charrois dont il a besoin, sans qu'il soit obligé de les payer. D'ailleurs, il est obligé de consumer, ce qu'il tire de ses terres, puisqu'il n'en trouverait presque aucun argent. Demeure-t-il à Petersbourg, où 190 rien ne croît, il est obligé de faire venir de fort loin, ses provisions et son fourrage, et court le risque, qu'en cas que le paysan crève ses chevaux il n'abandonne tout le charroi, et ne décampe. Il se voit contraint de tout acheter en argent comptant; ce qui incommode beaucoup le gentilhomme russe, dont le revenu ne consiste presque qu'en fourrage 195 ou grains.

Le séjour de Petersbourg est fort opposé au bien commun de l'Etat, et c'est encore une question de savoir, si le souverain ne nuit pas, par là, à son propre pouvoir. Toutes les affaires qui concernent la justice, et les finances, peuvent être plus facilement terminées à Moscou, qui est placé, 200 au milieu du royaume. Les commandants russes, si disposés au vol, sont mieux tenus en bride, qu'à Petersbourg, qui est au bout du royaume. On a vu ci-dessus le dommage que le pays reçoit de l'établissement de Petersbourg. On a vu sous Pierre II l'avantage que retirait le pays, du séjour de la cour à Moscou. Lorsqu'elle y alla en 1728 toutes les caisses 205 étaient non seulement épuisées, mais même l'argent était si rare, chez les particuliers, qu'on payait quinze jusqu'à vingt pour cent d'intérêts. Deux ans après la mort de Pierre II l'intérêt de l'argent était réduit à

183-184   c: et de chevaux.
185   c: sujets, et il
187   c: fourrage de l'écurie.
189   c: est forcé de consommer ce
190   c: argent. S'il habite Pétersbourg
193   c: ne prenne la fuite. Il
194   c: acheter argent
200-201   c: Moscou placé au milieu de l'empire. Les
202-203   c: est à l'extrémité. On
203-204   c: que l'empire reçut de l'établissement de cette ville; on
207   c: quinze et jusqu'à
208   c: Pierre II l'argent

huit, même à six pour cent, et toutes les caisses étaient tellement fournies, qu'on ne manqua point d'argent, malgré les dépenses excessives de la cour, au lieu que la cour séjournant à présent à Petersbourg, quoique le peuple ne soit pas obligé à de nouveaux impôts, et qu'il ne soit contraint qu'à donner des recrues et des chevaux, l'argent y est très rare. Ce qui ne se remarque que trop sensiblement dans toutes les caisses.

Ce que l'on peut alléguer de plausible, c'est que la cour à Petersbourg, est plus à portée des affaires de l'Europe, et plus en état, d'y pousser une entreprise avec vigueur et avec plus de promptitude. Mais si l'on considère la chose de près, on verra que tout ce raisonnement, est fondé sur des principes faux. Le souverain de Russie, est à la vérité plus voisin des Suedois, qu'il ne l'est à Moscou, mais il s'agit de savoir si Petersbourg, n'est pas trop près des frontières de Suede, et s'il est de la prudence, d'y avoir les trésors d'un royaume aussi vaste. Si dans l'embarras prochain, qu'il y aura touchant la succession en Russie, les Suedois étaient assez heureux, pour réussir dans quelque entreprise hardie ne peuvent-ils pas venir entre Witburg, et Kenholm, piller Petersbourg, et porter par là, un coup mortel à la Russie.

A l'égard de la Pologne et de la Turquie, sur les démarches desquelles la cour doit être plus attentive, que sur celles de Suede, Moscou est beaucoup plus proche que Petersbourg. Mais à l'égard des autres puissances de l'Europe, la distance est presque égale de ces deux endroits, car Riga qui est la porte par où passe tout ce qui vient de l'Europe en Russie, forme avec Petersbourg et Moscou, un triangle, dont les angles, sont presque égaux. A la vérité suivant l'estimation de la poste, Moscou est éloigné de Riga de presque deux cents verstes,[82] plus que ne l'est

210

215

220

225

230

211   c: que, séjournant
213   c: qu'à fournir des [...] l'argent est
215-216   c: cour est plus à portée à Petersbourg des
217   c: et promptitude.
222   c: d'un empire aussi
225   c: entre Wibourg et Kexholm
228   c: Moscou en est
234   c: est plus éloigné de Riga d'environ deux cents verstes que

[82] En fait, 800 km à vol d'oiseau.

Petersbourg. La raison de cela, est que les deux chemins sont les mêmes, ²³⁵ jusqu'à Novogrod. Si l'on faisait un chemin qui allât droit à Riga, on accourcirait de beaucoup.

Supposons cependant que Petersbourg soit plus voisin des Etats de l'Europe, que Moscou, la cour n'en retirerait pas un grand profit dans un temps de guerre, ni le voisinage ne rendrait pas les opérations de ²⁴⁰ campagne plus promptes. On ne trouve autour de cette ville, à vingt milles à la ronde, que bois et marais. Les sujets ne trouveraient pas de quoi s'entretenir, encore moins un nombre considérable de troupes. C'est pour cette raison qu'on est obligé de placer les régiments dans l'intérieur du royaume, et même les magasins de munitions et de blé. ²⁴⁵ Faut-il mettre les troupes en mouvement, cela peut se faire avec plus de facilité, quand la cour est dans le voisinage, et à portée d'aplanir toutes les difficultés, que lorsqu'il faut écrire à Petersbourg sur tous les différents cas, qui peuvent se présenter, et qu'il faut en attendre la réponse.

Quoiqu'il semble d'abord que le séjour de la cour à Petersbourg, est ²⁵⁰ avantageux, au commerce de cette ville, l'expérience montre le contraire. Le change des marchandises que consume la cour, fait la moindre partie du commerce de Russie, avec les pays étrangers. La force de ce commerce consiste en ce que les effets des négociants russes, trouvent dans les pays étrangers, un prompt débit, et qu'ainsi on en fasse venir une grande ²⁵⁵ quantité. Donc pour parvenir à ce dessein il faut autant qu'on peut ménager les frais de la marchandise des Russes, qui ordinairement est volumineuse, ce qui jamais ne pourra se faire, tandis que les vivres seront chers, dans l'endroit, où on la fait partir, ce qui rend les ouvriers

235   c: raison en est
236-237   c: on raccourcirait de
239   c: grand avantage dans
240-241   c: de la campagne
242-243   c: Les habitants ont beaucoup de peine à y subsister, et encore
245   c: l'intérieur de l'empire, et
252   c: L'échange des
254   c: dans ces pays
255   c: en fait venir
257-258   c: frais des marchandises russes qui, ordinairement, sont volumineuses; ce
259   c: l'endroit d'où on les fait

fort chers aussi. Une pareille cherté est inévitable, dans un endroit où   260
les grands de la cour résident, surtout lorsqu'on est obligé de faire venir
les provisions de fort loin, comme on est contraint de le faire à
Petersbourg.

De tout cela, vous pouvez conclure, que quelque peine que la cour se
donne, d'attacher les Russes à Petersbourg, ils préféreront toujours, leur   265
cher Moscou, et ne manqueront pas de profiter de la première occasion
d'y retourner.

Question 8e.

Quels ont été les progrès des Russes dans les sciences, sous
Pierre 1er. Quels établissements ont été faits à cet égard, et quelle
est l'utilité qu'on en remarque?

Réponse.

On a vu dans l'examen de la seconde question, quels soins Pierre 1er
s'est donnés, pour tirer le clergé de l'ignorance et jusqu'à quel point il a   5
réussi.

Il s'imagina dans les commencements, qu'il suffirait pour cultiver la
noblesse, de la faire voyager dans les pays étrangers, comme il l'avait
vu chez les autres nations de l'Europe. Au retour de ce voyage, il envoya
un assez grand nombre de jeunes gens neufs et ignorants, des familles   10
les plus distinguées, en Hollande, en Angleterre, en France, et en Italie.
Les jeunes gens revinrent de ces pays aussi ignorants qu'ils y étaient
allés. [83] Pierre 1er remarquant qu'il leur manquait des principes des
sciences, pensa aux moyens d'établir des écoles et des académies.

261-262   c: de tirer les
262   c: on y est forcé à
264   c: cela on peut conclure
265-267   c: toujours Moscou [...] pas d'y retourner à la première occasion.
9   c: l'Europe. A son retour il
11-12   c: Italie: ils revinrent
13   c: Pierre, remarquant qu'il leur manquait les principes

[83] Voir *Anecdotes*, l.90-93 et n.25.

Pierre 1er avait justement dans ce temps, des liaisons avec Catherine, 15
qui dans la suite a été impératrice et qui avait servi à Mariembourg, chez
un certain Gluck prévôt de cet endroit, qui dans le siège de cette ville,
fut mené avec elle, prisonnier à Moscou. Le prince eut par là occasion
de connaître cet ecclésiastique, et de s'entretenir avec lui, sur la manière
dont les écoles sont établies en Suede. Cet homme qui n'avait de savoir, 20
que celui qu'on trouve, dans un ministre de village en Suede, sachant la
langue russe, parut à Pierre 1er comme une lumière éclatante du monde
savant. Il n'était en état de donner à ce prince, d'ouvertures, sur
l'établissement des collèges qu'en lui indiquant la manière, dont ils sont
fondés en Livonie, où on enseigne aux enfants, le latin, le catéchisme et 25
autres sciences de collège. Pierre 1er goûta tout cela et donna le soin à ce
ministre d'exécuter, en lui fournissant l'argent nécessaire, et une maison
étendue à Moscou. Le prévôt fit venir plusieurs étudiants en théologie,
luthériens, et dirigea l'école qu'il établit, suivant le règlement des églises
suedoises, et afin que tout y fût conforme, il traduisit en mauvais vers 30
russes, plusieurs cantiques luthériens,[84] que les écoliers chantaient fort
assidûment, avant et après la classe.

Cet établissement était trop ridicule, pour qu'il pût subsister. Pierre 1er
aperçut d'abord la chute prochaine de cette école. Il la laissa tomber, et
confia l'éducation des enfants, aux parents mêmes, qui prirent pour 35
les fondements des sciences, des précepteurs particuliers. D'autres

---

15   c: Il avait
17-18   c: prévôt ou pasteur de cette ville, qui, après le siège, fut
22   c: Pierre une lumière
26   c: sciences d'école. Pierre goûta
27   c: de l'exécuter, en
33-34   c: Pierre aperçut

---

[84] Ernst Glück (1652-1705) composa des vers russes 'toniques' suivant le modèle
allemand. A cette époque, les vers russes étaient syllabiques. Glück annonçait ainsi
la réforme que préconiseront Trediakovski en 1735 et Lomonossov en 1739. Il
traduisit aussi la Bible en russe (elle n'était traduite jusque-là qu'en slavon). Par
ailleurs, il est l'auteur d'une *Grammatik der russischen Sprache* (1704) récemment
éditée (Köln, Weimar, Wien 1994).

envoyèrent leurs enfants dans des écoles luthériennes de Moscou. D'autres enfin, les confièrent aux soins des moines. Le czar ne s'occupa que du soin de faire apprendre le génie à la noblesse, et de la rendre habile dans la marine. Il établit dans cette vue, diverses académies, à Moscou et à Petersbourg, où le génie, et les mathématiques étaient enseignés.

Sa ferveur pour l'avancement des sciences, se ralentit un peu, ou s'il y assistait quelque temps, c'était pour être présent à des opérations de chirurgie, et des expériences de physique auxquelles il prenait beaucoup de plaisir.

Reçu membre de l'académie royale des sciences de Paris, son zèle se ralluma vivement. Il voulut même en établir une semblable dans son pays. Ce prince ne connaissait pas assez les sciences, pour pouvoir se déterminer sur le choix de celles dont la culture serait avantageuse à son pays. Les avis qu'il reçut de quelques savants, peu au fait de ce qui regarde la Russie, rendirent encore ses idées plus confuses. Enfin Pierre Ier prit pour modèle, l'académie de Paris, et afin de donner d'abord un lustre à celle qu'il voulait établir, il y engagea plusieurs savants du premier ordre, tels que Volff, Herman,[85] de l'Isle, et Bernoully, par des appointements considérables,[86] et destina à cette dépense, les revenus du péage de Narva, d'Orpt, et de Pernau, qui rapportent par an, l'un portant l'autre, vingt-cinq mille roubles. Il n'eut pas la satisfaction de

37-39   C: luthériennes; d'autres [...] czar se réserva celui de [...] la jeune noblesse

43-44   C: s'il assistait quelquefois aux leçons, c'était

45   C: et à des

50-51   C: à ses Etats. Les

52-53   C: Pierre prit

55   C: que Nolffherman, de Lisle

56-57   C: revenus des péages de

[85] Jacques Hermann (1678-1733), mathématicien suisse, élève de Bernoulli. Professeur aux universités de Padoue (1707) et de Francfort-sur-l'Oder (1713). Il fut le premier mathématicien de l'Académie des sciences de Pétersbourg (1724-1731) et le premier historien des mathématiques en Russie.

[86] Voir *Histoire de Charles XII*, 1.683-685 (V 4, p.192-93).

voir cet établissement achevé. Son médecin Blumenhorst[87] avec une
pension de trois mille roubles, en fut établi président par la Catherine, à   60
en faire l'inauguration, et cette académie se soutint même sous Pierre II,
malgré la plupart des sénateurs, qui regardaient cet établissement comme
fort peu utile à l'Etat, et dont la dépense pouvait être mieux employée.

Blumenhorst a été à la vérité disgracié sous le présent gouvernement,
et démis de toutes ses charges, mais comme l'impératrice affecte de   65
conserver et maintenir les établissements de Pierre Ier elle a non seulement
conservé la somme de vingt-cinq mille roubles destinée par le czar, mais
même à son avènement au trône, elle fit à l'académie un présent, de
trente mille roubles pour payer leurs dettes. La direction en fut d'abord
donnée au conseiller Keyserlingk,[88] mais ayant été en Pologne, le   70
chambellan Koeff[89] l'obtint. Celui-ci a si mal gouverné les revenus de
l'académie, qu'au commencement de cette année 1737 elle avait déjà
pour trente mille roubles de dettes, que la cour ne saurait lui payer dans

60-61   c: par Catherine Ire, et en fit l'inauguration. Cette
65-66   c: de maintenir
67-68   c: czar à l'entretien de l'académie, mais, à son avènement au trône, elle
lui fit don de
69   c: payer ses dettes.
73   c: saurait payer

[87] Lavrenti Lavrentevitch Blumentrost (1692-1755), d'abord médecin de la sœur
de Pierre le Grand, Nathalie, puis du tsar à la mort d'Areskine (Erskine). Il fut le
premier président de l'Académie des sciences de Pétersbourg. A la mort de Catherine
Ivanovna (1733), dont il était le médecin, sa sœur l'impératrice Anna Ivanovna le
fit soumettre à un interrogatoire. Il fut disgracié, comme le rappelle Vockerodt, et
perdit son poste de président de l'Académie.
[88] Hermann Karl Kayserling (1696-1764), comte courlandais au service d'Anna
Ivanovna à partir de 1730, devint ambassadeur en Pologne. Il favorisa l'avènement
de Stanislas-Auguste Poniatowski en 1763.
[89] Johann Albrecht von Korf, baron d'origine courlandaise (1697-1766). Il
organisa des échanges de livres avec Briasson. Mais avec les frères R. et J. Wetstein
d'Amsterdam, il fallut payer les livres reçus en argent liquide, si bien que l'Académie
des sciences s'endetta (Kopanev, *Frantsouzskaïa kniga i rousskaïa koul'toura v seredine
XVIII veka* [*Le Livre français et la culture russe au milieu du XVIIIe siècle*], p.66-
68 et 100-102). Dans les années 1740, Korf devint résident de Russie au Danemark.

les circonstances présentes. Il y a donc tout lieu de croire, que dans peu de temps cette académie se verra contrainte de faire banqueroute. 75

Demande t on l'utilité que la Russie, retire de toute cette dépense? On répondra que les Russes jusqu'ici, n'y ont eu d'autre avantage, que quelques bons arpenteurs, que l'école mathématique a formés. Pierre Ier reconnut, plusieurs années avant sa mort, l'inutilité des voyages, ce qui l'engagea à ne plus envoyer de jeunes gens russes, dans les pays étrangers. 80 La cour d'aujourd'hui ayant remarqué que les soins qu'on se donna sous Pierre Ier pour limiter le pouvoir du souverain, était le fruit des voyages, on fait beaucoup de difficultés, lorsqu'il s'agit d'en accorder la permission.

Le pays n'a tiré d'autre avantage, des grandes dépenses qu'on fait pour l'entretien de l'académie, que celui d'avoir un calendrier en langue 85 russe, fait sur l'horizon de Petersbourg et les gazettes en même langue. Ajoutez-y que quelques étrangers s'y sont rendus habiles en mathématiques, et en philosophie; qu'il y en a qui ont des pensions, de six jusqu'à huit cents roubles. On n'a trouvé jusqu'ici aucun Russe capable d'être professeur. La Russie ne peut tirer aucun profit des matières qu'on traite 90 dans l'académie. Si l'on y traitait de la morale, du droit des peuples, de l'histoire, des parties pratiques de mathématiques, cela pourrait être avantageux à l'Etat. Mais tandis que, comme cela paraît par les mémoires, on n'examinera que des sujets tirés de l'algèbre de la géométrie spéculative; que l'on cherchera à éclaircir certains points de critique, et autres 95 sujets semblables, le pays n'en tirera aucun profit. De là vient que la cour est obligée de faire venir de Moscou, des jeunes gens, pour remplir

75   c: académie sera obligée de
76   c: de cette
77   c: que jusqu'ici elle n'a produit d'autres avantages que
78   c: l'école de mathématique
80   c: jeunes Russes
82   c: Pierre pour
82-83   c: voyages, elle fait
84-85   c: dépenses faites pour
85-87   c: calendrier et des gazettes en langue russe; ajoutez-y
91   c: Si on s'y occupait de morale
96   c: n'en retirera aucune utilité; de
97   c: venir à Moscou

les auditoires. On les paie, afin qu'ils les fréquentent assidûment et qu'elles ne soient pas entièrement désertes.

Question 9ᵉ.

Jusqu'à quel point les Russes ont-ils changé par rapport aux habillements, aux mœurs, coutumes, et inclinations?

Réponse.

La réforme des habits n'a eu lieu, qu'à l'égard des nobles, de ceux qui étaient aux gages de la cour, et des bourgeois. On a laissé aux paysans, et aux ecclésiastiques, le droit de conserver leur barbe, et leur habillement accoutumé. Les prêtres regardent la barbe, comme une chose essentielle. Pierre 1ᵉʳ n'a gêné personne, sur l'habillement. La façon de s'habiller, chez les Allemands, n'est point du tout propre, à la froidure du climat. D'ailleurs, il n'entre point d'étoffe dans l'habit d'un Russe.

La barbe a eu des défenseurs très opiniâtres, surtout parmi le commun peuple, qui prétend que de se la faire raser c'est profaner l'image de Dieu. Le synode a publié un écrit pour désabuser le peuple à cet égard. Il se trouve cependant encore des bourgeois, qui n'ont pu se résoudre à s'en dépouiller. La cour y a imposé une taxe, que les opiniâtres paient de très bon cœur.

Le gros de la nation, est à cet égard, si bien revenu de ce projet, que s'ils en avaient même le pouvoir, ils ne reprendraient pas à ce sujet, leurs anciennes habitudes.

On ne peut dire de même, de bien des coutumes, qui étaient usitées dans le pays. L'obligation où était l'épouse d'être voilée quand on

5

10

15

20

98   c: les séances. On
1   MS2:   Russes ont changé
8-9   c: la rigueur du climat de Russie; d'ailleurs il entre moins d'étoffe [...] Russe du commun.//
10-11   c: le peuple
16-18   c: est si bien revenu sur la barbe que s'ils en avaient le pouvoir ils n'en reprendraient pas l'usage.//
19   c: dire la même chose sur des
20   c: dans ce pays.

1152

bénissait son mariage; de l'enlever au milieu du repas pour se coucher, et de porter ensuite aux convives, les marques de sa virginité, sont aujourd'hui des coutumes condamnées pour la plupart. [90]

Les femmes ont plus de liberté, qu'elles n'en avaient autrefois. Pierre Ier leur a accordé cette prérogative. Cependant leur liberté est plus restreinte, que ne l'est celle des Polonaises, Françaises et Allemandes. Cette précaution est nécessaire, car les femmes russes, ont les passions si vives, qu'elles sont fort susceptibles, et que le roman est ordinairement fort court.   25

Le commerce journalier avec les étrangers, a non seulement poli la noblesse, mais même les bourgeois. Pour ce qui regarde le manger, le boire, les ameublements, le Russe d'aujourd'hui ne diffère point de l'ancien. Qu'un jeune cavalier russe revienne de ses voyages, qu'il y ait été propre et rangé, il ne peut s'empêcher de mener une vie salope, et de vivre à la manière de son pays, quand il est de retour.   30   35

Ce dont les Russes ne se dépouilleront jamais, c'est l'éloignement extrême, qu'ils ont pour les maximes, que Pierre Ier a introduites dans le gouvernement, et une ardeur excessive de voir le gouvernement sur l'ancien pied. La mémoire de Pierre Ier n'est en vénération, que chez le commun peuple, et le soldat surtout les gardes, qui sous son règne, ont été fort distingués. Les autres le louent beaucoup dans leurs conversations publiques mais leur langage est bien différent, quand on leur parle en   40

21 c: mariage, celle où était le mari de
22 c: convives des marques
23 c: condamnées par la plupart, mais encore suivies par d'autres.//
25 c: a procuré cette
26 c: que celle
28 c: susceptibles d'être séduites, et
33 c: jeune Russe
34 c: vie sale, et
38 c: de le voir sur
39 c: Pierre n'est

[90] Oui, mais en 1761 Chappe d'Auteroche fut encore le témoin de cette coutume 'condamnée' (*Voyage en Sibérie*, p.165-69).

1153

particulier. Ceux qui ne lui reprochent que ce qu'en dit Strahlenberg, page 229 jusqu'à la page 258 dans la description de son voyage du Nord, sont fort modérés.[91] Il y en a qui vont beaucoup plus loin, qui lui imputent des cruautés inouïes, et les débauches les plus excessives. Ils veulent même, qu'il n'ait point été fils légitime du czar Alexey, mais d'un chirurgien allemand, supposé par la czarine Natalia, à la place d'une fille dont elle était accouchée. C'est à cet événement qu'ils attribuent la cause de son penchant pour les mœurs, et les coutumes étrangères, et pour toutes sortes d'opérations de chirurgie, son embarras dans les compagnies, le plaisir qu'il avait à fréquenter les ouvriers; qu'il n'a jamais souffert à ses côtés une princesse étrangère; qu'il a préféré une simple paysanne de Livonie, qui avait déjà passé par plusieurs mains, pour en faire sa femme. Ils ont une idée de son courage, et de ses qualités, telle qu'on en a eue hors du pays. Ils tournent en ridicule, tous ses nouveaux établissements. Ils ont, d'ailleurs, de l'horreur pour Petersbourg et la marine, qu'ils regardent comme inutile et nuisible, et se moquent des règlements qu'il a faits, par rapport à elle; inutile parce

45

50

55

43   c: qu'en rapporte Stralenberg
44   c: page 258 de la
47   c: n'ait pas été
48   c: allemand, et supposé
51-52   c: dans la société, le
52-55   c: ouvriers, l'aversion qui l'a empêché de souffrir à ses côtés une princesse étrangère, et la préférence qu'il a donnée à une [...] Livonie pour en faire sa femme, quoiqu'elle eût déjà passé par plusieurs mains. Ils
56   c: qu'on l'a eue hors
59-63   c: elle: inutiles parce qu'ils [...] ennemis; nuisibles parce qu'ils regardent les

[91] Les reproches des opposants à Pierre le Grand, que rapporte longuement Strahlenberg, ne sont pourtant pas tous 'modérés': ces adversaires du tsar lui reprochent par exemple ses débauches, son autoritarisme, ses guerres qui ont coûté la vie à plus de 300 000 hommes, les nombreuses révoltes causées par ses réformes, le monopole du sel qui a ruiné la plupart des bourgeois, l'enrôlement des enfants des grandes maisons comme soldats et matelots... (Strahlenberg, i.131-200). Vockerodt se réfère à l'édition allemande originale de l'ouvrage de Strahlenberg (1730). La traduction française ne paraîtra qu'en 1757.

qu'ils sont assurés qu'aucun de leurs voisins, ne pensera à les attaquer,   60
pourvu qu'ils restent en repos, et que leurs anciens règlements militaires,
étaient suffisants, pour éloigner de leurs frontières leurs ennemis: nuisible
parce qu'ils envisagent les nouvelles troupes, comme autant de liens
dont on les lie, parce qu'ils restent assujettis au despotisme de leur
souverain; que cela les prive du repos, dont ils pourraient jouir dans leur   65
patrie; qu'on les oblige à servir, ce qu'ils regardent comme un grand
malheur, et une folie, chez ceux qui prennent volontairement du service.

Leurs raisonnements sur ce sujet, sont particuliers. Leur allègue-t-on
l'exemple des autres nations de l'Europe, chez lesquelles la noblesse
envisage comme un honneur, de pouvoir se distinguer, en prenant des   70
emplois militaires. Ils répondent que de tels exemples ne prouvent autre
chose, si ce n'est qu'il y a dans le monde plus de fous, que de sages.
Avez-vous, disent-ils aux étrangers de quoi vivre? pourquoi vous
exposez-vous exprès, pour acquérir un nom frivole, à perdre votre santé
et votre vie? par quelles raisons, pouvez-vous, à cet égard justifier votre   75
conduite, puisque ce n'est qu'en vivant, que vous pouvez goûter les
avantages de l'honneur? Servez-vous par nécessité? vous êtes excusables,
mais vous êtes à plaindre. Dieu nous a placés dans des circonstances
plus avantageuses, pourvu que notre bonheur ne soit point troublé par
des ennemis. Notre pays est assez vaste, nos terres assez fertiles, pour   80
que notre noblesse ne soit pas exposée à la faim, pourvu seulement
qu'elle veuille s'appliquer à l'économie des terres. Quoique pauvre que
fût la noblesse russe, fût elle-même obligée de mettre la main à la
charrue, elle est cependant plus heureuse que le soldat. Pour peu que le
gentilhomme ait de revenu, il jouit de tous les plaisirs qu'il peut   85
raisonnablement souhaiter. Il a à manger, à boire, de quoi se vêtir. Les
domestiques, les équipages, ne lui manquent pas, et il jouit de tous les

63-64   c: liens qui les tiennent assujettis
74   c: exposez-vous, pour
76   c: vous éprouvez les
78   c: êtes plus à
79   c: soit pas troublé
80   c: terres sont assez
82   c: l'économie rurale. Quelque pauvre
86   c: manger et à
87-88   c: il a les mêmes jouissances que ses ancêtres. Quoiqu'il

plaisirs, dont ses ancêtres ont autrefois joui. Quoiqu'il ne porte pas des habits brodés d'or ou d'argent, qu'il n'ait pas de beaux carrosses, des ameublements magnifiques, des vins délicieux, une table délicate, il n'en 90 est pas moins heureux, parce qu'il ne connaît point tout cela, et qu'il est plus content de la manière de vivre russe, que l'étranger ne l'est dans sa plus grande magnificence. Quel motif pourrait donc nous engager, à perdre notre tranquillité, et nos commodités et nous exposer à des fatigues, et une infinité de dangers, pour acquérir un certain rang, qui 95 ne contribue point à notre bonheur. Au contraire, il en est souvent l'obstacle. Si notre patrie était attaquée par l'ennemi, et que notre bonheur, fût par là exposé, nous serions obligés de renoncer à tout, pour défendre notre souverain. C'est ce que nous avons toujours fait avec succès, et sans le secours des étrangers. De sorte que depuis les troubles 100 que les étrangers excitèrent, il y a cent ans, dans le pays, personne ne nous a pris un pouce de terre. Nous avons au contraire recouvré les provinces, que nos voisins nous avaient enlevées même jusqu'à la stérile Ingermanie. Nous faisions tout cela avec plaisir, et volontairement, parce que chacun combattait pour soi, et que nous étions assurés de recueillir 105 paisiblement dans la suite, le fruit de nos peines. Mais à présent que vous autres étrangers, avez inculqué à notre prince, la maxime, qu'il faut entretenir une armée, en temps de paix, aussi bien qu'en temps de guerre, nous ne pouvons nous flatter d'une tranquillité parfaite. Aucun de nos voisins, n'est dans le dessein de nous chagriner. La situation du pays, 110 nous en est garant. A peine une guerre est-elle finie par un traité de paix, qu'on pense à une autre guerre, qui ordinairement n'a pour fondement, que l'ambition du prince, ou des ministres. C'est pour leur faire plaisir qu'on suce nos paysans jusqu'au sang, qu'on nous oblige à servir, qu'on nous arrache de nos maisons, de nos familles, non seulement pendant la 115 campagne, mais même pendant plusieurs années. On nous plonge par là, dans les dettes. Nous sommes contraints de confier nos terres, à des

91   c: connaît pas tout
94-95   c: et à nous [...] et à une
97-98   c: notre repos fût
100-101   c: troubles qu'ils excitèrent
113   c: leur plaisir
115   c: maisons et à nos

gens qui les ruinent; de sorte que dans la vieillesse, nous nous voyons
incapables de remettre nos affaires entièrement délabrées, par l'entretien
continuel d'une armée. Il arrive qu'on nous épuise, plus que ne le   120
pourrait faire le plus cruel ennemi. Gémissant sous le poids du despotisme
le plus absolu, faut-il être surpris, si nous cherchons les moyens de nous
en soustraire.

Leur représente-t-on, que supposé qu'ils eussent, suivant leur ancienne
méthode, été en état de préserver leurs frontières, ils n'auraient cependant   125
pu les étendre, sans une armée réglée; ils répondent à cela: Notre pays
est assez grand, il n'a pas besoin d'être agrandi, il ne veut être
que peuplé. Les conquêtes de Pierre Ier ne rapportent rien au pays,
n'augmentent pas nos trésors, et nous coûtent à les conserver. Elles ne
contribuent en rien à notre sûreté. Il est même à croire, que si nous nous   130
mêlons trop avec les étrangers, nous n'y soyons tôt ou tard attrapés.
Pierre Ier eût fait plus sagement, s'il eût employé ces millions d'hommes,
qui ont péri dans la guerre contre les Suédois, ou dans ses nouveaux
établissements, s'il les eût conservés pour le labour des terres. Les anciens
czars ont fait des conquêtes, mais ce n'était que dans les provinces, dont   135
l'Etat ne pouvait se passer, et qui nous incommodaient par les voleries.
Ces princes nous laissaient jouir des fruits de notre travail. Les vaincus
étaient traités en vaincus, et leurs biens partagés entre les nobles. Les
Livoniens se jouent de nous. Ils ont de plus grands privilèges que nous
n'en avons. Nous ne tirons de notre conquête, d'autre avantage, que   140
l'honneur de garder et de conserver une nation étrangère à nos frais,
aux dépens même de notre sang.

Veut-on les piquer d'honneur, et leur représenter la gloire qu'ils se

119-120   c: délabrées. Par l'entretien continuel d'une armée il
122-123   c: nous y soustraire.
127   c: grand et n'a
128-129   c: rien à l'Etat, n'augmentent
129   c: à conserver.
131   c: ne soyons
132   c: employé les millions
134   c: établissements, à l'augmentation du labour
136-137   c: par le pillage. Ces […] jouir du fruit de
139-140   c: que les nôtres; nous
141-142   c: frais et aux

sont acquise, chez les autres peuples de l'Europe ils répondent d'un air moqueur, qu'ils sont surpris que des gens sensés, mettent en équivalent   145
un bien imaginaire avec un mal réel, qu'ils ressentent tous les jours; qu'il leur est indifférent, d'être connus des autres nations de l'Europe; qu'il semblait même, que la connaissance des étrangers, était une malédiction pour eux, qui les avait privés de tout bonheur depuis qu'ils en avaient été honorés.   150

Ils répondent que leur souverain reçoit de ses sujets, toutes les distinctions, qu'un homme mortel, peut prétendre; qu'ils étaient contents de voir, que d'autres nations le respectaient mais que le contraire leur était indifférent, et qu'ils n'étaient pas d'humeur de sacrifier, pour cela, leur repos, et leurs commodités.   155

Rien ne paraît plus ridicule aux Russes, que le point d'honneur. Ils se moquent de ceux qui les veulent engager à faire quelque chose en cette faveur. L'ordre qui défend les duels, et que Pierre Ier a publié, est si exactement observé, qu'on verra toujours les officiers russes, attentifs à y souscrire, quelques injures qu'ils aient reçues.   160

Question 10e.

La Russie est-elle plus peuplée qu'elle ne l'était autrefois?

Réponse.

La nation russe est naturellement fort prolifique. On y trouve partout, à la campagne, les maisons qui fourmillent d'enfants.[92] Le petit peuple

147-148   c: qu'il semble même
149   c: eux, puisqu'elle les
151   c: Ils disent que
153   c: nations les respectaient
157-158   c: qui veulent les engager à faire quelque chose par ce motif. L'ordre
1   c: qu'autrefois?
2   c: y voit partout
3   c: maisons fourmiller d'enfants.

[92] Voir *Histoire de Charles XII*, 1.623-624 (V 4, p.190).

s'y marie fort jeune. Ce qui les y encourage, c'est que la femme et les
enfants ne sont point à charge. La femme peut facilement par l'ouvrage   5
de ses mains, gagner sa vie, et les enfants sont la richesse du paysan. Les
filles de la campagne, ne restent pas longtemps, sans être mariées, et on
n'y voit que très rarement de vieilles filles. Sont-elles obligées de servir
et de s'abstenir du mariage, elles se marient, sans attendre la bénédiction
du prêtre. Quoiqu'elles aient des enfants, rarement entend-on parler   10
d'infanticide. Elles sont au contraire, très soigneuses de les élever, dans
l'espérance d'en tirer un jour leur entretien. Ce qui les console encore,
c'est que ces filles ne sont exposées, ni à la punition, ni à la pénitence.
Cet état ne les empêche pas même de trouver un mari.

Les Russes ont toujours eu la coutume d'emmener avec eux, les   15
hommes, les femmes, et les enfants, des provinces ennemies, dans
lesquelles ils ont fait irruption; maxime qu'ils ont observée, dans les
dernières guerres de Suede. Ils les ont de gré ou de force, baptisés,
suivant le rite de la religion grecque, et mariés avec les sujets nés du
pays.   20

La Russie devrait par conséquent être fort peuplée. Cependant presque
tous les gentilshommes, se plaignent qu'il leur manque des sujets, pour
labourer leurs terres, et que le nombre en a extrêmement diminué, depuis
le commencement de ce siècle.

Ils attribuent cette sensible diminution, aux raisons suivantes. 1°. A la   25
quantité de recrues, tous sujets que Pierre 1er a envoyés hors de son
pays, ou qui comme gens à corvée, ont été obligés de travailler aux
établissements différents qu'il a formés, dont la trentième partie n'est pas
échappée, puisqu'on ne prenait aucun arrangement pour leur entretien, et
que la plupart mouraient de faim, avant même que d'arriver dans   30

5   c: n'y sont
8   c: rarement des vieilles
12-13   c: qui console encore ces filles, c'est qu'elles ne
13-14   c: pénitence, et que leur état
19-20   c: avec des naturels du pays.
25   c: cette diminution sensible aux
26   c: recrues que
27-28   c: aux différents établissements qu'il

l'endroit, où ils devaient travailler. 2°. Les impôts excessifs que Pierre Ier a mis sur son peuple; ce qui a obligé une grande quantité de paysans, d'abandonner leurs terres, et comme personne, sans le risque du châtiment n'osait les recevoir, ils allaient se réfugier dans les provinces voisines, surtout en Pologne. De sorte que dans la dernière expédition de Pologne, on a découvert plus de deux cent mille paysans dans la Lithuanie, qu'on a renvoyés en Russie quoiqu'une bonne partie en échappât pour retourner en Pologne.

L'ivrognerie des Russes, n'y a pas peu contribué. Il ne se célèbre point de fêtes solennelles dans les grandes villes, qu'on ne trouve des personnes mortes, sur les rues, par l'excès. D'ailleurs un Russe qui se voit réduit à la misère, se livre tellement à la boisson, qu'il crève.

La petite vérole fait un ravage étonnant à la campagne parmi les enfants, dont elle tue au moins les trois quarts, [93] faute de savoir gouverner ceux qui en sont attaqués.

On pourrait remédier à tous ces maux, mais il faudrait que trois Salomons régnassent de suite dans ce pays, et qu'ils n'eussent d'autre but, que la conservation du peuple. La Russie peut nourrir, ou entretenir, trois fois plus d'habitants, qu'elle n'en a à présent, mais il faudrait que les finances, et l'économie du pays, fussent réglées. Sous une telle administration, la Russie se peuplerait extrêmement, et deviendrait aussi peuplée qu'elle l'était, il y a mille ans, quand elle envoya des peuplades dans l'orient et dans le couchant.

Des médecins très experts prétendent que les Russes portent en eux un mal, qui sera toujours un obstacle à la multiplication. S'il les en faut croire, le mal vénérien est tellement enraciné en Russie, que des familles

35

40

45

50

55

33   c: sans risquer un châtiment
37   c: partie se soit échappée pour
39   c: n'a pas peu contribué à la dépopulation de leur pays: il
40-41   c: n'y trouve dans les rues des personnes mortes par l'excès de la boisson et du froid; d'ailleurs
42   c: à l'ivrognerie, qu'il
50   c: fussent bien réglées.
55-56   c: S'il faut les en croire

[93] Voir *Histoire de Charles XII*, i.629-630 (V 4, p.190).

entières, soit dans les villes, soit dans les campagnes, en sont infectées. Ce mal s'est communiqué par la Pologne, et s'étend depuis les provinces méridionales, jusqu'aux frontières du nord et du levant; que d'ailleurs cette maladie, y fait de si funestes progrès, qu'elle est d'une nature, à exiger le secours d'une main habile, ce qui manque en Russie, où il y a peu de bons médecins. Les médecins prétendent outre cela, que cette maladie ne peut être radicalement guérie, au 60ᵉ degré de la latitude du nord, et au-delà, à cause de l'air scorbutique. Il est donc à présumer que dans cent ans, la Russie sera encore plus dépeuplée, qu'elle ne l'est aujourd'hui. Je laisse le soin aux philosophes d'examiner la valeur de ce raisonnement.

60

65

Question 11ᵉ.

Quel est le nombre des habitants en Russie? Combien d'ecclésias-tiques?

Réponse.

Les souverains n'ont pu jusqu'ici avoir un dénombrement exact des habitants de Russie, mais on sait assez bien le nombre des paysans, et des bourgeois. Pierre Iᵉʳ voulant y introduire la capitation, ordonna aux gentilshommes et aux intendants des domaines, de donner un registre exact de leurs sujets, en spécifiant le nombre des hommes, des femmes, des vieillards, et même des enfants. Tout cela fut ensuite vérifié par des officiers.

5

Suivant cette liste, le nombre des hommes sujets à la taille, c'est-à-dire, bourgeois, paysans, tartares, qui paient la capitation, et sont obligés de fournir des recrues se réduit à cinq millions cent quatre-vingt-dix-

10

---

57   c: campagnes, s'en trouvent infectées.
59-60 c: levant; d'ailleurs, disent-ils, cette
61   c: secours de mains habiles; ce
62   c: médecins. On prétend, en outre, que
65   c: dans deux cents ans
1-2   ms2: habitants de Russie; combien il y a d'ecclésiastiques?
4   c: de la Russie
11   c: et qui sont

huit mille hommes. Si l'on considère à proportion le nombre des femmes, on peut compter dix millions de personnes.

On compte cinq cent mille gentilshommes, avec leurs familles. Deux cent mille servant la chancellerie, qui fait une classe à part, et trois cent mille ecclésiastiques, avec leurs femmes, et leurs enfants.

Les habitants des provinces conquises, qui ne sont pas sous la capitation, mais obligés à payer les charges publiques, sur le pied de Suede, montent à cinq ou six cent mille âmes.

Les Cosaques de l'Ukraine, du Don, et de Jaitz, et des villes frontières, se montent avec leurs familles, de sept jusqu'à huit cent mille âmes. On compte mais sans en être assuré, que les Tartares oshatzes, mungales, bratzriens, tungures, wogalitzes, et autres, sont un million. Suivant ce calcul le nombre des habitants de Russie, ne va pas au-delà de quatorze millions d'hommes. [94]

La Russie n'est pas fort chargée d'ecclésiastiques, puisque suivant le nouveau règlement, personne ne peut être ordonné, qu'il n'ait une paroisse à desservir, et qu'il est défendu aux particuliers, d'avoir des aumôniers. Les ecclésiastiques séculiers à la campagne, sont soumis à toutes les charges publiques, et obligés de labourer, excepté les grands-prêtres des villes qui sont fort méprisés. Rarement un gentilhomme permet à son chapelain, d'être à table avec lui. La prière faite, il se range avec les domestiques. Les évêques et les abbés, sont estimés, mais peu parviennent à cette dignité. Tous les moines sont si pauvres, que peu de personnes de condition osent prendre ce parti.

19 c: obligés de payer
21 c: et du Jaick, villes
22 c: familles à sept ou huit cent mille
23-24 c: Tartares sont
25 c: de la Russie
27 c: Elle n'est
30-31 c: séculiers sont, à la campagne, soumis à toutes les charges, et

[94] Voir *Histoire de Charles XII*, 1.633-640 (V 4, p.190).

Question 12ᵉ.

Combien la Russie rapporte-t-elle d'argent?

Réponse.

Les revenus de ce pays, ne sont point proportionnés à son étendue.[95] Pierre Iᵉʳ n'a jamais pu pousser les revenus ordinaires à neuf ou dix millions de roubles.[96] Ils n'ont point augmenté depuis sa mort. Les revenus casuels, produits par les confiscations, ou peines pécuniaires, ne 5 valent pas qu'on en parle. Cet argent se dissipe, et se partage entre les favoris.

Quelque petite que paraisse cette somme, elle suffisait du temps de Pierre Iᵉʳ pour ses entreprises, et ses établissements. L'entretien de sa cour, soit pour sa table, la livrée, l'écurie, ne lui coûtait pas, au-delà de 10 cinquante mille roubles. Les pensions des charges civiles, se tiraient en partie des revenus de la chancellerie. Celles des Russes nationaux, étaient très médiocres. La plupart des ministres sénateurs, et conseillers, même le grand chancelier, servaient sans gages. Un capitaine russe, avait huit roubles par mois, un lieutenant six, un enseigne quatre. Un soldat recevait 15 par an, en comptant son uniforme, onze roubles, douze scheffels,[97] ou muids de farine, qui dans le pays ne coûtaient à l'Etat, qu'une rouble et demie. Le pays était obligé de fournir les recrues, et les ouvriers à

2   c: sont pas proportionnés
4   c: n'ont pas augmenté
6   c: pas la peine qu'on
10   c: pour la table
16   c: roubles et douze
17-18 c: dans l'empire, ne coûtaient qu'un rouble et demi. Le

[95] Voir *Histoire de Charles XII*, 1.616 (V 4, p.190).
[96] Voir *Anecdotes*, n.65.
[97] Terme allemand: douze boisseaux.

corvée, et l'on observait une économie si exacte au commissariat, auquel
était destinée la capitation que même en temps de guerre, à la fin de   20
l'année, il restait encore en caisse, une somme considérable. Toutes les
fois qu'un officier demandait la permission de faire un voyage, il perdait
ses gages. Comme sous le règne de Pierre II, plusieurs avaient ces
permissions, jusque-là même que des régiments étaient commandés par
un enseigne, et qu'on négligeait fort le soin de rendre les régiments   25
complets, il se trouva à la mort de ce prince, que les caisses étaient si
remplies, que l'impératrice aujourd'hui régnante, a trouvé assez d'argent
pour satisfaire à son luxe. Mais cette somme tarie, on s'en prit à ceux qui
restaient devoir à la couronne; démarche à laquelle on n'aurait pas osé
penser, du temps de Pierre II. Tout cela remplit les caisses, mais ruina   30
tellement la noblesse et le bourgeois, et le paysan, que plusieurs des
derniers, se virent obligés d'aller s'établir hors du pays.

On ressent déjà aujourd'hui, les suites fâcheuses de cette démarche,
puisque même la guerre à peine commencée, on s'aperçoit partout, de
la disette d'argent. Les ressources de la cour sont, que le pays est obligé   35
de contribuer, autant qu'il plaît au souverain, et même que les personnes
employées dans l'armée, et dans les charges civiles, sont contraintes de
servir sans gages. Quelque aversion qu'ait le peuple russe pour le système
de la cour, et le pouvoir excessif, que se sont arrogé des étrangers
cependant personne, n'a le courage de résister à la cour. On ne peut pas   40
juger de ce qui arrivera à l'avenir, et s'il ne se trouvera pas quelque bon
citoyen, qui représentera au souverain, le poids accablant, sous lequel le
peuple gémit.

25-26 c: négligeait de compléter les corps, à la mort de ce prince les
28   c: cette ressource tarie
30   c: Pierre II. Cet expédient remplit
31   c: noblesse, le
34   c: puisque, la
40-41 c: à l'autorité. On ne peut juger

1164

APPENDICE IV

Demandes de M. de Voltaire

Trois questions sont posées par Voltaire en 1757: sur la population de la Russie, sur son armée, sur le commerce. Les réponses de ses correspondants de Pétersbourg suivent les questions. Pour plus de détails, voir ci-dessus, p.105-106.

Source: Manuscrits de Voltaire, 1.10, f.325r-348r; pour la description du manuscrit, voir ci-dessus, appendice II. Le texte a été publié par Šmurlo, p.197-211.

Nous reproduisons l'orthographe et la ponctuation du manuscrit, mais nous sommes intervenus dans les cas suivants: nous ajoutons la majuscule aux noms propres de personnes, de peuples et de lieux là où elle manque; nous avons ajouté les accents.

On mesure grâce à ce texte l'écart entre les demandes de Voltaire et les réponses des Russes, en particulier dans le domaine du commerce. Voltaire attendait manifestement des informations sur le commerce de la Russie avec l'Occident avant Pierre le Grand. Or, les Russes s'étendent longuement sur le commerce dans les temps anciens avec les Grecs, puis avec la Perse. Pas un mot sur le commerce de Novgorod au Moyen Age, mise à part une allusion à ses foires. Or, Novgorod a commercé pendant des siècles avec l'Occident (la Flandre et les villes de la Hanse), y compris pendant le joug tatar (Olearius évoque les comptoirs des villes hanséatiques à Novgorod, éd. 1727, i.124). Rien non plus sur le commerce de Narva et d'Arkhangelsk.

Demandes de M^r. de Voltaire

1. *On veut savoir de combien une nation s'est accrue, quelle étoit sa population avant l'Epoque dont on parle, et ce qu'elle est depuis cette Epoque.*

RÉPONSE. Pour savoir la population de l'empire de Russie avant Pierre I. il faut recourir aux anciennes taxes, qu'on appeloit Poworotnie dengi, lesquelles aient été perçues suivant le nombre des maisons, ou familles, on peut déduire de là le nombre des habitans, en comptant, comme on fait à l'ordinaire en ces sortes de calculs, cinq ou six hommes pour chaque maison. Un tel dénombrement des maisons ou familles, par tout l'empire a été fait en 1680 et par conséquent deux ans avant l'avènement de Pierre I. au trône. Parce qu'on s'est réglé là-dessus par rapport aux taxes susdites jusqu'en 1721, il ne sera pas difficile de savoir exactement le nombre des familles de ce tems-là. Il faudroit s'en informer dans le Haut Sénat dirigent. Cependant le calcul suivant peut en donner aussi quelque idée. En 1715 il fut ordonné de lever des recrues de 75 familles un homme, ce qui faisoit 10.314 recrues. Le nombre des familles, qui en résulte, est de 773.550; lequel, augmenté par cinq, fait 3.867.750, par six 4.641.300 pour le nombre des hommes, suivant le dénombrement des maisons en 1680. Mais il ne s'agit ici que des paisans seuls. Les bourgeois faisoient un compte à part, étant taxés selon leurs biens, et la taxe étoit nommée Desjätie dengi. Quant au nombre de ceux-ci, il faudra s'en informer également au Haut Sénat. Je n'en saurois fournir aucun calcul. Pierre I. a établi les Podouschnie dengi au lieu des Desjätie et Poworotnie sur une capitation générale des hommes dans chaque famille faite en 1719. Les bourgeois et les paisans y furent également compris. Leur nombre montoit alors à 5.856.012 hommes. Une autre capitation a été faite par ordre de Sa Majesté glorieusement régnante en 1744. Le nombre en a été 6.614.529. Ces faits peuvent fournir quelque idée de la population et de l'accroissement des habitans de l'empire de Russie, pourvu qu'on fasse encore attention aux différentes provinces, différens peuples et différens états des habitans, qui ne sont pas compris dans la capitation, comme ils n'ont pas aussi été compris dans le dénombrement des maisons. Ce sont, par exemple, la Livonie, l'Esthonie, la ville de Narva, la ville de St-Pétersbourg, la Carélie, l'Ukraine, ou ce qu'on entend sous le nom

du Gouvernement de Kiowie, avec les dix régimens des Cosaques, sous   35
les ordres du Hetman, les cinq régimens des Cosaques Slobodzkie dans
les Gouvernemens de Belgorod et de Woronesch, les Cosaques Donskie,
Jaizkie, Grebenskie, et ceux de la Sibérie, les Calmuques de Tschuguiew
et de la Volga, les Tatares d'Astracan, les différens peuples de la Sibérie,
comme les Tatares, Ostiaks, Vogoulitschi, Samojedes, Toungouses,   40
Brazki, Yakoutes, Youkagiri, Korïaki, Kamtschadales, et autres, enfin
toute la noblesse de l'empire de Russie, tout l'état ecclésiastique, les
étrangers habitués [sic] en Russie, et toute l'armée des troupes régulières,
telle qu'elle étoit du tems de la capitation. Pour tous ces différens peuples
et états on ne peut compter guère moins, que pour la capitation même.   45
Et si l'on veut encore mettre en ligne de compte les femmes et les filles,
ce ne sera pas exagéré, que de supposer 20 millions pour le nombre total
des habitans en Russie.

2. *On veut savoir le nombre des troupes régulières, qu'on a entretenu,*
et celui qu'on entretient.   50

RÉPONSE. Avant Pierre I. on a eu peu de troupes régulières en Russie.
Les strelzi, espèce de mousquetaires de l'institution du Zar Iwan
Wasiliewitsch, qui ont duré jusqu'à la fin du siècle précédent, peuvent à
peine porter ce nom, parce que les règles de leur institution et leur
manière de faire la guerre, différoient peu de celles des Cosaques,   55
quoique d'ailleurs ils en différoient pour leur service, étant employés
dans les garnisons sur les frontières, et parce qu'ils recevoient perpétuellement de la solde. Le Zar Alexei Michailowitsch établit le premier
quelques régimens d'infanterie et de cavalerie sur le pied des autres
nations de l'Europe, dont il fit expliquer les fonctions et les exercices   60
en Russie dans un livre, imprimé à Moscou en 1647 folio. Mais
comme on ne pouvoit donner d'abord toute la perfection à ce nouvel
établissement, il déchut peu à peu après la mort de ce monarque, et
Pierre I. se trouva obligé de commencer comme de nouveau, quand par
les fréquentes séditions des strelzi il reconnut la grande utilité, même   65
la nécessité des troupes régulières. Les deux régimens des gardes
Preobraschenski et Semonowski furent érigés en 1690. Soit qu'il n'y eut
encore en ce tems-là aucun corps d'artillerie bien réglé en Russie, ou
que l'Empereur ne se fiât pas trop à celui qu'il y avoit, il trouva bon de
combiner avec le premier desdits régimens une institution, qui devoit   70

représenter un tel corps, et qui le représenta en effet fort bien. C'étoit la compagnie des bombardiers, dont on a toujours connu la valeur. C'est elle, qui de nos jours, a donné des marques d'intrépidité et de fidélité toute particulières, en assistant la plus digne héritière du Grand Empereur à son avènement au trône. En 1699 et 1700 on eut une armée toute entière nouvellement formée, avec un nouveau corps d'artillerie séparé. On s'en promit beaucoup pour le nombre. Mais l'expérience fit voir, que la science de la guerre y manquoit encore, ce qu'on peut se figurer sans peine, parce que non seulement les soldats, mais aussi le plus grand nombre des officiers étoient tous nouveaux, vu qu'on ne pouvoit pas avoir d'abord des officiers étrangers en assés grand nombre. C'étoit le premier siège de Narva en 1700, qui fit sentir cette expérience triste à la vérité, pour le manquement du coup, et pour la perte de tant de bonnes gens, mais très utile à l'empire de Russie pour le changement des maximes, qu'il fit naître. Le privilège donné aux étrangers en 1702 par une lettre patente, signée par l'Empereur et publiée à Moscou le 16 avril, et les soins du général Patkul, qui se servoit très utilement des promesses du Prince en Allemagne, pour attirer des officiers habiles dans le service de la Russie;[1] ce privilège, dis-je, mit bientôt l'armée dans un état bien différent du premier. Elle fut augmentée considérablement par de nouvelles levées, principalement en 1703, 1708, 1711, 1713, 1715, 1716, 1717, 1719, 1721, 1723, lorsque des occasions extraordinaires, comme le second siège de Narva en 1704, l'irruption des Suédois en 1708, la guerre contre les Turcs en 1711, l'expédition de la Perse en 1721, ou d'autres nécessités le demandèrent. En 1706 l'armée reçut son premier réglement et en 17.. celui, qui subsiste encore aujourd'hui. Pour savoir le nombre des troupes, que Pierre I. a entretenu, et celui, que la Russie entretient à présent, on n'a qu'à s'adresser là-dessus au Collège de Guerre.

3. *Quel a été le Commerce de la Russie avant Pierre I. et comment il s'est étendu?*

RÉPONSE. La Russie a été célèbre de tout tems pour son commerce. Pour commencer par celui de la Grèce, comme du plus ancien, il a été facilité par les grandes rivières, qui se jettent d'un côté dans la mer Baltique, et

---

[1] Voir ci-dessus, I.xii.60-63.

de l'autre dans le Pont-Euxin, ou la mer Noire, ce qui n'a pas peu
contribué à rendre l'état florissant dès le commencement de la monarchie. 105
Tous les peuples du nord prenoient part à ce commerce. Pour aller en
Grèce, il n'y avoit pas de chemin plus court et plus commode, que celui
de la Russie. Souvent celle-ci fournissoit aux marchands étrangers, qui
avoient dessein d'aller en Grèce, des marchandises grecques en assés
grande quantité, sans qu'ils eussent besoin de passer outre. Par-là on 110
peut expliquer la source de l'erreur, qu'on trouve dans les historiens
septentrionaux, lorsqu'ils parlent de la Russie sous le nom de la Grèce.
Par-là on entend aussi la raison des grandes foires de l'ancienne Holmgard
(c'est-à-dire de la ville de Nowgorod), [2] dont les mêmes historiens font
mention comme de très abondantes en riches marchandises. Le traité de 115
paix, conclu entre Oleg, Grand-Duc de Russie et l'Empereur Léon en
912, et surtout celui du Grand-Duc Igor avec l'Empereur Roman en
945, tels qu'ils ont été rapportés par Nestor, historien de Russie du XIe
siècle, prouvent la grande liaison qu'il y avoit entre la Russie et la Grèce,
et qui ne pouvoit mieux être cultivée, que par la liberté de commerce, 120
établie par ces mêmes traités. Il est vray, qu'elle fut de tems en tems
troublée par des guerres. Mais les Grecs, aiant beaucoup plus d'inclination
pour le commerce, que pour les conquêtes, eurent toujours soin d'apaiser
les Russiens par de grands présents. Et ainsi le commerce eut son cours
jusques autant que les nations étrangères, en occupant le milieu entre les 125
deux nations commerçantes, n'y mirent point d'obstacle. Les Chazares
furent les premiers de ces étrangers, auxquels en 969 succédèrent les
Pazinacites, nommés par les Russiens Petschenegi, qui tuèrent le Grand-
Duc Swetoslaw. Ce fut ce Prince, qui, voulant transférer le siège de son
empire à Perejaslaw, ville située sur le Danube, fit connoître que la 130
commodité du commerce étoit le seul motif de sa résolution. Perejaslaw,
disoit-il, est comme le centre, où je puis avoir tout ce qu'il me faut. Les
Grecs y apportent de l'or, du vin, des fruits, des grains, des étoffes, etc.
Les Czechi (Bohémiens) et les Hongrois me procurent de l'argent et des
chevaux; de la Russie je tire du miel, de la cire et des esclaves. Il ne parla 135
pas de la Pologne, parce qu'une grande partie de ce royaume, qui ne
portoit pas encore ce nom dans ce tems-là, lui appartenoit en propre, et
étoit compris sous le nom de Russie. Les Pazinacites étant suivis en 1061

---

[2] Voir 1.i.170-175 et n.60.

par les Polowzi, et ceux-ci en 1224 par les Tatares, la Russie, divisée en plusieurs principautés, dont les possesseurs se faisoient continuellement la guerre les uns aux autres, fut la proye de ce dernier peuple, qui y domina pendant presque trois siècles. Cela ne pouvoit être avantageux au commerce. Outre cela, la ville de Kiew, avec son territoire fut occupée en 1320 par les Lithuaniens, ennemis jurés des Russiens, ce qui ruina de fond en comble le commerce des derniers pour la Grèce, parce qu'ils étoient exclus par-là du Boristhène, ou Dnieper, par le moyen duquel se faisoit la navigation. Pendant ces entrefaites, les Gênois se mirent en possession de la ville d'Asow et fournissoient aux Russiens les marchandises de la Grèce, qui commençoient à manquer aux derniers par la raison, qu'on vient de marquer. Je ne trouve pourtant pas, que les Gênois et les Russiens ayent commercé ensemble immédiatement. C'étoit plutôt les Tatares qui apportoient aux Gênois ce de quoi ils avoient besoin des marchandises de la Russie et qui revendoient aux Russiens les marchandises reçues en…. des Gênois. Cela dura jusqu'à la prise d'Asow par Temir Axac en 1392, époque très funeste pour le commerce de ce païs, parce que tous les Gênois et autres chrétiens furent tués dans cette ville, et leurs maisons pillées et mises en cendre. La conquête faite par les Tatares de la Chersonèse Taurique, appelée depuis la Crimée, en fut une suite. Quelque tems après, la Grèce aiant changé de maître, son commerce devint celui de la Turquie. La Crimée reconnut la souveraineté de la Porte. Asow fut cédé aux Turcs. Mais ce n'étoit pas le moyen de rétablir le commerce. Les raisons en sont visibles. L'appauvrissement des Grecs, qui ne purent fournir aux dépenses de la navigation, l'éloignement des Gênois et le brigandage des Tatares, possesseurs de la Crimée et des côtes de la mer Noire, produisirent naturellement cet effet. Les Grecs, comme les Russiens, s'ils vouloient trafiquer ensemble, étoient obligés de faire de grands détours par terre, en quoi la réduction de l'Ukraine sous la domination Russienne, et même la prise d'Asow par Pierre le Grand ne firent pas de changement. L'Empereur eut beau vouloir rétablir la navigation sur la mer Noire, il n'y réussit que par rapport aux vaisseaux de guerre, les Russiens manquant de vaisseaux marchands, et les Turcs refusant par jalousie d'y prêter la main. La ville d'Asow fut rendue aux Turcs. Elle fut reconquise et rendue une seconde fois, sans que les affaires changeassent de face. L'accomplissement des souhaits de Pierre le Grand paraît être réservé à

140

145

150

155

160

165

170

175

son Auguste Héritière, qui a la satisfaction d'en voir un bon commencement du commerce, qui se fait depuis quelques années à Temernikow,
petite ville de Cosaques, sur le Don, entre Tscherkaski et Asow, où les
marchands grecs et turcs se rendent par la mer Noire, et y font leur
négoce avec les marchands Russiens, qui y apportent les marchandises   180
de débit pour la Turquie. Cependant le trafic par terre continue aussi,
principalement par le moyen des Grecs, établis en Ukraine dans la ville
de Neschin. D'ailleurs les Cosaques et les bourgeois de l'Ukraine vont
aussi négocier par terre avec les Tatares de la Crimée.

Le commerce de la Perse n'est pas si ancien que celui de la Turquie,   185
mais il ne lui cède en rien par rapport à son importance. Il n'y a rien à
dire de tout cet intervalle, pendant lequel les Tatares, et avant eux les
Polowzi, les Petschenegi, les Chazares, etc. ont été en possession des
contrées méridionales de la Russie. S'il y a eu un commerce entre la
Russie et la Perse en ce tems-là, il faut qu'il ait été fait par l'entremise 190
de ces peuples. Heureusement le Zar Iwan Wasiliewitsch fit en 1552 la
conquête de Casan, et en 1554 celle d'Astracan, qui fut suivie de la prise
de Terki. S'étant ainsi frayé le chemin de la mer Caspienne, il conçut
l'idée d'un commerce immédiat à établir avec la Perse, et il fut bien aise
que les Anglois, qui par l'établissement de leur commerce à Archangel   195
s'étoient insinués dans ses bonnes grâces, lui demandèrent la permission
d'en faire le premier essai, ce qu'il leur accorda. Ainsi la bannière de St-
George, comme parle un auteur Anglois, fut déployée la première fois
sur la mer Caspienne. Antoine Jenkinson alla en 1557 en Boukharie et
en 1561 en Perse. Les premiers essais de cette espèce ne réussirent guère. 200
L'avantage que Jenkinson tira de ses ouvrages ne fut pas tant pour lui,
que pour les Russiens, à qui il apprit qu'il falloit avant toutes choses
connoître le païs et faire une convention avec le Schach, pour s'assurer
de sa bonne volonté et pour n'être pas incommodé par les peuples
habitués [sic] sur la route. Cet avis fut suivi par le Zar, qui reconnut à sa 205
grande satisfaction, que les Persans avoient le même désir de faire avec
les Russiens un commerce réglé, parce qu'ils espéroient de pouvoir se
défaire de cette façon des productions de leur païs plus aisément qu'ils
ne l'avoient fait par la voye d'Aleppo et de Smirna et acquérir les
marchandises étrangères à meilleur marché. Après que les deux cours se 210
fussent envoyé réciproquement des ambassadeurs, les marchands, tant
Russiens que Persans, commencèrent déjà à profiter de cette heureuse

union, lorsque les Cosaques du Don, attirés par l'espérance de butin, se transportèrent en grand nombre sur la Volga, et l'infestèrent tellement par leurs brigandages, que le parti le plus sûr pour les particuliers étoit d'abandonner ce commerce, ou de le remettre à un tems plus favorable. Mais le Zar ne se borna pas là. Il envoya des troupes contre les brigands, avec un si bon succès, que plusieurs en furent pris et châtiés, et les autres dispersés. Cele se fit en 1577. La sûreté de la navigation rétablie, les Anglois, octroyés par le Zar, firent une seconde tentative en faveur du commerce de la Perse. Christophe Burrough construisit en 1579 un vaisseau à Nischnei Nowgorod, le chargea de marchandises tant Russiennes qu'Angloises et alla par la mer Caspienne à Bakou. Il vendit dans cette ville une partie de sa charge, et porta le reste à Derbent, après que son vaisseau eut péri sur les côtes de Nisabat. S'étant pourvu de soyes crues, il s'embarqua à son retour sur un vaisseau, qui vraisemblablement étoit bien mal conditionné. Aussi se brisa-t-il entre les glaces à l'approche de l'embouchure de la Volga. Après bien de fatigues et de dangers, Burrough revint à Londres en 1581. Dans ce tems les Turcs étoient en possession de toute la côte occidentale de la mer Caspienne, qu'ils avoient conquise en 1557. Le Zar Feodor Iwanowitsch leur en enleva une partie en 1594, et bâtit la ville de Koisa, sur la rivière de ce nom. Son successeur, Boris Godounow, étendit ces conquêtes jusqu'à Tarkou, à résidence du Prince de Daguestan, nommé Schemchal. Il voulut la fortifier à la manière européenne, lorsque les Turques, aidés par les Circassiens révoltés, repoussèrent les troupes Russiennes jusqu'à Terki. La ville de Koisa fut obligée de se rendre et fut démolie. Les démêlés portèrent le Schach Abbas 1. grand ennemi des Turcs, à rechercher en 1604 l'amitié du Zar Boris par une ambassade, où les offres d'un commerce libre dans tous les Etats du Schach ne furent pas oubliées. La réception magnifique de l'ambassadeur persan fit voir jusqu'à quel point sa commission étoit agréable au Zar. Il faut avouer, qu'avec les mauvaises qualités de ce Prince, qui rendent sa mémoire détestable, il en avoit aussi de fort bonnes. Doué d'un esprit supérieur, il connoissoit parfaitement le fort et le faible de sa nation et il fit tout son possible pour rendre l'état florissant par l'acroissement du commerce, et par l'introduction des arts et des sciences. Malheureusement la fortune ne le seconda pas assés pour voir la réussite des ses bonnes intentions. Après les troubles, qui déchirèrent la Russie pendant plusieurs années, le Zar Michel Féodoro-

witsch, de glorieuse mémoire, fit revivre le commerce avec un succès 250
digne de la douceur de son gouvernement. Du côté de la Perse les
Anglois voulurent encore en participer et envoyèrent en 1626 au Schach
en ambassade le Chevalier Robert Shirley, qui trouva le Prince très en
faveur de sa nation. Si les Anglois ont éxécuté alors leur dessein ou non,
c'est ce qu'on ignore. Peu de tems après, le Duc Frédéric de Holstein 255
forma le projet d'un commerce avec la Perse par la voie de la Russie.
C'est l'objet des ambassades décrites par Oléarius. La première se fit en
1635 en Russie et la seconde en 1636 en Perse. Tout paroissoit être bien
concerté, quoique cela n'ait point eu de suites. De quelques anecdotes
rapportées dans les mémoires de Chanut[3] on peut conclure les raisons 260
qui ont fait abandonner ce projet. Cependant les Holsteiniens bâtirent
dans les environs de Nischnei-Nowgorod un vaisseau, avec lequel ils
firent le voyage par la mer Caspienne. Ils vinrent jusqu'à Nisabat. Là le
vaisseau se brisa sur les côtes, tout de même comme avoit fait le vaisseau
Anglois, dont nous avons parlé. Pendant ces tentatives des étrangers, 265
les Russiens ne laissèrent pas d'exercer le commerce de la Perse, autant
que leurs petits navires, construits à l'ancienne façon, le permettoient.
Le Zar Alexis Michaïlowitsch, aiant appris le danger qu'on couroit avec
ces navires sur la mer Caspienne et les pertes qu'on faisoit tous les jours,
fit construire un vaisseau à la Hollandoise par des ouvriers, qu'il fit venir 270
de Hollande. Il en fit venir aussi un capitaine, qui devoit commander le
vaisseau. Par ordre de feu l'Empereur Pierre le Grand, les noms du
capitaine et du constructeur ont été éternisés dans la préface du règlement
de Marine. Le premier s'appeloit David Butler et le second Carstens
Brand. Le vaisseau avoit le nom de l'Aigle. Aiant été construit et équipé 275
sur la rivière d'Occa, à Dedilow, ou Dedinowa (car on trouve ce nom
écrit diversement), le capitaine Butler en prit le commandement et le
conduisit à Astracan en 1669. Le dessein étoit de se servir de ce vaisseau
tant pour le transport des marchands et des marchandises par la mer
Caspienne, que pour protéger le commerce contre les insultes des 280
Cosaques, qui depuis trois ans avoient recommencé à infester la dite
mer par leurs brigandages. Peut être que la renommée d'un vaisseau

---

[3] Pierre Chanut (1600-1662), ambassadeur à Lübeck. Les informateurs de
Pétersbourg se réfèrent aux *Mémoires de M. Chanut depuis l'an 1645 jusqu'en 1655*
(Paris 1676), 3 vol.

comme celui-ci, muni de canons et de gens armés, contribua quelque chose à disposer les Cosaques à se soumettre, puisque cela se fit la même année, quoique d'ailleurs cet événement soit communément attribué à la famine qui succéda au pillage, exercé sur les côtes de la Perse. Car ces deux raisons peuvent fort bien subsister ensemble. Mais cette tranquillité ne fut pas de longue durée. L'année suivante les Cosaques se révoltèrent de nouveau. Rien ne put alors retenir leur rage. Je parle de la fameuse rébellion de Stenka Rasin. Les villes situées sur les bords de la Volga et entre autres Astracan, en souffrirent infiniment. Le vaisseau l'Aigle fut brûlé par les rebelles, l'équipage tué ou dispersé. On lit dans la préface susmentionné du Règlement de Marine, que le capitaine Butler fut tué à Astracan par les rebelles. C'est une erreur. Il se sauva en Perse. Je le sçai par son journal, dont il se trouve une traduction russe en manuscrit dans la Bibliothèque Impériale. Ce qu'il est devenu après, je l'ignore. Le chirurgien du vaisseau, Jean Termond, qui l'avoit accompagné dans sa suite, le constructeur ou charpentier Carstens Brand et un connétable furent les seuls, qui en sont revenus à Moscou. Aussi paroît-il que c'est par erreur qu'il est dit dans la même préface, que le Zar avoit fait construire à Dedinowa deux bâtiments, savoir un vaisseau et un yacht, ou une galliote. Le journal du capitaine Butler ne dit pas un mot du yacht. Il marque seulement, qu'en 1670, au commencement de la seconde rébellion de Stenka, il étoit arrivé un ordre à Astracan de reconduire le vaisseau, nommé l'Aigle vers Moscou et que le gouverneur de la ville avoit alors ordonné de construire une grande chaloupe, pour que les mariniers puissent mieux se défendre contre les insultes des Cosaques. Mais se persuadera-t-on que l'auteur de la préface, parlant du yacht, a eu en vue cette chaloupe? Encore n'est-il guère vraisemblable, qu'on ait eu le tems de la construire. Ainsi les bonnes intentions du Zar Alexis furent frustrées. Le commerce de la Perse resta dans l'état où il étoit, jusqu'au règne de Pierre le Grand, qui ne put même porter d'abord ses vues de ce côté-là. Le négoce de marchands Russiens, qui allèrent par mer jusqu'à Nisabat, et de là par terre à Schamachie, se faisoit sans conduite. Leurs vaisseaux échouoient souvent sur les côtes, et les caravanes étoient extrêmement incommodées par les peuples peu civilisés avec lesquels on avoit à faire. On prétend qu'en 1712 un certain Yefremow avoit perdu 200 mille roubles au pillage que les Lesgi firent de la ville de Schamachie. Ces traverses ne purent que dégoûter les

285

290

295

300

305

310

315

Russiens, comme au contraire les Arméniens se fortifièrent dans ce   320
commerce, desquels bon nombre de familles s'étoient domiciliées à
Astracan pour cet effet. Ceux-ci, aiant leurs comptoirs en Perse également
comme en Russie, et connoissant d'ailleurs le païs et la langue, avoient
effectivement plusieurs avantages, dont les Russiens manquoient. C'est
pourquoi Pierre I. conclut une convention avec eux, dont il est parlé   325
dans les Oukases du 22 May 1716, du 6 Juin 1719 et du 26 Juillet 1720.
Je ne trouve pas en quelle année cette convention a été faite. Mais il est
certain qu'elle est antérieure à l'année 1711. L'article principal concernoit
les soyes de la Perse. Tout ce qui en croîtroit dans les états du Schach,
devoit être transporté en Russie, sans que rien n'en passât en Turquie.   330
Le Schach y consentit. Il accorda même aux Arméniens un privilège
exclusif par rapport à ce commerce, et il défendit à tous ces sujets de ne
vendre leurs soyes qu'à eux. De l'autre côté ils furent considérablement
soulagés par le Zar dans la paye des douanes. Et quand ils arrivèrent à
Astracan ou à Terki, on leur donnoit des escortes pour leur sûreté; ce   335
qui ne s'étoit jamais pratiqué auparavant avec aucuns autres marchands
étrangers. Outre cela, ils obtinrent en 1711 le privilège d'être exempts
de tous droits pour les pierres précieuses et les perles qu'ils apporteroient
en Russie. Mais les Arméniens satisfirent mal à leurs engagemens. On
apprit de bonne main, qu'ils faisoient eux-mêmes passer quantité de soye   340
en Turquie. Non contents de faire le commerce en gros, comme il étoit
stipulé, ils entreprirent aussi de le faire en détail, et établirent pour cet
effet des boutiques, où ils vendoient toutes sortes de marchandises. Pour
ces raisons ils furent privés de leurs privilèges en 1719, qu'ils recouvrèrent
pourtant en grande partie en 1720. L'ambassade de M^r. Wolinski en 1715   345
ne paroît avoir eu autre objet que le commerce: on en saura d'avantage,
quand on s'informera plus particulièrement des instructions de ce
ministre. Quelques écrivains étrangers prétendent, que la réparation de
la perte des Russiens au pillage de Schamachie a été du nombre. Cela se
peut. Mais quand ils débitent, qu'on avoit obtenu par sa négociation un   350
libre passage pour les caravanes de la Chine par les états de la Perse,
cela ne s'accorde pas avec la vérité. Car il est constant, que les caravanes
de la Chine ne peuvent prendre d'autre chemin plus commode et plus
sûr, que celui, par lequel elles passent ordinairement, c'est-à-dire par la
Sibérie. Peut-être a-t-on voulu parler des caravanes destinées pour la   355
Boukharie et les Indes, que Pierre I. pensoit de mettre en vogue. Pendant

le séjour de M^r. Wolinski en Perse, la fameuse rébellion des Afghuans commença à Candahar. Miriveis, qui en étoit l'auteur, mourut en 1717. Son fils, Miri-Mahmoud, la porta jusque dans le cœur du royaume. Si l'ambassade de M^r. Wolinski a été infructueuse, il faut l'attribuer à ces troubles. Après son retour, qui fut en 1720, les Lesgi firent une nouvelle invasion dans le Schirvan, et ravagèrent toute la province. La cour d'Ispahan ne se mettant pas en peine ni de punir les malfaiteurs, ni de protéger ceux qui étoient opprimés injustement, il en résulta, que les rebelles, enhardis par cette indolence, ne tardèrent plus de se montrer devant la capitale. Dans cette fâcheuse situation, le Schach implora le secours de Pierre le Grand, et ce Monarque s'y prêta d'autant plus volontiers, qu'il craignit la ruine totale du commerce de ses sujets avec les provinces Persanes, situées sur la mer Caspienne, si elles tomboient dans les mains des rebelles, ou si les Turcs, aidés des Lesgi et autres peuples du Caucase, s'en emparoient. Derbent, Bakou et le païs de Gilan furent réduits sous l'obéissance des Russiens dans les années 1722 et les suivantes et ils furent cédés à la Russie par les traités de paix, conclus à St-Pétersbourg avec l'ambassadeur Persan Ismael Bey le 12 Septembre 1723 et à Rescht avec les plénipotentiaires du Sultan Eschref le.... 1728. On n'oublia pas de faire construire des navires plus propres au transport des troupes, des provisions et des marchandises, que ne l'étoient ceux, dont on s'étoit servi auparavant. Dans ce dessein le sage Empereur établit à Casan une espèce d'Amirauté, qui eut fort bon succès. Au lieu que les vaisseaux avant ce tems-là alloient à Nisabat, et y chargeoient les soyes de Schirvan, ils alloient après la conquête en droiture au Gilan, où cette marchandise est en plus grande abondance et de meilleure qualité. Mais on trouva à propos de rendre ces conquêtes quelque temps après aux Persans, de sorte qu'on leur céda le 21 Janvier 1732 toutes les provinces au-delà du fleuve Kur, nommé anciennement Cyrus, et en 1735 le reste jusqu'à la rivière de Terki. Cependant le commerce alla son train, et il fut même considérablement augmenté par les Anglois, qui obtinrent pour cela la permission de l'Impératrice Anne, en vertu du 8 article du traité de commerce, conclu en 1734 entre la Russie et Grande Bretagne. Si jamais les circonstances leur favorisoient, ce fut dans ce tems-là. Ils avoient longtems recherché inutilement cette permission du vivant de Pierre I. témoins des propositions que les ministres Anglois firent en 1716 à la Haye au Prince Boris Iwanowitsch Kourakin, qui

360

365

370

375

380

385

390

furent depuis réitérées plusieurs fois, et constamment refusées. On se dispensera donc d'ajouter foi à ce que dit M^r. Hanvay,[4] que l'Empereur 395 avoit invité en 1718 par un édit tous les étrangers à prendre part au commerce de la Perse. Il est plutôt visible, que ce sage Monarque a voulu réserver le profit à tirer des soyes de ce païs uniquement à ses propres sujets et aux manufactures qu'il s'étoit proposé d'établir dans son empire. Pour être court sur ce qui me reste à dire, touchant le 400 commerce des Anglois, je renvois le lecteur au livre de M^r. Hanvay. On y trouve le premier essai fait en 1739 par le capitaine Elton et l'établissement de deux factories Angloises à Rescht en Gilan en 1742. On y voit aussi que deux vaisseaux furent construits par les Anglois à Casan, et que ces vaisseaux, employés mal à propos pour les besoins du Schach 405 Nadir, mais surtout la démarche du capitaine Elton, qui s'engagea au service du Schach pour construire des vaisseaux sur la mer Caspienne, portèrent en 1746 la cour de Russie à révoquer la permission, donnée aux Anglois, qui en restent privés jusqu'à présent. Depuis ce tems-là les marchands Russiens et Arméniens continuent ce commerce, autant que 410 le déplorable état de la Perse après la mort du Schach Nadir le permet. On peut dire en général qu'il n'est pas à beaucoup près aussi florissant, qu'il l'étoit avant cette révolution. Car c'est elle, qui a réduit presque tous les Persans à la besace, et sur-tout ceux qui habitent les provinces voisines de la mer Caspienne. 415

---

[4] Jonas Hanway (1712-1786). L'ouvrage auquel renvoient les Russes est *A historical account of the British trade over the Caspian sea, with a Journal of Travels from London, through Russia, Germany and Holland, to which are added the Revolution of Persia during the present century, with the particular history of the great usurper Nadir Kouli* (London 1753), 4 vol.

APPENDICE V

Objections de M. de Voltaire. Réponses à ces objections

Ces objections de Voltaire furent jointes à la lettre qu'il adressa à I. I. Chouvalov le 1er août [1758] (D7811). Les réponses furent insérées dans une lettre de Chouvalov en date du 14 octobre (D7903) que Voltaire reçut le 21 décembre; voir ci-dessus, p.104-105.

Source: Manuscrits de Voltaire, 1.11, f.349r-356v; pour la description du manuscrit, voir ci-dessus, appendice 11. Le texte a été publié par Šmurlo, p.172-85.

Le texte de Voltaire a subi de légères modifications dans le processus de transcription, témoin les variantes ci-dessous, où figure la version originale de la lettre envoyée à Chouvalov le 1er août 1758 (D7811). Le *nota bene* de cette lettre, ajout de la main de Voltaire lui-même, ne fut pas repris dans le manuscrit.

Nous reproduisons l'orthographe et la ponctuation du manuscrit, mais nous sommes intervenus dans les cas suivants: nous ajoutons la majuscule aux noms propres de personnes, de peuples et de lieux là où elle manque; nous avons ajouté les accents.

Objections de Mr. de Voltaire. Réponses à ces objections

Le baron de Strahlenberg n'est-il pas en général un homme bien instruit? Il dit en effet, qu'il y avoit seize Gouvernements, mais que de son temps ils furent réduits à quatorze; aparemment depuis lui on a fait un nouveau partage.

Parmi les Auteurs étrangers, qui ont écrit sur la Russie, Mr. de Strahlenberg est sans contredit un des meilleurs; mais il s'en faut de beaucoup, qu'il soit aussi véridique en tout qu'on le suppose. Le séjour

5

qu'il a fait en Sibérie ne lui a fourni tout au plus que le moyen de faire quelques recherches sur les peuples qui l'habitent, et qui en sont les plus proches voisins; le reste de ses mémoires n'est composé que sur des ouï-dire et sur le rapport des gens, qui n'étoient pas toujours assez au fait. D'ailleurs sa qualité de prisonnier suffisoit pour l'éloigner des sources, où il auroit dû puiser pour être reconnu en général pour un homme bien instruit. Pierre I partagea son empire dans l'année 1710 en huit gouvernements généraux, savoir: 1° de Moscou, 2° de Pétersbourg, 3° de Riga, qui comprenoit aussi le vice-gouvernement de Smolensk, 4° de Kiew, 5° d'Asoff, 6° de Casan, y compris les vice-gouvernements de Nigegorod et d'Astracan, 8° d'Arkangel. Les gouvernements étoient divisés en provinces, celles-ci en villes avec leurs territoires et jurisdictions. Quelques années après, les vice-gouvernements de Smolensk, de Nigegorod et d'Astracan furent érigés en gouvernements séparés, ainsi que le Duché d'Esthonie, auquel on donna le nom de gouvernement de Revel. Celui d'Azoff changea de nom après la restitution de cette place aux Turcs et fut appelé le gouvernement de Woronesch, ce qui, joint aux précédents, faisoit le nombre de douze gouvernements. Du temps de l'Impératrice Anne, on créa encore deux nouveaux gouvernements, savoir ceux de Novgorod et celui de Bielgorod, auxquels Sa Majesté Impériale Régnante ajouta en 1744 le gouvernement d'Orenbourg et celui de Wibourg, qui comprend la Carélie et la partie de la Finlande, conquise sur les Suédois; de sorte qu'on compte à présent en tout seize gouvernements. Les détails de tous ces gouvernements sont exactement marqués dans la pièce cy-jointe, qui a été imprimée l'année passée à Pétersbourg. M^r. de Voltaire trouvera aisément quelqu'un capable d'en traduire ce qui pourra servir à son but.

La Livonie n'est-elle pas la province la plus fertile du Nord? Si vous remontez en droite ligne, quelle province produit autant de froment qu'elle?

Ce nom de province la plus fertile du Nord[1] lui vient du temps qu'elle appartenoit à la Suède, dont elle étoit, pour ainsi dire, le magazin. Il y a en Russie plusieurs provinces aussi septentrionales que la Livonie, dans

[1] Voir ci-dessus, 1.i.100-101 et n.26.

lesquelles le territoire est beaucoup plus fertile et la récolte, mise en proportion, toujours plus abondante. Un champ en Livonie ne donne pas la moitié de ce qu'il rapporte en Carélie. C'est de la Grande Russie, que la ville de Pétersbourg et les magazins des troupes de terre et de mer sont fournis. Il n'y vient pas un grain de la Livonie, et toutes les fois que le nombre des troupes de cette province excède l'ordinaire, on est obligé non seulement de défendre la sortie des grains de la Livonie et de l'Esthonie, mais de suppléer encore à leur subsistence par des transports, qui se font ou par terre des provinces voisines de la Grande Russie, ou par mer de Pétersbourg.

Brême étant plus éloignée de la Livonie que Lübeck, et étant bien moins puissante, est-il vraisemblable, qu'elle ait commercé avec la Livonie avant Lübeck?

Presque tous les auteurs, qui ont écrit l'histoire de la Livonie, conviennent, que les marchands de Brême sont les premiers, qui en 1158 ont abordé en Livonie dans l'endroit, où la rivière de Duna, (*a*) tombe dans la mer Baltique. Ils y ont trafiqué plusieurs années de suite avec les habitants du pays, qui leur permirent même de bâtir une maison à 6 milles de l'embouchure de la rivière pour la sûreté de leur compagnie et de leurs marchandises. La ville de Lubeck étoit dans ce temps-là, pour ainsi dire, encore au berceau, mais, s'étant bientôt accrue en puissance, elle profita de la proximité et s'empara du commerce de la Livonie aux dépens de la ville de Brême. Les trois premiers évêques qui ont travaillé à la conversion des payens en Livonie, y ont été envoyés par le Chapitre de Brême. Voyés l'histoire de la Livonie par Kelchen. [2] Origines Livonicae sacrae et civiles par Gruber. [3]

(*a*) Il faut toujours écrire Duna et non pas Dwina, pour distinguer cette rivière d'une autre qui se décharge dans la mer Blanche près d'Arkangel.

[2] Christian Kelch (1657-v.1710). L'ouvrage en question est *Liefländische Historia, oder kurtze Beschreibung der denckwürdigsten Kriegs- und Friedens Geschichte Esth-, Lief und Lettlandes* (Reval 1695).
[3] Jean-Daniel Gruber (mort en 1748). Le titre exact de son livre est *Origines Livoniae sacrae et civilis* (Francfort, Leipzig 1740).

*En 1514 l'Ordre Teutonique n'étoit-il pas souverain de la Livonie?
Albert de Brandebourg ne céda-t-il pas ses droits à Gautier de
Plettenberg en 1514? Et le Grand Prieur de la Livonie ne fut-il pas
déclaré Prince de l'Empire Germanique en 1530? Ces faits sont* 70
constatés dans la plupart des annalistes Allemands.

Albert Marggrave de Brandenbourg, en sa qualité de Grand-Maître de
l'Ordre Teutonique n'avoit que la suprême jurisdiction de la Livonie.
Par un acte passé à Königsberg le jour de St-Michel 1521, il la céda pour
une somme d'argent à Gautier Plettenberg, Grand Prieur de l'Ordre 75
Livonien, et en 1525 il dispensa toutes les provinces de la Livonie du
serment, qu'elles lui avoient prêté. Cet acte est daté de Presbourg en
Hongrie le jeudi après St-Valentin 1525. La Livonie étant devenue une
province entièrement libre, son Grand Prieur, Gautier de Plettenberg,
fut reçu par Charles V au nombre des Princes de l'Empire et c'est depuis 80
ce temps-là que toutes les appellations ont été faites à la Chambre
Impériale de Spire. Albert étant élu Grand-Maître de l'Ordre Teutonique
en Prusse, refusa de reconnoître le Roi Sigismond de Pologne pour son
souverain, et de lui prêter le serment accoutumé depuis 1466; ce qui
occasionna une guerre entre lui et les Polonais. C'est pendant cette 85
guerre que la Livonie se détacha de lui, comme il est marqué plus haut.
Par la paix conclue à Cracovie le 10 Avril 1525, les Polonais consentirent
enfin, qu'Albert et ses descendants possédassent la Prusse, comme un
fief de la Pologne. Il en fit le même jour l'hommage en personne à
Sigismond, Roi de Pologne. 90

*On lit dans l'histoire du commerce de Venise, que les Vénitiens
avoient bâti le petit bourg, qu'ils appeloient Tana, vers la mer Noire,
et de là vient le proverbe Vénitien: ire a la Tana. Les Gênois s'en
emparèrent depuis; cependant les remarques envoyées par M^r. de
Strahlenberg m'apprennent que les Gênois bâtirent Tana.* 95

La ville de Tanais a été bâtie par les Grecs Bosphoriens plusieurs siècles
avant l'ère chrétienne, pour faciliter le commerce qu'ils faisoient avec

67   D7811:   pas suzerain de
69   D7811:   prieur de Livonie
93   D7811:   vénitien *né à la Tana*

les Scythes et autres peuples voisins, qui leur apportoient des bleds, du
poisson salé, des fourrures et des esclaves… et les troquoient contre des
draps, du vin et autres marchandises. Peu avant la naissance de Jésus-   100
Christ, ces mêmes Grecs, ne pouvant plus résister aux efforts, que les
Scythes faisoient pour s'emparer de leur pays, leur Tyrane, Parisade,
appela le roi Mitridate au secours de la ville de Cherson, qui étoit à ce
temps-là la plus formidable de toutes les colonies Grecques sur les côtes
de la Crimée. Celui-ci, après avoir battu les Scythes à différentes reprises,   105
les chassa entièrement de la péninsule et établit le royaume Bosphorien,
qui comprenoit cette péninsule et le pays situé vers l'Est, jusqu'au mont
Caucase. Strabon dit, que du temps de Polémon, Roi des Bosphoriens,
la ville de Tanais, qui avoit osé lui faire tête, avoit été prise et démolie.
Mais il est à croire qu'il la fit bientôt rebâtir, puisque le même Strabon   110
nous assure que Polémon avoit possédé tout le pays jusqu'au fleuve
Tanais, que l'on ne pouvoit défendre sans le secours de cette ville. Du
temps de l'Empereur Dioclétien, les Sarmates occupèrent le royaume
Bosphorien, dont les limites étoient encor les mêmes qu'elles avoient été
du temps des Tyrans Grecs, par conséquent la ville de Tanais y étoit   115
comprise. Sous le règne de l'Empereur Valens, l'arrivée des Huns causa
une grande révolution dans ces contrées. Procopius, dans son livre de
bello Gothico, dit que, du temps de l'Empereur Justinien, les Huns
possédoient tout le pays situé le long de la côte orientale du Palus
Meotide jusqu'à l'embouchure du Tanais. Aux Huns succédèrent les   120
Kosares, qui furent chassés à la fin du 9me siècle par d'autres peuples,
appelés Petschenegues. Au milieu d'onzième siècle, les mêmes Petschenegues, trop faibles pour resister aux Polowziens, abandonnèrent leur pays
et se soumirent à l'Empereur Grec, qui leur donna dans la Moldavie et
la Valachie des terres désertes à habiter.   125

Lorsqu'au commencement du 13me siècle les Français s'emparèrent de
la ville de Constantinople, les Gênois, profitant des troubles, occasionnés
par les Croisades, s'étoient déjà rendus maîtres des presque toutes les
places situées sur les côtes de la mer Noire. Quoiqu'on ne puisse marquer
précisément le temps auquel ils ont occupé la ville de Tana, il est très   130
probable qu'ils l'ont prise sur les Polowziens avant l'année 1237, c'est-
à-dire avant l'irruption des Tatares. Nicephore Gregoras, historien grec,
qui vivoit du temps que les Gênois étoient au plus haut degré de
puissance sur ces côtes-là, rapporte qu'ils avoient poussé les choses si loin,

de ne vouloir même point permettre aux habitants de Constantinople, ni   135
à aucune autre nation, de naviguer sur la mer Noire jusqu'à Cherson et
la ville de Tanais, sans être munis de passeport Gênois, que les Vénétiens
avoient tenté plusieurs fois de les chasser de leurs établissements sur la
mer Noire, mais qu'ayant été mal soutenus par les Empereurs Grecs, les
Gênois avoient toujours gagné du temps, pour faire dans [sic] les Vénitiens   140
s'étant placés avec leur flotte devant Galatha, près de Constantinople, qui
appartenoit aussi aux Gênois, ils leur avoient foit beaucoup de mal, en
s'emparant dans le détroit de leurs vaisseaux, qui venoient du Palus
Meotide et de Tanais, chargés de bleds, de poissons salés et de caviar.
Nicephore appelle cette ville encor de son ancien nom Tanais, au lieu   145
que les Gênois disoient Tana et qu'ils appeloient aussi le Palus Meotide
la mer de Tana. Les Turcs, s'étant rendus maîtres de la ville de
Constantinople en 1453, les Gênois restèrent encore plus de vingt ans en
possession des ports de la Crimée. Une querelle, survenue entre le Kan
de la Crimée et les Mourzes, dans laquelle les Gênois prirent le parti du   150
Kan, causa leur ruine. Les Mourzes se soumirent avec toute la nation
aux Turcs, et ceux-ci assiégèrent les Gênois dans Caffa, comme la
dernière place forte, qui leur restoit, et les chassèrent entièrement de la
mer Noire. Il est très vraisemblable que les Gênois avoient déjà perdu
quelque temps auparavant la ville de Tana, puisqu'on trouve les   155
monnoyes frappées à Assof avec le nom de Toktamysch-Kan. Quant au
nom que la ville porte à présent, il est à présumer qu'elle l'a reçu d'Asup,
Prince des Polowzes, ou de quelque mot Polowzien, ressemblant à celui-
là. Les Turcs prononcent Adsack. Les Cosaques du Don, ne pouvant
souffrir que la ville d'Asoff leur fermât l'entrée dans le Palus Meotide,   160
s'en emparèrent en 1637, et infestèrent beaucoup les côtes de la mer
Noire. Les Turcs assemblèrent quelques années après une grande armée
pour la reprendre. Les Cosaques, menacés d'une force si redoutable, et
n'ayant aucun secours à attendre, abandonnèrent eux-mêmes la ville,
après avoir mis le feu aux maisons, et fait sauter en l'air toutes les   165
fortifications.

*Pour ce qui regarde les Lappons, il y a grande apparence que, s'étant
mêlés avec quelques natifs du nord de la Finlande, leur sang a pu être*

168   D7811: pu en être

altéré; mais j'ai vu, il y a vingt ans, chez le roi Stanislas, deux
Lappons dont le roi Charles XII lui avoit fait présent. Ils étoient   170
probablement d'une race pure; leur beauté naturelle s'étoit parfaitement
conservée, leur taille étoit de trois pieds et demi, leur visage plus large
que long, des yeux très petits, des oreilles immenses. Ils ressembloient
à des hommes à peu près comme les singes. Il est vraisemblable que
les Samoyèdes ont conservé toutes leurs grâces, parce qu'ils ont eu   175
l'occasion de se mêler aux autres nations, comme les Lappons ont fait.
L'un et l'autre peuple paraît une production de la nature faite pour
leur climat, comme leurs rangifères ou rennes. Un vrai Lappon, un
vrai Samoyède, un rangifère, ont bien l'air de ne point venir d'ailleurs.

L'extrait des Mémoires sur les Lappons et les Samoyèdes, envoyé à   180
M[r]. de Voltaire,[4] renferme tout ce qu'il y a de plus constaté. L'auteur
qui l'a composé, a passé plusieurs années parmi ces peuples et s'est donné
beaucoup de peine pour examiner tout ce qui regarde leur origine, leur
langue et leurs mœurs.

Si, du temps de ce Cosaque qui, selon le Baron de Strahlenberg,   185
découvrit et conquit la Sibérie avec 600 hommes, les chefs des Sibiriens
s'appeloient Tsars, comment ce titre peut-il venir de César? Est-il
probable qu'on se fût modelé en Sibérie sur l'Empire Romain?

Les chefs des Sibiriens, dont le Cosaque Iermack Timofeewitsch conquit
le pays, n'avoient d'autre titre que celui de Kan. Ce sont les Russes, qui   190
dans leur langue les appeloient Tsar; titre qu'ils donnoient à tous les
Princes de l'Asie, qui possédoient des états indépendants. Si le mot de
Tsar n'est pas originairement Slavon, il y a la plus grande probabilité,
qu'il nous est venu des Grecs,[5] dans le temps, que la Russie embrassa le
Christianisme, ou peût-être encor avant. Les Russes ne donnoient   195

173-174   D7811:   ressemblaient aux hommes
175   D7811:   qu'ils n'ont pas eu
187   D7811:   comment le titre

[4] Voir 1.i, n.68.
[5] Voir 1.ii.208-212 et n.47.

d'autre nom aux Empereurs Grecs, que celui de Tsars, et la ville de Constantinople porte jusqu'à présent le nom de Tsargorod, ou ville du Tsar. Le mot de Caesar a pû être facilement mutilé et changé en Tsar, en rejettant le diphtongue *æ*. Les lettres *c* et *k* dans les mots étrangers se changent ordinairement en Russe dans une lettre appelée *tsc*, qui se prononce comme *ts*. Dans la bible, ainsi que dans plusieurs prières traduites en langue Slavonne à la fin de l'onzième siècle, on rencontre le nom de Tsar partout, où dans les autres se trouve celui de Roi David, Salomon et quelquefois même les Empereurs Romains ne sont autrement appelés que Tsars. Les Tatares, ainsi que leur nom, étoient encor inconnus aux Russes avant l'irruption que ces premiers firent en 1237. Tout cela prouve clairement que le mot de Tsar ne peut pas avoir une origine Tatare.

Knés signifie-t-il originairement Duc? Ce mot Duc du 10ᵐᵉ ou 11ᵐᵉ siècle étoit absolument ignoré dans tout le Nord? Knés ne signifie-t-il pas Seigneur? Ne répond-il pas originairement au mot Baron? N'appeloit-on pas Knés un possesseur d'une terre considérable? Ne signifie-t-il pas Chef comme Mirʒa ou Kan le signifie? Les noms des dignités ne se rapportent exactement les uns aux autres en aucune langue.

Le mot Knés est Slavon, et signifie précisément ce que dans les autres langues de l'Europe on appelle Prince. Ainsi Weliki Knés veut dire Grand-Prince. L'usage ayant introduit le mot Duc pour distinguer les Princes régnants des autres, qui ne le sont pas, les étrangers, au lieu de dire Grands-Princes en parlant des souverains de Russie, les ont appelés Grands-Ducs. Le titre de Knés[6] est employé partout et l'on dit en français Prince et en Allemagne Fürst. Seigneur s'exprime en Russie par Hosoudar; il n'y a chez les Russes aucun titre de naissance qui soit équivalent à celui de Baron. Avant la création des Comtes et des Barons,

200

205

210

215

220

209-210   D7811:   Duc aux dixième et onzième siècles était

[6] Voir I.ii.202-205 et n.45.

faite par Pierre le Grand, on ne connaissoit d'autres titres que ceux de 225
Knés et de Dworenin, ou Gentilhomme.

Je suis bien aise que l'agriculture n'ait jamais été négligée en Russie;
elle l'a beaucoup été en Angleterre, et encore plus en France; et ce
n'est que depuis environ quatre-vingts ans que les Anglois ont su tirer
de la terre tout ce qu'ils en pouvoient tirer. Leur terre est très-fertile en 230
froment, et cependant ce n'est que depuis peu de temps qu'ils sont
parvenus à s'enrichir par l'agriculture. Il a fallu que le gouvernement
donnât des encouragements à cet art, qui paraît très-aisé, et qui est
très-difficile.

Jusqu'à présent la Russie n'a pas eu besoin comme l'Angleterre de 235
recourir aux moyens inventés pour augmenter la fertilité du sol. La terre
y produit sans ces secours plus qu'il ne faut pour nourrir ces habitants. [7]
Dans plusieurs provinces le cultivateur n'est pas en état de mettre à
profit toute sa récolte, étant éloigné des grandes villes ou des rivières
qui pourroient en favoriser la consommation et le transport. En Ukraine 240
il reste souvent la moitié des bleds sur le champ et y pourrit faute de
bras. Le terroir y est fertile par soi-même, qu'on ne sait pas ce que c'est
que de l'engraisser. De là le bas prix des grains dans plusieurs provinces
de l'empire. Un sac de froment, (*b*) qui est payé à Pétersbourg 150 cop.,
n'y coûte que 20 à 30 copieks. Le prix de toutes les autres provisions de 245
bouche est presque dans la même proportion. Si l'empire de Russie
comprenoit encor deux fois autant d'habitants, qu'il y en a actuellement,
il seroit en état de pourvoir à leur subsistance quand même l'agriculture
resteroit sur le pied, où elle est à présent. Tant il y a encor de terres
incultes.
250

(*b*) Il pèse ordinairement 9 pouds et le poud contient 40 livres.

233   D7811: paraît aisé

[7] Voltaire n'a pas tenu compte de cette réponse. Voir ci-dessus, 1.ii.391-394 et
n.105.

Je suis fort surpris d'apprendre qu'il étoit permis de sortir de Russie,
et que c'étoit uniquement par préjugé, qu'on ne voyageoit pas; mais
un vassal pouvoit-il sortir sans la permission de son boyard? Un boyard
pouvoit-il s'absenter sans la permission du Czar?

Il n'y avoit aucune loi écrite, qui défendît absolument aux Russes de   255
sortir du pays; mais toutes les fois que quelqu'un vouloit sortir pour
commercer, ou pour s'instruire en voyageant, il étoit obligé de demander
la permission et un passeport, sans quoi il étoit arrêté sur les frontières;
ce qui se pratique encor à présent, sans distinction de condition. [8]

Je voudrais savoir quel nom on donnoit à l'assemblée des boyards, qui   260
élut Michel Fédérowitz; j'ai nommé cette assemblée Sénat, en attendant
que je sache quelle étoit sa vraie dénomination. Pourroit-on l'appeler
diète, convocation? Enfin étoit-elle conforme ou contraire aux lois?

On ne sauroit autrement la nommer que convocation, parce que non
seulement les boyards, mais aussi toute la noblesse et toutes les villes   265
étoient invitées d'y assister aux leurs députés. [9] Comme ce cas venoit
d'arriver pour la première fois depuis Ruric, premier Grand-Duc de
Russie, il n'y avoit aucune loi, à laquelle cette convocation puisse déroger
ou se conformer, ou qui en préscrivît la forme.

Quand une fois la coutume s'introduisit de tenir la bride du cheval du   270
Patriarche, cette coutume ne devint-elle pas une obligation, ainsi que
l'usage de baiser la pantoufle du Pape? Et tout usage dans l'Eglise
ne se tourne-t-il pas en devoir?

Les Tsars ne l'ont jamais fait par aucun autre motif, que par celui des
dévotions, et comme une pure cérémonie d'église. [10] Quoiqu'on ne   275
trouve pas dans les Histoires et Annales de Russie que les Grands-

273   D7811: pas bientôt en devoir?

[8] Voir 1.ii.399-402 et n.108.
[9] Voir 1.iii.21-22 et n.5.
[10] Voir 1.ii.277-279 et n.70.

Ducs ayant fait avant les Patriarches la même cérémonie vis-à-vis des
Métropolitains ou autres chefs du clergé qui officioient le jour de cette
procession; il est très probable de croire qu'elle s'est pratiquée de la
même façon; et comme les Russes ont reçu de l'église Grecque tous   280
leurs rites et cérémonies. il ne seroit peut-être pas hors de propos de
rechercher, si les Empereurs Grecs n'ont pas fait la même chose.

La question la plus importante est de savoir, s'il ne faudra pas glisser
légèrement sur les événements qui précèdent le règne de Pierre le
Grand, afin de ne pas épuiser l'attention du lecteur, qui est impatient   285
de voir tout ce que ce grand homme a fait.

Mons. de Voltaire est le maître de faire tout ce qu'il jugera à propos,
mais les remarques et les mémoires séparés, qu'on lui a envoyés, serviront
beaucoup à rectifier les erreurs, dans lesquelles sont tombés les auteurs
étrangers trop peu instruits et n'ayant fait que se copier l'un et l'autre.   290
Tout ce qui précède le temps auquel Pierre a commencé à régner par
lui-même, doit être intéressant et nouveau pour les lecteurs, surtout
l'histoire de ces différentes révoltes des Strelizes, traduites d'un manuscrit
composé dans ce temps-là par le fils du malheureux boyard Matfeyew,
massacré à l'occasion de la première révolte. [11] Comme entre ces   295
mémoires il y en a plusieurs, dont les détails ne conviennent pas au plan
de l'ouvrage de Monsieur de Voltaire, on suppose qu'il n'en fera d'autre
usage, que celui d'en tirer la quintessence et ce qui est le plus intéressant.
Tels sont les différents états des troupes, de la marine, des revenus, etc.
On a oublié d'ajouter dans les remarques, que la Princesse Sophie   300
pendant la régence, ayant fait frapper des espèces d'or, fit mettre d'un
côté les bustes des deux Tsars Iwan et Pierre, et de l'autre le sien avec
une couronne sur la tête et le sceptre dans la main. La Légende Russe
est exprimée par des lettres initiales: Par la grâce de Dieu Jean
Alexéewitsch et Pierre Alexéewitsch, Grands Seigneurs Tsars et Princes   305
et Sophie Alexéewna, Grande Dame et Princesse Tsarienne, Souverains
de la Grande et Petite Russie. [12]

---

[11] On a vu que les MS 6-11, 6-12 et 6-13 envoyés à Voltaire sont de Lomonossov
(voir ci-dessus, p.107-108).

[12] Ces informations n'ont pas été utilisées par Voltaire.

APPENDICE V

A l'égard de l'ortographe on demande la permission de se conformer à *l'usage de la langue, dans laquelle on écrit, de ne point écrire Moskwa* *mais Mosca, d'écrire Veronise, Moscou, Alexiovis; on mettra au bas* 310 *des pages les noms propres tels qu'on les prononce dans la langue* *Russe.*

Les auteurs étrangers, faute de connaissance de la langue Russe, ont tellement estrophié les noms, qu'un Russe même auroit toute la peine du monde à les deviner. C'est pourquoi M[r]. de Voltaire est prié de faire 315 observer scrupuleusement l'orthographe des noms Russes telle, qu'elle se trouve dans les mémoires et les remarques, qu'on lui a envoyés et de mettre au bas des pages les noms mutilés tels qu'ils se trouvent dans les auteurs étrangers.[13] Pour plus d'exactitude on enverra à M[r]. de Voltaire une liste alphabétique correctement écrite de tous les noms propres, qui 320 pourroient entrer dans le corps de cet ouvrage. La rivière qui traverse la ville de Moscou s'appelle et se prononce Moskwa et non pas Mosca; de même on ne dit point Veronise, mais Voronesch, Alexeewitsch et non pas Alexiowis. Cette exactitude dans l'ortografe ne laissera pas d'ajouter un nouveau degré d'autenticité à l'ouvrage même. 325

310 D7811: Alèxiovis etc.... On
312 D7811: Langue Russe. ¶nB. Il serait nécessaire que je fusse instruit du temps où les diverses manufactures ont été établies, de la manière dont on s'y est pris et des encouragemens qu'on leur a donnez.//

[13] Sur l'orthographe des noms russes, voir ci-dessus, p.138-39 et app. IX, l.122 ss.

APPENDICE VI

Particularités sur lesquelles M. de Voltaire souhaite d'être instruit

Nous donnons ci-dessous les réponses envoyées par l'Académie de Pétersbourg aux questions posées par Voltaire dans l'été 1759. Les réponses de l'Académie furent composées à partir d'un texte de Müller qui se trouve aujourd'hui dans les Archives russes d'actes anciens (RGADA), Fonds 199, Portefeuille de Gerhard Friedrich Müller, opis 1, n° 149, partie 2, n° 1, 4, f.78-80: 'Particularités sur lesquelles il est nécessaire d'être instruit pour composer une histoire tolérable de Pierre premier'. Nous donnons le texte de Müller (sigle: м), que Voltaire n'a jamais vu, dans l'apparat critique. Sur la date d'envoi des questions de Voltaire et des réponses de Pétersbourg, voir ci-dessus, p.111-12.

Source: Manuscrits de Voltaire, 1.12, f.357r-363v; pour une description du manuscrit, voir ci-dessus, appendice II. Le texte a été publié par Šmurlo, p.212-26.

Nous imprimons les seize questions de Voltaire en caractères italiques, suivies des réponses de Pétersbourg en romain. Nous reproduisons l'orthographe et la ponctuation du manuscrit, mais nous sommes intervenus dans les cas suivants: nous ajoutons la majuscule aux noms propres de personnes, de peuples et de lieux là où elle manque; nous avons ajouté les accents.

Particularités sur les quelles Mr de Voltaire souhaite d'être instruit

1. *Les négociations de Pierre I. dans les Cours étrangères.*

Le règne de Pierre le Grand renfermant un espace de plus de trente ans, il sera assés difficile de pouvoir bientôt recueillir tous les mémoires qui ont du rapport à ses négociations. Une telle entreprise pourroit même faire traîner en longueur la publication de l'ouvrage de M^r. de Voltaire. 5 La plus part de ces négociations, et surtout celles, qui ont influé en quelque manière sur les affaires du Nord, sont déjà rapportées par plusieurs auteurs qui ont travaillé à l'histoire de Pierre le Grand. On les trouve aussi dans d'autres ouvrages politiques de ce temps. Il sera donc plus aisé de satisfaire à cette demande de M^r. de Voltaire, s'il voudra se 10 donner la peine de spécifier les négociations sur lesquelles il pourroit avoir quelque doute.

2. *Ses règlemens sur la police générale, religion, finances, Commerce. L'Essay sur les loix et sur l'Eglise qu'on m'a envoyé*[1] *n'entre dans aucune [sic] détail.* 15

M^r. de Voltaire trouvera cy-joint une seconde copie du mémoire abrégé

1   M: ses negociations dans

2-12   M: Il est vrai que les négociations dans les cours étrangères doivent entrer dans l'histoire d'un Souverain mais le règne de Pierre le Grand aiant été de longue durée, il est presque impossible d'en rapporter toutes les négociations, à moins qu'on ne voulût composer une histoire d'un grand in folio, ce qui ne me paroit pas être du génie de M^r. de Voltaire. Outre cela il faudroit un homme à part, sans aucunes autres occupations, pour être chargé de recueillir dans l'Archive du Collège des affaires étrangères toutes ces négociations, et dans [sic] faire à moins d'un an, ou deux. Ainsi il me semble que M^r. de Voltaire devroit se borner à quelques négociations principales, qu'il pourroit spécifier, après quoi on pourroit lui fournir là dessus des éclaircissemens.

16-39   M: Quant aux règlemens sur la Police on trouve dans le recueil des Oukases de Pierre le Grand les Instructions pour le Lieutenant Général de Police

[1] Voltaire se réfère probablement aux documents reçus en mai 1759, entre autres à l''Essai sur les Loix de Russie' (MS 2-23).

sur la police des villes, auquel on a fait quelques additions, ainsi qu'un autre sur l'établissement des manufactures. [3] L'un et l'autre contiennent tout ce qui a été fait du temps de Pierre I. par rapport à ces deux objets. Le réglemen de Pierre I. sur la religion est fort connu, puisqu'il est traduit en français et imprimé à la suite d'une brochure qui renferme des prétendues anecdotes du règne de Pierre I. [4] C'est l'Archevêque Théophane de Nowgorod, qui l'a composé sous les yeux de Pierre I. ainsi que plusieurs autres ouvrages spirituels.

On fera incessamment parvenir à M[r]. de Voltaire la suite de l'essay sur l'église. Il y trouvera le reste de ce que Pierre I. a fait pour mettre le clergé sur un bon pied et pour en reformer les abus. Il y a surtout une ordonnance de ce grand Monarque, touchant l'état monastique, qu'il fit peu de temps avant sa mort. Elle n'est pas imprimée, mais elle mérite de l'être et on devroit même la traduire dans toutes les langues de l'Europe

20

25

30

de S. Peterbourg et pour le Surintendant de Police de Moscou. On pourroit les traduire, ou en faire des extraits pour l'usage de M[r]. de Voltaire, en ajoutant plusieurs autres ordonnances sur le même chapitre qui se trouvent dans le dit recueil. ¶Le règlement de Pierre I. sur la religion doit être connû à M[r]. de Voltaire puisqu'il est traduit en Allemand et imprimé en 1723 à Danzig sous le titre de Geistliches Règlement. Il en souhaite peut-être d'autres. Et il y a effectivement une ordonnance de ce grand Monarque postérieure au dit réglement, qui n'est pas imprimée, mais qui mérite de l'être et qui devroit être traduite dans toutes les langues de l'Europe pour prouver les saines et saintes vues de l'Empereur en matière de Religion. ¶On ne se souvient pas de réglements exprès sur les finances et sur le commerce par Pierre le Grand, tout est contenû dans des ordonnances particulières qui se trouvent dans le recueil des Oukases. ¶M[r]. de Voltaire dit que l'essai sur les loix et sur l'église, qu'on lui a envoyé n'entre dans aucun détail. Peut-être qu'on n'a pas trouvé praticable d'entrer dans un plus grand détail, et M[r]. de Voltaire devroit se contenter de ce qu'on lui fournit. C'est pourtant beaucoup de lui communiquer tout ce qu'on peut. [2]

[2] On comprend que l'Académie n'ait pas envoyé à Voltaire les réponses de Müller, dont la mauvaise volonté et la mauvaise humeur sont évidentes. Voir ci-dessus, p.112.

[3] Voir MS 2-18 et 2-11.

[4] Voir *Anecdotes du règne de Pierre Premier, dit le Grand, czar de Moscovie* ([Paris] 1745), attribuées à Léonor-Jean-Christine Soulas d'Allainval.

pour prouver les saines et saintes vues de l'Empereur en matière de religion.[5]

L'essay sur les lois ne renferme que l'histoire de ce qu'on appelle proprement Jus privatum. Les autres ordonnances, concernant les différentes parties de l'oeconomie de l'état, comme le commerce, finances, exploitation des mines, etc., seront rapportées dans des mémoires séparés, qu'on fournira à M^r. de Voltaire à mesure qu'on les aura achevés. Celui sur les manufactures est composé sur ce plan-là et renferme toutes les ordonnances de Pierre le Grand qui y ont du rapport.

3. *Ses lettres en cas qu'il y en ait quelques unes, qui puissent faire connoitre son caractère et contribuer à Sa gloire.*

Il y a plusieurs collections de lettres de Pierre I. écrites aux Grands de son empire, qui sont conservées dans les familles comme des trésors. La plus grande est celle du Grand Amiral Comte Apraxin.[6] On tâchera de recueillir incessamment les plus intéressantes de ces lettres, lesquelles étant traduites en français et imprimées à la suite de l'histoire, pourront servir de documents et d'éclaircissemens à plusieurs faits y rapportés, si M^r. de Voltaire n'aimera pas mieux les faire entrer dans le corps de l'ouvrage.

4. *Les ouvrages publics, grands chemins, canaux, ports construits par ses ordres.*

Ces fondations sont pour la plus part marquées dans un abrégé chronolo-

42-49   M: On a plusieurs collections de lettres de Pierre I. qu'il a écrites aux Grands de son Empire, et qui sont conservées dans les familles comme des thrésors. La plus complète c'est celle qui contient ses lettres au Grand Amiral Comte d'Apraxin. On pourroit faire un choix de toutes ces collections, en publier les lettres les plus intéressantes en Russe, et les traduire pour l'usage de M^r. de Voltaire.

52-66   M: Les ouvrages publics que Pierre le Grand a construits, ce sont des villes entières, des Ports de mers, des Canaux. Ces fondations se trouvent spécifiées dans l'abrégé chronologique. Les soins de Pierre le Grand pour les grands chemin[s] consistoient non seulement de les faire accommoder et réparer, où il étoit besoin,

[5] Voir MS 2-22, 'Suite de l'Essay sur l'Etat de l'Eglise et du Clergé en Russie'. L'ordonnance se trouve aussi dans le MS 4-4, f.320r-334v.

[6] MS 2-5.

gique des faits les plus mémorables du règne de Pierre I. [7] ainsi que dans une note séparée, à la suite du mémoire sur la police. [8] Les soins de ce Monarque pour les grands chemins consistoient non seulement à les élargir et raccommoder, mais aussi d'en déterminer les distances d'un endroit à l'autre par des mesures exactes et par des poteaux, placés à chaque werste, sur lesquelles le nombre de werstes étoit marqué. [9] Cela a été fait par tout l'empire à la fois. Nombre d'ingénieurs furent envoyés pour cet effet de l'Académie de Marine en 1715. Ils levèrent en même temps les cartes de tous les gouvernements et provinces. [10] Pierre I. a fait aussi tirer un chemin en ligne droite de Moscou à Petersbourg qu'on nomme communément le chemin de la perspective. Il est de la longueur de 595 werstes, mais il n'est pas fréquenté que depuis St. Petersbourg jusqu'à la rivière de Wolchof, ce qui fait 120 werstes. Le reste demande encor beaucoup de travail avant qu'on puisse s'en servir.

5. Tout ce qui pourra rendre son mariage et la nomination de sa femme à l'Empire plus respectable aux nations.

Ce sont sans contredit ses qualités éminentes de corps et d'âme, son zèle à soutenir son auguste Epoux dans ses grandes entreprises, son attachement à sa personne en le suivant partout sans craindre ni fatigue,

---

mais aussi d'en fixer la longueur d'un endroit à l'autre, par des mesures exactes et par des colonnes de bois placées à chaque Werste, où le nombre des Werstes fut marqué. Cela se fit par tout l'Empire. En même tems, nombre d'Ingénieurs furent envoyés pour cela en 1715 de l'Académie de Marine. Ils levèrent en même tems les cartes de tous les Gouvernemens et Provinces. Pierre I. a aussi fait faire un chemin droit de Moscou à S. Peterbourg qu'on nomme le chemin de Perspective. Il est long de 595 Werstes. Mais il n'est fréquenté que depuis S. Peterbourg jusqu'à la rivière Wolchow, ce qui fait 120 Werstes. Le reste demande encore beaucoup de travail, avant qu'on puisse en profiter.

69-78   M, absent

[7] MS 1-7, de Lomonossov, envoyé dans l'été 1758.
[8] Voir, dans le MS 2-14, le passage intitulé 'Epoques des principaux bâtiments à St Pétersbourg', f.183v.
[9] Voir I.x.237-240 et n.50.
[10] Voir II.xi.120-123 et n.28.

ni danger, et ses sages conseils, dont Pierre I. s'est toujours bien trouvé et qui lui ont gagné et conservé jusqu'à la mort de ce monarque, toute sa tendresse et toute sa reconnoissance. On pourra y ajouter la juste persuasion, dans laquelle étoit Pierre I. qu'après sa mort les rênes de   75
l'empire étant entre ses mains, elle ne cesseroit pas de travailler sur le même plan, qu'il avoit commencé et d'achever ce qui lui restoit encore à faire pour le bonheur de ses peuples. [11]

6. *Tout ce qui peut diminuer l'idée d'une sévérité excessive dans le procès criminel du Csarevitz.*   80

On ne peut appeler sévérité la justice nécessaire, dont Pierre I. fut obligé d'user dans ce cas; les raisons qui l'y portèrent sont détaillées au long dans les actes du procès, imprimés par autorité publique. Les prétendues anecdotes, ajoutées dans les mémoires d'Etat de Lamberti, sont des calomnies atroces [12] et je puis assurer à monsieur de Voltaire sur tout ce   85
que l'honneur a de plus sacré que l'on ne doit y prêter aucune foi: ce sont des faits inventés par la haine et l'envie, et démentis par l'évidence des preuves contenues au procès même.

7. *Quelle part il eut au dessein que Görtz insinua à son maître Charles XII de rétablir le Prétendant.*   90

M[r]. de Voltaire n'a qu'à consulter là-dessus les mémoires de M[rs]. Veselofski et Bestouchef, présentés à ce temps-là à la cour de Londres.

79-80   M: dans le malheureux procès

81-88   M: Les actes du Procès sont imprimés par autorité publique. C'est à eux qu'un historien doit se conformer.

91-94   M: M[r]. de Voltaire n'a qu'à consulter là dessus les mémoires de Mssrs. Wesselowski et Bestouchef présentés en ce tems-là à la Cour de Londres. Ils sont imprimés. Il seroit malséant pour un Historien de vouloir contredire à de telles pièces originales et authentiques.

[11] Müller ne semble pas avoir répondu aux deux questions concernant Catherine (voir variante et questions 10 et 15). Cette réponse vient donc d'un autre membre de l'équipe, peut-être Johann Kaspar Taubert.

[12] Voir II.x.659-702 et notes.

Les mêmes déclarations ont été répétées après la mort de Pierre le Grand. Voyés le Recueil d'actes et de négociations par Rousset. [13]

8. *S'il est vrai qu'il y ait eu toujours une famille des anciens Tsars de Siberie et ce qu'est devenue cette famille.*   95

La famille des anciens Kans de Siberie, que les Russes nommèrent Tsars, existe encore sous le titre Knäses. Pour ne pas se former une trop haute idée de ces anciens Tsars de Siberie, il est bon d'observer, que leurs états ne comprenoient que la contrée des rivières d'Irtisch et de Tobol, vers   100 l'embouchure de cette dernière. Six à huit cents Cosaques vinrent facilement à bout de mettre en fuite le dernier Kan Koutschoum et de s'emparer du lieu de sa résidence, qu'on appeloit Sibir, mais dont à peine connoit-on à présent l'emplacement. [14] Cependant quelques uns des descendants de ce Prince, ayant été faits prisonniers, et amenés à Moscou,   105 où ils embrassèrent la religion chrétienne, on leur donna le titre de Tsarewitsch de Siberie, en leur accordant le rang sur toute la noblesse de Russie, ce qui a duré jusqu'en 1718, que Pierre I. abolit avec les prérogatives y annexées parce que le dernier Tsarewitsch de Siberie avoit eu part à la conspiration, qui se tramoit alors, ce qui le fit envoyer   110 en exil à Arkangel.

97-111   M: La famille des anciens Czars de Siberie subsiste encore à Moscou sous le titre des Knjäses. Pour ne pas se former une trop haute idée des anciens Czars de Siberie, il est bon d'observer, que leur Etat ne comprenoit, que la contrée des rivières Irtisch et Tobol, avec les environs de l'embouchure de cette dernière. Mille Cosaques vinrent facilement à bout de mettre en fuite le dernier Chan Kutschum et de s'emparer de sa capitale, qu'on appelloit Sibir dont à peine on connoit à présent l'emplacement, cependant quelques uns des descendants de ces Princes aiant été fait[s] prisonniers et transportés à Moscou, on leur a donné le titre de Czarewitsch de Siberie, et ils ont eû le rang devant toute la noblesse de Russie. Cela a duré jusqu'en 1718 [année] dans la quelle Pierre I. a aboli ce titre avec les prérogatives qui y étoient annexes, parce que le dernier Czarewitsch de Siberie avoit eu part à la conspiration, qui se trama alors contre l'Empereur, ce qui le fit envoyer en exil à Archangel.

[13] Voir II.viii et notes; Rousset de Missy, iii.403-414, puis Lamberty, x.42-47.
[14] Voir I.i.569-571 et n.175.

9. *Quelle étoit la dignité du Vice-Tsar, dont étoit revêtu le Knes Romadanofski et quelles étoient ses fonctions?*

La dignité du Vice-Tsar n'étoit qu'une pure cérémonie, ou plus tôt un jeu. Pierre I. paroit l'avoir créée pour qu'il eut quelqu'un qui présidât à ses avancements d'un degré militaire à l'autre toutes les fois qu'il avoit fait quelque nouvel exploit par terre ou par mer, voulant par là donner lui-même un exemple à ses sujets et surtout à la haute noblesse. Ces avancements se faisoient ordinairement devant le trône, sur lequel le Vice-Tsar étoit assis. On lisoit publiquement la relation de cette affaire, on faisoit semblant de délibérer là-dessus, quelquefois même on faisoit naître des difficultés et à la fin le Vice-Tsar déclaroit le nouveau degré, auquel il avançoit Pierre I. ou dans les troupes ou dans la marine. Romodanofski présidoit aux inquisitions secrètes sur les ennemis d'état et sur toutes les injustices, dont les plaintes lui étoient adressées; mais cela n'avoit aucune liaison avec son titre de Vice-Tsar. Il étoit juge aussi équitable, qu'incorruptible, et sa fidélité à toute épreuve avoit gagné la confiance de Pierre I. Ce premier Vice-Tsar s'appeloit Knes Fedor Jurjewitsch Romodanofski. Après sa mort, qui arriva en 1718, son fils unique, Knes Iwan Fedorowitsch Romodanofski lui succéda dans tous ses titres et employs, mais son mérite personnel n'approchoit pas celui de son père. Dans ce dernier la race masculine de cette famille s'est entièrement éteinte.

10. *S'il est vrai, que l'Impératrice Catherine étant rebatisée dans le rit de l'Eglise Grec fut obligée de dire, je crache sur mon Père et sur ma mère qui m'ont élevée dans une religion fausse.*

114-133 M: La dignité de Vice-Czar ne consistoit presque qu'en cérémonies. Pierre I. paroit l'avoir créé[e] pour qu'il y eût quelqu'un qui puisse présider à ses avancemens d'un degré militaire à l'autre. Ces avancemens se faisoient ordinairement devant le trône où le Vice-Czar étoit assis. Le Vice-Czar présidoit aussi aux inquisitions secrètes contre les trahisons et autres crimes de lèse Majesté. Mais ce n'étoit pas en qualité de Vice-Czar, parce que la même fonction a été exercée après lui par d'autres personnes sans le titre de Vice-Czar. Romadanowski la devoit à la confiance que Pierre I. mettoit en sa fidélité. Il étoit juge sévère et incorruptible.

135-136 M: le rit Grec fut

11. *Si ces mots étoient en effet en usage?*

On ne rebatise pas les personnes, qui d'une autre religion chrétienne passent à la religion grecque. Cette cérémonie ne se pratique qu'avec les Juifs, Mahometans et idolâtres; aux Chrétiens on ne donne que l'onction. Il est vrai qu'ils crachent, mais ce n'est pas sur leur père et mère; c'est seulement pour marquer qu'ils reconnaissent comme fausses les opinions, dans lesquelles ils ont été élevés. Toutes ces cérémonies sont décrites dans les livres qui traitent des rits de l'Eglise Grecque et Russienne, et n'appartiennent guère à l'histoire.

12. *Si Pierre I. a prononcé en effet ce discours, qu'on lui attribue: Mes Amis qui auroit cru, que nous aurions un jour des flottes triomphantes, il faudroit que ce discours soit bien traduit.*

Il n'y a pas la moindre raison d'en douter. Pierre I. ne parloit pas moins éloquemment, qu'il écrivoit avec justice et énergie. M[r]. Weber, qui avec plusieurs autres ministres étrangers fut présent, lorsque Pierre I. prononça ce discours, en a donné une traduction dans ses mémoires imprimés. [15]

13. *S'il est vrai, que l'Impératrice Catherine envoya une somme considérable au Grand Vizir et fit la paix du Pruth.*

Pierre I. voyant, qu'il étoit environné de tous côtés par ses ennemis, et qu'il n'y avoit pas moyen de sortir du mauvais pas, dans lequel il se

---

138-145   M: Des minuties, comme celle ci, ne devroient pas entrer dans l'histoire de Pierre le Grand. La cérémonie dont M[r]. de Voltaire parle, est décrite dans les livres qui traitent des rits de l'Eglise Grecque et Russienne. On n'y voit rien de ces exécrations.

146   M: Si Pierre le Grand a prononcé [...] le discours

147   M: auroit jamais cru

149-152   M: On n'a pas raison d'en douter parce que la chose est rapportée par un auteur qui y a été présent. C'est M[r]. Weber Résident d'Hanovre, dont les mémoires sont traduits en françois.

155-185   M: Il y a beaucoup d'apparence que cela soit vrai, puisqu'il n'y avoit d'autres moyens pour sortir de la mauvaise situation, où on étoit.

[15] Voir II.v, n.16.

trouvoit, avoit fermement résolu de vaincre, ou de mourir. Dans cette funeste crise, l'Impératrice Catherine fut la première, qui osa lui donner des avis. Elle lui proposa de tenter la voye des négociations et offrit de sacrifier tous ses bijoux pour gagner le Grand-Vizir. Pierre 1. admira la justesse de l'esprit de son épouse, et trouva ses raisons si fortes, qu'il y donna les mains. On fit d'abord passer dans le camp Turc un émissaire, chargé d'une bonne somme d'or et de quelques pierreries pour s'ouvrir l'accès auprès du Kihaia du Grand-Vizir, que l'on savoit de bonne part être très sensible aux présens. Le 10/21 Juillet le Feldmaréchal Schérémetof écrivit une lettre au Grand-Vizir, dans laquelle il lui proposa la paix. En attendant la réponse on avoit ordonné aux troupes de sortir de leur camp pour hazarder en cas de refus une bataille, parce qu'il étoit impossible de se soutenir plus longtemps à cause de la disette des vivres et des fourrages, et que toute voye de retraite étoit fermée. Le Grand-Vizir, intimidé autant par la perte du jour précédent, et par la fermeté avec laquelle les Russes se préparoient à un nouveau combat, que son Kihaia étoit ébloui par les présens qu'il avoit reçus, répondit à la fin, qu'il acceptoit la paix, et demanda que l'on chargeât quelqu'un pour traiter des conditions. On publia sur le champ une suspension d'armes et le Vice-Chancellier Schaphirof, pourvu de tout ce qui pouvoit tenter l'avance naturelle aux ministres de la Porte, se rendit le même soir au camp turc, pour traiter avec le Grand-Vizir même. Il en revint le lendemain pour demander à Pierre 1. la confirmation du traité qu'il avoit projeté, et l'ayant obtenu, il retourna au camp turc et y conclut définitivement ce traité. (Voyés le reste dans le journal des campagnes de Pierre 1. [16]) On vient d'observer une faute grossière dans la traduction française de ce journal; au lieu d'onze jours employés par le Baron Schaphirof à cette négociation, il faut lire: le 11/22 Juillet le Baron Schaphirof, étant convenu des articles du traité, etc.

160

165

170

175

180

185

14. *S'il est vrai qu'après la journée de Pultava Pierre le Grand donna son épée à Reinschild et prit la sienne.*

Pierre 1. dîna le lendemain de la bataille avec plusieurs de ses généraux

188-207 M: Si cela étoit vrai, Nordberg, qui y étoit présent, l'auroit sans doute

[16] MS 1-1 et 1-18.

et officiers de l'état major. Les généraux Suédois prisonniers y furent admis par son ordre. Après le dîner l'Empereur, faisant l'éloge de la 190 bravoure que le Feldmaréchal Reinschild avoit témoignée dans cette journée, il lui donna sa propre épée. [17] Il fit aussi rendre aux autres généraux leurs épées, dans la juste attente qu'on auroit les mêmes égards pour les généraux Russes, prisonniers en Suède. Mais comme on n'y fit aucune réflexion à Stockholm, il ordonna d'ôter derechef les épées aux 195 généraux Suédois et de retrancher les libertés qu'on leur avoit accordées. A l'entrée triomphante que Pierre I. fit à Moscou après la bataille, ils furent tous conduits à pied [18] et sans épées. Cependant Pierre I. qui faisoit toujours beaucoup de cas du Feldmaréchal Reinschild, étant arrivé à un des arcs de triomphe construits dans la ville, où l'on avoit préparé toutes 200 sortes de rafraîchissements, s'y arrêta, et, prenant un bocal, adressa à Reinschild la santé de ses maîtres qui lui avoient appris le métier de la guerre. [19] M[r]. Reinschild répondit à ce compliment gracieux du Monarque, que les choses ne pouvoient que tourner mal depuis que l'écolier étoit plus savant, que le maître. Au reste Nordberg, qui étoit présent lorsque 205 Pierre I. donna son épée à Reinschild, l'auroit sans doute rapporté dans son histoire de Charles XII, si l'Empereur eût pris celle de Reinschild.

15. *Le journal de Pierre le Grand dit que l'Impératrice Catherine fut proclamée Tsarine dès le 10 Mars 1711. avant l'afaire du Pruth. Tous les mémoires disent le contraire, quand donc se fit le mariage et* 210 *comment ne lui donna-t-on d'abord que le titre d'Altesse, si elle fut déclaré Tsarine.*

Voyés l'article 5.

---

rapporté dans son Histoire de Charles XII. Aussi n'en a-t-on jamais entendu parler en Russie.

213 M: M[r]. Taubert a répondu à cet article.

[17] Voltaire n'a pas tenu compte de l'anecdote. On remarque, une fois de plus, une divergence entre Müller et l'Académie.
[18] Voir I.xix.95.
[19] Voltaire place ce toast après la bataille de Poltava (I.xix.3-4).

16. *S'il apliqua les revenus des Monastères au besoin de l'Etat et si le Monastère de la Trinité conserva sous son règne ses bien[s] immenses.* 215

Après la mort du dernier Patriarche, Pierre I. établit deux différents bureaux. Il préposa au premier le métropolite de Resan, qui dirigea tout ce qui concernoit les affaires spirituelles. L'autre bureau, dans lequel présidoit le comte Mussin-Puschkin, et qui s'appeloit du commencement le bureau des couvents et puis la Chambre d'Œconomie, étoit chargé de 220 l'administration des biens et revenus appartenants aux couvents et au clergé en général. Pierre I. n'y a jamais touché. Tout ce qu'il a fait, c'est qu'il a employé le surplus de ce qu'il falloit pour la subsistance du haut clergé et des couvents à la construction des églises, à la fondation et à l'entretien des écoles, des hôpitaux, des maisons des pauvres et des 225 orphelins, et de tout ce qu'on appelle communément œuvres pies. S'il y a eu des occasions, où il a emprunté de ce Collège d'Œconomie quelques sommes d'argent, elles ont toujours été remboursées. Le revenu du clergé en Russie n'excède pas un million de roubles argent comptant. Outre cette somme, il tire de ses terres en bleds et autres denrées à peu 230 près pour la même valeur. On ne sauroit pas dire que les biens du Monastère de la Trinité fussent immenses. Il possède en tout 106 à 107.000 âmes de paysans, ce qui lui rappotre un revenu d'environ 200.000 roubles en argent et en denrées. Pierre I. ôta à ce couvent 2000 âmes, qu'il donna au nouveau Monastère d'Alexandre Newski à 235 St. Petersbourg, à condition, que le revenu de ces paysans seroit employé à la construction des bâtiments; mais du temps de l'Impératrice Anne, Warlaam, Abbé du Monastère de Troitza,[20] sçut si bien profiter des circonstances, que les terres qu'on avoit ôté à son monastère lui furent rendues toutes et qu'on trouva un autre fond pour achever les bâtiments 240 de celui de St. Alexandre Newski.

214   M: monasteres aux besoins de
216-241   M: Il n'a rien ôté aux monastères. Il a seulement institué un bureau d'Œconomie pour mieux administrer les revenus de l'Eglise. Le Monastère de Troiza a conservé tous ses biens, excepté ceux qui ont été cédés au Monastère d'Alexandre Newski à S. Peterbourg.

[20] Le monastère de la Trinité. Voir ci-dessus, I.v, n.27.

APPENDICE VII

Corrections à faire au premier volume; en conformité, ou en réponse au mémoire intitulé, *Remarques et*ᵃ

Voltaire a rédigé ces 'Corrections à faire au Premier Volume' après avoir reçu en 1761 de Pétersbourg des 'Remarques sur le 1ᵉʳ Tome de l'Histoire de Pierre le Grand, dont on prie Mr. de Voltaire de faire usage' (MS 1-13). Ce texte est à comparer avec le volume corrigé de la première édition récemment découvert à la Bibliothèque universitaire et cantonale de Neuchâtel; voir ci-dessus, p.143-45 et app. VIII. Signalons que par la suite Voltaire n'a pas tenu compte de ces propositions de corrections.

Source: Bn, F12938, p.441-52 (pagination originale du manuscrit: 1-12); titre: 'Corrections à faire au Premier / Volume; en conformité, ou en réponse au / mémoire intitulé, *Remarques et*ᵃ'. Deux indications, 'pʳ l'histoire de Pierre I.' et '1760', ont été ajoutées postérieurement (la date est fautive). Manuscrit de la main de Wagnière. 6 feuillets, 170 x 220 mm (format difficile à mesurer, car le manuscrit a été découpé et monté sur d'autres feuilles). Le fait que le manuscrit ne renferme pas de commentaires concernant les pages 28 à 60 du volume (voir l.100-104) donne à penser qu'il pourrait être incomplet, hypothèse difficile à vérifier vu l'état du manuscrit.

Nous reproduisons l'orthographe et la ponctuation du manuscrit aussi fidèlement que possible. Nous avons cependant ajouté un minimum de signes de ponctuation qui sont imprimés en caractères antiques. Nous avons également ajouté la majuscule aux noms propres de personnes et de lieux qui ne les comportent pas toujours.

———

Corrections à faire au Premier Volume; en conformité,
ou en réponse au mémoire intitulé, *Remarques et*[a].

Pages

3 — *Deux mille lieues de France.*
mettez
Près de deux mille lieues communes de France.
NB. Les lieues communes étant les deux tiers des grandes c'est
à peu près le compte.[1]

---

8 et autres — *Russes.* ce mot est devenu si usité, qu'il n'est pas
possible de le changer. je ne vois pas ce qu'un *iens* y ajouterait de
grandeur et de gloire.[2]

---

9 — *Négotiant de Brême et de Lubec.* otez Lubec si vous
voulez. celà m'est fort égal. mais Lubec était autrefois bien plus
considérable que Breme, et l'est même encor.[3]

---

9 — *Albert de Brandebourg, en 1514* et[a]. c'est je crois en 1534. il
faut qu'il y ait là une faute de copiste ou d'ortographe.[4]

---

10 — *La Courlande dépend beaucoup de la Russie.*
Corrigeons
a beaucoup dépendu, a été sous l'influence de la Russie.[5]

---

13 — *Archangel, païs entiérement nouveau.* Le critique croit que
ce païs était fort connu, parce qu'il s'appellait Biarmie; mais entre

---

[1] I.i.2.
[2] I.i.88-93 et n.22.
[3] I.i.102 et n.27.
[4] I.i.108 et n.28.
[5] I.i.116 et n.33.

avoir un nom, et être connu, il y a une prodigieuse difference. [6] je
vous jure que personne à Paris, à Petersbourg et à Vienne, ne
connaissait le nom de mes terres avant que je les eusse achetées.

———

13 — *Longtemps après l'introduction du christianisme*. Le critique
trouve celà mal. Voudriez-vous que L'archange Michel eut été le
protecteur de ce païs avant qu'il fut chretien? [7]

———

14 — *Il n'y avait dans ce desert qu'un couvent* et[a]. Je mettrai, si
vous voulez, qu'il y avait la ville de Komolgori. mais, qui la
connait? était-ce une ville? pourquoi Oléarius dit-il que de son
temps il n'y avait que cette seule ville d'Arcangel dans toute la
province? [8]

———

14 — *Le Commerce de Novogorod fut transporté*. (mettons) une
nouvelle branche de commerce fut établie. j'avais suivi Oléarius. [9]

———

14 — *Les Génois et les Vénitiens avaient bâti Tana*.
NB: Les vénitiens s'en vantent. il est vrai que les grecs avaient
bâti un marché, un comptoir, qu'ils appellaient Tanaïs. La notice
de l'Empire l'appelle Emporium Tanaïs. Les marchands Vénitiens
et genois y bâtirent des maisons et de la vint le proverbe Venitien,
ire a la Tana. [10] les genois s'emparérent de tout ce commerce quand
ils eurent Caffa. mais qu'importe? tout celà est fort indiferent, et
fort aisé à réformer.

———

[6] 1.i.157-158; cf. ci-dessous, app. ix, l.272-274.

[7] 1.i.160-161.

[8] 1.i.167 et n.58. Olearius, *Voyages très curieux et très renommés faits en Moscovie,
Tartarie et Perse* (Amsterdam 1727), i.158.

[9] 1.i.171-173 et n.59. Olearius, i.159.

[10] 1.i.180-182 et n.63; cf. app. v, l.91 ss.

16 — *Tandis que leurs voisins sont d'une haute Stature.* J'ai vu à Berlin deux géants, l'un Finois, l'autre Islandais. [11]

16 — *Il n'en est pas,* dit le critique, *des hommes comme des poissons.* qu'il ajoute, *et des autres animaux*; et je lui demanderai pourquoi? N'est-il pas évident qu'un Nègre ne déscend pas plus 45
d'un blanc, qu'un chien ne vient d'un chat? si vous croyez qu'un Lapon vient d'un Flamand, et un Rênne d'un de nos Cerfs, je ne raisonne plus. que le critique écrive l'histoire lui même. j'écris pour ceux qui pensent. [12]

17 — *Les Lapons indigènes.* [13] le critique trouve celà Contraire 50
à la très Sainte écriture. ne voit-il pas qu'à la Tour de Babel, tous les petits hommes s'en allérent en Laponie, et que celà est très conforme à la vérité évidente de l'histoire juive?

17 — *Iumalac,* signifiait donc chez les philosophes Lapons *Deus Eternus et creator*? et il faut dire, *Iumala,* pour bien parler! [14] hélas! 55
de tout mon cœur.

18 — *La coutume qu'on leur imputait de prier les étrangers de coucher avec leurs femmes et avec leurs filles.* Le critique est tout étonné de cette coutume. [15] qu'il lise le voyage de Renard en Laponie, [16] et les Anglais. 60

[11] I.i.197-198 et n.68
[12] I.i.204-212 et n.69.
[13] I.i.212-215 et n.70.
[14] I.i.223-226 et n.72.
[15] I.i.235-237 et n.76-77.
[16] Les étrangers 'ont en ce pays un grand privilège, qui est d'honorer les filles de leur approche. Ils en ont un autre qui n'est pas moins considérable, qui est de partager avec les Lapons leurs lits et leurs femmes' (Jean-François Regnard, *Œuvres complètes,* Paris 1820, i.133). Une notice du *Siècle de Louis XIV* signale le voyage en Laponie de Jean-François Regnard (*OH,* p.1198). Ses *Œuvres* figurent dans la bibliothèque de Voltaire (Rouen, Paris 1731; BV2918).

And miss hia a dreads the shame
To return home the maid she came. [17]

20 — *Le premier écrivain qui nous fit connaître Moscou, Oléarius.* Le critique veut qu'avant Oléarius on eut des écrivains qui aient écrit des détails sur cette ville, où sont-ils? autre chose est de dire quelques mots de travers, autre chose est de dire et d'instruire. [18]

20 — *Ambassade aussi vaine dans sa pompe, qu'inutile dans son éffet.* Voilà mon critique qui prend le parti de cette chimérique ambassade, d'un prince peu puissant, qui se ruine dans la vaine idée de faire venir de la soye par la Russie qui aurait dû s'attirer ce commerce. Voilà d'ailleurs de plaisants ambassadeurs qu'un marchand fripon, et un docteur en droit! aussi, voiez comme celà réussit. [19]

21 — *Avaient pour lit des planches.* le critique veut qu'on eut alors de très bons lits. celà me fait grand plaisir; j'aime fort à être bien couché. je crois qu'alors on n'était pas extrémement délicat. Oléarius (que le critique cite avec tant de complaisance) Oléarius, dit en propres mots, *Les plus aisés n'ont prèsque point de lits de plumes, ils ne couchent que sur des matelats, ou sur de la paille, ou sur leur robe.* Pourquoi le critique veut-il ravir à Pierre le grand la gloire d'avoir mis sa nation plus à son aise? *Quilts*, signifie-t'il des lits de plumes? il signifie matelats. la belle dispute! [20]

22 — *Circuit de vingt mille pas.* le critique prétend que le diamêtre de Moscou a plus de 20000 pas. celà ferait soixante et

---

[17] Matthew Prior, *Alma, or the progress of the mind*, second canto: 'And poor Miss Yaya dreads the Shame / of going back the Maid she came' (*Poems on several occasions*).
[18] I.i.264-265 et n.86.
[19] I.i.266-267 et n.87.
[20] I.i.278 et n.91.

trois mille de circuit, c'est à dire, vingt et une grandes lieues de   85
tour. c'est un terrible éxagérateur que ce critique![21]

22 — *La ville chinoise.* il veut qu'on l'appelle, *ville du Katay.*
mais, ne vend-on pas dans ce quartier des marchandises de la
Chine? Catay, et Chine, c'est chez nous la même chose. je
l'appellerai le quartier Catay, si on veut.[22]   90

24 — *Partie de l'ancienne Sarmatie.* le critique veut que Moscou
soit aussi ancienne [que] Sarmatie. je le défie de le prouver. et
puis, qu'importe?[23]

25 — *D'où viennent les Slaves?* Le critique prétend que Jordan
éclaircit cette difficulté, et moi je prétends qu'il l'embrouille.[24] je   95
ne scais pas d'où venaient les romains et les grecs. qu'on me
nomme un peuple dont l'origine soit bien constatée.

25 — *Le Cʒar Ivan Basilovitʒ.* il prétend qu'il faut l'appeller
Grand Duc.[25] très volontiers.

27 — *Les autres nations sont distinguées par leurs villes, celle cy*   100
l'est par ses régiments. Le critique dit que les Cosaques ont aussi
leurs villes. qui le nie? on dit qu'ils sont distingués, non pas par
ces villes, mais par leurs régiments, et celà est vrai.[26]

61 — *Albert Krantʒ parle d'un ambassadeur italien à qui un Cʒar*
fit clouer son chapeau sur la tête. Le critique se donne la peine de   105

[21] I.i.302-303 et n.96.
[22] I.i.303 et n.97.
[23] I.i.324-325 et n.103.
[24] I.i.338 et n.108.
[25] I.i.344-345 et n.110.
[26] I.i.372 et n.118.

réfuter ce conte que je refute, ce qui rendrait la cour de ce Czar abominable. [27]

Mais le même critique veut justifier le grand Oléarius d'avoir eu l'impertinence de dire qu'un Czar envoya en Sibérie un ambassadeur de l'Empereur, et un ambassadeur du roy de France. 110

Ce grand Oléarius qui était un homme très médiocre de toutes façons, dit au livre trois, qu'un marquis d'Exideuil, ambassadeur du roy Henry 4, fut relegué en Sibérie; et le même Oléarius au livre premier, dit que ce marquis d'Exideuil était ambassadeur de Louïs 13, qu'il était comte de Tallerand prince de Chalais, et que 115 ce prince était collègue d'un marchand nommé Roussel, aussi ambassadeur de Louïs 13. peut-on entasser plus de pauvretés?

La maison des Tallerand, princes de Chalais, e[s]t une des plus considérables de France. Si Henry 4, ou Louïs 13, avait envoyé un seigneur de ce rang à la Cour de Moscou, cette ambassade eut fait 120 un très grand bruit en Europe; le Czar eut envoyé de son côté une ambassade solemnelle à Paris; on n'eut pas donné un polisson, nommé Roussel pour adjoint, à un seigneur de ce nom, on n'eut pas banni en Sibérie un prince, ambassadeur d'un roy de France. on n'eut pas violé ainsi le droit des gens, d'une maniére si 125 outrageante. Henry 4 eut redemandé son ambassadeur à la tête de cent mille hommes. Aparemment Oléarius aura rencontré quelque fourbe, quelque gredin, qui prenait le nom de prince de Chalais. [28]

Pourquoi nôtre critique a-t-il tant de foi à cet Oléarius? est-ce parce qu'Oléarius vômit les invectives les plus attroces contre la 130 nation russe? est-ce parce qu'il ne parle de la Russie qu'avec horreur?

———

64 — *Conservateur de toutes les Russies.* C'est le titre qu'Oléarius donne aux czars parmi les autres titres. Ce mot n'est pas la

[27] I.ii.166-170 et n.32.
[28] I.ii.171-180 et n.33 et 34; 'Préface historique et critique', n.66 à 73.

traduction *d'autocrator*, qui signifie à la Lettre, *puissant par lui même.*[29]   135

67 — *Le patriarche Photius.* j'envoye icy la page originale de mes mémoires, où il est dit que le patriarche Photius fit batizer Volodimer. l'auteur de ces mémoires s'est trompé. je soupçonne qu'il a voulu dire le patriarche *Polieucte*, le quel, en ce temps là   140 siégeait à Constantinople. il ne s'agit que de confronter les dattes. c'est l'affaire d'un scribe.[30]

68 — *Archevêque Job.* il a été, dites vous, archevêque de Rostou, et non de Nowogorod.[31] je vous crois, il est aussi aisé de mettre Rostou que Novogorod. celà ne fait rien à Pierre le grand.   145

68 — *C'est d'un homme devenu patriarche, que déscendait Pierre le grand.* Si Monsieur De Shouvaloff aprouve la remarque du critique, à la bonne heure, on changera cette phrase, quoique la chose soit vraye.[32]

70 — *Roskolniky.* Le critique prétend que ces Sectaires n'éxistent   150 que du temps du patriarche Nicon,[33] pourquoi donc dans mes mémoires est-il dit qu'ils éxistent depuis très longtemps? pourquoi n'avoir pas remarqué cette contradiction quand j'envoyai à Petersbourg mon premier manuscrit? c'était alors qu'il fallait faire les observations qu'on fait aujourd'hui.   155

72 — *Cette église était si peu instruitte.* le critique s'imagine, ou veut faire croire que cette Eglise était très instruitte.[34] mais,

---

[29] I.ii.206-207 et n.46. Olearius ne donne pas ce titre de 'conservateur' aux tsars.
[30] I.ii.250-252, variantes et n.60 et 61.
[31] I.ii.262 et n.65.
[32] I.ii.275-276 et n.69.
[33] I.ii.302-305 et n.79.
[34] I.ii.330-332 et n.88.

pourquoi donc Pierre le grand a-t-il été obligé de l'instruire et de
la réformer? je soupçonne ce critique d'être un prêtre. s'il veut
ainsi ôter à Pierre le grand la gloire d'avoir réformé, corrigé,   160
instruit, réprimé le clergé, s'il veut déguiser la Vérité à la face de
L'Europe, qu'il la déguise donc tout seul, je ne serai pas son
complice.

75 — *Nation qui n'avait pas un vaissseau.* Le critique veut que
du temps de Pierre le grand on eut beaucoup de vaisseaux. on   165
avait auparavant construit quelques barques, il est vrai; mais,
Pierre le grand trouva-t-il un seul vaisseau dans ses états?[35]
pourquoi le critique veut-il corrompre toujours la vérité, et la
gloire de Pierre le grand?

79 — *Trois autres faux Démétrius.* Le critique n'en admet que   170
deux, ouï, deux, dont l'un régna, et dont l'autre fut à la tête d'un
grand parti; mais il y en eut encor trois autres qui prirent ce nom
de Démétrius, témoin celui qui se fit graver le nom de Démétrius
sur le dos, et qui courut la Pologne. il se trouve quatre faux
Démétrius dans la genéalogie des Czars, que monsieur de Shouva-   175
loff a eu la bonté de m'envoyer.[36]

79 — *Jeune homme.* le Critique trouve cette expression peu
respectueuse.[37] un jour made la princesse de Conty étant au
Spectacle, un homme s'écria, *mon Dieu la belle femme!* vous êtes
un impertinent, lui dit un gascon, il fallait dire, *mon dieu que Son*   180
Altesse Serénissime est belle![38]

---

[35] I.ii.382-383 et n.103.
[36] I.iii.12 et n.3.
[37] I.iii.24 et n.6.
[38] Il s'agit sans doute de Marie-Anne de Bourbon, dite Mlle de Blois, princesse
de Conti, fille naturelle légitimée de Louis xiv et de Mme de La Vallière, célèbre
par sa beauté (voir *Souvenirs de Mme de Caylus* édités par Voltaire, M.xxviii.294).

82 — Le critique assure que le gentilhomme Streshneus était fort riche. [39] celà me fait plaisir.

---

83 — *Six Czars ou prétendants ayant péri.* le Critique n'en compte que quatre. et moi je compte 1° Fédor, empoisoné à ce qu'on dit par Boris. 2° Démétrius assassiné par Boris. 3° Boris. 4° le faux Démétrius. 5° Bazile Suisky. 6° le second faux démétrius. [40]

185

---

84 — *Morosou eut l'autorité d'un grand Visir.* pourquoi le critique trouve-t-il cette comparaison odieuse? les turcs seront très fachés contre le critique. la place de grand Visir est ce me semble assez jolie. mais, si en qualité de chretien, on ne veut de comparaison ni avec le grand Visir, ni avec L'Etma-doulet [41] de Perse, ni avec le prefet du Prétoire, nous mettrons premier ministre, maire du palais, Connêtable. comme on voudra. [42]

190

---

85 — *Roy d'Astracan.* Le critique dit que dans la sentence, Stenko-Rasin n'est pas dénommé Roy d'Astracan; et moi je dis que Stenko-rasin eut été un sot s'il n'avait pas eu dessein d'être le maître. [43]

195

---

85 — *Il fut malheureux avec les Suedois.* non, dit le critique, il ne fut pas malheureux, il eut seulement de mauvais succez. [44] et par tous les saints! est-on heureux d'être battu?

200

---

86 — *Hospodar chretien, chien de mahometan.* le critique demande

---

[39] I.iii.56 et n.16.
[40] I.iii.71-74 et n.20.
[41] Etma-doulet-itimad-ud-dewlet: premier ministre, surintendant des finances, des affaires étrangères et du commerce (*Encyclopédie*, art. 'Perse', xii.416b).
[42] I.iii.99-103 et n.27.
[43] I.iii.105-106 et n.29.
[44] I.iii.117-118 et n.31.

où est cette anecdote, dans les mémoires de Neuville, et dans mes mémoires manuscrits. [45]

89 — *Après la mort d'Aléxis, tout tomba en confusion.* le critique dit que le règne de Fédor fut glorieux; je le dis aussi. celà empéche-t-il qu'il n'y ait eu de la confusion dans les commencements? [46] j'ai suivi mes mémoires. si je me suis trompé sur cet article et sur d'autres, pourquoi le critique ne m'en instruisit-il pas quand j'envoyai mon manuscrit?

93 — *Court en armes au Kremelin.* le Kremelin n'est pas le palais du Czar, dit le critique; non, Versailles n'est pas non plus le palais du roy de France; c'est une petite ville; mais quand on dit aller à Versailles, celà veut dire, aller à la cour. [47]

95 — J'ai suivi éxactement dans le recit de la révolte des Strélits, la relation que monsieur de Shouvaloff avait eu la bonté de m'envoyer. le critique prétend en avoir une meilleure. il dit que le medecin Vangad était originairement juif; que m'importe? il dit qu'on jetta des corps morts du haut d'un Escalier, et non par les fenêtres. [48] qu'importe encor? n'est-on pas tenté de jetter par les fenêtres de telles observations?

Le résultat de tout cecy est une grande perte d'un temps prétieux. mais je ne manquerai pas de profiter des bonnes critiques, et je distinguerai ce qui est essentiel de ce qui est inutile.

NB. Je trouve souvent des contradictions dans le journal de Pierre le grand avec les nouvelles observations. celà est très embarassant. [49]

---

[45] 1.iii.131-135 et n.33. Cette anecdote n'est pas dans Foy de La Neuville.
[46] 1.iii.167 et n.45.
[47] 1.iv.6-7.
[48] 1.iv.1-109 et notes.
[49] Voltaire, on le voit, est conscient des incohérences de ses sources russes. Voir ci-dessus, p.170-71.

Mais comme j'aurai l'honneur d'envoyer le premier et le second volume au net, j'espère que toutes les difficultés seront levées.

APPENDICE VIII

Un exemplaire corrigé du premier volume (59*)

La Bibliothèque cantonale et universitaire de Neuchâtel possède un exemplaire de la première édition de l'*Histoire de l'empire de Russie sous Pierre le Grand*, sur grand papier, avec des corrections et commentaires de Voltaire, écrits par Wagniere, avec des ajouts de la main de Voltaire. Ce volume, qui nous a été signalé par Jean-Daniel Candaux, est sans doute un des deux exemplaires du premier volume dont Voltaire fait état dans sa lettre adressée à Chouvalov en date du 23 décembre 1761. Peut-être s'agit-il de l'exemplaire destiné à Chouvalov lui-même? Voltaire écrit: 'Je dépêche à Monsieur le comte de Caunits un gros paquet à votre adresse. Il contient un volume de l'histoire de Pierre le grand imprimée avec les corrections au bas des pages, et les réponses à des critiques. [...] J'en garde un double par devers moy. Quand vous aurez examiné à votre loisir ces remarques qui sont très lisibles, vous me donnerez vos derniers ordres' (D10224). Le volume 59* correspond fort bien à cette description. Ces corrections sont à comparer avec celles qui se trouvent dans le manuscrit Bn F12938, p.441-452, présentées ci-dessus, dans l'appendice VII.

L'indication du numéro de la page à gauche est suivie de quelques mots du texte imprimé avec 1) les corrections apportées au texte; ou 2) avec un renvoi aux commentaires qui figurent au bas de la page; ou 3) avec les corrections apportés au texte ainsi qu'un commentaire s'y rapportant. Nous avons respecté l'orthographe et la ponctuation de l'imprimé ainsi que du texte manuscrit figurant au bas des pages. Les renvois à notre édition figurent en note.

---

3   mille lieuës(*)

> (*)NB: Les lieües communes ne sont pas les deux tiers des grandes. le compte est juste. le mémoire, numero 3, envoyé par m[r]. de Shouvaloff compte 2170 lieües de France[1]

4   <Czars> ↑princes[+] tels que

> NB: Ce mot de *czar* n'avait point été repris dans le manuscrit envoyé à petersbourg avant l'impression.[2]

5   indépendante#; et de+

> # en passant par les plaines des Kalmouks, et par le grand desert nommé Cobi; et de[3]

6   & pourquoi *Hibner*# <la nomme noire>, ni pour+

> # Stralemberg, Moréri, et d'autres, nomment le païs de jaraslau, la russie noire, ni pour
>
> NB: Vous dites que vous ne connaissez point la russie noire? Eh bien ne le dis-je pas aussi?[4]

7   on n'avait point l'usage de l'écriture au cinquiéme siècle.(*)

> (*)Vous me dites que celà est faux, lisez donc les propres paroles de Stralemberg page 18. Si ce patriarche nommé Constantin a un autre nom, apprenez le moi. le critique doit scavoir quel évêque polonais a écrit en russe l'histoire de Kiovie.[5]

8   aucun peuple ne peut savoir sa première origine.(*)

> (*)celà est vrai, et toutes ces anciennes recherches sont aussi ridicules qu'ennuieuses.[6]

---

[1] 1.i.2. Le mémoire 3 auquel se réfère Voltaire est l'actuel MS 6-7 (voir 1.i, n.1).
[2] 1.i.26 et n.6.
[3] 1.i.40-42 et n.10.
[4] 1.i.60.
[5] 1.i.77 et n.17. La référence à Strahlenberg est exacte.
[6] 1.i.84.

11 de cette mer, <& à la jonction> à l'embouchure+ de la Neva, 25
& du lac de Ladoga[7]

un château ↑qui pourait être+ inexpugnable[8]

12 Le nouveau Palais d'été ↑élevé+ près de la porte triomphale,
<est> ↑qui n'existe plus est+ un des plus[9]

13 pour les Nations méridionales de l'Europe(*) 30

(*)Je dis pour les nations méridionale [*sic*], et celà est très
vrai. je conviens que le païs s'appellait Biarm. mais entre
avoir un nom et être connu, la difference est grande. on
dit qu'un païs est connu lorsqu'il est en rélation avec les
païs étrangers. 35

[10]voicy ce quen dit olaus [Magnus] page 1ere

la biarmie, sous le pole ... *habitée par des peuples monstrueux;
on ne peut y arriver*, a cause des neiges.

voila bien faire connaitre un pays?[11]

14 Il n'y avait dans ce désert qu'un Couvent avec la petite Eglise 40
de *St. Michel l'Arcange*.(*)

(*)Le critique parle de Kolmogori. mais qui connaissait
Kolmogori?[12]

transporté ↑en partie+ à ce port[13]

Tanaïs, où <ils> ↑les gènois+ avaient <bâti une ville apellée> 45
Tana: <mais> ↑près de l'ancienne Tanaïs où les grècs établirent un comptoir, de temps imêmorial mais+ depuis les[14]

---

[7] I.i.123 et n.36.

[8] I.i.128 et n.39.

[9] I.i.138-139 et n.43.

[10] Les quatre lignes qui suivent sont de la main de Voltaire.

[11] I.i.158 et n.51. Voltaire se réfère à la *Historia de gentibus septentrionalibus*
d'Olaus Magnus; cf. app. VII, l.18-22.

[12] I.i.168 et n.58; cf. app. VII, l.27.

[13] I.i. 172-173 et n. 59; cf. app. VII, l.31-32.

[14] I.i.181-182; cf. app. VII, l.33-40.

15 qui habit<ent>aient⁺(*) des cavernes

(*)c'est une faute d'impression. [15]

16 sont d'une haute stature(*)   50

(*)J'ai vu deux geans à Berlin, l'un finois, l'autre Islandais.
le critique a-t-il vû des geans Lapons? [16]

17 la nature les a faits les uns pour les autres.(*)

(*)Le critique prétend que celà n'est pas conforme à la
Sainte écriture. mais la Sᵗᵉ. Ecriture n'a pas parlé des   55
Lapons. et le critique ne voit-il pas qu'au temps de la tour
de Babel tous les petits hommes allèrent droit en Laponie? [17]

19 probablement n'étaient point jaloux.(*)

(*)Le critique demande où j'ai pris cette particularité, dans
le voyage de Renar, de Corberon en Laponie, dans les   60
auteurs anglais, dans ces vers anglais
    and miss hiaia dreads the Shame
    To return home, the maid she Kame [18]

20 (*)Le premier Ecrivain qui nous fit connaître Moscou ↑en
détail⁺, est *Olearius*   65

(*)oui sans doute. pourquoi le critique dit-il qu'avant
oléarius on avait une description de Moscou? où est elle? [19]

Ambassade aussi vaine dans sa pompe(†)

(†)ouï très vaine, très ridicule, et le marchand brukman
qui se fit nommer ambassadeur finit par être pendu. [20]   70

---

[15] I.i.195 et n.68.

[16] I.i.198 et n.68.

[17] I.i.215; cf. VII, l.50-53.

[18] I.i.245. Voltaire cite à l'appui le *Voyage en Laponie* de Jean-François Regnard.
Les vers, également cités dans l'appendice VII, sont de Matthew Prior, *Alma, or the
progress of the mind* (*Poems on several occasions*). Cf. VII, l.57-62.

[19] I.i.264 et n.86; cf. VII, l.63-66.

[20] I.i.266 et n.87; cf. VII, l.67-73. Il s'agit de Brüggemann.

21 avaient pour lit des planches(*)

> (*)voyez la page 340. de l'ambassade anglaise, édition d'Amsterdam chez henry et boom. [21]

c'est l'usage antique de tous les Peuples.(†)

> (†)Achille couchait sur une peau de Lyon. voulez vous qu'on eut alors de bons matelats? volontiers. mais il me semble que l'autre usage ressemble plus aux temps héroïques. [22]

22 Les Arts de la main n'étaient(*) pas plus perfectionnés dans le Nord de l'Allemagne

> (*)Si le critique affecte d'être choqué de cette simplicité, la cour de petersbourg ne me scaura pas mauvais gré d'avoir remarqué que l'allemagne n'avait pas alors plus d'aisance. [23]

son circuit de(†) vingt mille pas

> (†)Le critique donne soixante trois mille pas de circuit, celà ferait environ trente de nos lieües communes, quel éxagérateur! [24]

25 *Sla* signifi<e>↑ait dit-on⁺ un Chef(†)

> (†)mais qu'importe! il est pourtant très vraisemblable que le mot *Esclave*, qui ne vient ni du Latin, ni du grec, signifie serf du *Sla* [25]

Czar ↑ou grand duc⁺ *Ivan Basilovis*, la conquit en 14<67>81. [26]

75

80

85

90

[21] 1.i.278. Voltaire se réfère à l'édition de la *Relation de trois ambassades de monseigneur le comte de Carlisle* qui figure dans sa bibliothèque (Amsterdam 1700; BV2452). Cf. VII, l.74-82.

[22] 1.i.280.

[23] 1.i.298.

[24] 1.i.302 et n.96; cf. VII, l.83-86.

[25] 1.i.340 et n.108.

[26] 1.i.345 et n.110; cf. VII, l.98-99.

26 La capitale Kiou, autrefois Kisovie(*)

> (*)Kisovie. Le critique dit qu'elle n'eut jamais ce nom. 95
> qu'il lise donc Bauplan, La Martinière etcᵃ. [27]

27 la Nature, vivant ↑pendant plusieurs Siècles⁺ des [28]

Pierre les a soumis ↑en conservant leurs privilèges⁺. [29]

Les autres Nations sont distinguées par (*)leurs villes

> (*)le critique dit qu'ils ont aussi des villes. est-ce que je 100
> ne le dis pas? mais ils sont distinguez en régiments, et non
> en villes. [30]

nommé *Hetman* ou *Itman*.(†)

> (†)Atama, Etamo, Itama, ancien mot tartare. de là vient
> Itima doulet en persan. il y a mille mots communs à vingt 105
> nations, et partout differemment prononcés. [31]

28 que des (*)Payens, <&> ↑il y eut ensuite⁺ des Mahométans;
<ils> ↑plusieurs⁺ ont

> (*)Payens, sans doute, du temps des tartares. Pourquoi le
> Critique ne veut-il pas que quelques bourgades ayent été 110
> musulmanes? la race des Gengis et des Timour, n'a-t-elle
> pas eu l'honneur de devenir musulmane? [32]

31 *Ivan Basilovis*, <& le> ↑un des⁺ plus grand Conquérant
d'entre les Russes, <délivra son pays du> ↑acheva de briser
entièrement le⁺ joug Tartare [33] 115

---

[27] I.i.354 et n.112. La référence est à la *Description d'Ukranie* de Guillaume
Levasseur de Beauplan (Rouen 1660), et au *Voyage des pays septentrionaux* (Paris
1671) de Pierre-Martin de La Martinière.

[28] I.i.367 et n.117.

[29] I.i.371.

[30] I.i.372 et n.118; cf. VII, l.100-103.

[31] I.i.375 et n.119.

[32] I.i.380-381 et n. 120.

[33] I.i.439-440.

32 qu'aujourd'hui les <Persans viennent> ↑Peuples de boucarie⁺
déposer

> #viennent aporter les marchandises des indes, et que les
> persans sont venus quelquefois déposer ³⁴

33 les Indiens, <les peuples de la grande Bukarie> ↓même⁺ y   120
viennent ³⁵

apellée la grande Permie, & ensuite le Solikam(*)

> (*)Pourquoi dans vos cartes nomméz vous cette province
> Solikamskoy, ou Velika, Permia, et pourquoi le critique
> vient-il après me dire que l'une est differente de l'autre?   125
> est-ce pour m'embarasser? ³⁶

40 Un Cosaque <fut envoyé> ↑alla⁺ dans <le> ↑ce⁺ pays ³⁷

41 ces mêmes Huns(†)

> (†)C'est ce que prétend le scavant Guigne dans son
> mauvais livre de l'histoire des huns. ³⁸   130

42 besoins; <ils> ↑quelques uns⁺ adorent une peau de mou<ton,
parce que rien ne leur est plus nécessaire que ce bétail>ton,
d'autres de Renard⁺; de même ³⁹

43 chez les Burates & les Jakutes leurs voisins,(*)

> (*)Ouï, voisins, quoiqu'en dise le critique, les uns à droite, 135
> les autres à gauche. ⁴⁰

<Plusieurs> ↑Quelques⁺ montagnes ⁴¹

---

³ 1.i.453 et n.146.

³⁵ 1.i.456-457. Cette correction est de la main de Voltaire.

³⁶ 1.i.466 et n.150.

³⁷ 1.i.569 et n.175.

³⁸ 1.i.579. Voltaire se réfère à l'*Histoire des Huns et des peuples qui en sont sortis*
(Paris 1751) de Joseph de Guignes.

³⁹ 1.i.594-595 et n.184.

⁴⁰ 1.i.611 et n.190.

⁴¹ 1.i.616 et n.192.

48 un autre Capitaine(*)

    (*)Il s'appellait Tshiricoff. ce fut lui qui du Kamshatka alla débarquer sur les côtes de l'amérique. [42]   140

59 soixante & douze mille(†) serfs [en marge:] 720 mille

    (†)Le critique pouvait voir que l'imprimeur avait mis 72 en toutes lettres, et s'était trompé. [43]

61 un marquis d'*Exideuil*(*)

    (*)Le critique prétend toujours que le roy henry 4 envoya   145 le prince de chalais, marquis d'Exideuil en ambassade à moscou, et que le Czar le relegua gratieusement en Sibérie, quelle pitié!

    [44] le fait est qu'un homme de la maison de Tallerand aiant servi en hongrie s'attacha a betleem gabor[,] fut envoyé   150 par gabor a moscou, et ayant eté accusé par un marchand nommé Roussel d'etre un espion fut relegué en sibérie contre le droit des gens. Sa maison envoya un gentilhomme au czar avec une lettre du Roy louis 13. et tallerand fut rendu. [45]   155

63 aussi <beaucoup d'> ⌐quelques⌐+ impôts payés en denrées [46]

64 Le Czar [...] prit [...] les titres(*)

    (*)Si l'on en croit oléarius et vicquefort. [47]

    du fleuve Oby. ⌐ni du fleuve Irtisch.⌐+(†)

    (†)Le critique fait un grand bruit de ce qu'on a oublié le   160 fleuve Irtisch. [48]

---

[42] I.i.741 et n.224.

[43] I.ii.133-134*v* et n.26.

[44] Les lignes qui suivent sont de la main de Voltaire.

[45] I.ii.172 et n.33; cf. VII, l.104-128.

[46] I.ii.195 et n.43.

[47] I.ii.206 et n.46. Abraham de Wicquefort était le traducteur de la *Relation du voyage en Moscovie, Tartarie et Perse* d'Olearius; cf. VII, l.133-136.

[48] I.ii.212.

67 en Russie. <Le Patriarche *Photius*, si célèbre par son érudition immense [...] cette partie du monde.> [49]

> *Tiré d'un manuscrit particulier* [...] *Russie.* ↑ce manuscrit est fautif. on y a écrit photius pour polieucte. j'envoye la feuille originale de ce manuscrit, et je supplie m^r. de Shouvaloff de me le faire renvoyer.+ [50]

68 il eut rang dans l'Eglise Grecque après celui de Jérusalem;(*)

> (*)Le critique dit que le patriarchat de Constantinople est le plus ancien. il se trompe. Constantinople était suffragant d'héraclée. toutes ces pauvretez ecclésiastiques ont fort changé. Le Concile de Calcédoine attribua le premier rang à l'Evêque de Jérusalem. mon valet de chambre ne voudrait pas de cet Episcopat. [51]

> C'est d'un homme devenu Patriarche de(†) toutes les Russies

> (†)on parle ailleurs de la manière dont Philarete fut patriarche. [52]

70 La Secte de ces *Roskolniki* [...] dans le dénombrement(†) [...] elle s'établit dès le douziéme siècle

> (†)les mémoires que m^r. De Shouvaloff a eu la bonté de m'envoyer disent que ces polissons sont établis depuis le douzième siècle. le critique le nie. à qui croire? n'y a't-il pas eu des sectataires qui ayent changé de nom, et qui depuis six cent ans ayent combattu en secrêt l'Eglise dominante? [53]

74 On la voit [...] imposer un tribut(*) aux Césars Grecs

> (*)c'étaient les avares, dit le critique. mais ces avares étaient ou les habitans de la taurique, ou les habitans d'une

---

[49] I.ii.250-252 et n.60; cf. VII, l.137-142.
[50] I.ii, n.c; cf. app. X, l.381-382.
[51] I.ii.267-268 et n.68.
[52] I.ii.275 et n.69.
[53] I.ii.303-304 et n.79; cf. VII, l.150-155.

partie de la russie, Baudran dit que ces avares étaient russes podoliens. il y a cent opinions sur ces barbares inconnus. [54]   190

76 une <loi même d'Etat et de Religion> ↑coutume[+] également sacrée & pernicieuse, ↑plus forte qu'une loi écrite,[+] défendait aux Russes de sortir de leur pays[55]

79 Trois autres faux *Démétrius*(*)   195

(*)Le critique le nie. voicy ces trois. celui que le chancelier du 1er faux Démétri<us> mena dans les provinces, et qui disparut bientôt. 2° celui qui s'éleva contre Zusky, et qui fut assassiné par des tartares 3e celui qui fut livré par le duc de holstein. il y en eut jusqu'à six. [56]   200

80 que le tyran *Boris* avait forcé de se faire prêtre.(*)

(*)Le critique dit que j'aurais dû remarquer que le tira[n] Boris forca Romanov d'être prêtre. ne le dis-je pas? [57]

82 Il cultivait ses champs lui-même(*)

(*)voyez Stralemberg et les mémoires anglais. pourquoi   205
le critique veut-il que Streshenew ait été riche? celà rend-il sa fille plus belle et plus vertueuse? [58]

83 six Czars, ou prétendants(*) ayant péri

(*)Le critique n'en compte que quatre. voicy mes six, 1 Fédor qu'on croit empoisonné par Boris Gudenow. 2.   210
Demétrius assassiné par ce boris. 3° Boris Gudenow. 4. un faux démétrius. 5. Basile Zuisky. 6e un second Démetrius. [59]

---

[54] I.ii.366-367 et n.95. Les Avars 's'établirent dans la Dace orientale, aujourd'huy la Valaquie, Moldavie, Russie, Podolie' (Baudrand, *Dictionnaire géographique et historique*, Paris 1705, p.152).

[55] I.ii.399-400 et n.108.

[56] I.iii.12 et n.3; cf. VII, l.170-176.

[57] I.iii.28 et n.8.

[58] I.iii.56-57 et n.16; cf. VII, l.182-183.

[59] I.iii.72-73 et n.20; cf. VII, l.184-187.

Les Suédois <firent> ↑avaient fait+ aussi la paix[60]

84 On ne peut donner à ce *Morosou* un titre plus convenable que 215
celui de Visir(*)

> (*)pourquoi trouver cette comparaison odieuse. un grand
> visir, un Etmadoulet, sont-ils peu de chose? mais si on
> veut mettons premier ministre. [61]

85 Un chef des Cosaques [...] *Stenko-Rasin*, voulut se faire Roi 220
d'Astracan;(*)

> (*)Le critique dit que dans la sentence de mort, il n'est pas
> dit qu'il voulût être roi, et moi je dis qu'il était un sot s'il
> ne voulait pas l'être. [62]

il fut malheureux(†) avec les Suédois 225

> (†)non, dit le critique, *il eut seulement de mauvais succez.*
> nous appellons cela être malheureux. [63]

88 a l'âge de quarante-six ans, <au commencement de> ↑en+
167<7>6. [dans la marge:] 29 janvier/8 février[64]

89 Après *Aléxis*, fils de *Michel*, <tout retomba dans la> ↑il y eut 230
d'abord un peu de+ confusion[65]

Le second des fils d'*Aléxis* était *Ivan*, ou(*)

> (*)Le critique dit qu'on parla aussi de la princesse Marie.
> il y a grande difference entre faire un peu parler de soy,
> et être célèbre. [66]

235

91 fille du secretaire <Nariskin> ↑Apraxin+(*)

---

[60] I.iii.82-83 et n.22.
[61] I.iii.100 et n.27; cf. VII, l.188-194.
[62] I.iii.106 et n.29; cf. VII, l.195-198.
[63] I.iii.117 et n.31; cf. VII, l.199-201.
[64] I.iii.164-165 et n.44.
[65] I.iii.167 et n.45; cf. VII, l.205-210.
[66] I.iii.175 et n.49.

(*)c'était évidemment une faute du copiste qui avait répété le mot nariskin qui est à l'autre page. [67]

93 ils courent en armes au Krémelin,(*)

(*)le Krémelin, dit-il, n'est pas le palais, non; mais aller à Versailles, c'est aller au palais. [68]   240

pourquoi donc le critique contredit-il ces mémoires, et pourquoi surtout les contredit-il à propos de bagatelles.

94 deux <bourreaux> ↑hommes+ le frappent [69]

95 médecin Hollandais nommée *Daniel Vongad*(*)   245

(*)Le critique dit que Vongad avait été juif. Eh bien, un juif ne peut-il pas être né en hollande, et puis.... qu'importe? [70] peut on me chicaner ainsi, et faire perdre à m^r. de Shouvaloff et à moi, un temps prétieux?

96 On jette d'abord par les fenêtres(*)   250

(*)ce n'est pas par les fenêtres, dit le critique, c'est par un perron. [71] quelle misère!

97 Ils trouvent un autre médecin Allemand(*)

(*)non, dit le critique, il était apoticaire. [72]

103 certain <Raspop> ↑Nikita prêtre dégradé+ en fut le Chef. [73]   255

104 <Raspop> ↑Nikita+ [74]

106 Les moines possédaient ↑environ+ quatre lieues [75]

[67] I.iii.201 et n.57.
[68] I.iv.6 et n.3; cf. VII, l.211-214.
[69] I.iv.14-15 et n.7.
[70] I.iv.35 et n.14; cf. VII, l.217-218.
[71] I.iv.43 et n.17; cf. VII, l.218-221.
[72] I.iv.67 et n.25.
[73] I.v.34 et n.13.
[74] I.v.48 et 50.
[75] I.v.70 et n.27.

lieu. <De là *Sophie* négotia> # avec le rebelle

Pierre montra dès lors qu'il scavait dans l'occasion joindre l'addresse à la fermeté. Il négotia lui-même avec le rebelle [76]

260

112 le supplice du knout, ou des battoks(*)

(*)Le critique a lu *Et des battoks*. et il trouve qu'il faut mettres des battoks et du knout. [77]

113 infidèle. $^\uparrow$Jalitzin fut relegué près d'Archangel.$^{+}$ [78]

265

129 On assure qu<'à>$^\uparrow$e vers^{+} son embouchure [79]

on pêche quelquefois un poisson monstrueux(*)

(*)NB: la première critique assure que c'est un cheval marin, la seconde que c'est un Elephant. à qui croire? [80] n'est-ce pas se joüer à la fois de m^r. de Schouvaloff, et de moi? [80]

270

150 De là on voyagea par <l'Estonie> $^\uparrow$pleskovie^{+} [81]

158 il partit pour l'Angleterre, toujours <à la suite de sa propre ambassade> $^\uparrow$incognito^{+}. [82]

173 Les Evêques s'étaient arrogé $^\uparrow$quelquefois^{+} le droit du glaive

275

[dans la marge:] plusieurs de mes mémoires le disent, et je le crois, mais je l'ôterai. [83]

178 Depuis le <cinquiéme> $^\uparrow$huitième^{+} siècle [84]

[76] I.v.72-73 et n.29.
[77] I.v.178.
[78] I.v.191.
[79] I.vii.11 et n.11.
[80] I.vii.12 et n.9.
[81] I.ix.72 et n.15.
[82] I.ix.200 et n.44.
[83] I.x.105 et n.22.
[84] I.x.190 et n.41.

on écrivait sur des rouleaux<, soit d'écorce, soit> de parche-
min [85]   280

182 sept cent pas(*)

>(*)le docte critique dit quinze cent pas. et il ajoute que ces
>1500 pas font 500 toises de russie. qu'il prenne la peine de
>compter, il verra qu'une werste contient 700 pas à 5 pieds
>le pas, ou 3500 pieds. [86]   285

192 on l'appellait <*Mittelesky*> *Czarovits* [87]

202 devaient faire communiquer par des lacs <le Tanaïs avec la
Duna [...] à Riga> ↑le Boristène et la mere Blanche[+]: mais [88]

216 Les débris de quelques bastions de Niantz furent les premières
pierres de cette fondation.(*)   290

>(*)Celà se trouve dans tous mes mémoires, et fait honneur
>à pierre Ier. [89]

217 <Cronslot> ↑Cronstad[+] [90]

221 Derpt <en> ↑sur les frontières de L'[+] Estonie [91]

243 les propositions qu<e>↑on[+] lui fit <Volkova> d'élire [92]   295

256 Pierre n'avait <que> ↑pas[+] vingt mille hommes [93]

292 la citadelle de <Pennamunde> ↑Dunamunde[+](*)

>(*)faute de copiste [94]

---

[85] I.x.191-192 et n.42.
[86] I.x.240 et n.50.
[87] I.xi.103 et n.26.
[88] I.xii.92-93 et n.16.
[89] I.xiii.80 et n.17.
[90] I.xiii.85 et n.20.
[91] I.xiii.149 et n.36.
[92] I.xvi.7-8 et n.1.
[93] I.xvii.59 et n.8.
[94] I.xix.181 et n.26.

APPENDICE IX

Remarques sur quelques endroits du chapitre contenant la condamnation du tsarévitch, avec les réponses aux questions mises en marge

Après avoir terminé le chapitre sur le procès et la mort du tsarévitch Alexis (II.x), Voltaire envoya son manuscrit à Pétersbourg pour qu'il fût révisé. Il demanda en même temps quelques éclaircissements. Les questions de Voltaire figurent dans la marge du manuscrit 'Chapitre. / Condamnation du prince Aléxis Pétrovitz', conservé dans les Archives russes d'actes anciens (RGADA), Fonds 199, Portefeuille de Gerhard Friedrich Müller, opis 1, n° 149, partie 2, n° 1, 3, f.68-76 (voir ci-dessus, p.289). Elles figurent aussi dans les Manuscrits de Voltaire, 1.19, f.422r-430v (voir ci-dessus, app. II). Dans ce dernier manuscrit, auquel nous empruntons le titre, les citations du texte de Voltaire sont souvent incomplètes, se terminant parfois par des points de suspension ou des 'etc., etc.'

Pour faciliter la compréhension des questions de Voltaire, nous reproduisons ci-dessous: 1) un extrait du chapitre II.x tiré du manuscrit de Moscou (MS1), qui, on l'a vu, présente des variantes – dont certaines sont importantes – par rapport à notre texte de base; 2) la question de Voltaire prise dans le manuscrit de Moscou, ou, le cas échéant, dans celui de Saint-Pétersbourg; 3) la réponse des Russes qui elle ne figure que dans le manuscrit de Saint-Pétersbourg (MS2). Nous avons numéroté chaque question. Les différences entre le manuscrit de Moscou et la version finale du texte de Voltaire (W75G, notre texte de base) apparaissent dans l'apparat critique. Le texte de cet ensemble composite a été modernisé. Une

1228

première version de ces remarques et réponses a été publiée par Šmurlo, p.227-38.

Remarques sur quelques endroits du Chapitre contenant
la condamnation du Tsarévitch, avec les réponses
aux questions mises en marge

[1] Il le mit même à la tête de la régence pendant une année.
[II.x.37-38]

> *En quelle année?*

> La même année que le Tsar partit pour la guerre contre les Turcs, savoir 1711.   5

[2] Sa femme méprisée, maltraitée, manquant du nécessaire, privée de toute consolation, languit dans le chagrin, et mourut enfin de douleur en 1715, le premier de novembre. [II.x.43-46]

> *Pourrait-on avoir quelques détails des souffrances de sa femme?*

> Comme on n'a point d'histoire circonstanciée de la vie de   10
> ce prince, les détails que vous exigez, Monsieur, ne sont
> connus que par la tradition de gens dignes de foi qui ont
> été témoins oculaires des mauvais traitements qu'il faisait
> essuyer à sa femme. Le lecteur en apprenant qu'Alexis se
> livra à toutes les débauches d'une jeunesse effrénée et à la   15
> grossièreté des anciens mœurs... à bien de lui-même les
> particularités d'une conduite si dépravée.

[3] Le czar croyait surtout avoir la prérogative de disposer d'un empire qu'il avait fondé. [II.x.64-65]

---

17   MSI, à côté de *ne vous reposez pas sur le titre de mon fils unique* [II.x.55-56]
figure dans la marge le commentaire suivant: *Il n'avait alors de Catherine que deux filles.* Est-il de Voltaire?
18-25   MSI, absent

Le terme de croire ne suppose-t-il pas qu'il s'était arrogé faussement   20
cette prérogative?

Elle lui appartenait pourtant à juste titre. Suivant la constitution fondamentale de l'empire il pouvait comme souverain absolu choisir un successeur à son gré, et comme père priver son fils de la succession.   25

[4] L'impératrice Catherine accoucha d'un prince. Soit [II.x.66-67]

Quand mourut-il?

En 1719 le 25 août v. st.

[5] Le prince arrive le 22 février 1717 n. st. à Moscou, où le czar   30
était alors. Il se jette le jour même aux genoux de son père. Il a un très long entretien avec lui. [II.x.173-175]

Est-ce le 22?

[6] Mais le lendemain on fait prendre les armes aux régiments des gardes à la pointe du jour, on fait sonner la grosse cloche de   35
Moscou. Les boyards, les conseillers privés sont mandés dans le château, les évêques, les archimandrites, et deux religieux de S. Bazile, professeurs en théologie, s'assemblent dans l'église cathédrale. Alexis est conduit sans épée et comme prisonnier dans le château devant son père [II.x.176-183]   40

N'est-ce pas le surlendemain?

Suivant le Journal de Pierre 1er il arriva le 2/13 Janvier. Dans le procès imprimé en langue russienne il n'est pas marqué qu'il ait vu le même jour son père et qu'il ait eu un long entretien avec lui. Cependant on n'y dit pas le   45
contraire. Ce qu'il y a de certain c'est qu'il fut conduit le lendemain de son arrivée, savoir le 3/14 Février publiquement devant le tsar par le conseiller privé Tolstoy

26   w75G: d'un prince, qui mourut depuis en 1719. Soit
30   w75G: arrive le 13 février 1718 n. st.

et le capitaine aux gardes Rumantzoff dans la grande salle
du château.   50

[7] Le czar dressa lui-même de nouveaux articles d'interrogatoire.
Le quatrième était ainsi conçu: *Quand vous avez vu par la lettre de*
Bleyer qu'il y avait une révolte à l'armée du Mecklembourg, vous en
avez eu de la joie? je crois que vous aviez quelque vue, et que vous vous
seriez déclaré pour les rebelles, même de mon vivant. [II.x.341-346]   55

Est-il possible qu'un père et un juge tende un tel piège à son fils?
Une pensée secrète doit-elle entrer dans un procès verbal?

Pourquoi paraîtrait-il étonnant qu'un père souhaitât d'être
informé de tout ce qui peut avoir rapport à la conduite de
son fils? Plus une personne nous appartient de près plus il   60
nous est important d'en connaître, pourquoi blâmerions-
nous donc Pierre Ier d'avoir voulu sonder même les plus
secrètes pensées de son fils pour en developper le naturel?
La tendresse paternelle y était trop intéressée pour
condamner la ruse dont elle s'est servie pour parvenir à   65
son but.

[8] Tel était le pouvoir reconnu du czar, qu'il pouvait faire mourir
son fils coupable, sans consulter personne. Cependant il s'en remit
au jugement de tous ceux qui représentaient la nation. [II.x.585-
588]   70

Etes-vous content de cette tournure?

Autant que tout lecteur équitable a sujet de l'être de la
conduite du tsar même.

[9] Pierre au contraire ne fit rien qu'au grand jour, publia hautement
qu'il préférait sa nation à son propre fils, s'en remit à l'équité du   75
clergé et des grands, et rendit le monde entier juge des uns et des
autres, et de lui-même. [II.x.609-612]

68   w75G: coupable de désobéissance, sans consulter
75-76   w75G: s'en remit au jugement du clergé

Cela suffit-il?

Cela fait voir du moins que Pierre n'était animé par aucune raison secrète comme Philippe que par conséquent il ne doit pas être mis au rang des pères dénaturés, mais marcher de pair avec Manlius et Brutus, et que le véritable héroïsme est de tous les pays et de tous les siècles.

[10] Ce qu'il y eut encore d'extraordinaire dans cette fatalité, c'est que [la] czarine Catherine, haïe du czarovitz, et menacée ouvertement du sort le plus triste, si jamais ce prince régnait, ne contribua pourtant en rien à son malheur, et ne fut ni accusée ni même soupçonnée par aucun ministre étranger, résidant à cette cour, d'avoir fait la plus légère démarche contre un beau-fils dont elle avait tout à craindre. Il est vrai qu'on ne dit point qu'elle ait demandé grâce pour lui. Mais tous les mémoires de ce temps-là et surtout ceux du comte de Bassevitz assurent unanimement, qu'elle plaignit son infortune. [II.x.613-622]

Ceci est-il bien?

[11] J'ai en main les mémoires d'un ministre public, où je trouve ces propres mots: 'J'étais présent quand l'empereur dit au duc de Holstein, que Catherine l'avait prié d'empêcher qu'on ne prononçât au czarovitz sa condamnation. *Contentez-vous*, me dit-elle, *de lui faire prendre le froc, parce que cet opprobre d'un arrêt de mort signifié rejaillira sur votre petit-fils.* [II.x.623-628]

Ceci n'est-il pas essentiel?

Je souhaiterais qu'on ajoutât à cela que la raison d'Etat alléguée par la tsarine n'était qu'un détour que la compassion lui suggéra. Tout le monde sait que cette impératrice avait entre autres grandes qualités une bonté d'âme peu commune.

[12] L'arrêt fut prononcé au prince. Les mêmes mémoires m'ap-

96 w75G: quand le czar dit

prennent qu'il tomba en convulsion à ces mots, *Les lois divines et ecclésiastiques, civiles et militaires, condamnent à mort sans miséricorde ceux dont les attentats contre leur père et leur souverain sont manifestes.* 110
[II.x.638-642]

> *Pourquoi ne m'a-t-on pas fourni de Pétersbourg quelque mémoire authentique qui fortifiât ce que j'ai déterré ici avec tant de peine?*

Comme ce fait n'est point entré dans les détails du procès et qu'on n'a point ici l'histoire de la vie du tsarovitch je 115 ne saurais, Monsieur, vous fournir là-dessus des mémoires authentiques, mais vous ne devez pas être moins certain de cette particularité, elle est encore récente dans la mémoire de quelques personnes qui ont été témoins oculaires et sur la foi desquelles on peut se reposer. 120

[13] On est indispensablement obligé ici d'imiter si on ose le dire, la conduite du czar, c'est-à-dire de soumettre au jugement du public tous les faits qu'on vient de raconter avec la fidélité la plus scrupuleuse, et non seulement ces faits, mais les bruits qui coururent, et ce qui fut imprimé sur ce triste sujet par les auteurs 125 les plus accrédités. [II.x.655-659]

> *Si je ne prends pas ce parti, tous les soupçons subsistent, mon histoire est décréditée, et je me couvre d'opprobre sans rien faire pour la mémoire du czar.*

Je suis d'autant plus content que vous ayés pris ce parti 130 que ce que Lamberti débite à ce sujet est si connu qu'en le passant sous silence vous n'auriez fait que fortifier les mal informés dans des soupçons également faux et injurieux.

[14] Je crois qu'il est de mon devoir de dire ici ce qui est parvenu 135 à ma connaissance.

112-113 MS2: de Pétersbourg quelques mémoires authentiques qui fortifient ce
135 MS2, la question se réfère à II.x.718-719

*Puis-je mieux faire que de saisir la contradiction apparente entre
le fer et le poison?*

Il est vrai que cette contradiction ne sert qu'à mettre
l'esprit du lecteur en suspens, mais l'autorité d'un historien   140
de votre poids le détermine, il abandonne sur-le-champ
l'une et l'autre opinion et guidé par vous et la vérité il
retrouve dans Pierre le héros et le père.

[15] Comment se serait-il pu faire que le czar eût tranché de sa
main la tête de son fils, à qui on donna l'extrême-onction en   145
présence de toute la cour? Etait-il sans tête, quand on répandit
l'huile bénite sur sa tête même? en quel temps put-on recoudre
cette tête à son corps? [II.x.712-716]

Trouvés-vous ces raisons solides?

Si la nature avait permis au tsar une action aussi atroce, il   150
ne lui aurait pas été difficile de la commettre à l'aide de
quelques gens affidés.

[16] Il est vrai qu'il est très rare qu'un jeune homme expire d'une
révolution subite, causée par la lecture d'un arrêt de mort; mais
on en a quelques exemples. [II.x.719-721]   155

J'en cherche.

Vous ne sauriez manquer d'en trouver. Je me souviens
d'en avoir lu, mais ma mémoire ne me sert pas assez
fidèlement pour les citer. Rien ne me paraît moins extraordinaire que la frayeur causée par une sentence de mort   160
et rien n'est plus commun que les accés d'apoplexie causés
par une frayeur subite.

[17] Veut-on se noircir dans la postérité par le titre d'empoisonneur

137-138   MS2: apparente du fer et du poison?
147   W75G: l'huile sur sa
154-155   W75G: de mort, et surtout d'un arrêt auquel il s'attendait; mais enfin
les médecins avouent que la chose est possible.

et de parricide, quand on peut si aisément ne se donner que celui
d'un juge sévère? [II.x.731-734]   165

Cette raison vous paraît-elle assez vraisemblable?

La conviction où je suis, que Pierre Iᵉʳ n'a pas été le
meurtrier de son fils me la fait trouver telle, je crois même
que tout lecteur sera frappé de la justice et de l'excellence
d'un raisonnement qui en disculpant le héros, fait voir en   170
même temps l'élévation des sentiments de l'historien.

[18] Il est nécessaire à présent de faire voir ce qui fut la première
cause de la conduite d'Alexis, de son évasion, de sa mort, et de
celle de mille complices qui périrent par la main du bourreau.
[II.x.772-774]   175

Je voudrais quelques anecdotes sur ce fait qui est très certain.

Il n'y en a aucune tout est exposé aux yeux du public dans
le procès imprimé. Il n'y eut que dix ou douze personnes
qui perdirent la vie dans cette affaire, les autres subirent
des peines corporelles, et le reste fut exilé.   180

[19] Ce fut principalement sur la foi de ces prédictions que le
czarovitz s'évada et alla attendre la mort de son père dans les pays
étrangers. [II.x.818-820]

Je crois l'aventure de Dozithée et du purgatoire fort antérieure à
la fuite d'Alexis.   185

Elle l'est de deux ans.

[20] On voit donc à quel prix Pierre le Grand acheta le bonheur
qu'il procura à ses peuples, combien d'obstacles publics et secrets
il eut à surmonter au milieu d'une guerre longue et difficile
[II.x.829-832]   190

Il faudrait ici des détails. Le public les veut, et vous ne m'en
donnez point.

174 w75G: celle des complices
187-192 MS2, absent, la question est restée sans réponse

APPENDICE X

Journal encyclopédique, 1er décembre 1762

Cette critique de Gerhard Friedrich Müller de l'*Histoire de l'empire de Russie* est reproduite sans indication d'auteur dans le *Journal encyclopédique*, à la date du 1er décembre 1762 (viii.ii.50-78). Elle parut d'abord, sous une forme différente, dans deux livraisons du périodique hambourgeois *Neues gemeinnütziges Magazin für die Freunde der nützlichen und schönen Wissenschaften und Künste* (décembre 1760), ii.716-26, (janvier 1761), iii.104-17, sous le titre de 'Beurtheilung der Geschichte des Russischen Reiches unter der Regierung Peter des Grossen'. Dans une lettre inconnue du 14 août 1762, Pierre Rousseau, rédacteur du *Journal encyclopédique*, proposa à Voltaire d'y insérer une traduction de ce qui méritait d'être extrait de cette 'longue et très longue critique' (l.38). Voltaire accepta et les notes en bas de page contiennent ses réactions à partir de la première note d. Pour plus de détails sur les différences entre la version allemande et la version française, voir ci-dessus, p.335-37.

Nous respectons la ponctuation; nous modernisons l'orthographe, sauf celle des noms propres.

———————

Critique de l'Histoire de l'empire de Russie sous Pierre le Grand, par M. de Voltaire. Extrait d'une lettre adressée à l'éditeur d'un journal allemand intitulé Allgemeinnuetziges Magazin. A Hambourg, 1762 [1761].

De tous les arts, celui de juger sainement des écrits et des écrivains est le plus difficile. Ce n'est pas que la nature n'ait donné presque à tous les hommes les semences d'un sens droit: mais il ne suffit pas d'avoir reçu du ciel un esprit lumineux. Ce n'est point même

assez que de savoir distinguer le vrai d'avec le faux, l'excellent
d'avec le mauvais; il faut connaître encore les différentes nuances   10
du beau, du bon, de l'agréable. Si l'on n'a point en soi les sources
du vrai goût, de ce goût qui résulte de l'accord de la raison, de
l'esprit et du sentiment, il est beaucoup plus sage de garder le
silence que de porter au hasard des jugements sévères sur des
ouvrages estimés. La force de l'imagination, l'étendue de l'esprit,   15
l'activité de l'âme; en un mot, le génie peut, sans érudition, sans
principes, comme sans connaissances, créer des ouvrages utiles,
sublimes, immortels. Il n'en est pas de même à l'égard de la
critique: elle est assujettie à des règles si pénibles, et elles sont en
si grand nombre, qu'on serait tenté de croire qu'elles n'ont été   20
tracées qu'afin de dégoûter ceux qui se livrent à ce genre de
composition.

Cependant ces préceptes sont-ils si respectables qu'on ne puisse
s'en affranchir? N'appartient-il qu'à ceux, qui se sont fait connaître,
et qui (*a*) excellent eux-mêmes, d'enseigner les autres? Enfin n'est- 25
il permis qu'aux auteurs, qui ont écrit avec succès, de censurer
avec (*b*) liberté? Il est vrai qu'Aristote, Denis d'Halicarnasse,
Varron, Longin, et, depuis ces grands hommes, tous les maîtres
de l'art ont regardé la critique comme l'objet le plus intéressant de
la littérature. Il est vrai qu'ils ont dit que le vrai critique en histoire 30
doit joindre à une étude profonde et réfléchie des faits, des mœurs,
des hommes, une vaste érudition, une prodigieuse variété de

(*a*) Qui scribit artificiosè, ab aliis commodè scripta facilè intelligere
poterit. *Cic. ad Herenn. lib. 4.* [1]

(*b*) Pope, Essai sur la critique. [2]

---

[1] *De ratione dicendi ad C. Herennium*, iv.7. L'ouvrage n'est pas de Cicéron. Son
auteur est inconnu.

[2] Alexander Pope, *Essai sur la critique*, trad. J.-F. Du Belloy Du Resnel (Paris
1730; BV2793), p.2.

connaissances. Mais ces législateurs n'étaient-ils pas trop exigeants, n'étaient-ils pas trop difficultueux?

Nous allons tâcher, dans la vue du bien public, et en faveur de 35 ceux qui se croient toujours assez instruits pour donner des leçons, prouver non par des règles, mais par l'exemple de l'auteur des observations sur l'histoire de Russie, que rien n'est plus aisé que de faire une longue et très longue critique. Au reste nous ne rapportons point la dixième partie des (c) réflexions que cette lettre 40 renferme. Nous avons cru devoir nous dispenser d'offrir au public, ainsi qu'à M. de Voltaire, la fatigante lecture d'un volume d'inutilités. Voici avec quel art l'anonyme développe ses observations.

Monsieur... je ne suis point homme de lettres; mais cela ne 45 m'empêchera pas de vous communiquer des mémoires sur un pays que la plupart de nos compatriotes ne connaissent encore qu'imparfaitement. J'ai fait un long séjour à St Petersbourg: par état, j'y ai vu des gens de qualité et de toutes conditions; je parle et je connais parfaitement la langue russe: voilà quels sont mes 50 titres et les (d) autorités sur lesquelles je fonde la certitude des mémoires que je vous adresse.

Je suis parti de Petersbourg lorsqu'on y attendait avec impatience l'Histoire de Pierre le Grand, chef-d'œuvre qui devait, disait-on, sortir incessamment des mains de M. de Voltaire: elle a 55 paru enfin; je l'ai lue avec attention. Permettez-moi de vous faire

(c) Quoi que nous en disions, cette lettre critique n'a cependant que 168 pages. [3] Mais il faut tout dire: pour la lire en entier, il est nécessaire d'avoir bien de la patience.

(d) Quels garants de la justesse d'une critique! il sera bon de ne pas oublier la première ligne de cette lettre; elle éclaircira merveilleusement bien des passages, qu'on aurait sans cela de la peine à comprendre.

[3] Pierre Rousseau se réfère au manuscrit de Müller dont une partie correspond aux 23 pages imprimées du *Magazin*.

part de mes remarques critiques, et je vous permets à votre tour
de les rendre publiques, si vous les trouvez utiles.

L'auteur déclare que son Histoire n'a été composée que d'après
les documents authentiques qu'il a reçus de la cour de St Pe-   60
tersbourg: il a raison en partie: car si jamais écrivain a été pourvu
de tout ce qui peut rendre son ouvrage parfait, ç'a été M. de
Voltaire. J'ai vu à Petersbourg les pénibles recherches qui ont été
faites à ce sujet. M. le lieutenant général et chambellan de
Schuwalow, cet amateur de la littérature, croyait ne pouvoir mieux   65
faire, pour immortaliser les actions héroïques du czar Pierre Ier,
que de prier M. de Voltaire de tracer la vie glorieuse de ce héros.
Les cabinets des particuliers, les bibliothèques des savants, les
archives de l'empire; tout fut ouvert, et personne ne refusa de
concourir à l'exécution d'une telle entreprise. Bientôt on rassembla   70
les parties détachées, qui, sous la plume brillante de M. de Voltaire
devaient former l'histoire du créateur de la nation russe. On ne
fut point découragé par le peu d'approbation (e) qu'avaient eue
jusqu'alors les ouvrages historiques de cet écrivain. On se persua-
dait que le défaut de mémoires sur la vie de Charles XII, l'avait   75
obligé de substituer des contes (f) à des vérités connues, et qu'il
n'avait répandu des traits défavorables à la mémoire du czar,
qu'afin de relever la gloire du héros qu'il peignait. Ses Annales de
l'Empire, son Histoire des croisades, son Essai sur l'histoire
universelle étaient admirés en Russie, comme ils mériteraient   80
d'être admirés partout, si l'exactitude des faits et la vérité des
événements y étaient plus respectées. Ce sont des fleurs choisies

(e) Le peu d'approbation? Ce n'est pas tout que d'avoir le bonheur
de n'être pas homme de lettres: quand on a la fureur d'écrire et qu'on
ignore des succès qu'il est si peu permis d'ignorer, il faut du moins
s'instruire avant que de décider.

(f) Qu'est-ce que ces contes? où sont-ils? Ces traits injurieux contre
le czar, qui les a lus dans l'Histoire de Charles? il faut prouver, ou ne
rien dire.

et (g) recueillies à la hâte sur le champ riche de l'histoire des peuples et des siècles. Une mémoire étendue, mais sujette à l'erreur, et le dégoût des recherches ont dû nécessairement faire éclore une infinité de défauts; mais ces défauts se perdent sous le pompeux entassement des réflexions utiles, des pensées inattendues, et qui frappent toujours sur la superstition. On savait tout cela à Petersbourg; mais on croyait pouvoir éviter ces écueils, et l'on se flattait que l'histoire du czar ne recevrait de M. de Voltaire que ce fonds d'utilité et ce voile agréable qui caractérisent tous les ouvrages de cet écrivain. On lui fournissait d'ailleurs les matériaux dont il avait besoin. On s'assurait de son exactitude par des présents (h) considérables. Enfin on espérait sur ses promesses que rien de cette Histoire ne paraîtrait avant que d'avoir été lu et approuvé à Petersbourg. Il est vrai que, fidèle à ses engagements, M. de Voltaire envoya son manuscrit à M. de Schuwalow. J'étais alors à Petersbourg; on fut bien étonné de voir que cet auteur, au lieu de se servir des mémoires étendus qui lui avaient été adressés, avait au contraire puisé dans les plus mauvaises sources; et qu'il n'avait suivi dans son Histoire que les récits infidèles de quelques auteurs mal instruits. Les erreurs étaient en si grand nombre, et les fautes si absurdes, qu'on se hâta de renvoyer le manuscrit: mais il n'était plus temps; et M. de Voltaire qui n'était nullement dans le dessein de corriger son ouvrage l'avait déjà fait imprimer. Ce fut alors que M. de Schuwalow forma le projet (i) d'acheter

(g) C'est toujours quelque chose que d'être conséquent. Des fleurs prises avec choix et cependant cueillies à la hâte. Belle figure! pensée sublime dans son genre!

(h) La belle réponse que rapporte M. Paschal dans une de ses Provinciales! elle ne consiste qu'en deux mots latins, mais elle est bien énergique. [4]

(i) Il est tout aussi aisé d'avancer des faits sans vérité, sans vraisemblance, qu'il est peu décent de compromettre des noms respectables. Le

[4] 'Mentiris impudentissime' (Pascal, *Lettres provinciales*, xv; cf. *Pensées*, B921).

l'édition entière, à condition que l'auteur en donnerait une nouvelle et toute différente: pourquoi M. de Voltaire n'a-t-il pas accepté cette proposition? ce n'est pas qu'il ait dans son Histoire parlé contre les intérêts de la Russie: mais il est tombé dans de si grandes erreurs, il a peint avec tant de négligence les actions immortelles de Pierre le Grand, qu'aucun lecteur, pour si peu qu'il soit éclairé, ne donnera à cet ouvrage le nom d'histoire complète. Je suis même bien sûr que la postérité ne balancera point à donner la préférence à l'Histoire de Charles XII écrite en trois volumes in-folio par le chapelain Nordberg sur celle de M. de Voltaire, lorsqu'elle (k) verra que cet écrivain n'a destiné à un héros beaucoup plus grand que Charles, qu'un si petit nombre de pages.

Je ne sais point encore quel sera le parti qu'on prendra à Petersbourg: en attendant, voici mes observations; elles seraient, sans doute, plus parfaites si je connaissais celles que M. de Schuwalow a envoyées à l'historien du czar.

L'orthographe vicieuse de M. de Voltaire dans les noms propres sera l'objet de mes premières réflexions. Je sais que dans tous les pays un long usage devient règle, ainsi je suis très éloigné de blâmer les changements que font les nations dans l'orthographe, ou dans la prononciation des noms propres étrangers. Que les Français nomment Russie le même empire qu'on nomme en Allemagne Russland, et qu'à Moscou les Russes connaissent sous le nom de Rassia; ces légères différences, une fois adoptées, ne jettent aucune espèce d'obscurité dans le discours. Mais il n'en est pas de même des changements qu'un écrivain fait sans autorité

---

critique, qui a vu tant de gens de qualité à Pétersbourg, a-t-il été aussi le confident de M. de Schuwallow; le connaît-il? A-t-il été chargé de divulguer ce bizarre projet qui n'a jamais été formé?

(k) Voyez la note (d). L'Histoire du chapelain Nordberg a trois volumes in-folio, donc elle est meilleure que la même Histoire par M. de Voltaire! Ces observations sont excessivement longues, donc elles sont bonnes!

dans les noms propres étrangers. L'inconstance des Français est surprenante à cet égard. Le nom Kamtschatka parut et si long et si dur à M. de l'Isle, qu'il jugea à propos de lui substituer celui de Kamchat, dans son introduction à la Géographie: M. de Voltaire trouve le même mot trop court; mais son oreille ne pouvant supporter, ni sa langue prononcer le *tsch* des Russes, il écrit Kamschatka. [5] C'est ainsi qu'il a (*l*) sacrifié presque tous les noms propres à sa délicatesse, et qu'il dit dans sa préface, page 1, Solikam pour Solikamsk, et page 29, Sheremeto pour Scheremetow. [6] Il n'aime pas non plus le *w* qu'il change, quoi qu'il en puisse arriver, ou en *e*, ou en *o*; chez lui Godanow et Romanow, pages 22 et 79, se nomment Godono et Romano. [7] Il paraissait plus naturel de mettre un *f* à la place du *w*; M. de Voltaire a senti que la prononciation serait moins choquante, et c'est vraisemblablement ce qui l'a déterminé à écrire, page 20, Menchicof; [8] mais s'il a fait grâce dans cette occasion au son du double *w*, il n'a pourtant pas moins estropié le nom en mettant le *z* à la place du *ch*. M. Soltikof est le seul qui n'ait point à se plaindre de cette espèce de tyrannie exercée sur les noms propres. Il est bien difficile de comprendre pourquoi M. de Voltaire écrit d'une manière différente, le même nom porté par deux régents célèbres de l'empire de Russie, Jwan Wasiliowitch; l'un était cependant le grand-duc, et l'autre le czar, son petit-fils: l'historien appelle le premier Jwan Basilovis, et l'autre Jean Basilides, ou Basilide; n'était-il pas plus simple de les

135

140

145

150

155

(*l*) Voy. la note *h*. M. de Voltaire n'a écrit presque aucun nom propre russe, sans donner en note sa véritable orthographe. Il a soin d'avertir le lecteur de la vraie prononciation russe. A quoi donc se réduit ce tas de mauvaises critiques sur l'orthographe de M. de Voltaire?

[5] Voltaire écrit 'Kamshatka' dès l'édition 59 (1.i.662).
[6] 'Préface', l.1-41*v*, 262*v* (Sheremetof, à partir de w75G).
[7] 1.i.291 (Godono), 1.iii.24 et n.*a* (Romano).
[8] Dans 59, Voltaire écrit en fait 'Menzikof' ('Préface', l.262*v*).

distinguer par les chiffres 1 et 2. Une faute bien plus considérable; M. de Voltaire, page 25, donne la qualité de czar à son Jwan Basilovis qui n'a jamais porté que le titre de grand-duc. [9] Pourquoi, page 19, donner au château de Moscau le nom de Cremelin, et dire dans une note qu'autrefois ce château portait le nom de Kremln: c'est vouloir bien inutilement multiplier les erreurs. La véritable orthographe et la seule prononciation de ce mot est Kremt; [10] les Tartares ni les Russes ne le connaissent point sous d'autre dénomination. On sait (*m*) que la demi-île de Crim tire son nom du fossé Perecop qui lui sert de fortification, et non comme il est dit, page 110, des premier Chams qui n'ont jamais été nommés ainsi. [11]

Croyez-vous, Monsieur, qu'il soit plus difficile d'écrire Irtich (*n*) que Irtis, selon M. de Voltaire, page 40; Tobolskoi que Tobol: (page 41) Spangberg que Spengenberg. (page 47) Streschnew que Strehneu? [12] Croyez-vous qu'on puisse écrire, sans défigurer entièrement et les mots et les noms, Marthe Mateona pour Matfewna, page 91: Nariskin pour Apraxin, et Daniel Vongad pour Vongaden, page 95. [13] Croyez-vous qu'on puisse prendre et faire passer pour le nom d'une personne le mot Raspop qui signifie (*o*) *Prêtre excommunié*? c'est ce qu'a pourtant fait l'historien

160

165

170

175

(*m*) Qui le sait? Le critique le dit, est-ce assez pour l'en croire?

(*n*) Voy. la note *l*. Tous ces noms sont écrits dans l'Histoire de M. de Voltaire comme on les écrit en Russie.

(*o*) Qu'on lise tout ce morceau dans l'Histoire de M. de Voltaire, et l'on verra que cette prétendue erreur ne jette aucune espèce de contresens dans le récit des brigues de ce Raspop ou de ce *Prêtre excommunié*; si toutefois l'explication du critique n'est pas fausse.

[9] Voir ci-dessus, p.448, n.110.
[10] Fâcheuse coquille: il s'agit évidemment de 'Kreml'.
[11] 1.v.135-136 et n.45.
[12] 1.i.568 et n.*i*; 1.i.575 et n.*j*; 1.i.731 et n.222; 1.iii.56.
[13] 1.iii.201 et n.57: Voltaire, qui a commis une erreur, s'est corrigé (Apraxin); à partir de 65, Voltaire opte pour la forme 'Vangad' (1.iv.35).

du czar, pages 103, 104, et 105.[14] Il y a bien des fautes dans ces deux mots écrits et interprétés par M. de Voltaire, Golut et Raab, page 181.[15] Premièrement Golut doit être écrit *Chalop* et Raab 180 avec un seul *a*. Quant à la signification,(*p*) elle n'est pas si différente que le pense M. de Voltaire: l'un et l'autre signifient serf, et pas autre chose; tout ce que l'on peut dire, c'est que le peuple se sert du mot Chalop pour exprimer la même idée que les gens plus polis rendent par le mot Rab. 185

Vous ne connaissez pas l'île de Kotin, page 227,[16] et vous ne penseriez pas que M. de Voltaire a voulu désigner sous cette dénomination Katlinnoiostron[17] où a été bâtie la ville de Cronstadt. Savez-vous encore ce que c'est que Yolkovva? et soupçonneriez-vous que c'est Zolkiew, ville polonaise?[18] Savez-vous que l'histo- 190 rien du czar a pris sérieusement(*q*) cette ville pour un homme, et

(*p*) Quant au changement de Golut en Chalop, il fallait le prouver. A l'égard de la différente signification de l'un et de l'autre terme, tant pis pour le critique, s'il ne sent pas combien le mot *esclave* diffère du mot sujet.

(*q*) Quand on ne connaît point le génie d'une langue, il n'en faut pas critiquer les auteurs. M. de Voltaire a dit: Pierre voyant qu'une partie de la Pologne reconnaissait Stanislas, écouta les propositions que lui fit Yolkova d'élire un troisième roi: est-ce parler d'un homme? Si l'on disait, toute la France s'est empressée d'offrir des vaisseaux à son 5 roi. Le Languedoc a donné l'exemple, et Paris l'a suivi,[19] serait-ce parler de deux hommes?

[14] I.v.34, 48, 50, 69 et n.18.
[15] I.x.233-235 et n.48, 49.
[16] I.xiv.35 et n.7.
[17] Kotlinoï Ostrov (île de Kotin).
[18] I.xvi.8 et n.1.
[19] Voltaire prend son exemple dans l'actualité. En pleine guerre de Sept Ans, les différents corps du royaume venaient d'offrir au roi des vaisseaux pour renflouer la marine française qui avait subi de lourdes pertes. Le Supplément de la *Gazette de France* du 8 février 1762 en avait donné la liste et l'origine des contributions. Voltaire avait composé à cette occasion une facétie dirigée contre les ordres religieux, *Extrait de la Gazette de Londres*.

qu'il en parle, page 243, comme d'un particulier qui propose l'élection d'un roi?

Je ne sais point si ces fautes sont une suite de la délicatesse française, et si les écrivains de cette nation ne peuvent écrire les noms propres étrangers sans les corrompre entièrement. Quoi qu'il en soit, voilà une partie des défauts que j'ai trouvés dans l'orthographe de M. de Voltaire. Passons maintenant à des erreurs bien plus considérables; et qui seront je crois plus difficiles à corriger. Je parle des fautes contre l'histoire; je vais vous en citer tout autant que mes forces me le permettront. Je m'arrête d'abord à la préface.

Vous n'avez, j'en suis sûr, jamais entendu dire, que les intérêts de la nation polonaise et ceux de l'empire de Russie fussent communs, inséparables: que les événements qui se sont passés en Pologne fussent la suite ou le principe des révolutions qui ont agité la Russie. Pourquoi donc M. de Voltaire donne-t-il, page 9, son ouvrage comme (r) une simple continuation de l'Histoire de Charles XII? [20] Le czar fut-il le successeur du roi de Suéde, ou les Etats de ce dernier furent-ils envahis par Pierre? Qu'est-ce encore que ce certificat? (s) [21] Jamais auteur songea-t-il à se munir, comme les empiriques, d'une semblable attestation? Ne valait-il pas mieux prouver par des raisons que Poniatonski, Motraye et Nordberg ont dit des faussetés?

M. de Voltaire se trompe, page 15: il n'est point inutile de

195

200

205

210

215

(r) Ce n'est point là du tout ce qu'a dit M. de Voltaire; il a dit que cette Histoire serait *une confirmation* et un supplément de celle de Charles XII; et cela est vrai.

(s) Un titre respectable qui devrait en imposer aux défenseurs des Nordberg, des Motraye, et de semblables rapsodistes.

[20] 'Préface', l.60-65.
[21] 'Préface', l.75-77.

remonter (t) à l'origine des peuples: [22] mais il est plus commode de ne pas faire des recherches, et beaucoup moins aisé de travailler utilement comme M. de Guignes (u) que de faire une satire contre l'excellent ouvrage de ce savant.

Cependant il est bien singulier qu'un auteur qui proscrit de l'histoire toute dissertation sur l'origine des peuples ait fait lui-même des recherches pour prouver, page 22, [23] que Bela (v) fut le fondateur de la maison des anciens czars. Cette fable est absurde, et ne méritait pas d'être prise dans l'ouvrage de Fletcher, écrivain aussi faux dans les faits que ridicule dans les raisonnements.

L'avant-propos de cette Histoire serait vraiment admirable, si M. de Voltaire eût supprimé ce trait injurieux: *Charles XII méritait d'être le premier soldat de Pierre le Grand.* [24] Une expression aussi dure (y) offense également la nation suédoise et la cour de Petersbourg, qui ne demandait pas que, pour louer le czar on flétrît Charles XII.

Si l'empire de Russie, page 3, s'étend d'occident en orient, l'espace de 2000 lieues; comment se peut-il faire que la longueur de l'île de Dago à l'occident jusqu'à ses bornes les plus orientales,

(t) Très inutile en effet, puisque les recherches n'ont servi jusqu'à présent, qu'à épaissir les ténèbres qui couvrent l'origine des peuples.

(u) A quoi a-t-il servi cet ouvrage savant de M. de Guignes? Quelle lumière a-t-il répandue?

(v) Voilà donc ce que l'auteur appelle des recherches; il s'en faut bien que M. de Voltaire ait dit ce qu'on lui fait dire ici: il s'en faut encore davantage qu'il l'ait pensé.

(y) Il faut pardonner au critique, il ignore la signification du mot soldat: s'il regarde Charles XII comme un général; il faut lui pardonner encore, il ne sait pas que la bravoure seule n'a jamais fait un général.

[22] 'Préface', l.94-177.
[23] 'Préface', l.178-182 et n.38.
[24] 'Avant-propos', l.14-15.

renferme près de 170 degrés?[25] Ce *près*(ʒ) fait une différence   235
immense. Mais M. de Voltaire ne s'est pas souvenu que les degrés
se rétrécissent du côté du nord, et qu'afin de donner une mesure
exacte il fallait tirer une ligne depuis Riga jusqu'à Tschukatokoi.

La Tartarie indépendante, page 5, (*a*) est bien loin de la route
de St. Petersbourg à Peckin.[26] Le petit nombre de Tartares qui   240
sont sur cette route dépendent ou de la Chine, ou de l'empire de
Russie, ou de leurs propres chams. Est-ce là de l'indépendance?

Savez-vous, Monsieur, ce que c'est,(*b*) page 6, que la Russie
noire?[27] y a-t-il sur la terre un pays qu'on appelle ainsi? Quel
garant que ce Hibner? Personne ne le lit, personne ne le croit,   245
M. de Voltaire le cite. Ou je me trompe fort, ou jamais patriarche,
ni historiographe n'ont porté, page 7, le nom de Constantin.[28]
Tout le monde sait que le patriarcat n'a commencé en Russie qu'en

(ʒ) C'est précisément parce que les degrés se rétrécissent du côté du
nord; que la largeur de la Russie, du sud au nord, est exactement de 850
lieues: et que la mesure entière est bien donnée.

(*a*) L'auteur de la critique n'est pas fort sur la géographie; il se
pourrait bien faire aussi qu'il n'a jamais été, quoi qu'il en dise, à
Pétersbourg. La route la plus courte pour aller de cette capitale à Pekin
est Samarcand, Chalzac, Gascar, Tanchut, c'est là certainement la
Tartarie indépendante: mais si l'on veut traverser la grande Moscovie,   5
passer par Sélinga Abbasun, descendre par le Matsmey à la Corée, et de
là remonter à Pékin, on s'éloignera sans doute de la Tartarie indépendante; mais on s'écartera immensément de la route la plus courte de
Pétersbourg à Pékin.

(*b*) M. de Voltaire ne dit point qu'il y a une Russie noire, au contraire
il dit qu'il ne cherchera point pourquoi Hibner a nommé ainsi les contrées
depuis Smolensko jusqu'au delà de Moscou.

[25] I.i.1-10 et n.1.
[26] I.i.38-41 et n.10.
[27] I.i.58-61 et n.15.
[28] I.i.75-77 et n.17.

1588: à quel propos l'historien du czar appuie-t-il un fait qui s'est passé dans le ve siècle, par le témoignage du patriarche Constantin? 250

Albert, dit M. de Voltaire, page 9, *markgrave de Brandebourg se fit souverain de la Livonie vers l'an 1514.* [29] Voilà bien des erreurs en peu de mots. Albert ne se fit pas souverain, mais fut le premier duc séculier de la Prusse, il n'obtint ce duché qu'à condition qu'il serait feudataire de Sigismond 1er roi de Pologne. Ce ne fut pas en 255 1514, mais en 1525 et la maison de Brandebourg n'a eu la Prusse en souveraineté qu'en 1657. M. Arnd, dans la 2e partie de sa Chronique de la Livonie, page 183, rapporte ce fait, et n'a point l'art de faire un anachronisme de 132 ans.

Quel voyageur ou quels auteurs ont appris à M. de Voltaire 260 que Petersbourg, page 111, était la ville la plus moderne de la Russie? [30] Est-ce qu'il ne sait pas qu'Olones, sur le lac Ladoga, Tawrow sur la Woronesch, ainsi qu'Oronienbourg, sont des villes considérables? Est-ce que Cronstadt n'a point été bâti en 1710, Neuladoga en 1719, Caterinenburg en 1725, Ste Anne en 1732, 265 Keslar en 1736 et Ste Elisabeth en 1754, cinq à six ans avant que M. de Voltaire regardât Petersbourg comme la ville de Russie la plus nouvelle? Il eût été bien difficile à Pierre de bâtir Petersbourg au milieu de neuf bras de rivière à moins d'en créer six, (*c*) car il n'y en eut jamais que trois, savoir, Neuwa, Neura, et le petit 270 Neuwka. [31]

Il semble que M. de Voltaire n'ait écrit son Histoire que pour

(*c*) Voy. Perry dans son Etat présent de la Grande Russie, la Bibliothèque germanique, tome 8, page 187, tome 7, page 217; et tous les bons auteurs qui ont parlé de Pétersbourg, ils disent tous avec M. Voltaire que cette ville a été bâtie au milieu de plusieurs îles, canaux et ruisseaux formés par la Nuwa à un quart de lieue de son embouchure. 5

[29] I.i.106-108 et n.28.
[30] I.i.123-126 et n.37.
[31] I.i.127-128 et n.38.

nier les faits les plus connus. *Archangel*, dit-il, page 13, *pays entièrement nouveau*.[32] Quoi l'ancienne Biarme est un pays nouveau? (*d*) Etait-il si difficile d'apprendre que lorsque les Anglais y abordèrent en 1553 ils y rencontrèrent un convent dédié à St Nicolas, ce qui leur fit donner le nom de *Cours de St Nicolas* à l'embouchure de la Dwina? Etait-il si difficile d'apprendre que dans ce même temps il y avait à environ 8 verstes de cette embouchure, un autre convent dédié à l'archange St Michel; et que c'est là, et non dans un pays nouveau que la ville d'Archangel a été bâtie en 1710? il était bien plus simple de dire la vérité d'après tous les historiens du Nord, que de supposer seul qu'Archangel a été mis sous la protection de St Michel; premièrement parce que cela n'est pas; en second lieu, parce que la coutume de mettre des villes sous la protection des saints est un usage absolument inconnu dans toute l'étendue de l'empire de Russie.

Qui a dit à M. de Voltaire, page 15, que les Lapons vivent dans des cavernes, (*e*) qu'ils sont naturellement d'une couleur tannée, qu'ils révèrent une idole sous le nom de Jumula, et qu'ils offrent leurs femmes aux étrangers?[34] Ces contes peuvent être agréables à lire; mais pour les rendre intéressants il n'eût point fallu donner ces mœurs à un peuple aussi connu que les Lapons depuis quelques

275

280

285

290

(*d*) On appelle pays nouveau celui qui peu connu, sort enfin de son obscurité. Qu'Archangel ait été habité avant que Pierre le Grand y ait fait construire la capitale de la province de Dwina; qu'il y ait eu même un convent de moines: Archangel n'est pas moins depuis cette époque un pays entièrement nouveau.

(*e*) Qui l'a dit? Scheffer, Histoire du Lapon.[33] Pierre Claude, Description de la Norvege, Pencer, Olaus Magnus, Paul Jove; tous les auteurs dignes de foi.

5

[32] 1.i.157-158 et n.51.
[33] Johann Gerhard Scheffer décrit au contraire longuement les cabanes mobiles des Lapons (*Histoire de la Laponie*, p.173-80), avec une gravure, p.180.
[34] 1.i.194-196, 223-225, 235-240 et n.68, 72, 76.

années. Quelqu'un ignore-t-il que les Lapons habitent des cabanes mobiles, que leur couleur naturelle n'est point du tout tannée; que Jumula dans leur langage signifie Dieu, Etre suprême, et n'est rien moins qu'une idole; enfin, que jamais Lapon n'offrit sa femme aux étrangers.

Comment deux mille pas, page 22, seraient-ils la mesure du circuit de Moscou; de Moscou dont la longueur est de 7 verstes, c'est-à-dire de sept fois 1500 pas? [35] Je demande à M. de Voltaire quel doit être le diamètre d'un espace dont la longueur est de dix mille cinq cents pas.

(f) Je lui demande encore sur quelles cartes il a vu Moscou situé dans la Russie blanche, page 241. [36]

L'excellent ouvrage de M. Jordan, *De originibus Slavicis*, fixe mieux l'origine des Slaves que l'historien de Russie; le mot Slawen dérive du mot russien Slawa, qui signifie gloire, et qui ne veut pas dire, page 25, (g) chef, encore moins esclave appartenant au chef. [37]

Si je ne connaissais pas les mœurs des habitants de l'Ukraine, je pourrais croire sur la foi de M. de Voltaire, page 27, qu'ils vivent de rapine: mais je ne puis douter qu'ils labourent la terre; et qu'ils ont soin de leurs nombreux troupeaux. Ce ne sont pas là les mœurs d'un peuple tout à fait sauvage, et qui vit de rapine.

(f) Sur toutes celles qui ne sont point défectueuses. On a donné le nom de Russie blanche à cette partie de la Moscovie à cause de la grande quantité de neige qui la couvre presque dans tous les temps de l'année: voy. Paul Jove et presque tous les écrivains qui ont parlé de ce pays.

(g) M. de Voltaire n'a point dit ce que signifiait le mot *slawen*; il a dit seulement que le monosyllabe *sla* signifie un chef ou esclave appartenant au chef.

[35] 1.i.302-303 et n.96.
[36] Renvoi erroné, il faut lire: 'page 24'. 1.i.325-326 et n.103. Voir par exemple la carte 'Russie blanche ou Moscovie' dans l'*Histoire des révolutions de Pologne* de Georgeon, éd. Desfontaines (Amsterdam 1735), ii.158-59.
[37] 1.i.339-340 et n.108.

J'ignore aussi que ce pays ait été sous la domination des Turcs; il 315
y a apparence que M. de Voltaire a confondu le peuple de l'Ukraine
avec les Cosaques Zaporaviens, qui se mirent en 1709 sous la
protection des Turcs, et qui sont rentrés sous la domination
des Russes en 1733. Au reste, ce fut Waldin qui introduisit le
christianisme dans l'Ukraine en 908. Quant au mahométisme, c'est 320
une grande erreur que de dire qu'il ait jamais été adopté ou toléré
dans (h) l'Ukraine. [38]

Consultez je vous prie, Monsieur, les meilleurs géographes, et
si vous voulez même les moins exacts; vous verrez que tous, à
l'exception de M. de Voltaire, page 30, n'étendent le gouvernement 325
d'Astracan (i) que jusqu'à la rivière de Jaik; que le mont Caucase
est en deçà de la mer Caspienne, et que la rivière du Don a toujours
séparé l'Europe d'avec l'Asie. [39]

Au sud-est du royaume d'Astracan est un petit pays nouvellement
formé qu'on appelle Orembourg. Ce pays, si petit aux yeux de M. de 330
Voltaire, s'étend depuis l'embouchure de Jaik jusqu'aux environs
de Catherinenbourg, en Siberie: c'est-à-dire, que sa largeur est de
10 degrés, et sa longueur de 15. La ville d'Orembourg, dont parle
l'historien, fut bâtie en 1735; mais, celle dont il veut parler, et la
scule qui doive l'occuper dans cet article, n'a été construite qu'en 335

(h) Tout pays soumis aux Turcs embrasse ou du moins adopte le
mahométisme, or c'est un fait très connu que les Turcs s'étant jetés, en
1647, dans la Podolie, s'emparèrent de Kaminiec, Jean Sobieski le[s]
battit plusieurs fois dans la suite, mais ne les chassa pas entièrement de
l'Ukraine; où, certainement on exerçait alors le mahométisme. 5
(i) Il suffit de consulter Olearius; il rapporte beaucoup d'autorités,
et décrit avec exactitude l'ancien royaume d'Astracan, conformément à
ce qu'en a dit M. de Voltaire.

[38] I.i.366-371, 380-381 et n.117 et 120.
[39] I.i.419-422.

1741; elle est éloignée de l'autre de 35 mille d'Allemagne; [40] quelle géographie!

Page 33, *au delà de la Volga et du Jaik est le royaume de Casan, qui comme Astracan, tomba dans le partage d'un fils de Gengiskan, et ensuite d'un fils de Tamerlan.* Point du tout. Le royaume de Casan est en deçà du Jaik. Ce fils de Tamerlan est un (*k*) enfant créé par M. de Voltaire; la postérité de Tamerlan, s'il en a eu, ce qu'on ignore, n'a jamais régné. Il n'est pas vrai non plus que la grande Permie s'appelle toujours ainsi, ni qu'elle ait tiré son nom de Soliamsk. [41] Dans les mémoires que M. de Strahlenberg a envoyés à M. de Voltaire tout cela est bien expliqué.

Page 40, *on persuada quelques-uns de ces sauvages, etc.* Tout ce morceau n'est autre chose qu'un roman épisodique; [42] voici la vérité. L'ataman des Cosaques, Jermak Timofeew ravagea par ses brigandages tout le pays qu'arrose la Volga; poursuivi par les troupes czariennes, il fut contraint de se retirer en 1577 vers la source de la rivière de Kama. Bientôt il entreprit de dévaster la Siberie, il essuya beaucoup de pertes, mais parvint à régner sur les Jartres et sur les Ostiakes. Seul maître du pays, il envoya des députés à Moscou, soumit au czar toute la contrée, fit bâtir la ville de Tuemen en 1586 et celle de Tobolsk. Il y a très longtemps que l'on connaît ces faits. On a envoyé à M. de Voltaire un extrait des chartres et des papiers imprimés à Petersbourg. Il n'a pas vu dans

340

345

350

355

(*k*) M. Petit de la Croix, le Moine de St Denis et Vatter ont écrit l'histoire de Tamerlan. Ils disent qu'*il laissa 36 fils, sans comprendre les filles, que ses fils partagèrent ses conquêtes, etc.* Ils régnèrent donc après lui. Quant à ce que le critique dit au sujet de la Permie, voy. si ce que dit Olearius dans sa relation de Moscovie, n'est point exactement ce qu'en dit M. de Voltaire.

5

[40] 1.i.447-449 et n.143; cf. 'Au lecteur', l.37-39 (app. 1).
[41] 1.i.459-461, 465-466 et n.149, 150, 151.
[42] 1.i.564-572 et n.175.

ces mémoires que les Usbecs, page 41, aient jamais passé en Siberie.
S'il les eût lus, il eût appris que le long de la mer Glaciale il n'y a   360
point de montagnes,[43] mais des plaines immenses et couvertes de
mousse, nourriture ordinaire des rennes. Il n'y eût pas trouvé ce
culte ridicule qu'il attribue aux Ostiakes, et n'eût pas dit que ces
peuples adorent (*l*) une peau de mouton; parce qu'il est absurde
de penser que dans un pays où il n'y a pas de moutons les habitants   365
adorent la peau de cet animal. Il eût appris que les Calmouks, page
45, occupent les deux rives de la Volga, et qu'ils ne vivent point
entre la Siberie et la mer Caspienne.[44]

   Olearius prétend, etc., page 61.[45] M. de Voltaire tombe dans des
erreurs impardonnables. S'il avait pris la peine de lire les auteurs   370
qui rapportent ces faits, il aurait su 1°. Que Michel Federowitsch
n'est parvenu à la régence qu'en 1613, c'est-à-dire, trois ans après
la mort de Henri IV *et non durant sa vie*. 2°. Que l'ambassadeur
français, qu'Olearius accompagna jusque dans la Courlande en 1635
était Charles de Tallerand prince de Chales, marquis d'Issedevil.   375
3°. Que le czar Michel envoya un ambassadeur à Louis XIII comme
on le voit par la lettre même du czar à Louis XIII, insérée dans le
livre intitulé Raisonnements sur le[s] causes de la guerre de Suede.

   Page 67, *le patriarche Photius si célèbre par son érudition, par ses
querelles avec l'Eglise et par ses malheurs envoya baptiser Volodimer*,   380
etc. Voilà bien des circonstances; mais il n'est pas possible que M. de
Voltaire les ait écrites d'après *un manuscrit intitulé, Gouvernement*

   (*l*) Si ce n'est point une peau de mouton, c'est une peau d'ours,
qu'ils adorent: l'erreur, si c'en est une, mérite-t-elle une critique?

[43] I.i.573-585 et n.175, 180, 181.
[44] I.i.594-599, 651-652 et n.184, 185, 202.
[45] I.ii.171-174 et n.33; cf. 'Préface', l.381-422 et notes.

ecclésiastique de Russie. [46] Eh comment pourrait-on (*m*) supposer que les manuscrits qui ont été fournis à M. de Voltaire renfermassent un tel anachronisme? Photius mourut en 891, Wladimir, et non Volodimer, ne fut baptisé qu'en 988 sous le patriarche Nicolas Chrisoberge. Comment concilier d'aussi fortes contradictions? Il ne faut pas au reste confondre le patriarche avec le métropolitain.

La mer Blanche, la mer Baltique, etc., page 75, [47] il est vrai que Pierre le Grand a fait construire des vaisseaux de guerre; mais il n'est pas vrai que les Russes n'aient eu avant le czar aucun vaisseau sur ces mers. Il est si peu vrai aussi que la langue manquât de termes pour exprimer les mots flotte, vaisseau, qu'après la mort d'Iwan-Wasiliewitsch, les commerçants de cette nation faisaient des courses maritimes sur des vaisseaux appelés suivant leur différente grandeur Kotschen, ou Lodgi, voyez Olearius. Le czar Alexis Michaelowitsch fit construire l'Aigle, vaisseau qui pouvait le disputer à tous ceux qui pour lors voguaient sur l'océan. Basezki rapporte les désordres que les Cosaques russiens ont faits à Sinope, à Trapezonte et dans les faubourgs de Constantinople.

Page 76, *Une loi même d'Etat,* etc. Personne ne connaît en Russie cette loi, c'est M. de Voltaire qui l'a faite. [48]

En vérité, Monsieur, je suis trop las d'écrire. Contentez-vous, en attendant, de ces observations, jusqu'à ce que le temps et l'occasion me permettent d'en donner la continuation.

(*m*) Cette observation critique est bonne: elle est fondée et raisonnable. M. de Voltaire a connu la méprise: voy. notre Journal du 1er novembre dernier, pages 120 et 121.

[46] I.ii.250-251 et n.60.
[47] I.ii.380-384 et n.103.
[48] I.ii.399-402 et n.107.

APPENDICE XI

Quelques lettres des archives russes
autour de l'*Histoire de l'empire de Russie*

Ces lettres, découvertes et transcrites par D. N. Kostychine, nous
ont été communiquées par Serguéï I. Karp de l'Académie des
sciences de Russie.

———

1. Lettre de Fedor Pavlovitch Veselovski (Veselovsky chez Besterman) à Ivan Ivanovitch Chouvalov, entre le 10 et le 20 mars 1757.
Manuscrit, Archives russes d'histoire, Saint-Pétersbourg, Rossiïski
Gosoudarstvenny Istoritcheski Arkhiv, RGIA, F. 1092 (Chouvalov), opis 1, partie 1, no 135, f.10. Cette lettre est citée dans une
biographie anonyme de I. I. Chouvalov qui date des années 1830:
'Jean Schouvaloff, sa vie publique et privée sous les Règnes
d'Elisabeth, de Pierre III, de Catherine 2ᵉ, ses relations avec les
philosophes et les personnes remarquables du 18ᵐᵉ siècle, suivi de
quelques notions sur les Commencements du Catholicisme en
Russie'. Pour une traduction russe de cette lettre voir Nikolaï
Golitsyne ('I. I. Chouvalov i ego inostrannye korrespondenty.
Predislovie i poublikatsia N. Golitsyna') [I. I. Chouvalov et ses
correspondants étrangers], *Literatournoïë Nasledstvo* [*L'Héritage
littéraire*] 29-30 (Moscou 1937), p.260. Veselovski, ami et protégé
de Chouvalov, lui rend compte de la première démarche dont
celui-ci l'avait chargé auprès de Voltaire pour l'histoire de Pierre
le Grand.

[...] J'espére que Votre Excellence aura reçu la lettre que je me
suis donné l'honneur de lui écrire la veille de mon départ de

Genève. Elle était accompagnée de celle que Mr de Voltaire m'a écrite en réponse à la mienne sur les ordres dont Votre Excellence m'avait chargé pour lui. On ne saurait marquer de meilleures dispositions ni plus d'empressement qu'il ne témoigne en avoir pour entreprendre l'ouvrage en question. Il s'en fait honneur et plaisir, mais il prétend que son travail soit autorisé par la haute approbation de Sa Majesté Impériale et sa pretention me paraît assez raisonnable pour un homme qui a dit-on, 70 mille livres de rentes et qui ne veut travailler que pour la gloire.

2. Lettre d'Ivan Ivanovitch Chouvalov à Gerhard Friedrich (russe: Fedor Ivanovitch) Müller, été 1757. Original autographe signé, Moscou, RGADA, F. 199, portf. 546, 9e partie, no 21, f.4r, annoté par Müller 'reçue le 1. Aôut 1757.'

Monsieur

Je vous suis extrement obligé de la peine que vous prenés, pour le bien de l'université. Je renvoye le contract de M^r le proffesseur Ligné. Pardonés que je n'ai pas fait la reponse a votre premiere lettre. Ce ne sont pas les plaisirs de la campagne mais plutot ma distraction se joignant a mes autres maladies qui m'a detourné d'une chose qui m'est si necessaire.

Mr de Voltaire ecrit qu'il veut ecrire l'Histoire du pierre le grand. il fait pour ainsi dire dans sa lettre un petit plan des matieres qu'il traitera[.] Vous pourrés voir la copie ci jointe. il depend beaucoup de vous Monsieur pour fournir quelques memoires sur <une> ces matieres. J'ai prie encore quelques uns, Je vous prie Monsieur de me seconder dans une chose qui sera a la reputation de notre grand Monarque et de notre Empire, et pour que les etrangers puissent un jour voir la verite couverte de la voile de la calomnie et de l'ignorance, au reste je suis avec beaucoup de consideration,

Monsieur

Votre tres humble serviteur

JSchouvalow

Extrait de la lettre de Mr de Voltaire

L'esprit eclairé qui regne aujourd'hui dans les principales <cour> nations, demande qu'on aprofondisse ce que les Historiens effleuroient autre fois a peine.

on veut savoir de combien une nation s'est accrue qu'elle etait sa population avant l'Epoque dont on parle, et qu'elle est depuis cette epoque, le nombre des troupes regulieres qu'elle entretenait et celuy qu'elle entretient; qu'elle a été son comerce, et coment il s'est etendu, quels arts sont nés dans le païs, quels arts y ont été appellés d'ailleurs, et s'y sont perfectionés, quel etoit a peu pres le revenu ordinaire de l'etat et a quoi il se monte aujourd'hui, quel' a été la naissance et le progrés de la marine; qu'elle est la proportion du nombre des nobles avec les eclesiastiques, et des moines et quelle est celle de ceux ci avec les cultivateurs etc:

3. Lettre d'Ivan Ivanovitch Chouvalov à Jacob von Stählin (russe: Iakov Iakovlevitch Chteline), 29 juin 1759 (10 juillet n. st.). Original autographe signé, Bibliothèque nationale de Russie, Saint-Pétersbourg, Département des manuscrits, F. 871, no 792, f.2v. Cette lettre a été publiée par Piotr Petrovitch Pekarski, 'O perepiske akademika Chtelina' [A propos de la correspondance de l'académicien Stählin], *Zapiski Imperatorskoï Akademii Naouk* [*Mémoires de l'Académie impériale des sciences*] (Saint-Pétersbourg 1865), vii.131-32. Dans la publication de Pekarski elle est datée du 20 juin 1759.

Monsieur,
Il a deja quelque tems que Vous m'aves promis de faire traduire les anecdotes de Pierre le Grand qui sont chez vous, de l'allemand en francais. Ainsi je me flatte de les recevoir bientot. Cependant comme je voudrois envoyer tous les materiaux necessaires a Mr de Voltaire au plutot possible, j'ai l'honneur de Vous reiterer mes prieres la dessus; et si ces anecdotes ne sont pas encore tous traduits, je vous prie de

m'envoyer les feuilles a proportion qu'ils seront prets. Je compte sur votre amitie que Vous me feres ce plaisir, et seres toujours assures que je suis avec une parfaite consideration,

Monsieur,

Votre tres humble et tres obeissant serviteur

J. Schouvalow

Peterhoff   ce 29 Juin 1759

A Monsieur / Monsieur Stigling / Conseiller de la Cour de Sa / Majesté Impériale de toutes les / Russies, et Membre de l' / Académie Impériale / des Sciences. / à St. Petersbourg.

4. Lettre d'Ivan Ivanovitch Chouvalov à Gerhard Friedrich (russe: Fedor Ivanovitch) Müller, 21 août/[1 septembre] 1759. Original autographe signé, RGADA, F. 199, portf. 546, 9e partie, no 21, f.10r.

Monsieur,

Il me sembloit que deja depuis long tems Je vous ai prié de fournir quelques matieres pour l'Histoire de Pierre le grand; Mais juger par votre silence je dois le prendre a ma distraction. La lettre que j'ai eu l'honneur de vous ecrire sur ce sujet, ne fut pas surement envoyée de ma part. Ainsi Monsieur je vous prie par celle-ci de vouloir bien contribuer de votre part quelques materiaux pour la construction de ce grand edifice. Je suis assuré de votre zele, et persuadé de votre capacité, qui vous rendent tous les deux fort utile pour repondre a mes vuës, qui sont a la satisfaction de toute l'Europe et $^{\uparrow}$a^{+} la gloire de notre Empire. Je vous prie donc Monsieur de s'aboucher avec Mr Taubert sur les sortes des matieres que l'Historien a besoin: c'est luy pour ainsi dire qui a tout le fardeau de cet ouvrage et tout ce que J'ai envoye jusqu'apresent a Mr de Voltaire, la plupart est de travail de Mr Taubert. Joignes vos soins aux siens, et contribues autant que vous pourrés au succès de cet entreprise et soyès assuré

APPENDICE XI

que je me ferai undevoir de reconnoitre toujours cette obligation que vous me ferés.

Votre tres humble et tres obeissant serviteur

JSchouvalow

le 21. d'aout 1759
P.H. [Peterhoff]

a Mr Müller

Monsieur / Monsieur Mühler / Proffesseur et Secretaire de / l'academie Imperiale des / Sciences, / a S^t. Petersbourg.

[*d'une autre main:*] M. Le Comte andré est chargé de la part de M. Le Chambellan de prier Monsieur Muller d'expedier à S. E. Le plutot possible Les remarques sur La vie de Pierre Le grand parce que S. E. doit envoyer bientot un estafette à M. De Voltaire.

A Monsieur / Monsieur Muller / professeur de L'aca / demie de S^t / Petersbourg

5. Lettre d'Ivan Ivanovitch Chouvalov à Gerhard Friedrich (russe: Fedor Ivanovitch) Müller, 22 juin/[3 juillet] 1761 (3 juillet n. st.). Original autographe signé, RGADA, F. 199, portf. 546, 9e partie, no 21, f.9. Publié par Stepan Petrovitch Chevyrev, 'Istoritcheskie materialy. Lioubopytnye dokoumenty iz portfelieï Millera' [Matériaux historiques. Documents curieux des portefeuilles de Müller], *Moskvitianine* [*Le Moscovite*] (1854), i.6-7.

Monsieur,

Je viens de recevoir une grande partie du 2^d tome de l'histoire de Russie par M^r. de Voltaire. Je crois être en devoir de le communiquer a vos Lumières. Il me semble Monsieur qu'une critique faite a la sourdine par un académicien, doit être réjettée et reparée par les bons conséils, que vôtre devoir porte a contribuer de publier les Faits d'un fondateur de l'academie et de l'Empire. Je me flatte Monsieur que vous voudrés me mettre au niveau avec vôtre savant de Leipzig, qui fut jadis secretaire, et devient maintenant Prêtre, dont j'ai oublié le nom. Vous rendrés parlà, Monsieur, service au heros de l'histoire, au bien du monde, et a vous même. Vous me ferés un grand plaisir d'apporter avec vous les rémarques que vous avés fait, destinés pour la critique de Leipzig, et changés en observations de Petersbourg. Vôtre Rang et vôtre Devoir l'exigent. J'espére Monsieur que vous ne réfuserés point a ma juste Demande, et que vous préfererés l'utilité a la vanité.[1] J'attends vôtre reponse, et plus encore vous meme avec les mémoires; Etant avec la Considération que je vous dois,

Monsieur,

Votre tres humble et tres obeissant serviteur

JSchouvalow

Peterhoff. ce 22. Juin 1761.

6. Lettre de Gerhard Friedrich (russe: Fedor Ivanovitch) Müller à Ivan Ivanovitch Chouvalov, 22 juin/[3 juillet] 1761 (3 juillet n. st.). Minute autographe, Archives de l'Académie des sciences, Saint-Pétersbourg, F. 21, opis 3, no 308/29, f.8r.

Herrn Cammerhern Schouvalow

Je me trouve trop flatté par la tres gracieuse lettre, dont il a plû à V. E. de m'honorer et que je recu ce moment non obstant mes grandes occupations a l'Academie je me fasse un devoir a remplir la tache que V. E. me destine. Je viendrai a Peterhof demain au soir et j'apporterai mes remarques et aussi les feuilles imprimées de Leipsic, qui feront voir que je n'y ai aucune part. Alors V. E. m'instruira sur ce que j'ai a faire. Je prouverai par une prompte obeissance combien j'estime l'honneur de vous plaire, etant avec le plus profond respect

7. Lettre de Gerhard Friedrich (russe: Fedor Ivanovitch) Müller à

---

[1] Le ton de cette lettre confirme les inimitiés entre Russes et Allemands que nous avons évoquées et dont Voltaire a soupçonné l'existence.

Ivan Ivanovitch Chouvalov, 14/25 juillet 1761. Minute autographe, Archives de l'Académie des sciences, Saint-Pétersbourg, F. 21, opis 3, no 307/20, f.11.

Monseigneur

En consequence des Ordres de Votre Excellence j'ai fait l'extrait de mes remarques sur Mr de Voltaire, et j'ai l'honneur de Vous le présenter. J'y ai ajoute àpresent ce que j'ai trouvé à observer sur le 3. chapitre. Si Votre Excellence le souhaite je continuerai sur le même pied, ou je serai encore concis à l'avenir.

J'ai vu les cahiers que Votre Excellence a communique à Mr. Taubert. J'y trouve beaucoup moins à corriger que dans le 1. Tome. Ce sont pour la plus grande partie des anecdotes, sur lesquelles je ne sçai que dire. Après que Mr. Taubert aura fait ses remarques, je verrai ce que je trouverai à glaner.

J'ai aussi l'honneur de présenter à Votre Excellence les dernieres feuilles de la traduction allemande de Mr. Busching. [2] J'espére que Votre Excellence après avoir consideré cet ouvrage me tiendra quite des insinuations qu'on Lui a fait à ce sujet. La honte en doit naturellement rétomber sur leur auteur. Mais quel chagrin pour moi, de me voir continuellement décrié de la maniere la plus atroce et devant un seigneur, que chacun doit reconnoitre pour le premier Protecteur des Sciences?

Je suis, Monseigneur avec le plus profond respêt
de Votre Excellence
le tres humble et tres obeissant serviteur

Müller

S. Petersbourg
ce 14 Juillet 1761.

---

[2] Il s'agit sans doute de la traduction allemande de Hube, préfacée par Büsching. Contrairement à ce que prétend Müller ici, il a bien été à l'origine de cette édition de Francfort (voir ci-dessus, p.338 ss.). Chouvalov était très mécontent de cette préface et avait sommé vainement Büsching de faire amende honorable (voir ci-dessus, p.344).

APPENDICE XII

Glossaire

Batogues (*batog*, pl. *batogui*)   Le mot apparaît pour la première fois en français en 1607 dans le récit de voyage de Margeret. Le supplice des batogues consiste à fouetter le dos nu du condamné avec des verges (des baguettes de frêne). La description de ce châtiment corporel par Jubé (p.155-56), et par Chappe d'Auteroche (p.226) est accompagnée d'illustrations.

Boïar (ou boyard)   Le mot français, attesté dès 1415, est la forme du génitif-accusatif du mot russe. Les boïars étaient les nobles les plus anciens en pays slave. Dans l'Etat kiévien, ils étaient les compagnons du prince et constituaient la classe supérieure de la société. En Moscovie, ils jouaient un rôle important dans la Douma des boïars.

Domostroï   Ménagier du seizième siècle. Il conférait au père de famille une autorité absolue sur sa femme et sur ses enfants.

Douma des boïars (*boïarskaïa douma*)   Assemblée créée par Ivan IV en 1547. Elle perdit de son influence avec le renforcement de l'absolutisme. Pierre le Grand la supprima en créant le Sénat en 1711.

Grivennik (*gryphen*)   Monnaie d'argent de dix kopecks créée en 1701.

Hetman   Chef élu de l'armée cosaque ukrainienne. Le mot apparaît en français en 1660. Aux dix-septième et dix-huitième siècles, il désigne le dirigeant de l'Ukraine. A ne pas confondre avec l'*ataman* (mot peut-être d'une autre origine), qui est un chef élu de troupes cosaques.

Khan   Titre des souverains mongols et des princes tatars. Le mot est attesté en français dès 1298.

Khoutouktou   Bouddha vivant (voir II.xi, n.21).

Knès   Prince russe. Le terme est emprunté sous cette forme dès 1575 par A. Thevet. En réalité, le mot russe est *kniaz*. 'Knez' est la forme slave du sud. Le mot a été emprunté anciennement par les langues slaves à une langue germanique (cf. le vieux haut allemand *kuning*).

Knout   Fouet à lanières de cuir. Le mot russe est emprunté au vieux norrois *knutr*, 'nœud'. Il est attesté en français depuis 1681. Le supplice du knout est décrit dans le *Voyage de Sibérie* de Chappe d'Auteroche (p.227-29), où il est illustré par deux gravures d'après Le Prince.

Kow-tow   Terme chinois. Prosternation rituelle exigée des ambassadeurs reçus en audience par l'empereur de Chine. Elle était constituée de trois génuflexions accompagnées de trois prosternements.

Krasnoï kryletz   Le 'perron rouge' au Kremlin de Moscou.

Miestnitchestvo   Système de préséances en usage jusqu'à son abolition en 1682. Il déterminait la position des boïars, leur rang dans la société et leur droit aux emplois officiels en fonction de leur arbre généalogique.

Mirza (myrza, mourse)   Prince tatar.

Nemietskaïa sloboda   Le faubourg allemand (ou plus généralement le faubourg des étrangers) au nord-est de Moscou.

Ober-fiskal   Directeur du bureau d'information créé en 1711. Chargé de lutter contre la corruption en dépistant et en signalant au Sénat tous les contrevenants, il était le chef de 500 fiskaly.

Obrok   Redevance en argent ou en nature due par le paysan serf au propriétaire foncier (pomiechtchik).

Odnodvortsy   Anciens nobles de service astreints à la garde des frontières de la Russie aux seizième et dix-septième siècles et disposant d'une seule ferme (*dvor*). A partir du dix-huitième siècle, ils constituaient un groupe particulier de paysans d'Etat.

Oukase (ou ukase)   Edit promulgué par le tsar. Le mot est enregistré en français vers 1775, mais apparaît dès les années 1730 dans les manuscrits de Varnesobre et de Jubé.

Oulogénié   Code de lois institué sous le tsar Alexis en 1649.

Pomiechtchik   Propriétaire foncier bénéficiant d'un domaine (pomestié) pour services rendus, d'abord à titre temporaire, puis à titre héréditaire.

Potiechnyé   Soldats recrutés par Pierre Ier dans sa jeunesse pour son divertissement (*potiekha*) et ses jeux guerriers.

Prikaz   Embryon de ministères aux seizième et dix-septième siècles. Les attributions des *prikazy* étaient mal définies, avec des chevauchements de compétences. Il y en eut jusqu'à 80, dont 40 pouvaient fonctionner en même temps. Ils furent remplacés en 1718 par des collèges.

Raskolnik (pl. raskolniki)   Le mot, péjoratif, est dérivé du russe *raskol* (schisme). Les raskolniks sont les orthodoxes russes qui ont refusé les réformes du patriarche Nikon au dix-septième siècle. Voltaire a été l'un des premiers à employer ce terme en français (en adoptant le pluriel russe). Auparavant, Weber avait introduit la forme *roskolnicks*. Les adversaires de Nikon ne se considèrent pas comme des schismatiques, mais comme des vieux croyants.

Soudiebnik   Code de lois du seizième et du début du dix-septième siècles. Il y en eut quatre, élaborés sous Ivan III (1497), Ivan IV (1550), Fedor (1589) et Vassili Chouïski (1606-1607).

Stoglav   Les 'Cent chapitres' (1551). Décisions prises sous Ivan IV avec la participation du haut clergé et de la douma des boïars. Le Stoglav unifia les rites de l'Eglise orthodoxe et limita l'accroissement des domaines des monastères.

Streltsy   Milice d'archers créée sous Ivan IV. Le terme de *streltsy* (un *strelets*) est préférable à celui de *strélitz*.

Tchinovnik   Titulaire d'un *tchin*, grade civil ou militaire de la

Table des rangs créée en 1722. Dans l'administration, le terme ne correspond qu'approximativement à fonctionnaire.

Térem   Mot d'origine grecque. Il désigne la partie supérieure des maisons des riches dans l'ancienne Russie. C'est là que se trouvaient les appartements des femmes.

Verste   Mesure de longueur égale à 500 sagènes et correspondant à 1,0668 km.

Voiévode   Le terme a deux sens. Il a signifié d'abord un chef de guerre chez les anciens Slaves et dans l'Etat russe jusqu'au début du dix-huitième siècle; puis un gouverneur militaire ou un administrateur local, du seizième siècle à 1775. A partir de 1719, il y avait un voiévode à la tête de chacune des cinquante provinces de l'empire de Russie.

Voiévodie   En Pologne, le terme désigne une importante circonscription administrative regroupant plusieurs districts.

Zemski Sobor   Assemblée créée par Ivan iv. Elle réunissait les représentants des boïars, de la noblesse, des hommes de service et du clergé. Le dernier Zemski Sobor se tint en 1684. Le terme ne correspond qu'approximativement à Etats généraux.

LISTE DES OUVRAGES CITÉS

L'*Abeille du Parnasse* (1750-1754).

Addison, Joseph, et Richard Steele, *The Spectator*, éd. D. F. Bond (Oxford 1965).

Albina, Larissa L., 'Istotchniki *Istorii rossiïskoï imperii pri Petre Velikom* Vol'tera v ego biblioteke' ['Les sources de l'*Histoire de l'empire de Russie sous Pierre le Grand* dans la bibliothèque de Voltaire', dans *Problemy istotchniko-vedtcheskogo izoutchenia roukopisnykh i staropetchatnykh fondov* [*Problèmes de l'étude des sources: fonds manuscrits et fonds de livres anciens*] 2 (Leningrad 1980), p.153-70.

Aleksandrovskaïa, O. A., 'M. V. Lomonossov i sozdanie sotchineniï o geografii Rossii' [M. V. Lomonossov et la création d'ouvrages sur la géographie de la Russie], *Vestnik AN SSSR* 1987/5, p.116-25.

Alekseev, M. P., 'Vol'ter i rousskaïa koul'toura XVIII veka' ['Voltaire et la culture russe du XVIIIe siècle'], dans *Vol'ter. Stat'i i materialy* [*Voltaire: articles et documents*] (Leningrad 1947), p.13-56.

Alembert, Jean Le Rond d', *Lettres inédites. Trois mois à la cour de Frédéric*, éd. Gaston Maugras (Paris 1886).

Algarotti, Francesco, *Lettres sur la Russie* (Londres 1769).

– *Saggio di lettere sopra la Russia* (Parigi 1760).

Allainval, Léonor-Jean-Christine Soulas d', *Anecdotes du règne de Pierre Premier, dit le Grand, czar de Moscovie* ([Paris] 1745).

Anecdotes de Suédois célèbres (1773).

Annales philosophiques, morales et littéraires, ou suite des annales catholiques (1800).

Alvarez de Colmenar, Juan, *Les Délices de l'Espagne et du Portugal* (Leide 1707).

Annales d'Espagne et de Portugal [...] *Par don Juan Alvarez de Colmenar* (Amsterdam 1741).

Apothéose du czar Pierre le Grand. éd. V. Černy (Prague 1964).

Arabschah, Ahmed ben, *Histoire du grand Tamerlan*, trad. Pierre Vattier (Paris 1658).

Argens, Jean-Baptiste de Boyer, marquis d', *Lettres chinoises, ou correspondance philosophique, historique et critique, entre un Chinois voyageur à Paris et ses correspondants à la Chine, en Moscovie, en Perse et au Japon* (La Haye 1739-1740).

Arndt, Jean-Godefroi, *Liefländische Chroniken* (Halle 1753).

Arrien, *Histoire d'Alexandre*, trad. Pierre Savinel (Paris 1984).

Avril, Philippe, *Voyage en divers Etats d'Europe et d'Asie, entrepris pour découvrir un nouveau chemin à la Chine* (Paris 1692).

Bachaumont, Louis Petit de, *Mémoires secrets pour servir à l'histoire de la république des lettres en France depuis 1762 jusqu'à nos jours* (Londres 1777-1789).

Baczko, Bronislaw, *Lumières de l'utopie* (Paris 1988).

Bain, Robert Nisbet, *The Pupils of Peter the Great: a history of the Russian court and empire from 1697 to 1740* (London 1897).

Bassewitz, Henning Frédéric de, *Eclaircissements*, dans *Büschings Magazin*, 1775, ix.

Bassville, Nicolas-Jean Hugou de, *Précis historique sur la vie et les exploits de François Le Fort* (Genève 1784).

Bastide, F.-R., *Saint-Simon par lui-même* (Paris 1953).

Baudrand, Michel Antoine, *Dictionnaire géographique et historique* (Paris 1705).

Belleforest, *Cosmographie universelle* (Paris 1575).

Bengesco, Georges, *Voltaire: bibliographie de ses œuvres* (Paris 1882-1890).

Bennigsen, Alexandre, *Russes et Chinois avant 1917* (Paris 1974).

Besançon, Alain, *Le Tsarévitch immolé* (Paris 1967).

Biblioteka Petra I, oukazatel'-spravotchnik [*La Bibliothèque de Pierre Ier*, *guide bibliographique*] (Leningrad 1978).

Bibliothèque de Voltaire: catalogue des livres (Moscou, Leningrad 1961).

Bibliothèque nationale, *Catalogue général des livres imprimés de la Bibliothèque nationale: auteur*, tome 214, Voltaire (Paris 1978).

Biographisches Lexikon der hervorragenden Ärzte aller Zeiten und Völker (München, Berlin 1962).

Blanc, Simone, 'Histoire d'une phobie: le *Testament de Pierre le Grand*', *CMRS* 9/3-4 (juillet-décembre 1968), p.265-93.

Blankoff, Jean, 'La médaille commémorative en Russie et en URSS, reflet de l'histoire', *Annali del Dipartimento di Studi dell' Europa orientale* 4-5, 1982-1983 (Napoli 1986), p.75-88.

Bogoslovski, M. M., *Piotr I: Materialy dlia biografii* [*Pierre Ier: matériaux pour une biographie*] (Moscou 1940-1948).

Bonnac, Jean-Louis d'Usson, marquis de, *Mémoire historique sur l'ambassade de France à Constantinople* (Paris 1894).

Boursier, Laurent-François, *Histoire et analyse du livre de l'action de Dieu* (s.l. 1753).

Brasey, Jean-Nicole Moreau de, *Mémoires politiques, amusants et satiriques* (Amsterdam 1716).

Brikner, A., Anton-Friedrich Büsching, dans *Istoritcheskiï Vestnik*, Saint-Pétersbourg 1886, xxv.5-26.

Brown, Andrew, 'Calendar of Voltaire manuscripts other than correspondence', *Studies* 77 (1970), p.11-101.

Brückner, A., *Peter der Grosse* (Berlin 1879).

Brumfitt, J. H., *Voltaire historian* (Oxford 1958).

Brüne, Peter, 'Johann Gotthilf Vockerodts Einfluss auf das Russlandbild Voltaires und Friedrichs II.', *Zeitschrift für Slawistik* 39 (1994), p.393-404.

Bruzen de La Martinière, Antoine-Augustin, *Le Grand dictionnaire géographique et critique* (La Haye 1726-1739).

– *Introduction à l'histoire de l'Asie, de l'Afrique et de l'Amérique. Pour servir de suite à l'Introduction à l'Histoire du baron de Pufendorff* (Amsterdam 1735).

Buchet, Pierre-François, *Abrégé de l'histoire du czar Peter Alexiewitz* (Paris 1717).

Buffon, Georges-Louis Leclerc, comte de, *Œuvres complètes* (Paris 1833-1834).

Bulletin du Nord ([1828]).

Büsching, Anton Friedrich, et Gerhard Friedrich Müller, *Geographie, Geschichte und Bildungswesen in Russland und Deutschland im 18. Jahrhundert: Briefwechsel Anton Friedrich Büsching – Gerhard Friedrich Müller 1751-1783*, éd. Peter Hoffmann, Quellen und Studien zur Geschichte Osteuropas, Neue Folge 33 (Berlin 1995).

Buvat, Jean, *Gazette de la Régence* (Paris 1887).

Calmet, Augustin, *Dictionnaire historique, critique, chronologique, géographique et littéral de la Bible* (Paris 1730).

Campredon, Jacques de, *Mémoire sur les négociations dans le Nord* (Paris 1859).

Carlisle, Charles Howard, baron Dacre, vicomte de Morpeth, comte de, *Relation de trois ambassades de monseigneur le comte de Carlisle*, éd. Guy Miège (Amsterdam 1670).

– *La Relation de trois ambassades du comte de Carlisle*, éd. Augustin Galitzin (Paris 1857).

Catherine II, *Antidote, ou examen du mauvais livre superbement imprimé intitulé: Voyage en Sibérie* ([Pétersbourg] 1770).

Catiforo, Antonio, *Vita di Pietro il Grande imperador della Russia*, 2ᵉ éd. (Venezia 1739).

Caussy, Fernand, *Inventaire des manuscrits de la Bibliothèque de Voltaire* (Paris 1913).

Černy, Vaclav, *L'Apothéose de Pierre le Grand* (Prague 1964).

Chanut, Pierre, *Mémoires de M. Chanut depuis l'an 1645 jusqu'en 1655* (Paris 1676).

Chappe d'Auteroche, Jean, *Voyage en Sibérie, fait par ordre du roi en 1761, contenant les mœurs, les usages des Russes et l'état actuel de cette puissance, la description géographique et le nivellement de la route de Paris à Tobolsk* (Paris 1768).

Chevyrev, Stepan Petrovitch, 'Istoritcheskie materialy. Lioubopytnye dokoumenty iz portfelieï Millera' (Matériaux historiques. Documents curieux des portefeuilles de Müller), *Moskvitianine (Le Moscovite)*, (1854), i.6-7.

Christodoulou, Kyriaki E., 'Alexandre le Grand chez Voltaire', dans *Voltaire et ses combats*, éd. Ulla Kölving et Christiane Mervaud (Oxford 1997), ii.1423-34.

Chroniques de Saint-Denis.

Cicéron, *De oratore*.

Clermont-Tonnerre, E. de, *Histoire de Samuel Bernard et de ses enfants* (Paris 1914).

Cohen, Claudine, *Le Destin du mammouth* (Paris 1994).

Collins, Samuel, *Relation curieuse de l'état présent de la Russie* (Paris 1679).

Conlon, Pierre M., *Le Siècle des Lumières: bibliographie chronologique* (Genève 1983-).

The Critical review (1756-1790).

Dangeau, Philippe de Courcillon, marquis de, *Journal*, éd. Soulié *et al.* (Paris 1854-1860).

De Bruyn, Cornelis, *Voyages par la Moscovie et la Perse*, dans *Voyage au Levant* (Rouen 1725).

De ratione dicendi ad C. Herennium.

Deschisaux, Pierre, *Voyage de Moscovie* (Paris 1727).

Desnoiresterres, Gustave, *Voltaire et la société française au XVIIIᵉ siècle* (Paris 1867-1876).

Diaz, Furio, *Voltaire storico* (Turin 1958).

Dictionnaire des journaux, éd. Jean Sgard (Oxford, Paris 1991).

Diderot, Denis, *Correspondance*, éd. Georges Roth et Jean Varloot (Paris 1955-1970).

Duchac, René, 'Voltaire et l'image du pouvoir politique', *Annales de la Faculté des lettres et sciences humaines d'Aix* 44 (1968), p.253-58.

Duchet, Michèle, *Anthropologie et histoire au siècle des Lumières* (Paris 1971).

Duclos, Charles Pinot, *Mémoires secrets*, nouv. éd. (Paris 1864).

Du Halde, Jean-Baptiste, *Description géographique, historique, chronologique, politique et physique de l'empire de la Chine et de la Tartarie chinoise* (La Haye 1736).

Dumont, Jean, *Corpus universel diplomatique du droit des gens* (La Haye 1731).

Duparc, Pierre, *Recueil des instructions données aux ambassadeurs et ministres de France* (Paris 1969), xix (Turquie).

Duroselle, Jean-Baptiste, *L'Idée d'Europe dans l'histoire* (Paris 1965).

Dutens, Louis, *Mémoires d'un voyageur qui se repose* (Paris 1806).

Eberhard, Christoph, *Der Innere und äussere Zustand der schwedischen Gefangenen in Russland* ([Halle] 1718-1721).

Encyclopédie ou dictionnaire raisonné des sciences, des arts et des métiers (Paris, Neuchâtel 1751-1772).

Eon de Beaumont, Charles-Geneviève-Louis-Auguste-André-Timothée, ch. d', *Les Loisirs du chevalier d'Eon pendant son séjour en Angleterre* (Amsterdam 1774).

Expilly, Jean-Joseph, *Dictionnaire géographique, historique et politique des Gaules et de la France* (Paris 1762-1770).

Fiszer, Stanislaw, *L'Image de la Pologne et des Polonais dans l'œuvre de Voltaire*, thèse dact., Nancy II (1997).

Fontenelle, Bernard Le Bovier de, *Eloge du czar Pierre Ier*, *Œuvres* (Paris 1785), iii.184-230.

Forycki, Rémi, 'Chappe d'Auteroche et son *Voyage en Sibérie*', *Acta Universitatis Lodziensis, Folia litteraria* 33 (Lodz 1992).

Foy de La Neuville, *Relation curieuse et nouvelle de Moscovie* (Paris 1698).

– *Zapiski o Moskovii*, éd. Alexandre Lavrov (Moscou 1996).

La France et la Russie au siècle des Lumières (Paris 1986).

Frédéric II, *Continuation des Mémoires de Brandebourg* ([Berlin, La Haye] 1757).

– *Mémoires pour servir à l'histoire de la maison de Brandebourg* (Berlin, La Haye 1751).

– *Œuvres de Frédéric le Grand*, éd. J. D. E. Preuss (Berlin 1846-1857).

Fréron, Elie-Catherine, *L'Année littéraire, ou suite des Lettres sur quelques écrits de ce temps* (Paris 1754-1776).

Fryxell, Anders, *Lebensgeschichte Karl's des Zwölften, Königs von Schweden* (Braunschweig 1861).

Galitzin, Augustin, *La Russie au XVIIIe siècle: mémoires inédits sur les règnes de Pierre le Grand, Catherine Ière et Pierre II* (Paris 1863).

Gaspardone, Emile, 'Dutens et les Russes', *Revue des études slaves* 30 (1953), p.74-81.

Gay, Peter, *Voltaire's politics: the poet as realist* (Princeton 1959).

Gazette de France (1762-1792).

Geffroy, A., *Madame de Maintenon d'après sa correspondance authentique* (Paris 1887).

– *Recueil des instructions données aux*

ambassadeurs et ministres de France (Paris 1885), ii (Suède).

The Gentleman's magazine (1731-1833).

Georgeon, *Histoire des révolutions de Pologne*, éd. Pierre-François Guyot Desfontaines (Amsterdam 1735).

Gmelin, Johann Georg, *Voyage en Sibérie, contenant la description des mœurs et usages des peuples de ce pays* (Paris 1767).

Goggi, Gianluigi, 'Diderot et l'abbé Baudeau: les colonies de Saratov et la civilisation de la Russie', *Recherches sur Diderot et sur l'Encyclopédie* 14 (1993), p.23-85.

Golitsyne, Nikolaï, 'I. I. Chouvalov i ego inostrannye korrespondenty' (I. I. Chouvalov et ses correspondants étrangers), *Literatournoïe nasledstvo* (*L'Héritage littéraire*) (Moscou 1937).

Goloubinski, E., *Istoria rousskoï tserkvi* [*Histoire de l'Eglise de Russie*] (Moscou 1880).

Gonneau, Pierre, *La Maison de la Sainte Trinité, un grand monastère russe du moyen âge tardif (1345-1533)* (Paris 1993).

Gordon, Alexander, *The History of Peter the Great, emperor of Russia. To which is prefixed a short general history of the country* (Aberdeen 1755).

Gordon, Patrick, *Tagebuch* (Leipzig 1849).

– *Passages from the diary of general Patrick Gordon* (Aberdeen 1859).

Göttingische gelehrte Nachrichten.

Goubert, Pierre, et Daniel Roche, *Les Français et l'Ancien Régime* (Paris 1984).

Grey, I., *Peter the Great* (Philadelphia 1960).

Grimm, Friedrich Melchior, *Correspon-dance littéraire*, éd. Maurice Tourneux (Paris 1877-1882).

Gruber, Jean-Daniel, *Origines Livoniae sacrae et civilis* (Francfort, Leipzig 1740).

Grumel, V., 'Chronologie patriarcale au xe siècle', *Revue des études byzantines* 22 (1964), p.45-71.

– *Les Registres des Actes du patriarcat de Constantinople*, 2e éd. (Paris 1989).

Grunwald, Constantin de, *La Russie de Pierre le Grand* (Paris 1953).

– *Trois siècles de diplomatie russe* (Paris 1945).

Guignes, Joseph de, *Histoire des Huns et des peuples qui en sont sortis* (Paris 1751).

– *Histoire générale des Huns, des Turcs, des Mogols, et des autres Tartares occidentaux etc. avant et depuis Jésus-Christ jusqu'à présent* (Paris 1756-1758).

– *Mémoire dans lequel on prouve, que les Chinois sont une colonie égyptienne* (Paris 1759).

Gyllenborg, Carl, comte de, *et al.*, *Letters which passed between count Gyllenborg, the barons Gortz, Sparre, and others; Relating to the design of raising a rebellion in His Majesty's dominions, to be supported by a force from Sweden. Translated into English. Published by authority* (London 1717).

Hanway, Jonas, *A historical account of the British trade over the Caspian sea* (London 1753).

Haumant, Emile, *La Culture française en Russie* (Paris 1913).

Heller, Leonid, et Michel Niqueux, *Histoire de l'utopie en Russie* (Paris 1995).

Herberstein, Siegmund von, *La Moscovie du XVIe siècle vue par un ambassadeur occidental, Herberstein*, éd. R. Delort (Paris 1965).

Hermann, Benedikt Franz Johann, *Statistische Schilderung von Russland in Rücksicht auf Bevölkerung, Landesbeschaffenheit, Bergbau, Manufakturen und Handel* (St Petersburg 1790).

Herzen, Alexandre Ivanovitch, *Sobranié sotchinieniï [Œuvres]* (Moscou 1954-1966).

Histoire de la littérature russe: des origines aux Lumières, dir. E. Etkind, G. Nivat, I. Serman, V. Strada (Paris 1992).

Histoire de Timur-Bec, trad. François Pétis de La Croix (Paris 1722).

Hoffmann, Peter, 'Lomonosov und Voltaire', *Studien zur Geschichte der russischen Literatur des 18. Jahrhunderts 3*, éd. Helmut Grasshoff et Ulf Lehmann (Berlin 1968), p.415-25, 600-603.

– et Gabriela Lehmann-Carli, 'Les échos allemands de l'*Histoire de Pierre le Grand* par Voltaire', *Philologiques IV. Transferts culturels triangulaires France-Allemagne-Russie*, sous la direction de Katia Dmitrieva et Michel Espagne (Paris [1996]), p.55-72.

Hübner, Johann, *La Géographie universelle*, trad. Jean-Jacques Duvernoy (Bâle 1757).

Ingerflom, Claudio Sergio, 'Oublier l'Etat pour comprendre la Russie? XVIe-XIXe siècle', *Revue des études slaves* 66/1 (1994), p.125-45.

Inventaire Voltaire, sous la direction de Jean Goulemot, André Magnan, Didier Masseau (Paris 1995).

Isbrand Ides, Evert, *Relation du voyage de M. Evert Isbrand* (Amsterdam 1699).

Istoria Moskvy [Histoire de Moscou] (Moscou 1952).

Iverson, John R., 'La guerre, le grand homme et l'histoire selon Voltaire: le cas de l'*Histoire de l'empire de Russie*

sous Pierre le Grand', dans *Voltaire et ses combats*, éd. Ulla Kölving et Christiane Mervaud (Oxford 1997), ii.1413-22.

Jobert, Ambroise, *Histoire de la Pologne* (Paris 1965).

Jordan, Johann Christoph von, *De originibus Slavicis, opus chronologico-geographico-historicum* (Vindobonae 1745).

Journal de Paris (1777-1840).

Journal des savants (1665-1792).

Journal économique (1751-1772).

Journal encyclopédique (1756-1794).

Jubé, Jacques, *La Religion, les mœurs et les usages des Moscovites*, éd. Michel Mervaud, Studies 294 (1992).

Kaempfer, Engelbert, *Histoire naturelle, civile, et ecclésiastique de l'empire du Japon* (La Haye 1729).

Kappeler, Andreas, *La Russie, empire multiethnique*, trad. Guy Imart (Paris 1994).

Kelch, Christian, *Liefländische Historia, oder kurtze Beschreibung der denckwürdigsten Kriegs- und Friedens-Geschichte Esth-, Lief und Lettlandes* (Reval 1695).

Khoteev, P. I., 'Frantsouzskaïa kniga v Biblioteke Peterbourgskoï Akademii naouk (1714-1742 gg.)' ['Le livre français dans la Bibliothèque de l'Académie des sciences de Pétersbourg'], dans *Frantsouzskaïa kniga v Rossii v XVIII v. [Le Livre français en Russie au XVIIIe siècle]* (Leningrad 1986), p.5-58.

Klioutchevski, Vassili Ossipovitch, *Pierre le Grand et son œuvre* (Paris 1953).

– *Sotchinienia [Œuvres]* (Moscou 1956).

Kopanev, N. A., *Frantsouzskaïa kniga i rousskaïa koul'toura v seredine XVIII veka* [*Le Livre français et la culture russe au milieu du XVIIIe siècle*] (Leningrad 1988).

Korb, Johann Georg, *Diarium itineris in Moscoviam* (Vienne [1700]).

– *Récit de la sanglante révolte des strélitz en Moscovie, 1698*, trad. Augustin Galitzin (Paris 1859).

Kostiachov, I. V., et G. V. Kretinine, 'Rossiïskie studenty vremen Petra I v Kenigsberge' ['Les étudiants russes de l'époque de Pierre Ier à Königsberg'], *Voprosy istorii*, 1994/3, p.174-76.

Kostychine, D. N., 'Iz istorii izdania knigui Vol'tera o Petre Velikom' ['A propos de l'édition du livre de Voltaire sur Pierre le Grand'], *Istoritcheskiï Arkhiv* 4 (1993), p.187-91.

Kouliabko, E. S., et N. V. Sokolova, 'Istotchniki vol'terovskoï *Istorii Petra*' ['Sources de l'*Histoire de Pierre le Grand* de Voltaire'], *Frantsouzskiï ejegodnik* 1964 (Moscou 1965), p.274-78.

Kracheninnikov, Stepan Petrovitch, *Description du Kamtchatka*, dans Chappe d'Auteroche, *Voyage en Sibérie* (Paris 1768), iii.513-74.

Krantz, Albert, *Chronica regnorum aquilonarium, Daniae, Sueciae, Norvagiae* (Strasbourg 1546).

Krylova, T. K., et V. A. Aleksandrov, 'Bor'ba s reaktionnoï oppozitsieï', *Otcherki istorii SSSR* [*Etudes sur l'histoire de l'U.R.S.S.*] (Moscou 1954), p.422-29.

Kurat, Akdes Nimet, 'Der Prutfeldzug und der Prutfrieden von 1711', *Jahrbücher für Geschichte Osteuropas* 10/1 (1962), p.13-66.

Labanoff, Alexandre, *Lettre à M. le rédacteur du Globe au sujet de la prétendue ambassade en Russie de Charles de Talleyrand* (Paris 1827).

La Beaumelle, Laurent Angliviel de, *Lettre du czar Pierre à M. de Voltaire sur son Histoire de Russie* ([s.l.] 1761).

Lacombe, Jacques, *Histoire des révolutions de l'empire de Russie* (Paris 1760).

La Hode, Yves-Joseph de La Mothe, dit de, *Histoire de la vie et du règne de Louis XIV, roi de France et de Navarre. Rédigée sur les Mémoires de feu monsieur le comte de *** (La Haye 1740-1742).

La Lande, P.-A., *Histoire de l'empereur Charles VI de glorieuse mémoire* [...] *tirée de mémoires et autres pièces authentiques, manuscrites et autres, desquelles on a puisé des anecdotes très curieuses, et qui n'avaient point encore paru* (La Haye 1743).

La Martinière, Pierre-Martin de, *Voyage des pays septentrionaux dans lequel se voit les mœurs, manière de vivre, et superstitions des Norweguiens, Lappons, Kiloppes, Borandiens, Sybériens, Samojedes, Zembliens et Islandais* (Paris 1671).

Lambert de Guérin, Joseph Gaspard, *Le Prince Kouchimen, histoire tartare* (Paris 1710).

– *Histoire de l'origine du prince Menzikow* (Amsterdam 1728).

Lamberty, Guillaume de, *Mémoires pour servir à l'histoire du XVIIIe siècle* (Amsterdam 1734-1736).

La Mothe, Yves-Joseph de, dit de La Hode, *Histoire de la vie et du règne de Louis XIV, roi de France et de Navarre. Rédigée sur les Mémoires de feu monsieur le comte de *** (La Haye 1740-1742).

La Mottraye, Aubry de, *Remarques historiques et critiques sur l'Histoire de Charles XII* (Londres 1732).

– *Voyages en anglais et en français en*

1273

diverses provinces et places de la Prusse ducale et royale, de la Russie, de la Pologne etc. (La Haye 1732).

– Voyages en Europe, Asie et Afrique (La Haye 1727).

Langevin, Luce, Lomonossov, 1711-1765: sa vie, son œuvre (Paris 1967).

La Vega, Garcilaso de, Histoire des Incas (Paris 1744).

Le Blanc, Hubert, Le Czar Pierre premier en France (Amsterdam 1741).

Le Clerc, Nicolas-Gabriel, Histoire physique, morale, civile et politique de la Russie ancienne et moderne (Paris 1783-1785).

– Histoire physique, morale, civile et politique de la Russie moderne (Paris 1783-1785).

Le Fort, Henri, Notice généalogique et historique sur la famille Le Fort (Genève 1920).

Leibniz, Gottfried Wilhelm von, Œuvres (Paris 1875).

Lemercier-Quelquejay, Chantal, 'La campagne de Pierre le Grand sur le Prut', CMRS 7/2 (1966), p.221-33.

Lenglet Du Fresnoy, Nicolas, Lettres d'un pair de la Grande-Bretagne à milord archevêque de Cantorbéri sur l'état présent des affaires de l'Europe, traduites de l'anglais par le chevalier Edward Melton (Londres 1745).

Lentin, Antony, 'Cunégonde and Catherine I: a footnote to Candide', Study group on eighteenth-century Russia, Newsletter, n° 23 (novembre 1995), p.17-19.

– 'Les "erreurs" de Voltaire: a riposte from St Petersburg. G. F. Müller's "Remarques sur l'Histoire de Pierre le Grand par Mr de Voltaire", and their sequel', dans Voltaire et ses combats, éd.

Ulla Kölving et Christiane Mervaud (Oxford 1997), ii.1305-14.

– The Justice of the monarch's right (Oxford 1995).

Levasseur de Beauplan, Guillaume, Description d'Ukranie (Rouen 1660).

Le Vassor, Michel, Histoire du règne de Louis XIII, roi de France et de Navarre (Amsterdam 1712-1720).

Levchine, Piotr Gueorguiévitch, Sermon prêché par ordre de S. M. impériale sur la tombe de Pierre le Grand le lendemain du jour que l'on reçut à St. Petersbourg la nouvelle de la victoire navale remportée sur la flotte turque, dans l'église cathédrale de St. Petersbourg (Londres 1771).

Levesque, Pierre-Charles, Histoire de Russie (Paris 1782).

– Histoire des différents peuples soumis à la domination des Russes (Paris 1783).

Levin, Iouri D., 'Anglïïskï journal "Moskovit" (1714)', dans Vospriatié rousskoï koul'toury [Perception de la culture russe] (Leningrad 1975), p.7-23.

Lioublinski, V. S., Pis'ma k Vol'terou (Leningrad 1970).

Locatelli, Francesco, comte, Lettres moscovites (Paris 1736).

Lomonossov, Mikhaïl Vassilievtch, Polnoe sobranie sotchinienïï [Œuvres complètes] (Moscou, Leningrad 1949-1959).

– Panégyrique de Pierre le Grand prononcé dans la séance publique de l'Académie impériale des sciences le 26 avril 1755 par M. Lomonosow, conseiller et professeur de cette Académie, et traduit de l'original russien par M. le baron de Tschoudy (St Pétersbourg [1759]).

The London chronicle, or universal evening post (1757-1823).

Lortholary, Albert, Le Mirage russe en France au XVIIIe siècle (Paris 1951).

Lystsov, V. P., et V. A. Aleksandrov, 'Persidskiï pokhod' ['La campagne de Perse'], dans *Otcherki istorii SSSR, XVIII v.* (Moscou 1954).

Madariaga, Isabel de, *La Russie au temps de la Grande Catherine* (Paris 1987).

Magnan, André, *Dossier Voltaire en Prusse*, Studies 244 (1986).

Magnus, Olaus, *Historia de gentibus septentrionalibus* (Venise 1555).

Mairan, Jean-Jacques Dortous de, *Lettres de M. de Mairan au R. P. Parrenin* [...] *contenant diverses questions sur la Chine* (Paris 1759).

Manifeste du procès criminel du czarewitsch Alexei Petrovitch [...] *traduit sur l'original russien et imprimé par ordre de Sa Majesté czarienne* (La Haye 1718).

Marais, Mathieu, *Journal et mémoires* [...] *sur la régence et le règne de Louis XV, 1715-1737*, éd. M. F. A. de Lescure (Paris 1863-1868).

Margeret, Jacques, *Etat de l'empire de Russie*, éd. A. Bennigsen (Paris 1983).

Martel, Antoine, *Michel Lomonosov et la langue littéraire russe* (Paris 1933).

Massie, Robert K., *Pierre le Grand* (Paris 1985).

Massuet, Pierre, *Annales d'Espagne et de Portugal* [...] *Par don Juan Alvarez de Colmenar* (Amsterdam 1741).

Matveev, Andreï Artamonovitch, *Zapiski Matveeva* [*Mémoires d'Andreï Artamonovitch Matveev*] (Saint-Pétersbourg 1841).

Mauvillon, Eléazar de, *Histoire de Pierre Ier, surnommé le Grand, empereur de toutes les Russies, roi de Sibérie, de Casan, d'Astracan, grand duc de Moscovie etc., etc.* (Amsterdam, Leipzig 1742).

– *Histoire du prince François Eugène de Savoie* (Amsterdam 1740).

Mémoire abrégé sur la vie du Zarewitsch Alexis Petrowitsch envoyé par ordre de la cour de Saint-Pétersbourg à M. de Voltaire lorsqu'il composait l'histoire de l'empire de Russie, dans Augustin Galitzin, *La Russie au XVIIIe siècle: mémoires inédits sur les règnes de Pierre le Grand, Catherine Ière et Pierre II* (Paris 1863).

Mémoires en forme de manifeste sur le procès criminel jugé et publié à S. Petersbourg en Moscovie le 25 juin 1718 contre le czarevitch Alexei (Nancy 1718).

Mémoires pour l'histoire des sciences et des beaux-arts (1701-1767).

Mémoires du comte de Bonneval (Londres 1737).

Mercure de France (1672-1794).

Mercure historique et politique (1686-1782).

Merejkovski, Dmitri Serguéevitch, *Antichrist (Piotr i Aleksei)* (Moscou 1993).

Mervaud, Christiane, 'L'Europe de Voltaire', *Magazine littéraire* 238 (1987), p.25-29.

– 'Portraits de Catherine II dans la *Correspondance* de Voltaire', *Catherine II et l'Europe* (Paris 1997), p.163-70.

– *Voltaire et Frédéric II: une dramaturgie des Lumières*, Studies 234 (1985).

Mervaud, Michel, 'Les *Anecdotes sur le czar Pierre le Grand* de Voltaire: genèse, sources, forme littéraire', *Studies* 341 (1996), p.89-126.

– 'Le knout et l'honneur des Russes (à propos de deux articles de l'*Encyclopédie*)', *Recherches sur Diderot et sur l'Encyclopédie* 14 (1993), p.111-24.

– 'Un monstre sibérien dans l'*Encyclopédie*, et ailleurs: le Béhémoth', *Recherches sur Diderot et sur l'Encyclopédie* 17 (1994), p.107-32.

– 'Un Normand en Russie au XVI⁰ siècle: le voyage du Dieppois Jean Sauvage', *Etudes normandes* (1986), n 2, p.38-52.

–, et Jean-Claude Roberti, *Une infinie brutalité: l'image de la Russie dans la France des XVI⁰ et XVII⁰ siècles* (Paris 1991).

Merzahn von Klingstöd, Timothée, *Mémoire sur les Samoyèdes et les Lapons* (Königsberg 1762).

Meyer, Henry, *Voltaire on war and peace*, Studies 144 (1976).

Milioukov, P., Ch. Seignobos et L. Eisenmann, *Histoire de Russie* (Paris 1932).

Minzloff, Rudolf, *Pierre le Grand dans la littérature étrangère [...] d'après les notes de monsieur le comte de Korff* (Saint-Pétersbourg 1872).

Moiseeva, G. N., 'Iz arkhivnykh razyskaniï o Lomonosove (sokrachtchennoe opisanie del gosoudaria Petra I)' ['Recherches d'archives sur Lomonossov (description abrégée des actions de l'empereur Pierre Iᵉʳ)'], *Rousskaïa literatoura* 1979/3, p.123-38.

Molinier, Auguste, *Les Sources de l'Histoire de France* (Paris 1904).

Montesquieu, Charles-Louis de Secondat, baron de La Brède et de, *De l'esprit des lois* (Leyde 1749).

–, nouv. éd. (Genève 1753).

Montgon, Charles-Alexandre de, *Mémoires [...] contenant les différentes négociations dont il a été chargé dans les cours de France, d'Espagne, et de Portugal, et divers événements qui sont arrivés depuis l'année 1725 jusques à présent* (s.l. 1748-1749).

The Monthly review(1749-1845).

Montulé, Edouard de, *Voyages en Angleterre et en Russie* (Paris 1825).

Morand, Paul, *Le Prince de Ligne* (Paris 1964).

Moreri, Louis, *Le Grand dictionnaire historique* (Paris 1759).

Mortier, Roland, 'L'imaginaire historique du XVIII⁰ siècle: l'exemple de Voltaire', *Le Cœur et la raison: recueil d'études sur le dix-huitième siècle* (Oxford, Bruxelles, Paris 1990), p.135-45.

– 'Voltaire et le peuple', *Le Cœur et la Raison* (Oxford, Bruxelles, Paris 1990), p.89-103.

Moskovskiï Telegraf (1825-1834).

Moskovskiï Vestnik (1827-1830).

Moskva, illioustrirovannaïa istoria [Moscou, histoire illustrée] (Moscou 1984).

Mottley, John, *The History of the life of Peter I, emperor of Russia* (London 1739).

Moureaux, José-Michel, 'Needham vu par lui-même et par ses pairs', *Voltaire et ses combats*, éd. Ulla Kölving et Christiane Mervaud (Oxford 1997), p.923-38.

Müller, Gerhard Friedrich, *voir* Büsching

– 'Eclaircissement sur une lettre du roi de France Louis XIII au tsar Michel Fedrowitch de l'année 1635', *Büschings Magazin für die neue Historie und Geographie* (Halle 1782), xvi.351-54.

– 'Beurtheilung der Geschichte des Russischen Reiches unter der Regierung Peter des Grossen vom Herrn von Voltaire', *Neues Gemeinnütziges Magazin* (décembre 1760), ii.716-26, (janvier 1761), iii.104-17.

– *Büschings Magazin für die neue Historie und Geographie*, III (Hamburg 1769), p.201-30.

– *Sammlung Russischer Geschichte* (Saint-Pétersbourg 1732-1764).

Münnich, Burchard-Christophe de,

'Ebauche' du Gouvernement de Russie, commentaires et notes de Francis Ley (Genève 1989).

Muralt, Edouard de, Essai de chronographie byzantine (Paris 1963).

Nemeitz, Joachim Christoph, Mémoires concernant monsieur le comte de Stenbock [...] savoir les campagnes de 1712 et 1713 de ce général avec sa justification, pour servir d'éclaircissement à l'histoire militaire de Charles XII, roi de Suède (Francfurt sur le Mayn 1745).

Neues gemeinnütziges Magazin für die Freunde der nützlichen und schönen Wissenschaften und Künste (Hamburg 1760-1761).

Nordberg, Jöran Andersson, Histoire de Charles XII, roi de Suède, trad. Carl Gustaf Warmholtz (La Haie 1742-1748).

Nordmann, Claude J., La Crise du Nord au début du XVIIIe siècle (Paris 1956).

The Northern worthies, or the Lives of Peter the Great, father of his country, and emperor of all Russia, and of his illustrious consort Catherine, the late czarina, trad. J. Price (London 1728).

Le Nouveau magasin français (1750-1752).

Olearius, Adam Oelschläger, dit, Relation du voyage en Moscovie, Tartarie et Perse fait à l'occasion d'une ambassade au grand duc de Moscovie et au roi de Perse par le duc de Holstein depuis l'an 1633 jusques en l'an 1639, trad. Abraham de Wicquefort (Paris 1656).

— Voyages très curieux et très renommés faits en Moscovie, Tartarie et Perse [...] dans lesquels on trouve une description curieuse et la situation exacte des pays et Etats par où il a passé, trad. Abraham de Wicquefort, nouv. éd. (Amsterdam 1727).

Otcherki istorii SSSR, XVIII v., pervaïa tchetvert' (Etudes sur l'histoire de l'URSS, premier quart du XVIIIe s.) (Moscou 1954)

Oustrialov, Nikolaï Guérassimovitch, Istoria tsarsvovania Petra Velikogo [Histoire du règne de Pierre le Grand] (Saint-Pétersbourg 1858-1863).

Palau y Dolcet, A., Manuel del librero hispano-americano, 2e éd. (Barcelona 1948-1977).

Pankratova, Anna Mikhaïlovna, Istoria SSSR (Moscou 1956).

Paris, Louis, La Chronique de Nestor (Paris 1834).

Pascal, Blaise, Lettres provinciales.

Pascal, Pierre, Avvakum et les débuts du raskol, 2e éd. (Paris, La Haye 1963).

Pauw, Cornelius de, Défense des recherches philosophiques sur les Américains (Berlin 1774).

Pekarski, Piotr, Istoria Imperatorskoï Akademii Naouk [Histoire de l'Académie impériale des sciences] (Saint-Pétersbourg 1870).

— Naouka i literatoura v Rossii pri Petre Velikom [La Science et la littérature en Russie sous Pierre le Grand] (Saint-Pétersbourg 1862).

— 'O perepiske akademika Chtelina' (A propos de la correspondance de l'académicien Stählin), Zapiski imperatorskoï Akademii Naouk (Mémoires de l'Académie impériale des sciences (Saint-Pétersbourg 1865), vii.131-32.

Perkins, Merle L., Voltaire's concept of international order, Studies 36 (1965).

Perry, John, Etat présent de la Grande Russie, contenant une relation de ce que S. M. czarienne a fait de plus remarquable dans ses Etats, et une description de la religion, des mœurs etc. tant des Russiens, que des Tartares et *autres peuples voisins*, trad. Hugony (La Haye 1717).

Pierre le Grand, *Journal de Pierre le Grand* (Londres 1773).

– *Journal de Pierre le Grand*, trad. Simon de Chtchepotiev, revue par Formey (Stockholm 1774).

– *Pis'ma i boumagui* (Saint-Pétersbourg 1887-).

Piovano, A., 'Monachesimo e potere da San Sergio di Radonež a Pietro il Grande', dans *San Sergio e il suo tempo: atti del I Convegno ecumenico internazionale di spiritualità russa, Bose, 15-18 settembre 1993* (Bose 1996).

Plantavit de La Pause, *Mémoires du maréchal de Berwik, duc et pair de France, et généralissime des armées de Sa Majesté* (La Haye 1737).

Platonov, Sergueï, *Histoire de la Russie des origines à 1918* (Paris 1929).

Platonova, N., 'Vol'ter v rabote nad *Istorieï Rossii pri Petre velikom*' ['L'élaboration de l'*Histoire de la Russie sous Pierre le Grand* de Voltaire'], *Literatournoie Nasledstvo* [*L'Héritage littéraire*] 33-34 (1939), p.1-24.

Pline l'Ancien, *Histoire naturelle*, trad. J. Beaujeu (Paris 1950).

Pomeau, René, *Politique de Voltaire* (Paris 1963).

– 'Voltaire européen', *La Table ronde* 122 (1958), p.28-42.

– et al., *Voltaire en son temps*, 2ᵉ éd. (Paris, Oxford 1995).

Pomponius Mela, *Chorographie*, trad. A. Silberman (Paris 1988).

Poniatowski, Stanislas, *Remarques d'un seigneur polonais sur l'Histoire de Charles XII, roi de Suède, par monsieur de Voltaire* (La Haie 1741).

Pope, Alexander, *Essai sur la critique*, trad. J.-F. Du Belloy Du Resnel (Paris 1730).

Portal, Roger, *Pierre le Grand* (Bruxelles 1990).

Posselt, Moritz, *Der General und Admiral Franz Lefort, sein Leben und seine Zeit* (Frankfurt-am-Main 1866).

Prévost d'Exiles, Antoine-François, *Histoire générale des voyages* (Paris 1745-1770).

Priïma, F. Ia., 'Lomonossov i *Istoria Rossiïskoï imperii pri Petre Velikom* Vol'tera' ['Lomonossov et l'*Histoire de l'empire de Russie sous Pierre le Grand* de Voltaire'], dans *Rousskaïa literatoura na Zapade* [*La Littérature russe en Occident*] (Leningrad 1970).

Prior, Matthew, *Alma, or the progress of the mind*.

Pufendorf, Samuel von, *Histoire de Suède* (Amsterdam 1748).

Quinte-Curce, *De la vie & des actions d'Alexandre le Grand*, trad. Vaugelas (Amsterdam 1696).

– *Histoires*, trad. H. Bardon (Paris 1948).

Rambaud, Alfred, *Recueil des instructions données aux ambassadeurs et ministres de France* (Paris 1890), viii (Russie).

Rapin-Thoyras, Paul de, *Histoire d'Angleterre* (La Haye 1749).

– *Abrégé de l'Histoire d'Angleterre* (La Haye 1730).

Regnard, Jean-François, *Œuvres complètes* (Paris 1820).

La Religion ancienne et moderne des Moscovites (Cologne 1698).

Retz, Jean-François-Paul de Gondi, cardinal de, *Mémoires du cardinal de Retz contenant ce qui s'est passé de remarquable en France pendant les premières années du règne de Louis XIV*, nouv. éd. (Amsterdam 1731).

Rialand, Marie-Rose, *L'Alcool et les Russes* (Paris 1989).

Riasanovsky, Nicholas V., *Histoire de la Russie des origines à 1984*, trad. André Berelowitch (Paris 1987).

Roberti, Jean-Claude, *Fêtes et spectacles de l'ancienne Russie* (Paris 1980).

— *Histoire du théâtre russe jusqu'en 1917* (Paris 1981).

Rouët de Journel, Marie-Joseph, *Monachisme et monastères russes* (Paris 1952).

Rousseau, André-Michel, *L'Angleterre et Voltaire*, Studies 145-147 (1976).

Rousseau, Jean-Jacques, *Œuvres complètes*, éd. Bernard Gagnebin et Marcel Raymond (Paris 1759-1995).

Rousset de Missy, Jean, *Mémoires du règne de Catherine, impératrice et souveraine de toute la Russie* (Amsterdam 1728-1730).

— *Mémoires du règne de Pierre le Grand, empereur de Russie, père de la patrie, etc. etc. etc. Par le B. Iwan Nestesuranoi* (La Haye, Amsterdam 1725-1726).

Rousskiï biografitcheskiï Slovar' [*Dictionnaire de biographie russe*] (Saint-Pétersbourg 1896-1918).

Saint-Pierre, Charles-Irénée Castel de, *Ouvrajes de politique* (Rotterdam, Paris 1733-1741).

Saint-Réal, César Vischard de, *Œuvres* (Paris 1724).

Saint-Simon, Louis de Rouvroy, duc de, *Mémoires*, éd. Yves Coirault (Paris 1983-1988).

Sarasin, Jean-François, *Les Œuvres de M. Sarasin*, éd. G. Ménage (Paris 1696).

Savary Des Brûlons, Jacques, *Dictionnaire universel de commerce, d'histoire naturelle, d'art et de métiers* (Copenhague 1759-1766).

Scheffer, Johann Gerhard, *Histoire de la Laponie, sa description, l'origine, les mœurs, la manière de vivre de ses habitants, leur religion, leur magie, et les choses rares du pays*, trad. A. Lubin (Paris 1678).

Scheltema, Jacobus, *Anecdotes historiques sur Pierre le Grand et sur ses voyages en Hollande et à Zaandam dans les années 1697 et 1717*, trad. N. P. Muilman (Lausanne 1842).

Schlobach, Jochen, 'Pessimisme des philosophes? La théorie cyclique de l'histoire au 18e siècle', *Studies* 155 (1976), p.1971-87.

Schuyler, Eugene, *Peter the Great* (New York 1884).

Šmurlo, Evguénii Frantsevitch, *Voltaire et son œuvre 'Histoire de l'empire de Russie sous Pierre le Grand'* (Prague 1929).

Soloviev, Sergueï Mikaïlovitch, *Istoria Rossii s drevneichikh vremen* [*Histoire de la Russie depuis les temps les plus anciens*] (Moscou 1960-1966).

Sommervogel, Carlos, *Bibliothèque de la compagnie de Jésus* (Paris, Bruxelles 1890-1932).

Somov, Vladimir, 'Frantsouzskaïa "Rossika" epokhi Prosvechtchenia i rousskiï tchitatel' ['Les "rossica" français de l'époque des Lumières et le lecteur russe'], dans *Frantsouzskaïa kniga v Rossii v XVIII v.* [*Le Livre français en Russie au XVIIIe siècle*] (Leningrad 1986), p.173-244.

Le Spectateur ou le Socrate moderne (Amsterdam, Leipzig 1714).

Staehlin Storcksburg, Jacob von, *Anecdotes originales de Pierre le Grand* (Strasbourg 1787).

— *Originalanekdoten von Peter dem Grossen* (Leipzig 1785).

– *Original Anecdotes of Peter the Great* (Londres 1787).

Stanislas Ier Leszczyński, *L'Incrédulité combattue par le simple bon sens* (1760).

Stenbock, Magnus, *Copia Schreibens Ihro Hochgräfl. Excellenz Herrn Grafen Magnus Stenbock [...] an Ihro Hoch-Fürst, Durchl. den Herrn Administrator von Hollstein-Gottorff wegen Einräumung der Vestung Tönning* (s.l.n.d.).

Stepanov, V., 'O prajskoï nakhodke prof. V. Tchernogo' ['La découverte pragoise du prof. V. Cerny'], *Rousskaïa literatoura*, 1964/2, p.214-16.

Strahlenberg, Philipp-Johann Tabbert von, *Description historique de l'empire russien*, trad. Jean-Louis Barbeau de La Bruyère (Amsterdam, Paris 1757).

Struys, Jan Janszoon, *Les Voyages de Jean Struys, en Moscovie, en Tartarie, en Perse, aux Indes, et en plusieurs autres pays étrangers* (Amsterdam 1681).

Sumner, B. H., *Peter the Great and the emergence of Russia* (New York 1965).

Tallemant Des Réaux, *Les Historiettes*, éd. Monmerqué et P. Paris (Paris 1854-1860).

Taylor, S. S. B., 'The definitive text of Voltaire's works: the Leningrad encadrée', *Studies* 124 (1974), p.7-132.

Theatrum Europaeum (Francfort-sur-le-Main 1691).

Thevet, André, *Cosmographie moscovite* (Paris 1858).

Thou, Jacques-Auguste de, *Histoire universelle* (Basle 1742).

Torcy, Jean-Baptiste Colbert, marquis de, *Mémoires de Torcy depuis la paix de Riswyck jusqu'à la paix d'Utrecht* (Londres 1757).

Trapnell, William H., 'Survey and analysis of Voltaire's collective editions, 1728-1789', *Studies* 77 (1970), p.103-99.

Tynianov, Iouri, *Le Lieutenant Kijé, précédé de Une majesté en cire et de l'Adolescent-miracle*, trad. Lily Denis (Paris 1966).

Ustiougov, N. V., 'Finansy', dans *Otcherki istorii SSSR, XVII v.* [*Etudes sur l'histoire de l'URSS, XVIIe s.*] (Moscou 1955).

Vallotton, Henry, *Pierre le Grand* (Paris 1958).

Van den Heuvel, Jacques, *Voltaire dans ses contes* (Paris 1967).

Van Strien-Chardonneau, Madeleine, *Le Voyage de Hollande: récits de voyageurs français dans les Provinces-Unies, 1748-1795*, Studies 318 (1994).

Varry, Dominique, 'Voltaire et les imprimeurs-libraires lyonnais', *Voltaire et ses combats*, éd. Ulla Kölving et Christiane Mervaud (Oxford 1997), i.491-92.

Vasmer, Max, *Russisches etymologisches Wörterbuch* (Heidelberg 1953).

Vauban, Sébastien Le Prestre, marquis de, *Projet d'une dîme royale* (s.l. 1707).

Vercruysse, Jeroom, *Voltaire et la Hollande*, Studies 46 (1966).

Véritable vie privée du maréchal de Richelieu (Paris 1791).

Veuclin, V.-E., *L'Amitié franco-russe, ses origines. ii. Voltaire et la Russie* (Verneuil 1896).

Vinogradov, V. B., *Sarmaty Severo-vostotchnogo Kavkaza* [*Les Sarmates du Caucase du Nord-Est*] (Groznyj 1963).

Vockerodt, Johann Gotthilf, *Considérations sur l'état de la Russie sous Pierre le Grand, envoyées en 1737, à Voltaire par le prince royal de Prusse, depuis le roi Frédéric II, et auxquelles on a joint quelques autres pièces intéressantes, tant* sur la Russie que pour servir de supplément aux différentes éditions des Œuvres posthumes du monarque prussien (Berlin 1791).

Vodoff, Vladimir, Naissance de la chrétienté russe (Paris 1988).

– 'Remarques sur la valeur du terme "tsar" appliqué aux princes russes avant le milieu du xvᵉ siècle', Oxford slavonic papers 11 (1978), p.1-41.

Voltaire, Articles pour l'Encyclopédie, éd. Jeroom Vercruysse et al. V 33 (1987), p.1-231.

– Corpus des notes marginales de Voltaire (Berlin, Oxford 1979-).

– Correspondence and related documents, éd. Theodore Besterman, V 85-135 (1968-1977).

– Des mensonges imprimés, éd. Marc Waddicor, V 31B (1994), p.315-428.

– Dictionnaire philosophique, éd. Christiane Mervaud et al., V 35-36 (1994).

– Discours en vers sur l'homme, éd. Haydn T. Mason, V 17 (1991), p.389-535.

– Eléments de la philosophie de Newton, éd. R. L. Walters et W. H. Barber. V 15 (1992).

– Essai sur les mœurs, éd. René Pomeau (Paris 1990).

– L'Examen important de milord Bolingbroke, éd. Roland Mortier, V 62 (1987), p.127-362.

– Histoire de Charles XII, éd. Gunnar von Proschwitz, V 4 (1996).

– Des Herrn von Voltaire kleinere historische Schriften, trad. Gotthold Ephraim Lessing (Rostock 1752).

– Lettres philosophiques, éd. Gustave Lanson et André-Michel Rousseau (Paris 1964).

– Notebooks, éd. Theodore Besterman, V 81-82 (1968).

– Œuvres complètes, éd. Louis Moland (Paris 1877-1885).

– Œuvres historiques, éd. René Pomeau (Paris 1957).

– La Philosophie de l'histoire, éd. J. H. Brumfitt, V 59 (1969).

– Romans et contes, éd. Frédéric Deloffre et Jacques van den Heuvel (Paris 1979).

– The Works of M. de Voltaire (London 1761-1763).

Vol'ter v Rossii, bibliografitcheskiï oukazatel' 1735-1995. Russkie pisateli o Vol'tere (Voltaire en Russie. Bibliographie 1735-1995. Jugements des écrivains russes sur Voltaire) (Moscou 1995), avec deux articles introductifs de P. R. Zaborov et I. G. Fridstein.

Waliszewski, Kasimierz, L'Héritage de Pierre le Grand (Paris 1900).

– Pierre le Grand (Paris 1909).

Weber, Friedrich Christian, Mémoires anecdotes d'un ministre étranger résidant à Pétersbourg (La Haye 1737).

– Mémoires pour servir à l'histoire de l'empire russien sous le règne de Pierre le Grand (La Haye 1725).

– Nouveaux mémoires sur l'état présent de la Grande Russie ou Moscovie, trad. Malassis (Paris 1725).

Welter, Gustave, Histoire de Russie (Paris 1963).

Whitworth, Charles, An account of Russia, as it was in the year 1710 (Strawberry Hill 1758).

Wilberger, Carolyn H., 'Peter the Great: an eighteenth-century hero of our times?', Studies 96 (1972), p.7-127.

– Voltaire's Russia: window on the East, Studies 164 (Oxford 1976).

Witsen, Nicolaas, Moscovische Reyse (La Haye 1966-1967)

– *Noord en Oost Tartarye* (Amsterdam 1692).

– *Poutechestvié v Moskoviou, 1664-1665*, trad. Wilhelmina Trisman, introd. R. I. Maksimova et W. G. Trisman (Saint-Pétersbourg 1996).

Wreech, Curt Friedrich von, *Wahrhaffte und umständliche Historie von denen schwedischen Gefangenen in Russland und Siberien* (Sorau 1725).

Zaborov, Piotr Romanovitch, *Rousskaïa literatoura i Vol'ter. XVIII – pervaïa tret' XIX veka* [*La Littérature russe et*

Voltaire. XVIIIe s. – premier tiers du XIXe s.] (Leningrad 1978).

Zarate, Augustin de, *Histoire de la découverte et de la conquête du Pérou*, 2e éd. (Amsterdam 1717).

Zeitgenössische Berichte zur Geschichte Russlands, éd. Ernst Herrmann (Leipzig 1872).

Zévort, Edgar, *Le Marquis d'Argenson et le ministère des Affaires étrangères du 18 novembre 1744 au 10 janvier 1747* (Paris 1880).

INDEX

Bruzen de La Martinière, Antoine-Augustin, 387; *Introduction à l'histoire de l'Asie, de l'Afrique et de l'Amérique*, 914*n*, 916*n*-917*n*, 926*n*, 929*n*; *Le Grand dictionnaire*, 461*n*-462*n*, 465*n*, 468*n*

Buchet, Pierre-François, *Abrégé de l'histoire du czar Peter Alexiewitz*, 59*n*, 61*n*-62*n*, 64*n*-67*n*, 69*n*, 77*n*-78*n*, 82*n*, 172-73, 176, 607*n*, 637*n*, 694*n*, 726*n*, 805*n*, 807*n*

Bucholtz (Buchholz?), lieutenant-colonel, 705*n*, 1138

Buddeus, Johann Franz, *Dictionnaire historique*, 639*n*

Buffon, Georges-Louis Leclerc, comte de, 184, 421*n*, 454*n*, 463*n*; *Histoire naturelle*, 437*n*, 470

Bühren, *voir* Biron

Bukarie, *voir* Boukharie

Bulgarie, Bulgares, 202, 496*n*, 498*n*, 1085, 1105

Bulletin du Nord, 103*n*, 638*n*

Bura, accord de, 884*n*

Burates, *voir* Bouriates

Burnet, Gilbert, 113

Burrough, Christophe, 876*n*, 1172

Burrough, Stephen, 876*n*

Büsching, Anton Friedrich, xxviii, 93*n*, 137, 338-44, 414*n*, 436*n*, 570*n*, 578*n*, 585*n*, 607*n*, 632*n*, 648*n*, 676*n*, 683*n*-684*n*, 690*n*, 695*n*, 697*n*, 1261; *Erdbeschreibung*, 341

Büschings Magazin für die neue Historie und Geographie, 68*n*, 345, 408*n*, 614*n*, 753*n*

Butenant von Rosenbusch, résident danois à Moscou, *Relation der traurigen Tragoedie in der Stadt Moskau*, 108

Butterfield (†1724), constructeur d'instruments de mathématiques, 807*n*

Buttler, David, capitaine de vaisseau, 175, 554-55, 1173-74

Buturlin, *voir* Boutourline

Buzenval, *voir* Besenval

Byzance, 65*n*, 201, 258, 494*n*, 496*n*-497*n*, 500*n*; *voir aussi* Constantinople

Cadix, 1122

Caermarthen, Peregrine Osborne, marquis de, 60*n*, 454*n*, 595

Caffa, *voir* Kaffa

Calais, 804*n*

Calas, affaire, 152

calendrier, réforme du, xxix, 258-59, 609-10

Calf, Cornelis Michielszoon, 56*n*, 274, 644*n*, 792-94

Calf, Nicolaas, 792-94

Californie, 478

Calish, *voir* Kalisz

Calmet, Augustin, 183; *Dictionnaire de la Bible*, 396*n*

Calmouks, *voir* Kalmouks

calvinistes, 403, 505

Camari, 395

Cam-hi, *voir* K'ang-hi

Camin, *voir* Kammin

Campredon, Jacques de, plénipotentiaire de la cour de France à Pétersbourg, 71*n*, 83, 246*n*, 910, 925*n*, 937*n*-938*n*

Camus, tapissier, 871*n*

Canada, Canadiens, 478

Candahar, *voir* Kandahar

Candaux, Jean-Daniel, 165*n*, 1214

Candie (Héraklion), 572, 708

Cantacuzène, Etienne III, général, 715*n*

Cantemir, Antioche, prince (1708-1744), 481*n*, 485*n*, 487*n*

Cantemir, Dmitri (1673-1723), prince, hospodar de Moldavie, 21*n*, 714-15, 717*n*, 718, 735

Canterbury, archevêque de, 593*n*

Canton, en Chine, 884

Capshak, *voir* Qiptchaq

Carélie, 83, 485, 617, 658, 691, 695-97,

699, 787, 905n, 910, 952, 1046, 1111, 1135, 1166, 1179-80

Carlisle, Charles Howard, baron Dacre, vicomte de Morpeth, comte de, ambassadeur auprès du tsar Alexis, 156, 200, 207, 209, 251, 434n, 442-43, 490n, 529n; *Relation de trois ambassades de monseigneur le comte de Carlisle*, 61n, 65n, 159, 441n-444n, 542n

Carlos, fils de Philippe II, infant d'Espagne, 80-81, 176, 299, 331, 850, 914n

Carlovitz, *voir* Karlowitz

Carlsbad, *voir* Karlsbad

Carlshamn, port de Suède, 458n, 1130

Caroline-Louise de Hesse-Darmstadt, margravine de Bade-Dourlach, 151

Carthage, Carthaginois, 140n, 479

Carwin, médecin anglais, 883

Casan, *voir* Kazan

Casbin, *voir* Kazvin

Casimir, 660

Casimir V (1609-1668), roi de Pologne, 422n

Caspienne, mer, 59, 70, 190, 202n, 253, 453, 455, 459, 471, 508, 555, 583, 591-92, 595, 615, 628, 808, 872n, 874, 876, 915, 917-19, 921, 927-28, 1106, 1123, 1137, 1171-73, 1176-77, 1251, 1253

Cassino, monte, monastère, 542

Castriot, envoyé de Brancovan, 715n, 731n

Catay, 1207

Catherine (1707-1708), fille de Pierre Ier, 711n

Catherine Ière (Marta Skavronskaïa) (1684-1727), impératrice de Russie, 4, 7, 31-32, 67, 71-76, 147, 162, 166, 171-72, 174, 176, 178, 219, 222-24, 231, 235n, 236, 293, 319, 321, 324, 331-34, 627n, 632-33, 707n, 710-11, 718, 725-29, 731, 749n, 751-57, 779, 789, 791-92, 804n, 809, 815, 819-20n, 822, 831-32, 834, 851-52, 856, 860-61, 863, 897,

931-42, 943n, 963-64, 1000, 1012, 1033, 1082, 1091, 1105, 1108, 1112, 1132, 1135, 1143, 1148, 1150, 1195n, 1197-1200, 1230, 1232

Catherine II (1729-1796), impératrice de Russie, 13, 29, 70n, 93n, 151, 153, 194, 267, 327, 334-35, 345, 384n, 385-86n, 392n, 413, 488, 602n, 707n, 766n, 894n, 941; *Antidote*, 515n

Catherine Ivanovna, duchesse de Mecklembourg, fille aînée d'Ivan V, 244, 551n, 788n, 905, 1150n

Catherinenbourg, *voir* Ekaterinbourg

catholicisme, catholiques, 503, 505, 690, 810-11

Catiforo, Antonio, *Vita di Pietro il Grande*, 159, 526n-527n, 530n

Catilina (Lucius Sergius Catilina), 403

Caucase, 230, 436n, 453, 456, 460, 496n, 915, 919-20, 922n, 923, 1176, 1182, 1251

Caussy, Fernand, 101n, 990

Caylus, Marie-Marguerite Le Valois de Villette de Murçay, comtesse de, 809n

Cellamare, Antonio del Guidice, duc de Giovenazzo, prince de, 797n, 906n

Celtes, 180, 479

Černy, Vaclav, 95n, 103n, 107n, 108-9n, 113-14n, 115, 624n, 657n, 923n

César, 233, 1184

Chafirov, Piotr Pavlovitch, envoyé extraordinaire de Russie à la Porte ottomane, vice-chancelier, 725n-727n, 730n, 732, 735, 741n-742n, 744-45n, 804, 1112, 1117, 1199

Chaklovity, Fedor, 161, 544n-545n, 549n, 550

Châlons-sur-Marne, 393n

Chalzac, 1247

Champagne, Champenois, 393

Champbonin, Louis-François-Toussaint Du Ravet de, 128, 1044

Chancellor, Richard, 433, 876n

Chanson de Roland, 424n

Demidov, Nikita Demidovitch, 1118, 1138-39
Demirtash, 772, 785, 798
Demotica (Dimotika), 699n, 785
Denain, victoire de, 242, 393n, 761
Denis, Marie-Louise Mignot, Mme, 39, 110
Denys d'Halicarnasse, 1237
Déoulino, trêve de (1618), 517
Deptford, 59, 593
Derbent, 917, 920-21, 922n-923n, 924-25n, 926-27, 1085, 1133, 1172, 1176
Derjavine, Gavriil, 36
Dernath, comte de, 769n
Derpt, Dorpat (Tartu), 71n, 241n, 584n, 630-31, 632n, 646-47, 952, 1133
Des Alleurs, Pierre Puchot, ambassadeur à Constantinople, 706n
Descartes, René, 595n, 846n
Deschisaux, Pierre, *Voyage de Moscovie*, 196n
Desfontaines, Pierre-François Guyot, *Histoire des révolutions de Pologne*
Deshayes de Courmenin, Louis, baron, 199, 490n
Desna, rivière, 670, 672-75, 681; bataille de la, 240, 681
Desnoiresterres, Gustave, 97
Desnoyers, *voir* Sublet de Noyers
Devlet Gerey, khan de Crimée, 192, 703, 705-7, 734-35, 740, 742
Diderot, Denis, 100n, 223n, 252, 288, 314, 322-24n, 402n, 529n, 794n; *Supplément au voyage de Bougainville*, 439n
Dioclétien, empereur romain, 1182
Diogène le Cynique, 385
Dmitri, dit le faux Dmitri (1580-1606), tsar de Russie, 145n, 196, 499n, 511n, 512, 516, 617, 1051, 1064, 1210-11
Dmitri, le faux, à Pskov, 145n, 196, 512n, 617
Dmitri, le faux, le 'brigand de Touchino', 145n, 196, 512n, 515n, 516n, 617

Dmitri (mort en 1591), dernier fils d'Ivan le Terrible, 196, 493n, 511, 514, 516n, 1211
Dmitri, saint, 862
Dniepr, fleuve (Borysthène), 185, 424, 448, 452, 517, 520n, 548n, 592n, 615n, 658, 666, 669-71, 675, 677, 679, 685-86, 709, 717-18, 876, 941n, 1084
Dniestr, fleuve, 712, 717-18
Dobrolioubov, 272
Dolgorouki, famille, 311, 804n
Dolgorouki, Iakov Fedorovitch, 545n, 546, 592
Dolgorouki, Iouri, prince, 533n
Dolgorouki, Mikhaïl, prince, 216, 531, 619, 621
Dolgorouki, Vassili Loukitch, prince, ambassadeur au Danemark, 279, 804
Dolgorouki, un prince, 293n
Don, fleuve (Tanaïs), 32, 59-60n, 63, 202n, 230, 239, 424n, 434, 452-53, 454n, 555n, 563, 572-73, 576n, 591n, 604, 615, 629, 808n, 816n, 874n, 876, 922, 1084-86, 1088-89, 1094, 1123-24, 1182-83, 1251
Donetz, rivière, 676n, 1084
Dorpat, *voir* Derpt
Dosithée, évêque de Rostov, 82n, 160, 837, 862-65, 1235
Doubrovski, cavalier de la cour d'Alexis, 865n
Douma, 203, 501n, 513n, 581n, 887n
Dresde, 9, 616-18, 663, 754
Drevlianes, 496n-497n
Drout, rivière, 666n
Dubois, Guillaume, cardinal, 271, 796n, 903n, 906n
Dubos, Jean-Baptiste, 31, 154
Du Cange, Charles Du Fresne, sieur, 901n
Dücker, Carl Gustaf, comte, gouverneur de Stralsund, 786
Duclos, Charles Pinot, 128n, 315

condat, baron de La Brède et de, 117, 260, 312, 940*n*; *De l'esprit des lois*, 177, 293*n*, 414*n*, 689*n*; *Lettres persanes*, 421*n*

Montgon, Charles-Alexandre de, *Mémoires* [...] *contenant les différentes négociations dont il a été chargée*, 398*n*

The Monthly review, 332-34, 713*n*

Monthoux, François Guillet, baron de, 126

Montpéroux, Claudine de La Lande-Bourdon, baronne de, 387*n*

Montulé, Edouard de, 424*n*

Moraves, 424*n*

Morduates, *voir* Mordves

Mordves, 190, 194, 482-83*n*

Morée, *voir* Péloponnèse

Moreri, Louis, 185; *Grand dictionnaire historique*, 423*n*, 461*n*, 470*n*, 917*n*

Morosini, Francesco (1619-1694), 572

Morozov, favori d'Alexis 1er, 145*n*, 200, 519

Mortier, Roland, 218*n*

Morville, Charles-Jean-Baptiste Fleuriau, comte de, 271

Moscou, 20, 29, 56, 63, 65, 74, 132, 158, 160, 168-69, 181, 189, 216, 233, 253, 259, 422, 433-34*n*, 440-46, 465, 517, 558, 581; Assomption, église de l', 832*n*; Ecole de mathématiques et de navigation, 868*n*; Kitaï-gorod, 444*n*-445*n*; Kremlin, 72*n*, 145*n*, 441, 445, 519*n*, 528, 540*n*, 682, 1212, 1243; *nemietskaïa sloboda* (le faubourg allemand), xxviii, 33, 35, 52*n*-53*n*, 554*n*, 559*n*, 561*n*, 600*n*; Spaskoy, monastère de, 1058; université, 94, 345, 386*n*, 446*n*; 'ville chinoise', 137, 444

Moscovie, Moscovites, 3, 15-16, 19, 31, 33, 53, 58, 62, 75, 82, 122, 143, 158, 162-63, 179-80, 195, 201, 206-7, 243, 251, 269, 272, 277, 282, 302-3, 313, 405*n*, 406-7, 421-22, 424*n*, 446, 531*n*, 640*n*,

676*n*, 731*n*, 781*n*, 852*n*, 856, 865*n*, 929*n*, 1247

Moskova, rivière, 440, 553*n*, 555*n*

Moskovskiï Telegraf, 103

Moskovskiï Vestnik, 136*n*

Mottley, John, *The History of the life of Peter I*, 159, 172-73

Mourses, 194, 482, 1183

Moussine-Pouchkine, Ivan Alekseevitch, sénateur et ministre, 1201

Moussorgski, Modest Petrovitch, 540*n*

Msta, rivière, 874*n*

Mühlenfels, général, 665

Müller, Gerhard Friedrich, xxviii, xxix, xxx, 9, 23-24, 96*n*, 102, 107*n*, 112, 120-21, 138, 141-43, 146, 164-65*n*, 176*n*, 319-20*n*, 338-39, 341, 344-45, 1256, 1258-60; commentaires sur l'*Histoire de l'empire de Russie*, 93*n*-94*n*, 136-37, 139, 156, 158, 170-72, 175, 186, 200, 203, 205*n*, 207, 261, 335-42, 344-45, 388*n*, 390-391*n*, 395*n*, 407*n*-408*n*, 414*n*, 416*n*, 419*n*-420*n*, 422*n*-425*n*, 427*n*-430*n*, 432*n*-439*n*, 441*n*-442*n*, 444*n*, 446*n*-460*n*, 462*n*, 465*n*-472*n*, 475*n*, 477*n*-478*n*, 481*n*-483*n*, 488*n*, 490*n*-502*n*, 504*n*-509*n*, 511*n*-517*n*, 519*n*-525*n*, 528*n*-551*n*, 553*n*-570*n*, 572*n*, 581*n*-582*n*, 584*n*-585*n*, 589*n*, 592*n*, 594*n*, 597*n*-598*n*, 601*n*, 605*n*, 607*n*-610*n*, 613*n*-616*n*, 618*n*, 620*n*-625*n*, 628*n*-629*n*, 631*n*-632*n*, 634*n*, 638*n*, 640*n*-644*n*, 646*n*-647*n*, 650*n*-652*n*, 659*n*, 662*n*, 665*n*-666*n*, 671*n*-672*n*, 674*n*, 676*n*-678*n*, 681*n*, 686*n*, 693*n*, 696*n*-697*n*, 703*n*, 705*n*, 707*n*, 709*n*-721*n*, 725*n*, 727*n*-728*n*, 730*n*-732*n*, 740*n*-742*n*, 748*n*, 751*n*, 756*n*-757*n*, 764*n*, 774*n*, 817*n*-820*n*, 822*n*-828*n*, 830*n*, 832*n*-834*n*, 836*n*-839*n*, 844*n*, 846*n*, 848*n*, 854*n*-856*n*, 858*n*, 861*n*, 863*n*, 865*n*, 874*n*, 1190, 1192*n*, 1195*n*, 1200*n*, 1228, 1236-54; *Sammlung russischer Geschichte*, 340

INDEX DES HISTORIENS